Bella Mafia

Lynda La Plante

Bella Mafia

Traduit de l'anglais par Éric Chédaille

ÉDITIONS DU MASQUE

CE ROMAN A PARU SOUS LE TITRE ORIGINAL :

BELLA MAFIA

PROLOGUE

À 10 heures du soir, le surlendemain de l'ajournement du plus grand procès de l'histoire de la Mafia, un des principaux procureurs, Giuliano Emanuel, reçut un coup de téléphone à son bureau. Il s'agissait de Mario Domino, avocat qu'Emanuel avait souvent trouvé en face de lui.

Domino ne se répandit pas en civilités. Il désirait rencontrer Emanuel. Il précisa qu'il était dans l'intérêt de celui-ci que l'entrevue ait lieu immédiatement.

— Je suis garé devant chez vous. Veuillez prévenir vos hommes que j'arrive.

Emanuel reposa le combiné. Comprenant qu'il n'avait guère le choix, il alla avertir ses gardes et revint s'asseoir à son bureau.

Destiné à exorciser la mainmise de la Mafia sur la Sicile, le procès avait été suspendu avant même d'avoir commencé. Une chemise ouverte sur le bureau d'Emanuel révélait les macabres circonstances de cet ajournement. On y voyait une photographie en noir et blanc du témoin-clef de l'accusation. Il avait été assassiné. Le cadavre mutilé de Lenny Cavataio avait produit l'effet recherché : les uns après les autres, tous les témoins étaient revenus sur leur déposition contre l'accusé numéro un, don Paul Carolla. L'accusation avait pleinement conscience du fait que beaucoup d'autres mourraient avant que Carolla soit jugé.

7

Domino entra quelques minutes après son coup de téléphone. Les deux amis s'étreignirent chaleureusement, Domino prolongeant l'embrassade le temps de murmurer à l'oreille d'Emanuel :

— J'ai confiance en vous, Giuliano. Dieu fasse que je n'aie pas à le regretter.

Le visiteur refusa un verre, s'assit et ouvrit sa mallette.

— Il est de la plus haute importance que ceci reste entre nous.

— Mario, je vous assure que vous pouvez parler en toute sécurité. Ce bureau est contrôlé quotidiennement.

Emanuel vit son ami ouvrir une grande enveloppe de papier bulle dont il sortit une photographie.

— Contentez-vous de faire un signe de tête si vous reconnaissez cet homme. Je ne tiens pas à ce que son nom soit prononcé. On ne prend jamais trop de précautions.

Emanuel sentit ses cheveux se dresser sur sa nuque. Cette photo représentait don Roberto Luciano, *il Papa*, l'authentique « patron des patrons », le chef historique d'une Mafia naguère porte-flambeau des pauvres gens incapables de faire valoir leurs droits. Il avait fait partie de l'organisation pendant plus de cinquante ans, et nul ne savait s'il y était toujours actif. Mais il était toujours respecté, révéré même, à Palerme.

Emanuel rendit la photo à Domino.

— Je sais qui c'est.

— Lui et moi sommes très proches, et j'ai souvent opéré en son nom. Il désire vous rencontrer, mais il est conscient du danger que courrait sa famille si cela devait se savoir.

Le procureur avait la bouche sèche. Il déglutit.

— Et pourquoi votre client souhaite-t-il me rencontrer ?

— Il vous le dira lui-même. Je crois que vous y trouverez votre avantage, à condition que vous assuriez sa sécurité et celle des siens.

Les deux hommes scellèrent leur accord d'une poignée de main. Le client de Domino déciderait du lieu de la rencontre. On appellerait Emanuel pour lui en indiquer les modalités. S'il ne s'y conformait pas exactement, la rencontre n'aurait pas lieu.

Le coup de fil survint deux jours plus tard, dans la soirée. Emanuel, qui se trouvait chez lui, devait se rendre immédiatement aux abords d'un entrepôt de la zone portuaire, y laisser sa voiture et gagner à pied l'extrémité du quai numéro trois, où l'on viendrait le prendre. Il devait venir seul.

Il s'exécuta. Il attendit près d'une demi-heure sur la jetée, tendu, l'estomac en effervescence.

Puis, sans un bruit, comme sorti de nulle part, un homme vint lui dire de le suivre. Comme il lui emboîtait le pas, un autre apparut derrière lui. Un troisième attendait à quelque distance de là, à bord d'une voiture dont le moteur tournait au ralenti.

Sans qu'aucune parole soit échangée, Emanuel fut fouillé, puis on le fit monter à l'arrière et le chauffeur reprit la direction du centre de Palerme.

Le *San Lorenzo* semblait fermé. Le rez-de-chaussée du petit restaurant était plongé dans l'obscurité. Les nerfs soumis à rude épreuve, Emanuel suivit ses guides entre les tables jusqu'à un passage voûté. Là, les deux hommes s'effacèrent, lui indiquant de monter un escalier étroit aux marches recouvertes de linoléum.

Un sexagénaire à cheveux gris attendait Emanuel sur le palier. D'un bref mouvement de tête, il lui ordonna de lever les bras. Après avoir lui aussi vérifié qu'il n'était pas armé, il lui fit signe de le suivre jusqu'au palier suivant, d'où ils pénétrèrent dans une petite salle à manger élégante et tendue de rideaux rouges.

La pièce était déserte, mais l'unique table était dressée pour trois personnes. L'homme fit asseoir Emanuel, lui servit un verre de vin et s'en fut.

Une quinzaine de minutes s'écoulèrent avant qu'Emanuel entende quelqu'un monter l'escalier à pas lents. La porte s'ouvrit sur Mario Domino. L'avocat s'inclina légèrement et vint prendre place à table. Sans un mot, il saisit la bouteille de vin, examina l'étiquette et se versa un verre.

À peine le verre était-il rempli qu'un rideau s'écarta pour livrer passage à un serveur portant un plateau ouvragé chargé de vaisselle en argent. L'homme déposa sans hâte son plateau sur une desserte. Emanuel consulta sa montre, puis leva les yeux vers Domino. Il allait parler lorsque le rideau s'ouvrit à nouveau et que don Roberto Luciano entra.

Même à 70 ans, l'homme était impressionnant et dégageait un magnétisme dont la photo ne rendait pas compte. Il mesurait environ 1,80 mètre et se tenait parfaitement droit. Sa chevelure blanche encadrait un visage aux yeux foncés, aux paupières lourdes, au nez légèrement busqué.

Le serveur se hâta d'ôter le manteau de cachemire beige négligemment jeté sur ses épaules. En dessous, il portait un costume en laine fauve pâle, une chemise en soie crème et une cravate en soie bleu foncé où brillait une épingle sertie d'un diamant.

Luciano se dirigea d'abord vers Domino, lui posa les deux mains sur les épaules et l'embrassa sur la joue. Puis il se tourna vers Emanuel et lui tendit la main. Sa poignée était ferme.

Il paraissait soucieux que le menu plaise à Emanuel. Tandis que l'on en était au plat principal — des pâtes fraîches farcies de fruits de mer — il manifesta plusieurs fois son plaisir à voix basse. Durant le repas, la conversation fut simplement courtoise. Luciano complimenta Emanuel pour la façon dont il avait mené telle et telle affaire, puis il se mit à parler avec Domino d'un ami commun, ce qui laissa au procureur tout loisir de l'examiner attentivement.

Les grandes mains puissantes de Luciano bougeaient de façon quasi hypnotique. Au petit doigt gauche était passée une bague montée d'une pierre bleue où se détachait un cercle en or figurant une lune. Il avait les ongles coupés carré et polis. Ce n'étaient pas là les mains d'un vieil homme.

Ayant servi le cognac dans des verres ballon, le serveur disparut derrière les rideaux. Au moment où il allumait son cigare, Emanuel entendit cliqueter le pêne d'une serrure. Il se redressa avec anxiété, mais Luciano le rassura en lui posant la main sur l'avant-bras.

— Ce n'est qu'une précaution de plus. Excusez tout ce côté un peu théâtral, mais je me sens plus en sûreté ainsi.

L'homme ayant fouillé Emanuel sur le palier reparut, le temps d'adresser un hochement de tête à Luciano. Il ressortit et on l'entendit verrouiller la porte donnant sur l'escalier.

Luciano consulta sa montre de gousset. Il quitta la table pour aller s'asseoir dans un haut et confortable fauteuil. Il croisa ses longues jambes et se laissa aller contre le velours rouge du dossier à oreillettes.

— Vous devez avoir votre petite idée sur les raisons qui m'ont amené à provoquer cette rencontre. Je suis disposé à être votre principal témoin à charge, à la condition que vous assuriez la sécurité de ma famille. J'exige que les miens soient protégés à domicile par des gardes armés. Dès lors que j'aurai votre parole, je vous fournirai la preuve qui, je vous le garantis, vaudra la peine de mort à Carolla.

Luciano parlait avec l'assurance d'un homme habitué à ce que ses ordres soient exécutés.

Domino tapa la cendre de son cigare.

— Vous serait-il possible de mettre ces mesures en place sans divulguer le nom de mon client ? Il est impératif que nul ne connaisse son identité jusqu'au moment où il viendra à la barre. Il en va de sa sécurité, mais également de la vôtre. Êtes-vous, dans votre position, habilité à organiser un tel dispositif ?

Emanuel ne pouvait prendre de son propre chef un tel engagement. Il fit cependant le serment solennel que l'entretien de ce soir resterait secret. Avant de répondre, il toussa pour se dénouer la gorge.

— *Signor* Luciano, la mise en place de votre protection et de celle de vos proches va requérir des négociations avec les juges et les responsables de la police. Or le temps presse. Quand pourrai-je prendre connaissance des preuves que vous vous proposez d'apporter?

Luciano partit d'un rire profond, guttural. Il secoua la tête.

— Vous pensez que j'ai des documents? Des pièces écrites à vous remettre? Non, non, tout est là, dans ma tête. Des dates qui remontent aussi loin que 1928, tout est enregistré là-dedans, dit-il en se tapotant la tempe. (Puis il se pencha vers Emanuel et, d'un ton à donner froid dans le dos :) Voyons, mon cher, pensez-vous que je vais coucher quelque chose sur le papier pour donner plus de poids à ma proposition? Pour qui me prenez-vous? Vous avez devant vous un septuagénaire qui ne serait plus de ce monde s'il s'était jamais laissé aller à griffonner des notes.

— Cependant mettez-vous à ma place, persista Emanuel. Les autorités vont exiger quelque preuve matérielle avant de dégager les crédits nécessaires à une protection renforcée vingt-quatre heures sur vingt-quatre. Surtout si elle est destinée à un homme dont je ne puis révéler l'identité.

Un éclair traversa le regard sombre de Luciano.

— C'est moi qui vous ai fourni Lenny Cavataio, dit-il avec un demi-sourire. Mon cher ami, si je dois m'attendre à une protection du genre de celle dont il a été l'objet, alors autant laisser tomber.

— Nous avons joué de malchance.

Un sourire méprisant passa sur le visage de Luciano. Il se pencha en avant.

— Nul ne pourra s'introduire chez moi. Au tribunal, en revanche, je serai vulnérable. Lors de mes entrevues avec vous, je serai vulnérable. Lenny Cavataio était votre plus solide témoin contre Carolla, et vous l'avez laissé crever comme un chien. Ma famille est toute ma vie, mes fils sont ma chair. Plus encore que moi, ils auront besoin de votre protection.

La tension qui habitait Emanuel commençait à se faire sentir.

— Je comprends bien, *signor*. Cependant, il faut que

vous me donniez de quoi prouver avec certitude que je dispose d'un témoin justifiant un tel dispositif de sécurité.

Luciano ferma les yeux et parut réfléchir. Puis il se pencha en avant et, baissant la voix :

— Paul Castellano, chef de la famille Gambino, et Thomas Bilotti, son chauffeur, ont été abattus à New York devant le restaurant *Sparks*. Ni l'un ni l'autre n'était armé. Castellano ne disposait à ce moment-là d'aucune protection rapprochée ; il avait toujours été, jusqu'alors, étroitement protégé par ses hommes. Il déclinait, il ne comprenait plus le monde dans lequel il avait été élevé. Il n'avait pas voulu que ses sociétés de distribution alimentaire servent de couverture à des passeurs de drogue. Il n'était pas disposé à participer au trafic de stupéfiants. Or le principal importateur et revendeur d'héroïne aux États-Unis était Paul Carolla. Je suis en mesure de prouver que Carolla a ordonné ces deux assassinats.

Les yeux de Luciano ressemblaient à deux fines entailles. Il pencha la tête sur le côté, comme pour demander : « Est-ce que cela vous suffit ? »

Cependant, Emanuel savait que ça n'était pas assez. Bon nombre d'autres membres de la pègre auraient pu apporter un semblable témoignage. Il se leva.

— Je crains que cela ne soit pas suffisant pour justifier la mise en place d'un tel dispositif.

Luciano leva les yeux vers lui, puis regarda Domino. Au bout d'un moment, il se leva à son tour pour poser une main sur l'épaule du magistrat. Elle semblait un poids mort. Un silence angoissant planait sur la pièce.

Emanuel avait peur de cet homme, et son soulagement fut grand lorsque l'imposante main quitta lentement son épaule.

— Lenny Cavataio vous avait parlé de l'assassinat d'un jeune Sicilien. Il était disposé à témoigner et à dénoncer Carolla comme le commanditaire du meurtre. (Les yeux de Luciano ne cillèrent pas lorsqu'il ajouta :) Ce garçon était l'aîné de mes fils.

Sa voix douce et modulée ne trahissait rien de ce qu'il ressentait.

— Mon cher, poursuivit-il, nous allons en rester là pour ce soir. La balle est dans votre camp. Le temps presse, dites-vous. J'en suis d'accord. Vous avez deux semaines pour vous décider. J'attendrai votre réponse par le truchement de Domino. J'ai organisé le mariage de ma petite-fille, qui aura lieu le 14 février, soit dans deux semaines. Ce sera la première fois depuis de nombreuses années que toute la famille — mes fils, mes petits-enfants — sera rassemblée. Si vous êtes en mesure de me garantir la protection dont j'ai besoin, elle sera plus facile à mettre en œuvre avec tout le monde sous le même toit. Mes proches courent un danger évident, et ce danger sera encore plus grand quand je déposerai — si jamais je dépose — devant le tribunal. Mes fils n'approuveront pas ma décision, mais elle est prise et je ne reviendrai pas dessus. Merci d'être venu. J'ai passé une agréable soirée.

La porte s'ouvrit sans que Luciano en ait apparemment donné l'ordre. Il sortit, laissant derrière lui un doux parfum de citron vert.

Domino vida son verre.

— Ne sous-estimez surtout pas la valeur de ce qu'il vous propose. Vous pouvez bâtir votre carrière là-dessus. Vous finirez très célèbre... ou mort.

— Il voudrait qu'on protège sa famille, rétorqua Emanuel. Bon Dieu, et la mienne, de protection ? Ils se sont fait tirer l'oreille pour me donner deux gardes du corps permanents. À croire que je leur demandais une armée privée. Et c'est justement ce qu'il va falloir à Luciano : une armée.

— Eh bien, fournissez-la-lui. Et renforcez votre propre sécurité, parce que si jamais il devait transpirer que Luciano est votre témoin, il ne vivrait pas assez long-temps pour venir à la barre. Je suis contre cette folie, vous pouvez me croire.

Tout ceci donnait le vertige à Emanuel. Il ne put toutefois s'empêcher de poser une dernière question à Domino.

— Mais pourquoi fait-il ça? A-t-il seulement une bonne raison?

— Il vous l'a dite, c'est pour son fils, pour Michael Luciano.

— C'est tout?

Emanuel ne s'attendait pas à l'accès de colère qui empourpra alors le visage de l'avocat.

— Paul Carolla a fait en sorte que Michael goûte à l'héroïne alors qu'il faisait ses études aux États-Unis. Puis, quand il a été bien accroché, ils l'ont ramené ici comme une pute tabassée pour le jeter à la figure d'un père qui l'adorait. Si Carolla a agi ainsi avec ce pauvre garçon, c'est parce que son père refusait de tremper dans les stupéfiants. (Domino serra les poings.) Roberto Luciano n'a jamais cédé. Vous en avez la preuve, à présent : l'homme que vous avez rencontré ce soir compte parmi les exportateurs les plus respectés de produits siciliens licites, et il a payé le prix, pour en arriver là. Cela lui a coûté un enfant.

Domino se tut, déplia un mouchoir en soie et s'essuya les lèvres avant de poursuivre.

— Michael était le digne fils de son père. Il a tout fait pour remonter la pente. À l'époque de sa mort, il avait réussi à se désaccoutumer. Ses meurtriers lui ont injecté assez d'héroïne pour en tuer cinq comme lui. Non contents de cela, ils l'ont torturé et battu au point que le personnel des pompes funèbres a été dans l'impossibilité de lui refaire un visage. Don Roberto porte tout cela en lui. Il s'en veut de ce corps rompu, il s'en veut des horreurs qu'a subies son enfant.

Le vieil homme se tamponna les yeux. À l'entendre, on aurait pu croire que la tragédie venait de se produire.

— Sachant tout cela, pourquoi Luciano a-t-il attendu? Cela fait plus de vingt ans que son fils est mort.

Domino posa sur Emanuel un regard teinté de mépris.

— Parce qu'il a deux autres fils.

— Et voici que tout à coup, au bout de tant d'années, il est prêt à mettre en péril sa vie et la sécurité des siens. Je ne saisis pas.

15

L'avocat remit son mouchoir dans sa poche. Il souriait, mais son regard était froid comme la glace.

— Vous ne pouvez pas comprendre, vous n'êtes pas des nôtres. Appelez cela comme vous voulez : une vengeance, la dernière phase d'une vendetta. En tout cas, je vous garantis que Paul Carolla est fini si vous faites témoigner Luciano.

Une nouvelle fois la porte s'ouvrit, suite à quelque invisible signal. Les deux hommes qui avaient emmené Emanuel l'attendaient sur le seuil.

Lorsqu'il arriva à son appartement, Emanuel trouva, une fois de plus, un de ses gardes en train de laver le palier à grande eau. L'homme essuyait la porte d'entrée à l'aide d'une serpillière où apparaissaient des traces rougeâtres. Emanuel soupira. Une ou deux fois par semaine, un chat éventré, les tripes pendantes, était crucifié sur sa porte.

— Encore? Si cela continue, il n'en restera plus un seul dans le quartier.

Le garde haussa les épaules.

— Cette fois, c'est un peu différent.

— Ah oui? fit Emanuel, que ces mises en scène macabres n'émouvaient plus.

— Oui, c'était le vôtre.

1

Assise à côté de Constantino, son mari, Sophia Luciano regardait la route. Dans quelques instants, on atteindrait le sommet de la côte, découvrant toute l'étendue de la villa Rivera.

Le plus âgé des fils de don Roberto Luciano, avec son beau visage viril et ses cheveux aile-de-corbeau, n'était pas sans rappeler son père au même âge. Mais la ressemblance s'arrêtait là : il émanait de sa personne une timidité, une douceur qui apparaissaient plus encore lorsqu'il parlait, car il était affligé d'un léger bégaiement. Sophia attendait qu'il annonce aux enfants que l'on arrivait « à la maison ». Même si elle n'en disait rien, le fait que son mari parle toujours du domicile paternel comme de la « maison » — alors qu'ils vivaient à Rome depuis huit ans — la contrariait encore.

En contrebas, étincelant au soleil de cet après-midi de février, la villa Rivera était comme baignée d'une lumière dorée qui recouvrait les tuiles du toit, la piscine et le court de tennis. Entre les persiennes, des rideaux blancs s'enflaient et ondulaient mollement sous l'action de la brise qui caressait la véranda.

Constantino arrêta la voiture au sommet de la côte. Une grande tente avait déjà été dressée en prévision du mariage. Il contempla la propriété, tandis que ses deux garçons s'impatientaient et le pressaient de redémarrer.

— Quelque chose ne va pas ? s'enquit Sophia.

— Tous ces gens, là-bas, sur les toits et du côté du portail... Tu les vois? Sans doute des ouvriers.

Elle porta la main à son front pour se protéger du soleil.

— Il va y avoir beaucoup de monde. Ta mère n'est pas du genre à lésiner sur les préparatifs.

Graziella Luciano attendait sous le porche. Ses cheveux gris étaient ramassés en un chignon. Une robe de bonne coupe masquait son léger embonpoint. À 65 ans, les traits de son visage, dépourvu de toute trace de maquillage, n'avaient rien perdu de leur netteté un peu sèche. Elle contenait sa joie et paraissait presque sévère, avec ses yeux bleu pâle auxquels rien n'échappait.

Les gardiens refermaient les grilles en fer forgé hautes de près de cinq mètres. Comme la voiture de Constantino ralentissait devant la maison, Graziella fit un signe de la main aux nouveaux arrivants, demandant dans le même temps au fleuriste d'espacer un peu plus les compositions et lui rappelant que tout devait être en place pour 17 heures.

Les deux garçons jaillirent de la voiture pour s'élancer vers leur grand-mère. Elle les serra contre elle, le visage adouci d'un sourire, les yeux mouillés de larmes. Puis ce fut Constantino qui arriva, les bras tendus pour embrasser sa mère. Elle lui caressa tendrement le visage.

— Comment te portes-tu?

— Enfin, maman, on s'est vu il y a un mois. Pourquoi veux-tu que ça ait changé?

Graziella passa son bras sous celui de son fils et accueillit sa belle-fille avec un sourire. Sophia lui souffla un baiser imaginaire avant de recommander à la femme de chambre de prendre soin de la robe de mariée, qui était à l'abri dans une housse. Lorsqu'elle s'approcha, Graziella lui caressa la joue.

— Il y avait trop longtemps qu'on ne vous avait vue par ici. Vous m'avez manqué.

La voiture était surchargée de bagages. Graziella ordonna à un des hommes de monter les valises.

Se désintéressant de ces questions, Constantino demanda où était son père. Graziella répondit qu'il était en ville et serait de retour pour 17 heures. Et de reporter toute son attention sur ses chers petits-fils, leur disant que s'ils se précipitaient dans leur chambre, ils trouveraient peut-être quelque chose sous leur oreiller.

Sophia entendait les garçons jouer dans la chambre du dessous. Elle aurait préféré qu'ils soient au même étage qu'elle, mais elle savait préférable de ne pas contester les dispositions prises par sa belle-mère. Elle se mit à défaire les bagages, qui avaient été soigneusement entassés au pied du lit.

La chambre était pleine de fleurs fraîchement coupées et arrangées avec goût, tout comme l'était la décoration, même si Sophia jugeait austères et quelque peu démodés les choix de Graziella en matière d'ameublement. Une bonne part de ces meubles lourdement ouvragés venaient de sa famille. Ne disait-on pas que ses ancêtres étaient des nobles titrés ? Toutefois, il n'apparaissait dans toute la maison aucune photographie de ces mystérieux parents. Graziella n'avait rien d'une Sicilienne. Au temps de sa jeunesse, elle avait été très blonde avec des yeux d'un bleu intense, dont avait hérité son premier enfant.

Sophia ouvrit avec agacement les serrures de sa valise. Chaque fois qu'elle mettait les pieds dans cette maison, le souvenir de Michael Luciano s'imposait à elle. Alors qu'on n'y trouvait rien concernant les ascendants de Graziella, la maison était pleine de portraits de son fils. Au fil des années, Sophia avait volontairement mémorisé l'emplacement de chacune de ces photographies encadrées d'argent, de façon à n'être jamais prise au dépourvu, à n'être jamais choquée lorsqu'elle en croisait une.

Constantino entra à cet instant, ce qui accrut son agacement. Elle détestait qu'on la surprenne se parlant à elle-même.

Il referma la porte et la regarda en souriant. Le corps parfait de Sophia était habituellement dissimulé sous des vêtements à la coupe et au drapé impeccables. Mais elle était présentement pieds nus et ne portait qu'une petite culotte en soie, spectacle qui ne manquait jamais d'attiser le désir de son mari.

— Veux-tu un coup de main?

— Non, veille plutôt à ce que les garçons ne soient pas trop turbulents.

— Maman est avec eux, elle leur a acheté deux nouvelles boîtes de Playmobil.

— Elle va les pourrir.

Sophia examinait un ensemble qu'elle envisageait de porter pour le mariage.

— Que veux-tu, elle les adore.

Elle sourit.

— Et moi, c'est toi que j'adore.

Constantino voulut la prendre dans ses bras, mais elle se déroba en riant.

— Non, laisse-moi déballer les affaires. Ton père ne va pas tarder à rentrer.

Il commença à l'embrasser dans le cou.

— Dénoue tes cheveux.

— Non, je te dis de me laisser ranger.

Il la relâcha et s'allongea en travers du lit.

— La maison sera pleine à craquer, et tu ne sais pas la meilleure? Ils vont mettre quelqu'un dans la chambre de Michael.

Sophia faillit en lâcher le cintre qu'elle tenait.

— Qu'est-ce que tu dis?

Constantino se croisa les mains derrière la nuque en souriant.

— C'est le garçon d'honneur qui va l'occuper.

— J'espère qu'elle a été aérée. Des années qu'elle est fermée.

— J'y ai jeté un œil en montant. Presque toutes les affaires de Michael ont été retirées. Avec tous ces invités, elle pouvait difficilement rester inoccupée. Tu sais que c'est la première fois depuis je ne sais combien d'années que nous serons tous réunis. Cela permettra peut-être de remiser quelques fantômes au placard.

— Tu veux parler de Michael? fit Sophia, regrettant aussitôt sa question.

— Michael? Non, ce n'est pas à lui que je pensais. Je sais que Filippo et sa femme sont froissés de ne pas jouer un plus grand rôle dans les affaires, mais nul doute que ce mariage va faire grand plaisir à Teresa.

— J'en suis certaine. Mais tout a été arrangé si précipitamment. Est-ce qu'il y a une raison à cela?

— C'est ce que voulait papa.

— Oui, et papa arrive toujours à ses fins. Je suis parfois un peu triste pour Teresa.

— Pourquoi donc?

— Filippo est peut-être beau garçon, mais c'est encore un vrai gamin, et il se comporte comme tel.

Sophia vit dans le miroir de la penderie l'expression de colère de son mari. Il réagissait ainsi chaque fois qu'elle émettait une réserve sur un membre de sa sacro-sainte famille.

— Où est don Roberto? demanda-t-elle.

Constantino roula hors du lit.

— Maman m'a dit qu'il a été retenu en ville pour je ne sais quelle affaire. Il devrait être ici vers les 5...5...5 heures. (Il fourra les mains dans ses poches, l'air maussade.) Il se trame quelque chose. Pourtant, j'ai bien essayé de lui en toucher un mot au téléphone. Il est en train de vendre plusieurs sociétés. Cela paraît insensé.

Sophia, remarquant le retour du bégaiement, s'était arrêtée pour le regarder. Il lui arrivait rarement de parler affaires avec elle, mais elle savait que depuis quelque temps il était tracassé.

— Eh bien, tu vas avoir la possibilité de lui parler de tout cela.

Il hocha la tête et changea de sujet.

— Tu trouves que maman a l'air en forme?

— Oui, pourquoi? Pas toi?

Avant qu'il ait pu répondre, un Klaxon de voiture retentit devant la maison. Sophia alla à la fenêtre.

— C'est Filippo et Teresa. Un peu plus et ils renversaient les fleurs de ta mère.

— Il faut que je descende, fit Constantino.

Mais il demeurait immobile, les mains enfoncées dans les poches.

Sophia le prit dans ses bras.

— Ta mère m'a l'air en pleine forme. Peut-être un peu tendue. Une telle réunion de famille, ce n'est pas rien. Il faut veiller à tout.

Il appuya la tête sur la nuque de sa femme.

— Tu sais que tu sens toujours délicieusement bon? Il m'arrive de te regarder en cachette, et je n'arrive toujours pas à croire que tu es bien à moi.

Elle lui caressa les cheveux, puis prit son visage entre ses mains.

— Si tu veux, je vais attendre que tu remontes. Et je vais me dénouer les cheveux...

Il y eut un nouveau coup de Klaxon.

— Non, fit-il en s'écartant. Habille-toi. Maman doit compter sur ta présence en bas.

Il s'en fut, et elle l'entendit bientôt accueillir joyeusement son frère. De la fenêtre, elle regarda sa belle-sœur, Teresa Luciano, descendre de la Rolls-Royce. Le chauffeur s'occupait déjà de décharger leurs bagages hétéroclites.

Teresa appela son mari, mais il courait vers Graziella, tout à la joie de la retrouver. Malgré son physique d'acteur de cinéma, il semblait peu soucieux de la façon dont il s'habillait. Il avait les cheveux longs et portait un T-shirt, un blouson en cuir et des bottes de cow-boy.

Filippo vivait à New York depuis des années et ne revenait que fort rarement en Sicile, ce qui expliquait le bonheur de sa mère. La joie de Graziella était telle qu'elle en oublia Teresa ainsi que sa petite-fille, la future épousée.

Rosa Luciano était occupée à ramasser ses affaires à l'arrière de la Rolls. Le chauffeur lui tint la portière lorsqu'elle descendit. Sophia fut étonnée de voir combien sa nièce avait changé, en quelques années. Elle avait les yeux marron foncé et les boucles noires de son père.

Teresa était plus âgée que Filippo. Sophia lui trouva plus que jamais l'air d'une institutrice célibataire, avec son nez en lame de couteau et sa bouche pincée. En attendant que sa belle-mère l'accueille, elle donnait des instructions à Rosa et à l'homme chargé de monter les bagages. Elle répétait machinalement le geste de lisser sa jupe et sa veste froissées par le voyage, indices de nervosité qui ne laissaient pas d'amuser sa belle-sœur.

— Tante Sophia... tante Sophia... (Rosa Luciano fit irruption dans la chambre.) Est-ce que je peux voir ma robe? Dis, est-ce que je pourrais la voir?

L'autre s'était bien vite éloignée de la fenêtre.

— Attends qu'elle ait été repassée. Je tiens à ce que tu puisses l'admirer dans toute sa splendeur... Dis donc, Rosa, mais tu es devenue une vraie beauté. Laisse-moi te regarder.

— Attends que j'aie perdu mes plis de contrariété, fit Rosa avec un grand sourire. Nous avons poireauté des heures à l'aéroport, et papa et maman n'ont pas arrêté de se disputer dans la voiture. Il a tenu à conduire, et elle a plusieurs fois frôlé l'arrêt cardiaque.

Elle embrassa sa nièce.

— Quand on a ton âge et qu'on est sur le point de se marier, on n'a ni plis ni rides. Tout cela, ma chérie, vient avec les années, et tu es si jolie.

— Tante Sophia, je suis si heureuse que je ne sais plus où donner de la tête. As-tu vu ma bague?

Elle émit les commentaires qui s'imposaient en examinant la bague de fiançailles serti d'émeraudes et de diamants. Rosa épousait le neveu de don Roberto, lui aussi âgé de tout juste 20 ans. Sophia savait qu'il n'avait pu subvenir à une telle dépense : don Roberto, *il Papa*, avait acheté cette bague, tout comme il avait jadis acheté celles de ses belles-filles. Il sautait aux yeux que ce bijou valait une petite fortune.

La jeune fille se laissa tomber sur le lit.

— Tu sais, tante Sophia, il m'arrive encore de me pincer pour voir si je ne rêve pas. Il y a encore deux mois, j'ignorais jusqu'à l'existence d'Emilio. Grand-père l'a envoyé à New York pour affaires, et c'est comme ça que nous nous sommes rencontrés. Cela a été le coup de foudre. Nous sortions ensemble pour la seconde fois

lorsqu'il m'a demandée en mariage. Tout cela était tellement romantique...

— Ta mère doit être très heureuse.

Rosa se redressa.

— Est-ce une question, que tu me poses là ? demanda-t-
elle avec un sourire oblique. Elle a fait tout un cirque, à
croire qu'il s'agissait de son mariage à elle. Elle s'est
même mise à me parler des réalités de la vie, à m'apporter des ouvrages sur les organes de reproduction, à vérifier que mon cycle était régulier. À la fin, je lui ai dit :
« Écoute, maman, il s'agit d'un mariage, pas d'un accouchement. »

C'est à cet instant que Teresa entra.

— Rosa, tu devrais aller défaire tes bagages, dit-elle,
les lèvres pincées. Il faut que tu apportes tout ce qui a
besoin d'un coup de fer à Adina, en bas dans la cuisine.

La jeune fille sauta du lit, adressa un clin d'œil à sa
tante et quitta la chambre à cloche-pied. Teresa soupira,
puis elle alla embrasser sa belle-sœur.

— Ce serait trop lui demander que de sortir normale-
ment d'une pièce. Elle est tellement empotée. J'espère
que tu ne lui as pas fait une robe avec une longue
traîne : elle serait capable de se prendre les pieds
dedans.

Sophia émit un rire bref et l'assura que la robe
conviendrait parfaitement.

— Est-ce que je peux la voir ?

— *Mamma* m'a dit que ces messieurs devaient sortir
et que nous passerions la soirée entre femmes. Je vous la
montrerai à ce moment-là.

Teresa remonta ses lunettes à verres épais sur l'arête
de son nez.

— Tu as l'air en pleine forme, toujours aussi mince.
Et les enfants ? Il paraît qu'ils passent pas mal de temps
ici. Et Constantino, comment ça va ?

— Ma foi, toujours très occupé... Et toi ?

Teresa ignora la question.

— Je trouve étrange que don Roberto ne nous ait pas
accueillis. Ce n'est pas dans ses habitudes. Est-ce qu'il
était là quand vous êtes arrivés ?

— Non, il n'y avait que *mamma*.

— Elle a l'air en pleine forme.

— Oui, c'est l'effet qu'elle m'a fait.

— Il faut dire que tu la vois plus souvent que nous.

Le regard myope de Teresa parcourait la pièce, notant les moindres détails, les vêtements sur leurs cintres, les alignements de paires de chaussures.

— Sans doute la verrez-vous plus souvent, maintenant que Rosa va être mariée. Est-ce qu'elle habitera ici?

Teresa sourit, incapable de dissimuler sa jubilation.

— Je suppose que oui. Don Roberto le traite comme son propre fils. (Elle allait sortir mais se ravisa et referma la porte.) Ce n'est pas un mariage de convenance. Ils sont très amoureux l'un de l'autre.

— Oui, Rosa m'a dit.

Teresa n'avait jamais exactement su qui, dans la famille, connaissait les circonstances de son propre mariage. Elle n'avait toujours pas compris pour quelle raison don Roberto l'avait choisie pour belle-fille. Elle n'avait toutefois opposé aucune résistance. À peine avait-elle posé les yeux sur son futur mari qu'elle n'avait rien désiré plus ardemment que ce mariage, sinon peut-être de donner naissance à un garçon. Rosa était son unique enfant, mais elle ne doutait pas que ce mariage à venir les amènerait, elle et Filippo, à ne plus se sentir comme les parents pauvres de la famille.

— Nous sommes au dernier étage, se plaignit-elle. Ce n'est pas pratique, surtout pour aider Rosa à se préparer. J'aurais pensé qu'on nous mettrait dans la chambre qui se trouve en dessous de la tienne, la grande chambre d'amis.

— *Mamma* y a mis les garçons. De façon à avoir un œil sur eux, à les entendre s'ils se réveillent en pleine nuit.

— Oui, c'est ce qu'elle m'a dit. Bon, je vais aller défaire mes bagages, encore que cela ne va pas me prendre bien longtemps. Je vois que tu as apporté une véritable garde-robe. Peut-être pourras-tu me prêter un ensemble, si le mien ne fait pas l'affaire?

— Tu peux prendre ce que tu veux...

— Merci, l'interrompit Teresa, mais je devrais avoir assez avec ce que j'ai apporté.

Elle sortit.

Arriva ensuite Emilio Luciano, le futur marié, son visage juvénile coloré par l'émotion. Constantino dévala l'escalier pour venir serrer dans ses bras son futur neveu. Filippo, uniquement vêtu de son pantalon, le visage couvert de mousse à raser, apparut en haut de l'escalier et, à la surprise générale, enfourcha la rampe pour se laisser glisser jusque dans le hall. Les deux plus petits voulurent l'imiter.

Graziella rayonnait de bonheur au milieu de ces exclamations, ces facéties, ces claques dans le dos. Elle était entourée de ses garçons : ses fils et ses petits-fils. Elle semblait ignorer le vacarme, avoir oublié que Filippo ne portait que son pantalon ; les mains serrées contre la poitrine, elle arrondissait timidement les épaules quand l'un ou l'autre lui adressait un compliment plaisamment outrancier.

— Qui est donc cette jeune personne ? Où est donc passée notre maman ? Tu veux me faire croire que cette ravissante créature est notre mère ? Dis-moi un peu : comment se fait-il que les années n'aient pas de prise sur toi ?

Alors qu'elle tentait sans grande efficacité de les diriger vers la collation qu'elle avait fait préparer, Rosa se jeta dans les bras d'Emilio. Ils échangèrent un long baiser sous les applaudissements. Affectant de perdre patience, Graziella se saisit d'un gong, ainsi qu'elle le faisait lorsque ses garçons étaient petits. Elle le frappa en riant, et, un à un, ils prirent la direction du salon.

Elle servit le café. Quand tout le monde fut assis et que l'excitation fut retombée, elle prétendit devoir aller chercher un peu d'eau bouillante.

— Je m'en occupe, grand-mère.

— Non, non, Rosa. Je vais en profiter pour voir où en est le dîner.

Elle gagna le hall, mais, au lieu de se diriger vers la cuisine, elle se rendit dans la salle à manger. Là, elle poussa un long soupir : masquer son inquiétude l'avait épuisée. Elle entrouvrit les persiennes et consulta sa montre. Il aurait dû être rentré. Il avait dit qu'il rentrerait au plus tard à 5 heures. Les fleuristes, les ouvriers, les décorateurs : tout le monde était parti, la famille était arrivée, et lui qui ne donnait pas signe de vie. Il téléphonait toujours, même s'il n'avait que quinze minutes de retard. Pourquoi n'avait-il pas appelé? Surtout un jour comme aujourd'hui...

C'est alors que la sonnerie du téléphone la fit sursauter. Lorsqu'elle arriva dans le hall, Adina raccrochait.

— C'était un message pour vous, *signora*. Don Roberto devrait arriver dans quelques instants. Il a essayé d'appeler plus tôt, mais la ligne devait être occupée.

Graziella se signa.

— Merci, Adina. Veuillez refaire du café, ensuite vous irez vérifier que tous les autres postes sont bien débranchés. Ne laissez en marche que celui-ci et celui du bureau.

La servante hocha la tête. Quelque chose n'allait pas. Elle le sentait chez sa maîtresse depuis déjà plusieurs jours. Mais elle n'osait pas poser de questions et faisait semblant de n'avoir rien remarqué.

Graziella rejoignit les siens dans le salon. Souriante, elle fit repasser le plateau de pâtisseries.

— C'est la première fois que nous sommes tous réunis, et c'est ce que nous fêtons ce soir : la famille.

Constantino remarqua les fréquents coups d'œil de sa mère à la pendule dorée posée sur le manteau de la grande cheminée. Elle avait un petit sourire figé, mais ses yeux trahissaient sa nervosité.

— Quelque chose te tracasse? murmura-t-il en lui embrassant la main.

— Ton père est en retard. Si cela continue, le dîner va être fichu.

Filippo mangeait une tranche de cake.

— Maman, demanda-t-il d'une voix forte, qu'est-ce que c'est que cette armée de gardes, là-bas à l'entrée?

27

Graziella ignora la question.

— Si vous avez tous l'intention de vous changer, de prendre un bain, alors il faut que nous nous organisions pour l'eau chaude. Sophia, vous voulez y aller la première, vous occuper des garçons ?

Les deux fils de don Roberto échangèrent un regard. Quelque chose n'allait pas, cela ne faisait aucun doute. De la tête, Constantino fit discrètement signe à Sophia d'emmener les deux petits garçons. Reposant sa tasse à demi pleine, elle les appela et quitta immédiatement la pièce.

Filippo regardait Teresa d'un air entendu. Elle fronça les sourcils, ne comprenant apparemment pas.

— Va finir de défaire les bagages, veux-tu ? Emmène Rosa avec toi.

Cela n'avait rien d'une invite. Elle posa sa tasse et fit signe à sa fille de la suivre. Filippo referma les portes derrière elles. Graziella rangeait machinalement les tasses sur le plateau.

— Papa s'en fait pour ce p-p-procès ? interrogea Constantino.

Sa mère hocha la tête.

— À New York, les journaux ne parlent que de ça, précisa Filippo. Maman ? Ça ne va pas ?

Graziella était au bord des larmes. Elle aurait voulu tout leur dire, mais ne se résolvait pas à aller à l'encontre de la volonté de son mari. Constantino posa une main sur l'épaule de son frère pour lui signifier de ne pas chercher à en savoir plus.

— Le mieux serait de parler de cela avec papa. Maman doit avoir des tas de choses à faire avant l'heure du dîner.

Graziella lui adressa un regard reconnaissant. Elle sortit, laissant ses deux fils ensemble. Constantino marcha lentement jusqu'à la grande cheminée et s'y appuya.

Filippo haussa les épaules.

— C'est à n'y rien comprendre. Moi, je pensais qu'elle voulait nous parler...

Constantino lança un regard entendu à son frère.

— Emilio, tu veux bien me rendre un service? J'ai laissé mes cigares dans ma chambre. Est-ce que tu irais me les chercher?

Le jeune homme comprit que les deux frères avaient besoin d'être seuls, et il s'exécuta sans un mot.

Constantino ouvrit les rideaux, s'absorba dans la contemplation de l'allée et des hommes qui montaient la garde aux grilles.

— Bon sang, qu'est-ce qui se passe? Tu crois que le paternel se fait des cheveux à cause de ce procès? Ce portail est mieux gardé que celui de la Banque d'Italie.

— Est-ce qu'ils ont inculpé des hommes à nous? demanda Filippo.

— Rien que du menu fretin, le fond du panier. Les cages sont pleines à craquer, à croire qu'ils ont serré tous les clodos de Sicile. Jolie façon de ramasser les ordures.

— Paul Carolla, ce n'est pas du menu fretin.

Constantino abandonna son apparente décontraction.

— Tu crois que je ne le sais pas? On raconte que ce fumier a recruté quelqu'un pour descendre le fils du type qui faisait le ménage dans la prison. Il voulait que l'homme en question lui sorte ses messages. Comme celui-ci a refusé, son fils, un gosse de 9 ans, s'est pris une balle en pleine tête. Tu as dû voir ça dans les journaux...

Filippo secoua la tête.

Constantino continuait de regarder par la fenêtre, l'air pensif.

— Papa a organisé ce mariage en catastrophe. Est-ce qu'il y a une raison à ça? Rosa ne serait pas enceinte, des fois?

L'autre bondit de son siège, le visage déformé par la colère, mais son frère parvint à l'apaiser.

— T'énerve pas, je disais ça comme ça... Reconnais quand même que ce n'est pas le moment rêvé pour un mariage. À moins que, justement, il n'ait une bonne raison. Nous sommes tous réunis sous le même toit. Peut-être sait-il quelque chose que nous ignorons. Tu as jeté un coup d'œil dehors? Papa a engagé une petite armée pour veiller sur nous. Il est peut-être inquiet. Je sais qu'il était furieux de ce qui est arrivé à Lenny Cavataio. Tout le procès en est interrompu.

Filippo avait retrouvé son calme. Il alluma une cigarette.

— Qui c'est, ce Cavataio?

— Un type qui revendait de la came pour le compte de Carolla.

Il haussa les épaules. Il n'avait jamais entendu parler de cet homme. Constantino se dit que ce qui se racontait sur son frère devait être vrai. La rumeur le décrivait comme un simple homme de paille. On disait que leur père l'avait pour ainsi dire aiguillé sur une voie de garage. Peut-être don Roberto avait-il l'intention de placer le jeune Emilio au bureau de New York, d'où ce mariage. Mais pourquoi une telle précipitation? Comme toujours, don Roberto n'avait parlé à personne de ses projets.

Les mains profondément enfoncées dans les poches de son pantalon, Constantino tapotait du bout du pied la grille du foyer.

— Papa a vendu deux sociétés sans même en discuter avec moi... Cela a sûrement à voir avec ce qui est arrivé à Cavataio.

Filippo était de plus en plus perdu.

— Tu ne m'as encore rien dit sur ce type.

— Qu'est-ce qu'il y a dans ta petite tête, un sac de billes? Lenny Cavataio, c'est celui qui a refilé à Michael la mauvaise came qui l'a tué. Papa l'a fait rechercher après le meurtre. Il avait disparu dans la nature, jusqu'au jour où il a refait surface à Atlantic City. Papa m'a envoyé le chercher.

Filippo attendit avec impatience que son frère ait fini d'allumer un cigare.

— Lenny voulait passer un arrangement. Après s'être planqué dix ans au Canada, il a fini par se manifester pour essayer de faire chanter Carolla. Il était complètement fauché, il lui fallait des ronds pour se payer la merde qu'il se pompait lui aussi dans les veines. Mais Carolla n'était pas du genre à se laisser emmerder et il a tenté de faire supprimer Lenny. Il ne tenait pas vraiment à ce qu'on remue ces vieilles histoires, surtout maintenant qu'il occupait une position aussi haute dans l'organisation. Lenny a pris peur et il est venu nous trouver. Il s'est adressé aux gens dont Carolla tenait par-dessus tout à le tenir éloigné.

Constantino regarda son frère. Il lui trouva l'air tellement abattu, ainsi tassé sur son siège, la tête baissée, qu'il éprouva l'envie malsaine de ne lui épargner aucun détail.

— Je l'ai ramené ici ; c'était un peu comme un cadeau que je faisais à papa. Il s'est mis à table. Nous avions enfin la preuve que Carolla avait décidé le meurtre de Michael. Lenny était le seul témoin encore vivant. Nous avions besoin de lui parce qu'il allait permettre à papa de faire tomber Carolla, non seulement pour trafic de stupéfiants, mais aussi pour meurtre.

Filippo semblait toujours aussi perdu. Agacé, Constantino marqua un temps d'arrêt.

— Tu me suis ? Carolla allait être inculpé du meurtre de Michael. Lenny était une vraie pipelette : plus moyen de l'arrêter, non seulement au sujet de l'assassinat, mais aussi sur l'ensemble des activités de Carolla. Ce fumier avait déjà les fédés et les stups de New York sur le dos. Il a quitté les États-Unis pour revenir ici, à Palerme, puis il est allé se planquer dans la montagne... (Constantino rit en secouant la tête.) Tu imagines s'il avait choisi le mauvais endroit ! Il s'est jeté dans la gueule du loup. Ils l'ont traqué comme des chiens enragés. Quand l'instruction sera terminée ici, on le réexpédiera aux États-Unis. Il va écoper d'une centaine d'années derrière les barreaux.

Filippo n'y voyait toujours pas très clair.

— Mais alors, pourquoi a-t-on abandonné les poursuites pour meurtre ?

Constantino secoua la tête d'un air las.

— À croire que vous n'avez pas de journaux, à New York. Lenny Cavataio s'est fait descendre il y a quatre mois de ça. Il a été retrouvé dans un hôtel miteux de Palerme. On lui avait coupé les couilles.

Le cadet fixait le tapis. Il y promenait le bout de sa botte de cow-boy.

— Tu aurais dû me tenir au courant.

— Tu sais comment opère papa, il aime g-g-garder le secret.

Filippo bondit de son siège.

— Le secret? Bordel, mais à quoi ça rime, ce genre de secret?

— Si je suis au courant, c'est seulement parce que c'est moi que Lenny a contacté à Atlantic City. Ne va pas te faire des idées...

— Mais pour qui me prend-on? Papa a toujours été obsédé par Carolla, nous avons toujours baigné là-dedans, et je ne devrais pas me faire des idées? Pourquoi ne m'as-tu pas mis au courant? Pourquoi? *Pourquoi papa ne m'a-t-il pas contacté?* Ça concerne la famille, j'avais le droit de savoir...

Constantino laissa échapper un soupir.

— Tu d-d-dois bien avoir ta petite idée. Tu t'es relâ-ché, Filippo. Ta femme n'arrête pas de mettre son nez dans les affaires de la compagnie. Il lui est même arrivé de s'occuper de certains contrats. Papa n'aime pas ça.

— Mais enfin, elle a une formation de juriste! Teresa connaît mieux que moi tout ce qui touche aux licences d'importation! (Il poussa un soupir de lassitude, sachant qu'aucun de ses arguments ne serait pris en compte.) Oh, et puis de toute façon, je n'ai jamais voulu aller à New York. Tu crois qu'Emilio va prendre ma place?

Constantino ne répondit pas.

Filippo était au bord des larmes.

— Papa ne me fait jamais signe. Il lui est arrivé de pas-ser par New York et de ne pas chercher à me voir, et voilà que maintenant... Peu importe mes erreurs, j'aurais dû être associé à tout ça. (Il se mit à pleurer.) Je me rap-pelle, je me rappelle la nuit où il nous a tout raconté... au sujet de Michael.

Il évoquait ce fameux soir, six semaines après la mort

de leur frère, où leur père avait découvert que Constantino avait l'intention d'épouser Sophia. Il avait commencé à la fréquenter sans l'aval paternel, allant même jusqu'à la faire venir à la villa un jour que don Roberto était absent. Nul ne s'attendait à ce que ce dernier entre dans une telle fureur.

Cet accès de colère, qui les avait tous terrifiés, avait pour cause principale le fait qu'ils avaient reçu à la maison un étranger — même s'il s'agissait d'une toute jeune fille. C'était contraire à la règle : aucune personne extérieure au strict cercle familial ne devait être admise entre les murs de la maison. La colère de don Roberto s'était muée en une diatribe contre ses fils. Hors de lui, il avait longuement tempêté. Puis il avait fini par leur dire la vérité au sujet de Michael, ce frère aîné qu'ils adoraient.

Les deux hommes étaient maintenant assis l'un en face de l'autre, silencieux, plongés dans le souvenir de cette soirée. Michael avait été leur héros, leur champion, leur exemple. Alliant qualités athlétiques et intellectuelles, il avait, à la grande fierté de son père, obtenu son admission à Harvard. Par la suite, au cours de sa deuxième année, il était mystérieusement rentré à la maison. On avait supposé qu'il souffrait des effets de quelque virus. Le soir de son retour, il s'était trouvé mal et avait été hospitalisé d'urgence. Des semaines plus tard, il était parti en convalescence à la montagne. Il n'en était jamais revenu. Le virus, leur avait-on dit, avait eu raison de lui.

On lui avait fait des funérailles dignes du fils aîné d'un homme comme don Roberto. Un immense chagrin s'était abattu sur la maison. Leur mère était inconsolable. Leur père adoré avait changé sous leurs yeux. Son épaisse chevelure noire était devenue grise en l'espace d'une nuit ; la douleur avait marqué son visage de rides profondes. Mais le pire de tout était l'effrayant silence dans lequel il avait semblé muré. Ce mutisme avait duré jusqu'à ce soir funeste dont ils se souvenaient, cette soirée au cours de laquelle il leur avait donné à voir une angoisse qui les avait terrorisés.

Pour leur confier enfin que leur frère avait été assassiné. Le prétendu virus était en fait une héroïnomanie, habilement proposée par Paul Carolla en représailles contre don Roberto Luciano. Ce dernier avait toujours refusé de coopérer avec lui et de le laisser utiliser comme couverture ses compagnies d'import-export. Leur père les avait avertis qu'ils étaient aussi exposés que Michael. Ce qui était arrivé à ce dernier était un avertissement.

C'était ce soir-là que don Roberto avait initié ses fils aux codes de la Mafia. Il leur avait dit, sans aucune trace d'émotion, combien d'hommes avaient payé le prix de leur implication dans le meurtre de Michael. Il leur avait demandé de conserver pieusement le souvenir de leur frère, de garder au cœur le désir de faire payer ses assassins. Il leur avait fait promettre de ne jamais dire à leur mère ce qui s'était passé ce soir-là, ni de quelle manière était mort son fils bien-aimé.

Afin de sceller leur promesse, ils avaient posé les lèvres sur la bague portée par leur père, cette bague que convoitait Paul Carolla. Lorsqu'il les avait serrés dans ses bras, ils n'avaient toutefois éprouvé que de la terreur.

Les épaules de Filippo étaient secouées par les sanglots. Constantino faisait son possible pour le consoler.

— Écoute, il y a tellement d'accusations qui pèsent contre Carolla qu'il a peu de chances de s'en sortir. Il ne sera jamais remis en liberté. Il est fini, même si l'inculpation pour meurtre est abandonnée. Cela permettra peut-être au fantôme de Michael de reposer en paix. C'est ce que j'espère, parce que pour te dire la vérité, je l'ai sur le dos depuis un peu trop longtemps.

— Je croyais être le seul à éprouver cela, ce sentiment de devoir l'égaler et de ne jamais y arriver... C'est devenu si difficile à vivre que j'ai fini par le haïr.

Constantino ouvrit le meuble à liqueurs et se versa un whisky qu'il but d'un trait.

— Je suppose que nous avons tous deux été en compétition avec lui. Tiens, jette un œil à l'album familial, là-bas, sur le piano. Il y a moi, Sophia, les gosses, il y a toi, Teresa, Rosa... et puis il y a Michael, toujours Michael, le plus grand sous-verre, la plus grande photo.

Filippo fit entendre un petit rire nerveux. Puis son visage s'éclaira d'un sourire.

— Chaque jour je plaçais sa photo derrière les autres. Et chaque jour elle revenait sur le devant, et il me souriait, l'air de dire : « Va te faire voir si tu crois pouvoir m'effacer aussi facilement de ton existence... »

Constantino remplit en riant deux verres à whisky. Ils trinquèrent.

— À Michael, qu'il repose en paix et nous fiche la paix.

Ils burent, et Filippo lança son verre vide dans la cheminée. Constantino l'imita. Puis tous deux considérèrent les débris en silence.

— Merde, maman va piquer sa crise. Ils faisaient partie de son beau service en c-c-cristal.

Paul Carolla fut conduit au parloir. Il alla jusqu'au comptoir qui séparait en deux la petite pièce. Il posa la paume de sa main sur la vitre à l'épreuve des balles. De l'autre côté, son fils lui adressa un sourire qui le fit paraître plus jeune que ses 25 ans. Luka mit également la main sur la vitre. Ses longs doigts aux ongles soignés avaient un hâle doré. Ceux de son père étaient courtauds, sa paume carrée. Ils décrochèrent les combinés de l'Interphone.

L'homme était gardé jour et nuit. Des menaces de mort avaient été proférées à son encontre depuis le meurtre du fils de l'employé pénitentiaire. Luka s'était chargé de cet assassinat. Carolla lui avait ordonné de quitter ensuite la Sicile afin qu'on ne puisse faire le lien entre eux. Il tremblait de rage en découvrant que le jeune homme n'avait pas suivi ses instructions.

Il regarda les deux gardiens, puis reporta son attention sur son fils.

— Je croyais t'avoir dit de quitter Palerme, murmura-t-il d'une voix altérée.

— Je sais, seulement j'ai quelque chose pour toi.

Le visage de Carolla se mouillait de sueur.

— Tu fous le camp et tu ne remets pas les pieds en Sicile, c'est bien compris?

Luka tenait le combiné à quelque distance de son oreille. Seul le léger haussement de ses sourcils blonds, presque invisibles, témoigna qu'il avait bien entendu.

Lorsqu'il reprit la parole, sa voix avait une étrange tonalité, à la fois sourde et pleine de résonances.

— J'ai son nom, je sais qui c'est, tout va s'arranger.

Sous le regard interdit de Carolla, il sortit un stylo pour griffonner quelque chose sur un bout de papier. Il leva les yeux et sourit.

— J'ai fait ça pour toi. Cela m'a coûté dix millions de lires.

— Quoi? Qu'est-ce que tu racontes? (Son visage ruis-selait de transpiration, ses mains étaient moites.) Ma parole, mais tu es complètement cinglé!

Les yeux bleu pâle de Luka s'étrécirent, ses pupilles se transformèrent en trous d'épingle. Il agita le bout de papier en chantonnant :

— J'ai ce que tu voulais, mais il va falloir dire à ton trésorier de me rembourser.

Il lissa méticuleusement le papier et le plaqua contre la vitre. De son écriture étrangement démodée, toute en pattes de mouche, il avait inscrit le nom du témoin de l'accusation.

Carolla sentit son estomac se soulever. Une coulée de bile lui remonta dans la bouche et il vomit. Mais son regard restait rivé au morceau de papier. Il y lisait le nom de son ennemi de toujours, don Roberto Luciano.

Le chauffeur de don Roberto annonça par radio son arrivée prochaine aux gardes du portail. Le message fut relayé par talkie-walkie jusqu'aux hommes en position sur les toits, et la dernière portion du trajet fut étroite-ment surveillée à travers plusieurs paires de jumelles.

Les grilles s'ouvrirent, et la Mercedes noire pénétra dans la propriété. Don Roberto était assis à l'arrière entre deux gardes du corps. Son chauffeur de toujours était au volant.

La grande demeure était brillamment éclairée. La voiture s'immobilisa. Il attendit qu'on lui ouvre la portière. Un des hommes de main lui plaça son manteau de cachemire sur les épaules, puis lui remit ses gants de chevreau et son chapeau. Il avait déposé devant Emanuel depuis 10 heures du matin, une journée éprouvante et douloureuse. L'afflux de souvenirs avait rouvert des blessures anciennes. Il se tenait néanmoins parfaitement droit, dépassant ses gardes du corps de plusieurs centimètres, et il souriait. La porte d'entrée s'ouvrit alors qu'il gravissait les marches blanches du perron.

Dans la grande demeure, chacun sentit sa présence. Don Roberto Luciano venait d'arriver.

2

Les conversations allaient bon train. Installés au salon, les fils, belles-filles, petits-fils, petite-fille et neveu de don Roberto attendaient son arrivée.

Tous se turent lorsqu'il entra. Ses fils se levèrent pour lui serrer la main. Il les embrassa l'un après l'autre, puis salua ses brus. Il considéra la future mariée et lui adressa un sourire complice.

— Bienvenue à Rosa, la jolie promise, et à mon neveu Emilio.

Les deux garçons levaient des yeux écarquillés vers leur grand-père. Il prit tour à tour chaque petit visage entre ses immenses mains et y déposa un baiser.

— Et enfin et par-dessus tout, bienvenue à mes deux grands garçons.

Graziella leva son verre en manière de toast.

— À papa...

Chacun l'imita et fut surpris de le voir verser une larme.

— Je suis heureux de vous voir tous réunis ici. Allez, passons à table avant que le dîner ne refroidisse.

Il tira un mouchoir propre et se moucha bruyamment.

Cependant que le vin coulait avec largesse, don Roberto échangeait quelques mots avec chacun, lui donnant ainsi le sentiment d'occuper une place particulière dans son cœur. Lorsque furent servies glaces et sucreries, il avait un de ses petits-fils sur les genoux, tandis que l'autre, assis sur l'accoudoir de son fauteuil, lui enserrait les épaules de son bras menu.

Constantino regardait sa femme faire circuler un plat, splendide avec sa robe rose et son chignon d'épais cheveux noirs. Elle expliquait avec flamme à Rosa comment elle avait dessiné sa robe de mariée.

— Je voulais qu'elle soit comme sortie d'un conte de fées. J'y ai mis toutes les filles. Certaines auraient dû être au magasin, mais j'avais besoin de tout le monde pour qu'elle soit prête à temps. Nino, mon styliste, était furieux, mais je lui répétais : « Rosa Luciano sera la plus belle mariée de Sicile. »

Constantino donna un coup de coude à son frère et lui glissa :

— Tu sais, je ne pourrai jamais te revaloir ça. Finalement, sans toi, je ne l'aurais pas rencontrée. N'est-ce pas la créature la plus éblouissante qui soit ?

Filippo, à qui le vin avait donné des couleurs, considéra Sophia. Souriante, elle lui retourna son regard.

— Ah ! soupira-t-il, si j'avais eu quelques années de plus, je crois bien que tu n'aurais eu aucune chance. (Puis, baissant la voix :) On échange ? Quand tu veux.

Teresa fit une moue soupçonneuse.

— Qu'est-ce que tu viens de dire ?

— Qu'il n'en voudrait pas une autre que toi, intervint Sophia avant d'échanger un sourire entendu avec Filippo.

— Tout juste !

Rien dans l'attitude de don Roberto ne trahit ses intentions. Il comptait mettre ses fils au courant le lendemain soir, lorsqu'ils dîneraient entre hommes. Il leur annoncerait qu'il était le principal témoin à charge contre Paul Carolla. Mais ce soir, il entendait goûter pleinement les joies de la famille. Il alla quérir un alcool hors d'âge et une boîte de précieux havanes.

Les deux garçons commençaient à être fatigués, mais ils ne voulaient pas entendre parler de quitter leur grand-père. Chacun faisait tout pour attirer son attention et lui réclamait des histoires.

Tirant sur son cigare, don Roberto leur conta une mésaventure survenue dans son enfance, lorsqu'il n'était pas plus haut que Nunzio. Il avait escaladé le mur d'un verger pour y subtiliser deux grosses pommes bien rouges. Puis, afin d'avoir les mains libres pour repasser le mur, il avait glissé les deux fruits dans le fond de son pantalon.

— J'étais presque en haut du mur quand le fermier est arrivé. Il m'a attrapé par ma galoche... (Il fit une grimace, avançant la lèvre inférieure.) « Je te tiens, espèce de petit chapardeur ! » (Il ouvrit de grands yeux innocents.) « Moi, m'sieur ? Mais j'ai rien volé. Je suis juste monté sur votre mur pour regarder ce beau verger. Je me disais que j'aurais bien voulu croquer une de ces grosses pommes rouges. »

Constantino passa le bras autour des épaules de sa mère. Tout le monde écoutait. Don Roberto écarta les mains.

— « Je vous jure, m'sieur, j'ai rien volé. »

Il battait des paupières, arborant un sourire de clown.

— Jamais je ne l'ai vu aussi détendu, murmura Constantino à l'adresse de sa mère. Nous, il ne nous racontait pas d'histoires.

Graziella tapota sa main.

— Ta mémoire te joue des tours, lui dit-elle à voix basse.

— « Bon, a fait le fermier, je n'ai rien dit. Maintenant file, et estime-toi heureux que je ne t'aie pas frotté les oreilles. Allez, disparais. » Alors j'ai commencé à m'éloigner, à reculons, parce que si je m'étais retourné, il aurait forcément vu où j'avais mis les pommes. C'est alors qu'il m'a rappelé. « Attends un peu. » Et le voilà qui attrape dans son panier une grosse, une très grosse pomme, et qui me la tend. Juste comme j'allais la prendre, vous savez ce qui m'est arrivé ?

Le visage levé vers leur grand-père, les garçons secouèrent la tête dans un même geste.

— Voilà que les deux pommes que j'avais volées tombent par terre et roulent à ses pieds. Il m'a poursuivi en agitant le poing jusqu'au bout du sentier. Et vous savez quoi? Non? Eh bien, il était si furieux qu'il m'a lancé les pommes. Et vous savez quoi? J'y suis retourné dans la soirée pour les ramasser. J'étais si content de moi que je les ai toutes mangées. Et ensuite, est-ce que vous vous doutez de ce qui est arrivé, ensuite? Non? Vraiment pas? (Il hurlait de rire.) Ensuite, *j'ai eu la colique!*

L'hilarité était générale. Les enfants pleuraient de rire.

Lorsqu'ils commencèrent à s'assoupir, don Roberto adressa à sa femme un regard de connivence. Leur maison palpitait de vie et d'énergie, et l'on s'y sentait tellement en sécurité. Il était convaincu d'avoir eu raison : il les mettrait au courant le lendemain.

Le lendemain matin, la villa Rivera était pleine des bruits de la famille. Au fur et à mesure de leur arrivée, on entassait dans le salon les cadeaux destinés aux jeunes mariés, mais seuls don Roberto et sa femme savaient que chaque paquet avait été minutieusement vérifié, puis réemballé, avant d'être introduit dans la maison. Eux seuls savaient pourquoi, tandis que la famille se rassemblait autour du petit déjeuner. Chaque porte était gardée. Il y avait des hommes sur les toits, dans les vergers et les dépendances, et d'autres encore, qui vérifiaient que le nom de chaque personne qui arrivait ou repartait figurait bien sur la liste des extras chargés des préparatifs du mariage.

C'est grâce à un système de sécurité tout aussi strict que le procureur Giuliano Emanuel pouvait se sentir en sécurité chez lui. Ayant travaillé jusqu'à une heure avancée sur les bandes enregistrées par Luciano, il se ressentait encore de la fatigue de la veille.

Il était 10 heures passées ce matin-là lorsqu'il se rendit en voiture à son bureau, où le système de sécurité était encore plus manifeste. Avant de pouvoir gagner son bureau, il dut attendre que les gardes contrôlent ses papiers d'identité, ce qui prit un temps considérable. Il ne pouvait s'en plaindre puisque c'est lui qui était à l'origine de ces mesures. Le lendemain de leur entrevue au restaurant, il avait annoncé à Mario Domino qu'il avait obtenu l'affectation de quinze hommes à la surveillance de la maison Luciano. Don Roberto et sa famille seraient protégés ainsi qu'il l'avait exigé.

Emanuel referma la porte et laissa tomber sa mallette sur le bureau. Lui et Luciano travaillaient ensemble depuis près de huit jours. Don Roberto avait demandé une pause afin de passer le week-end avec les siens. Emanuel avait accepté : il avait besoin de ces deux jours pour mettre ses notes en forme.

La semaine précédente avait été épuisante. Les précautions que l'on avait dû prendre pour préserver le secret sur l'identité du témoin et assurer sa sécurité confinaient à l'obsession. On changeait plusieurs fois de voiture; le lieu de la rencontre, sévèrement gardé, était souvent modifié au dernier moment. Même trouver des maisons sûres s'était révélé un véritable cauchemar. Et puis, pour être utilisables devant la justice, tous les enregistrements devaient être retranscrits.

Emanuel avait également établi une liste des problèmes soulevés par cette déposition-fleuve. Don Roberto viendrait à la barre dès que l'ajournement serait levé. Certes, Emanuel avait fait savoir qu'il disposait d'un nouveau et important témoin à charge, mais il était certain que nul ne découvrirait son identité.

Il approcha le magnétophone et y logea la quatrième bande de la dernière séance. Il baissa le volume sonore, car il était trop élevé et la voix de don Roberto en était déformée. Puis il ouvrit son carnet et mit son ordinateur en marche.

La déposition portait sur une vingtaine d'années, avec pour point de départ la mort de Michael Luciano. Même s'il l'entendait depuis des jours entiers, cette voix continuait d'impressionner le magistrat par sa force, sa clarté et sa précision. Don Roberto ne s'égarait jamais; il était concis, méticuleux quant aux dates et aux faits, et ne donnait jamais un nom sans l'épeler soigneusement afin d'éviter toute confusion. S'il lui arrivait parfois de montrer quelque hésitation, ce n'était que lorsqu'il prenait conscience de possibles implications personnelles ; il choisissait alors d'esquiver tel épisode qui l'amènerait à évoquer des personnes dont il ne souhaitait pas citer le nom.

Emanuel tapa sur son clavier : *Roberto Luciano, troisième déposition, bande numéro 4. Le 12 février 1987.*

Il travailla efficacement jusqu'à midi passé, rembobinant la bande chaque fois qu'il souhaitait revenir sur tel ou tel point de détail, vérifiant et contre-vérifiant continuellement tel ou tel passage par rapport à ce que Roberto Luciano avait déclaré durant les jours précédents. Il cliqua enfin sur l'icône *imprimer*, cliqua une seconde fois : l'écran s'était verrouillé. Il ne pouvait ni imprimer ni sortir du programme.

Soudain, un message se mit à clignoter : *défaillance secteur*. Emanuel fut saisi d'une colère froide. Négligeant les conseils d'utilisation, il n'avait ni sauvegardé ses disquettes, ni mémorisé les modifications auxquelles il avait procédé. La seule chose à faire était de déconnecter le système afin de supprimer le blocage. Tout le travail de la matinée était perdu.

Jurant entre ses dents, furieux de s'être montré si stupide, il tendait le bras vers le bouton de mise en marche, lorsque le téléphone sonna, ce qui le prit de court et fit retomber sa colère. Avançant la main vers l'appareil, il renversa une tasse de café froid de la veille. En voulant la rattraper avant qu'elle ne tombe par terre, il laissa échapper le combiné qui alla percuter le côté du bureau.

Il entendit la voix de sa femme lui demander si cela allait. Lui criant de ne pas quitter, il ramassa la tasse, puis empoigna le fil du téléphone pour ramener à lui le combiné. Mais le cordon en spirale se coinça sur l'arête du meuble. Étouffant un nouveau juron, Emanuel promena les doigts le long du bureau afin de dégager le fil. C'est alors qu'il sursauta et ramena sa main comme s'il avait reçu une décharge électrique.

Sa femme hurlait :

— Allô! Tu es là? Allô!

Il empoigna rapidement le combiné.

— Je te rappelle... Non, non, tout va bien. Aucun problème. Je te rappelle.

Aucun problème? Tu parles... Il raccrocha violemment et, le cœur battant, passa à nouveau les doigts sous le rebord du bureau. Il effleura la chose en tremblant, il savait exactement ce dont il s'agissait. Il courut ouvrir la porte.

Les gardes conversaient à voix basse à l'autre bout du couloir.

— Venez voir ici! En vitesse! leur lança Emanuel.

On avait placé un micro dans son bureau. La façon dont cela avait pu se faire n'avait pour l'instant aucune importance. La question cruciale consistait à savoir *quand* cela s'était fait. Dans quelle mesure les déclarations de Luciano, ses propres coups de fil avaient-ils été enregistrés? Blême de colère, il posa les yeux sur son ordinateur. Se pouvait-il qu'on y ait placé un mouchard? Pire encore, avait-on piraté son disque dur?

Sophia et Teresa attendaient Graziella dans le hall de la villa Rivera. Elles allaient faire quelques achats de dernière minute. Rosa, qui préférait rester, était assise dans le jardin en compagnie d'Emilio.

Lorsque la voiture s'ébranla, la mère de la future mariée était émue aux larmes. La grande tente toute décorée, l'allée bordée de fleurs, ce soleil radieux : tout cela avait quelque chose de tellement romanesque.

Sophia éprouvait la même chose. Elle serra la main de Teresa dans la sienne et se retourna pour adresser un sourire à Rosa. C'est alors qu'elle vit l'autre voiture se mettre en position derrière la leur. Elle ne comprit que ce véhicule allait les suivre que lorsqu'elles eurent passé les grilles, où plusieurs hommes montaient la garde. Aux questions de ses deux belles-filles, Graziella se borna à répondre que don Roberto entendait qu'il en soit ainsi, et que tous ces bras supplémentaires seraient bien utiles pour porter leurs emplettes.

— Elles ont un garde du corps assis devant à côté du chauffeur, et deux autres types qui les suivent dans une autre voiture. Je veux bien que papa se fasse du mauvais sang au sujet de ce procès, mais il y a des hommes partout. On se croirait à Fort Knox.

Constantino haussa les épaules. L'ampleur du dispositif de sécurité ne lui avait pas plus échappé qu'à son frère.

Ils durent abandonner ce sujet car leur père venait d'apparaître. Ils furent étonnés de le voir chaussé de mules.

— Filippo a retrouvé sa vieille moto, dit Constantino. Eh bien, il a réussi à la mettre en route! Un vieux moulin tout rouillé qui n'avait pas tourné depuis dix ans.

Don Roberto se posa sur un fauteuil en osier, étendant ses longues jambes devant lui.

— Je n'ai pour ma part jamais brillé par mes talents de mécanicien. Vous rappelez-vous la fois où j'ai voulu réparer le sèche-linge de votre mère? Sa plus belle nappe a été transformée en charpie.

Il rit en dodelinant de la tête.

Filippo donna un coup de coude à son frère pour qu'il aborde la question des gardes. Constantino ouvrait la bouche lorsque son père, accoudé sur la rambarde de la véranda, reprit comme pour lui-même.

— Bizarre, pendant la guerre j'étais dans une unité d'artificiers, et cependant j'ai détruit la nappe de votre mère. On m'a appris à faire sauter des bonshommes, à détruire des édifices, à désamorcer des bombes, et je suis incapable de réparer un sèche-linge...

Aucun de ses fils ne se souvenait de l'incident, mais il semblait presque ignorer leur présence. Toutes ces journées à évoquer le passé en compagnie d'Emanuel lui avaient rappelé des choses depuis longtemps oubliées. Voici qu'il entendait une voix enfantine qui l'appelait: celle de Michael lorsqu'il n'était pas plus âgé que ses petits-fils aujourd'hui.

« Papa, papa... » Don Roberto pouvait voir les cheveux d'un blond très pâle, les yeux bleus très brillants qui le

jadis et renouaient avec les sobriquets et les plaisanteries d'autrefois.

Graziella noua la cravate de son mari impeccablement mis en souriant.

— C'est ce soir que tu les mets au courant?

— Oui, ce soir.

Elle le serra dans ses bras.

— Le fait de rouvrir la maison... de recevoir tout le monde et d'utiliser la chambre de Michael, c'est pour moi comme une libération. Nous aurions dû le faire plus tôt. Je sens qu'une page est tournée. Ce n'est pas ce que tu éprouves, toi aussi?

Il déposa un baiser dans ses cheveux qui fleuraient cette essence de violette dont il lui offrait régulièrement un flacon.

— Oui, cela me fait le même effet.

Elle tapota le revers de sa veste, pourtant parfaitement en place.

— Tu as été merveilleux avec les garçons, et surtout avec Filippo. Il t'aime tant. Tous t'adorent, et ce que tu as décidé te rend peut-être plus libre de leur témoigner ton amour.

— Il est temps que Michael repose en paix. Il est possible qu'ils ne m'aiment plus tant que ça quand ils connaîtront ma décision.

Les traits de don Roberto s'étaient durcis.

Graziella en eut soudain la gorge nouée.

— Ce sont ses frères, dit-elle en refoulant ses larmes. Ils comprendront. Et ils se rangeront à ta décision, tout comme je l'ai fait.

— Ils n'ont pas le choix. (Il la prit tendrement par le menton.) Surtout n'aie pas peur, et n'en parle pas aux filles, pas encore. Leurs hommes, mes fils, les mettront au courant. Il faut qu'il en soit ainsi.

Graziella annonça à ses petite-fille et belles-filles que ces messieurs étaient sur le départ. Jacassant gaiement, elles leur adressèrent distraitement un signe de la main, vaguement impatientes qu'ils s'en aillent afin de pouvoir enfin dévoiler la robe de mariée.

Rosa, en peignoir, souffla un baiser à Emilio depuis le palier du premier. Le jeune homme allait s'élancer vers elle lorsque Filippo le prit par le bras.

— Ne sais-tu pas que cela porte malheur de voir sa promise à demi nue avant la cérémonie?

— Mais je suis tout à fait décente! s'écria Rosa.

Elle dévala les marches pour se jeter dans les bras d'Emilio. Nu-pieds, les cheveux sur les épaules, le visage rayonnant de bonheur, elle embrassa ses joues rouges de confusion.

Emilio eut un regard de gratitude pour son oncle, mais celui-ci admirait le smoking plutôt flamboyant de Filippo. Gardant un bras sur les épaules de son fils, il leva les yeux vers le palier pour s'adresser à ses petits-fils, dont on voyait le visage entre les balustres.

— Faites de beaux rêves, mes loupiots! Bien, tout le monde est paré? Mes fils sont prêts? Allons-y, et laissons ces dames en paix.

Voyant ses deux garçons en haut de l'escalier, en pyjamas assortis et propres comme des sous neufs, Constantino ne put s'empêcher de monter les marches quatre à quatre pour les prendre dans ses bras. Il les embrassa et leur fit promettre d'être bien sages.

Depuis le perron, Filippo lança que la voiture était avancée. Constantino se hâta de sortir. Il fut le dernier à quitter la villa.

Sophia emmena Rosa au premier pour lui faire passer la robe, pendant que Teresa déballait les cadeaux et les disposait sur la table de la salle à manger. Graziella coucha les garçons dans le grand lit à deux places, les borda et leur fit dire leur prière.

La nuit était douce, aussi laissa-t-elle les persiennes entrouvertes. Ce faisant, elle remarqua que les gardes se rassemblaient près des grilles. Elle consulta sa montre. Il était 8 heures et quart. La relève aurait lieu à 10 heures.

On entendit Rosa annoncer qu'elle était prête. Sa mère et sa grand-mère se hâtèrent de gagner le hall et attendirent que la jeune fille descende.

Sophia la devança.

— Je crois que la robe lui plaît! confia-t-elle aux autres. (Puis, levant la tête vers l'étage :) Rosa, nous attendons!

Elle gagna lentement le palier. Les trois femmes massées au pied des marches en eurent le souffle coupé. Le corsage avait des manches longues et un large décolleté. La taille fine de la jeune fille était soulignée par un galon ajusté et une jupe évasée. Le volant, très froncé, était coupé légèrement plus haut sur le devant et arrivait derrière à hauteur du sol. Le satin crème scintillait de minuscules perles cousues en motifs floraux. Une coiffe où se retrouvaient les mêmes ornements supportait le voile.

Rayonnante de bonheur, Rosa s'engagea dans l'escalier. La jupe oscillait, épousant les mouvements de son corps : la traîne ne poserait aucun problème.

La jeune fille porta les mains à ses joues rosies.

— Oh! maman, je suis si heureuse!

Emanuel tint à ce que sa femme et sa petite fille quittent Palerme le soir même et sous bonne garde. Il avait pris des dispositions pour qu'elles soient logées à Rome.

Son bureau grouillait de policiers qui cherchaient comment le micro avait pu y être introduit en dépit du système de sécurité. On épluchait le dossier de tous les fonctionnaires de police qui avaient été de service sur les lieux au cours des dernières semaines. Il avait ordonné qu'ils soient tous affectés à d'autres tâches et qu'une équipe entièrement nouvelle les remplace.

Il prit à part le chef du groupe de sécurité. Maintenant que l'identité de son témoin-clef était connue, il était évident que celui-ci se trouvait en grand danger. Il ordonna que le dossier de chaque homme assigné à la maison Luciano soit passé au crible, et que, dans le cas où le moindre doute sur l'un d'eux planerait, il soit remplacé le soir même.

Considérant qu'il avait fait tout ce qu'il était humainement possible, il rentra chez lui pour tenter de rassurer son épouse qui était au bord de la crise de nerfs, et la convaincre qu'elle et sa fille ne courraient aucun danger sur la péninsule. Il aurait aimé en être lui-même persuadé.

Il était 21 heures ce soir-là lorsque Emanuel reçut la liste détaillée des hommes affectés à la protection de Roberto Luciano. Il s'agissait d'hommes sûrs. On n'avait en revanche aucune garantie quant aux gardes supplémentaires recrutés par Luciano lui-même. Emanuel avait déjà insisté sur la nécessité de ne discuter de la situation qu'avec l'intéressé. Il décida de s'entretenir personnellement avec celui-ci. Ensemble, ils prendraient une décision concernant sa sécurité et celle de sa famille.

Il appela la villa à trois reprises, obtenant invariablement Graziella, qui, bien qu'elle sût qui il était, refusa les deux premières fois de lui dire le nom du restaurant où se trouvaient les hommes. D'une voix aussi calme que possible, il lui expliqua qu'il était de la plus extrême urgence qu'il entre personnellement en contact avec don Roberto. Graziella finit par lâcher le nom du *San Lorenzo*.

Emanuel composa à maintes reprises le numéro du restaurant. La ligne était occupée en permanence. Il finit par décider que le plus sûr était de s'y rendre. Il était maintenant 22 h 15.

Don Roberto avait porté son choix sur son restaurant favori pour deux raisons : en fait il en était propriétaire, et connaissait bien le personnel; de plus, la petite salle du premier était facile à garder. La grande pièce au rez-de-chaussée serait fermée, et les portes devaient être verrouillées aussitôt après leur arrivée.

Don Roberto avait ordonné que le service soit assuré par un personnel réduit. Les gardes du corps devaient dîner en bas, et les chauffeurs passaient reprendre tout le monde à minuit et quart. Les voitures étant trop connues, il était exclu qu'elles attendent devant l'établissement.

Les hommes n'avaient gagné la salle à manger privée qu'après une inspection minutieuse de la part des gardes du corps. Ils s'étaient installés à table à 21 heures.

Un long trajet attendait Emanuel. Il avait parcouru une quinzaine de kilomètres lorsqu'un de ses pneus arrière éclata. La voiture se mit à zigzaguer, mais il parvint à l'immobiliser sur le bas-côté. Les mains tremblantes, il resta un moment immobile, le temps de reprendre ses esprits. Il était convaincu qu'on lui avait tiré dessus.

Le cœur battant, il ouvrit doucement la porte. Il avait la bouche sèche, la respiration difficile. Puis il poussa un soupir de soulagement : il ne s'agissait que de la défaillance d'un pneumatique.

Graziella apporta le plateau dans le salon et déclara qu'elle montait voir les enfants. Sophia lui dit que ce n'était pas la peine. S'ils étaient restés éveillés, on les aurait certainement entendus.

Elle s'assit et se mit à siroter son café. Ses compagnes parlaient de la toilette qu'elles projetaient de porter pour le mariage, mais elle n'était pas d'humeur à participer à ce badinage. Elle se repassait mentalement sa conversation téléphonique avec Emanuel. Pourquoi était-il si urgent qu'il joigne Roberto ? Elle décida de ne plus y penser. Elle était fatiguée. La journée avait été bien remplie, et celle du lendemain promettait de l'être plus encore. Les traiteurs assureraient leurs livraisons à partir de 7 heures du matin. Elle tenait à être là pour les recevoir et surveiller les ultimes préparatifs.

L'horloge du palier sonna. Graziella regarda sa montre et entreprit de ramasser les tasses. Sophia lui dit de rester assise, proposant de débarrasser elle-même, mais sa belle-mère ne voulut rien entendre.

Il était 23 heures passées. Adina prit le plateau des mains de sa maîtresse. Elle lui annonça que le chauffeur de don Roberto venait de partir et que, par conséquent, ces messieurs ne tarderaient pas à rentrer. Elle proposa de préparer du café pour leur retour, mais Graziella secoua la tête, doutant qu'ils souhaitent veiller beaucoup plus tard. Elle dit à Adina d'aller se coucher après avoir nettoyé la cuisine. Puis elle esquissa un petit sourire et se posa l'index sur les lèvres. Elle allait glisser un œil dans la chambre des enfants.

À 23 heures quinze, un camionneur s'arrêta pour aider Emanuel. Ensemble ils mirent la voiture sur cric, puis, à la lueur d'une lampe torche, ils examinèrent la roue de secours. Elle était à plat.

Graziella ouvrit tout doucement la porte. Les garçons se faisaient face. Nunzio avait allongé un bras protecteur sur son frère. Ils paraissaient si petits dans ce grand lit, si paisibles et innocents, qu'elle ne put s'empêcher de sourire.

Elle allait refermer la porte lorsqu'elle perçut comme un bruit d'ardoise se détachant du toit. Elle se dirigea à pas de loup jusqu'à la fenêtre et découvrit que les persiennes étaient plus ouvertes qu'elle ne les avait laissées. Elle regarda du côté des grilles. Les cigarettes des gardes étaient de petits points rougeoyant dans les ténèbres. Ils attendaient le retour de don Roberto. Refermant les persiennes, elle laissa retomber le loquet. Elle retint sa respiration, inquiète : le bruit avait peut-être réveillé les enfants.

En se retournant vers le lit, elle constata qu'ils n'avaient pas bougé. La lumière parcimonieuse révélait une zone plus sombre sur l'oreiller, entre leurs têtes. Intriguée, elle s'approcha.

Entre les deux petits visages, la tache sombre gagnait peu à peu sur le blanc de l'oreiller. Graziella ouvrit la bouche pour hurler, mais aucun son ne sortit de sa gorge. Elle avança la main comme au ralenti...

Rosa se trouvait sur le seuil du salon lorsque l'horrible hurlement se répercuta dans la maison. Elle fut la première à voir le visage terrifié, les yeux épouvantés de sa grand-mère, lorsque celle-ci arriva sur le palier.

Sophia bouscula Rosa et avait gravi la moitié des marches avant que la jeune fille ait esquissé un geste.

— *Mamma*, qu'y a-t-il? Que se passe-t-il?

Graziella saisit sa belle-fille par le bras, cherchant à l'arrêter, la suppliant de ne pas entrer dans la chambre. Teresa s'engageait dans l'escalier, après avoir traversé le hall au pas de course. Rosa restait en arrière, saisie de tremblements. Sophia écarta Graziella et entra dans la chambre.

— Qu'est-ce qu'il y a, *mamma*? Qu'est-ce qu'il y a?

Teresa allait entrer à son tour lorsqu'une épouvantable plainte lui parvint, un gémissement sourd qui se mua en un hurlement suraigu :

— *Mes petits!*

Sophia gisait en travers du lit, sur les corps inertes de ses fils. Chacun avait été tué d'une balle dans la tempe. Le meurtrier avait ensuite retourné les deux petits corps, les plaçant face à face de manière à cacher leur blessure, allant même jusqu'à poser le bras de Nunzio sur son frère.

Leurs cheveux étaient poissés de sang. Secouée d'irrépressibles sanglots, Sophia prenait ses fils à bras-le-corps, les secouait comme pour les réveiller. Elle repoussa Graziella. Elle ne voulait pas qu'on l'approche, qu'on la touche.

Les gardes, qui avaient entendu les hurlements, remontaient l'allée en courant. Un autre, posté sur les toits, se laissa glisser sur les ardoises. Les premiers arrivés frappaient des coups sonores contre la porte d'entrée. Ceux qui étaient aux grilles avaient allumé leurs puissantes lampes torche.

Le mécanicien avait un œil sur le manomètre. Au bout d'un moment, il se pencha pour palper le pneu. Satisfait, il revissa le capuchon de la valve. Emanuel faisait les cent pas. Il consulta sa montre. Il était presque 23 heures trente.

Le chauffeur de don Roberto frappa à la porte du restaurant. Il pouvait entendre, venant de l'intérieur, un enregistrement de Pavarotti chantant *Turandot*, de Puccini. Il fit trois pas en arrière pour considérer les fenêtres brillamment éclairées du premier.

Le deuxième chauffeur arriva et attendit tandis que l'autre frappait à nouveau. Ce n'était pas normal : un des gardes du corps aurait déjà dû leur avoir ouvert.

À l'arrière du restaurant, la porte de service était également verrouillée. Les fenêtres des cuisines étaient éclairées. La musique continuait et son volume semblait croître en même temps que l'inquiétude des deux hommes. Ils tentèrent de briser la serrure de la porte de devant à coups de pied, puis ils tirèrent plusieurs coups de feu dessus jusqu'à ce qu'elle cède.

La porte s'ouvrit. Tout semblait à sa place dans le restaurant désert. Les nappes à carreaux, les couverts, tout était prêt pour la journée du lendemain. Aucune chaise n'était renversée, tout était parfaitement en ordre. Cependant, nulle trace des gardes du corps ou du personnel.

L'arme au poing, les deux hommes regardaient alentour d'un air interdit. L'un d'eux se dirigea vers la porte marquée CUISINES. Il la poussa du pied. Elle battit d'avant en arrière.

Des casseroles de sauce avaient été retirées du feu, mais les brûleurs étaient toujours allumés, comme si le chef s'était absenté pour un court instant. De la vaisselle sale était empilée dans un grand évier en grès. Des sacs poubelles étaient à demi remplis, comme si quelqu'un avait commencé à faire du nettoyage. Il semblait que le chef allait arriver d'un instant à l'autre, brandissant une cuiller en bois et chantant avec Pavarotti, dont la voix enregistrée se répercutait dans la cuisine. Les deux hommes paniquaient de plus en plus. La porte de service était verrouillée et barrée de l'intérieur. L'office était désert, de même que la cave.

Emanuel glissa une pièce dans la fente. Il entendit la bonne tonalité : pour la première fois de la soirée, la ligne n'était pas occupée. Il laissa longuement sonner. Les doigts de sa main droite tambourinaient contre la paroi vitrée de la cabine. Il attendait.

Le téléphone se mit à sonner au moment où les deux hommes remontaient de la cave, mais la sonnerie cessa avant qu'ils soient revenus dans la grande salle. L'un derrière l'autre, ils s'engagèrent dans l'étroit escalier. Le rideau de perles cliqueta lorsqu'ils l'écartèrent.

Emanuel martelait du poing la paroi de la cabine. N'obtenant pas de réponse du restaurant, il avait une nouvelle fois tenté de joindre Luciano à la villa Rivera, mais la ligne était occupée. En désespoir de cause, il courut jusqu'à sa voiture, sortit en trombe du garage et prit la direction du restaurant *San Lorenzo*.

La cassette de Pavarotti s'acheva à l'instant où ils arrivaient devant la porte de la salle à manger particulière. Elle était fermée de l'extérieur par une simple targette à l'ancienne et un antique loquet. Épaule contre épaule, les deux hommes la firent glisser lentement, silencieusement, et soulevèrent le loquet. Ils attendirent une fraction de seconde, puis échangèrent un hochement de tête. Ils étaient prêts.

L'arme au poing, ils ouvrirent d'un coup de pied le lourd battant de chêne qui alla percuter le mur et commença à revenir. Le premier à entrer l'immobilisa de l'épaule. Puis il lâcha dans un souffle :

— Seigneur Jésus...

La pièce était éclairée par deux candélabres posés sur la table et des appliques électriques sur les murs. Les tentures en velours étaient assorties au tapis rouge foncé. Il flottait une odeur d'ail et d'amande. Les hauts dossiers des lourds fauteuils de chêne projetaient leur ombre sur les murs crépis de blanc et sur les hommes qui y étaient toujours assis. Un épouvantable tableau figé s'offrait aux deux hommes.

En bout de table, don Roberto Luciano était légèrement affaissé sur le côté, retenu par un des accoudoirs de son fauteuil, la main refermée autour d'un verre encore d'aplomb. Ses lèvres étaient retroussées en un horrible rictus. Assis à sa droite, la tête tournée vers lui comme pour lui parler, Constantino était assis bien droit, mais ses deux mains étaient refermées *comme deux serres* sur le rebord de la table. Des vomissures luisaient sur son menton et sur la soie noire du revers de sa veste.

En face de lui, Filippo était tombé en avant sur la table. Son vin rouge mêlé de vomi faisait une grande tache sur le blanc de la nappe.

Emilio, le futur marié, avait réussi à se lever avant de mourir. Les traits horriblement déformés par la douleur, il était tombé sur les genoux. Son verre de vin s'était fracassé à ses pieds. Une de ses mains était toujours agrippée à la nappe.

Le chauffeur de don Roberto fit le tour de la table pour prendre le pouls des quatre hommes. Bien qu'il les sût morts, il se força à le faire avant de fondre en sanglots.

Mario Domino arriva au restaurant en même temps que la police. Il trouva Emanuel assis dans sa voiture, portière grande ouverte, son visage couleur de cendre. C'était lui qui avait prévenu l'avocat de Luciano. Lorsque celui-ci fut devant lui, il dut toutefois se passer la langue sur les lèvres avant de parler.

Domino en tête, les deux hommes s'engagèrent dans l'escalier étroit. Rien n'avait changé dans la petite salle à manger. Les cadavres attendaient l'arrivée des enquêteurs et du médecin légiste. L'avocat se laissa tomber à genoux. Il se souviendrait que tous ceux qui étaient entrés après lui avaient fait de même et s'étaient mis à prier.

Mort, Luciano n'avait rien perdu de son charisme et de son autorité. Ses yeux grands ouverts semblaient flamboyer d'une formidable colère, et l'on aurait dit que sa bouche horriblement déformée allait hurler le nom de son meurtrier. Domino considéra les fils de son vieil ami. La puanteur de leurs vomissures, mêlée à l'odeur d'ail et au parfum douceâtre, sinistre, des amandes, l'obligeait à se couvrir le nez de son mouchoir. Il tourna les talons et s'en fut : il lui revenait d'annoncer l'horrible nouvelle à Graziella.

Arrivé sur la hauteur qui dominait la propriété, l'avocat constata que la maison était entourée de voitures de police. Toutes les fenêtres étaient violemment éclairées. Il accéléra, inquiet que quelqu'un l'ait précédé avec la tragique nouvelle.

Lorsqu'il eut appris de la bouche des policiers le sort fait aux petits-enfants de Luciano, le sol se déroba sous ses pieds. Comment annoncer à Graziella que l'horreur ne s'arrêtait pas là ?

Des ambulanciers arrivaient avec deux civières. Sur chacune d'elles, une petite forme cachée sous une couverture.

Domino entra dans la maison sans qu'on l'arrête ou lui pose de questions. Il s'immobilisa dans le hall brillamment éclairé. Toutes les portes étaient grandes ouvertes, toutes les pièces grouillaient de policiers. Totalement désorienté, il chercha des yeux un visage connu. Le médecin des Luciano descendait l'escalier à pas lents.

L'homme avait un visage de cendre. Reconnaissant Domino, il le salua d'un hochement de tête.

— Pourquoi ? fit-il sourdement. Qui a pu faire une chose pareille ?

L'autre le prit par le bras pour l'entraîner à l'écart.

— Ne partez pas tout de suite. On va avoir besoin de vous. Où est Graziella ?

— Mario.

C'était la voix de la vieille femme.

Domino se retourna pour la voir à mi-hauteur de l'escalier. Il se raccrocha encore un instant à l'avant-bras du médecin avant de se diriger vers le bas des marches.

— Il faut que je te parle.

Elle descendit les dernières marches. Domino lui tendit la main. Elle la saisit fermement, avec un petit sourire plein de tristesse qui lui fendit le cœur.

— Merci d'être venu. Cela me fait du bien que tu sois là. Je voudrais que tous ces étrangers s'en aillent avant le retour de Roberto. Pas moyen d'obtenir le restaurant. Je n'ai pas arrêté d'appeler...

Ils gagnèrent le bureau de son mari. Elle referma la porte. Domino ne savait comment commencer.

— Ils sont allés dîner en ville, reprit-elle. Il comptait leur faire part de sa décision, il voulait être seul avec eux pour leur annoncer. Ah! Mario... les petits sont morts.

Elle avait les yeux vitreux et tellement pâles qu'on aurait dit que toute couleur s'en était retirée.

— Graziella... commença-t-il d'une voix altérée, à peine audible. Ce n'est pas tout... Le Ciel me vienne en aide, je ne sais comment te le dire.

Ce fut comme si elle le regardait vraiment pour la première fois. Elle vit combien il était bouleversé.

— Ce n'est pas tout? balbutia-t-elle.

Il hocha la tête et fit une grimace, dans une vaine tentative pour endiguer les larmes qui lui inondaient le visage.

— Regarde-moi, fit-elle d'une voix rauque, d'une voix trop forte, et dure comme de l'acier. Dis-moi ce qu'il y a... *Dis-le-moi!*

Il se raccrocha au dossier d'un fauteuil et, tête baissée, paupières closes, il la mit au courant. Il luttait pour contrôler ses propres émotions afin d'être en mesure de la soutenir. Mais ce fut elle qui lui tapota doucement l'avant-bras. Sa main avait la légèreté d'une plume.

Il pivota pour la prendre dans ses bras, mais elle fit un pas en arrière. Elle laissa échapper un étrange soupir, puis elle se posa la main sur la poitrine, comme pour interroger les battements de son cœur. Il ne savait que dire pour la réconforter et demeurait immobile, accablé, misérable.

Elle fit lentement le tour du bureau de son mari et considéra un instant les photos de la famille. Puis, au grand désarroi de Domino, elle s'assit au bureau, l'air décidé, prit un stylo, une feuille de papier, et se mit à écrire. Elle eut bientôt noirci toute la page. Elle se relut posément puis tendit la feuille à Domino.

— Veux-tu, s'il te plaît, contacter toutes les personnes figurant sur cette liste ? Je veux que le vélum soit démonté.

— Graziella...

— Non, s'il te plaît, écoute-moi. Je veux qu'on remporte toutes les fleurs. Que fournisseurs et invités soient mis au courant. Nous ne voulons voir personne. Tu vas en informer les gardes, puis tu demanderas à tout le monde de s'en aller. Il faut qu'on nous laisse tranquilles, est-ce que tu comprends ? Nous voulons être seules.

Domino était vivement impressionné par le calme de Graziella. Elle décida de parler séparément à chacune des femmes de la maison ; sa seule requête fut que le médecin l'accompagne.

Elle choisit d'aller d'abord trouver Rosa. Elle resta un long moment à tenir la main de sa petite-fille, qui oscillait entre prostration et crise de nerfs, et à laquelle le docteur dut administrer un sédatif. La robe de mariée était toujours accrochée à la porte de la penderie. Graziella l'emporta de la chambre. Mais Rosa ne voulut pas se séparer de son voile. Elle s'y accrochait encore lorsqu'elle finit par s'endormir.

Teresa ne cessait de répéter le nom de son mari. La disparition de tous les hommes de la famille, ajoutée à celle des deux enfants, était quelque chose qu'elle ne parvenait pas à assimiler. Elle lissait constamment sa jupe, se mordillait les lèvres et répétait :

— Je ne comprends pas, je ne comprends pas...

Elle fixait un regard vide sur la silhouette immobile et silencieuse de Graziella.

— Alors il ne va pas y avoir de mariage ?

Les verres épais de ses lunettes faisaient effet de loupe. Peu à peu, ses yeux inertes, agrandis comme ceux d'une poupée de porcelaine, commencèrent à s'animer. L'énormité des faits s'imposa à son esprit engourdi. Sa respiration marqua un temps d'arrêt, puis se précipita au point que bientôt elle suffoqua. Elle se mit à ciller rapidement et, enfin, elle pleura. Au bout d'un moment, elle demanda qu'on la laisse seule.

Le médecin recommanda à Graziella d'être prudente, de prendre du repos. Elle traversa néanmoins le couloir pour entrouvrir la porte de la chambre de Sophia. Celle-ci était endormie, à plat ventre, les bras en croix, une main pendant hors du lit. Graziella referma doucement la porte.

— Docteur, laissez-moi des tranquillisants, pour le cas où ces petites en auraient encore besoin. Je leur en ferai prendre, je vais m'occuper d'elles. Bonsoir, docteur, merci d'être resté. Merci à toi aussi, Mario. Bonsoir.

Domino regarda les feux arrière de la voiture du médecin s'éloigner dans l'allée. Puis il enfila lentement son manteau. Il ne pouvait rien faire de plus pour Graziella. Il demeura quelques minutes dans le hall à présent désert. Il ne pouvait se résoudre à partir. Il sortit s'asseoir sur les marches du perron. Là, il se prit la tête entre les mains et pleura.

Rosa dormait toujours profondément. Teresa s'en félicitait. Ce malheur était trop effroyable pour qu'elle puisse envisager de partager sa peine avec la petite. Elle n'avait qu'un désir, celui de rester allongée dans l'obscurité de sa chambre.

Mais Graziella la persuada de prendre un petit alcool. Elle n'avait encore rien dit à Sophia, bien qu'elle la sache maintenant éveillée, ayant vu de la lumière filtrer sous la porte.

Elle rassembla ses dernières forces, serrant les poings si fort que ses ongles lui entaillèrent les paumes...

Sophia était assise devant sa coiffeuse, les mains posées sur les cuisses, sa longue chevelure noire descendant jusqu'à ses reins. Les tranquillisants lui embrumaient l'esprit. Elle avait les yeux bouffis d'avoir pleuré. Elle remuait silencieusement les lèvres, comme si elle se parlait ou récitait une prière. Elle ne se retourna pas lorsque Graziella entra et vint sans bruit se placer derrière elle. Elle ne broncha même pas lorsqu'elle lui posa ses deux mains sur les épaules.

Ses yeux noirs, qui paraissaient presque trop grands pour son visage en forme de cœur, fixaient le miroir, sans expression. Graziella se pencha pour prendre une brosse à cheveux en argent et se mit à peigner l'épaisse et soyeuse chevelure de sa belle-fille. Il y eut quelques crépitements d'électricité statique, et Sophia ferma les paupières.

— *Mamma*, dites-moi qu'il s'agit d'un cauchemar. Dites-moi que je vais me réveiller d'un moment à l'autre et que tout ça sera terminé.

Graziella continuait de lui brosser les cheveux en longs et lents mouvements. Tout à coup, sa belle-fille se retourna et la saisit au poignet.

— Où sont-ils? Pourquoi ne sont-ils pas ici? Où est donc Constantino?

Lorsqu'elle apprit l'atroce vérité, elle se mit à gémir. Ses plaintes se répercutaient dans la chambre, semblaient emplir toute la maison.

Les persiennes furent fermées, les rideaux tirés. Les ouvriers s'activèrent jusqu'à ce qu'il ne subsiste plus aucune trace des préparatifs du mariage. Les cadeaux furent remballés dans leurs cartons; les cartes et télégrammes de félicitations n'allaient pas plus loin que les grilles de la propriété. Les splendides arrangements floraux furent jetés sur le tas de compost, mais les pétales tombés restèrent là pour voleter dans la brise nocturne et se dessécher au soleil du lendemain.

La villa Rivera semblait enveloppée d'un linceul. Les journalistes se massaient comme des animaux en cage à l'extérieur des grilles. Mais personne ne leur ouvrait.

Graziella tint à aller seule reconnaître les corps. En vêtements de deuil, le visage caché derrière un voile noir, elle donnait le bras à Mario Domino, qui la guidait dans le crépitement des flashes. Il y eut quelques bousculades et les carabiniers eurent fort à faire pour leur ménager un passage à travers la foule des photographes.

Dès qu'ils furent à l'intérieur de la morgue, elle se

détacha de lui, bien décidée à marcher toute seule. Elle laissa l'avocat la précéder dans une succession de couloirs glacés où les guidait un policier en blouse blanche. Ils pénétrèrent dans une salle carrelée de faïence blanche.

Les mains de l'employé, gantées de caoutchouc jaunâtre, soulevèrent lentement chaque drap blanc, juste assez pour qu'elle puisse voir chaque visage. Elle passa ainsi d'un cadavre à l'autre, se signant à chaque fois et appelant chacun par son nom. Ce furent les seuls mots qu'elle prononça. Elle ne fit rien pour toucher les corps.

— Roberto Luciano... Constantino Luciano... Filippo Luciano... Emilio Luciano... Carlo Luciano... Nunzio Luciano...

Puis elle reprit le bras de Domino, et il l'accompagna jusqu'à la Mercedes. Mais elle refusa qu'il l'escorte jusque chez elle. Lorsqu'il eut doucement refermé la portière, un sentiment d'irrémédiable insuffisance l'étreignit.

Il vit la vitre s'abaisser doucement. Le visage de Graziella était une ombre derrière le voile.

— Je vais enterrer mes morts. Il ne reste pas un Luciano vivant, et je veux que tout le monde en Sicile soit au courant et exige que justice soit rendue. Tu vas m'organiser une entrevue avec Giuliano Emanuel. Tu lui diras qu'il dispose d'un nouveau témoin à charge. Merci pour tout, Mario, merci...

Elle fit un geste de sa main gantée de noir à l'intention de son chauffeur. Avant que Domino ait pu répondre, la vitre remonta et la voiture s'écarta du trottoir.

3

Ce n'est que plusieurs heures plus tard qu'on retrouva les corps du chef cuisinier et d'un serveur. Ils avaient été ligotés puis tués d'une balle de Heckler & Koch P7M8, ce qui était la marque d'un tueur professionnel. Une semaine s'écoula avant qu'on retrouve les cadavres des gardes du corps de don Roberto. Une odeur de chairs en décomposition conduisit les carabiniers à un puits situé à une vingtaine de mètres du restaurant. Ils avaient été tués avec la même arme. Le deuxième serveur avait disparu sans laisser de traces.

Les Luciano avaient été assassinés à l'aide de cyanure. On en retrouva des traces dans tous les plats auxquels ils avaient touché et jusque dans le vin.

L'enquête révéla bientôt que trois ou peut-être quatre hommes avaient participé à l'opération. Les techniciens des services de police exécutèrent des moulages des empreintes de pas environnant le puits et entreprirent de relever les centaines d'empreintes digitales parsemant le restaurant. Une semaine après la série de meurtres, on n'avait encore aucun suspect.

Luka Carolla se rendit en train jusqu'à l'extrémité nord-ouest de la Sicile, cent kilomètres à l'ouest de Palerme. Sa destination était la cité fortifiée d'Erice. De cette citadelle, qui dominait la mer et les îles Égades du haut de ses huit cents mètres d'altitude, on pouvait, par temps clair, apercevoir les côtes de la Tunisie.

Quittant la gare, il fallait suivre une route peu passante, très pentue et tout en épingles à cheveux. Le jeune homme avait choisi un horaire lui permettant de faire cette ascension dans la fraîcheur du soir. Il portait un petit sac de voyage et une boîte oblongue recouverte de cuir. Ses souliers étaient éraflés et blancs de poussière. Il avait ôté sa veste et l'avait jetée sur son épaule, mais son chapeau de paille le faisait transpirer et la sueur gouttait de ses cheveux blond pâle sur sa chemise. Il faisait une chaleur épuisante. Et cependant, lorsqu'une voiture tirée par un âne le dépassa, il ne chercha pas à monter.

Il continua la longue et pénible ascension. Il arriva enfin devant la *chiesa* Matrica, la petite église de la Mère de Dieu. En passant, il fit un petit signe de tête en direction de l'édifice. Poursuivant sa progression sur l'étroit sentier pavé, il arriva bientôt sur la piste caillouteuse qu'il connaissait si bien. Encore trois ou quatre kilomètres, et il serait arrivé.

Le soir tombait. Une brise solaire, venue du large, apportait un peu de fraîcheur. Luka tira un mouchoir de sa poche et s'en servit pour nettoyer ses souliers. Il remit sa veste. Bientôt, au détour d'un éperon rocheux, lui apparurent les murailles massives, mangées de mousse, du monastère. Encore quelques minutes, et il se présenterait devant le lourd portail.

Bien qu'il ne soit pas attendu, il savait qu'on lui ouvrirait.

La vieille corde et sa lourde poignée en fer rouillé étaient exactement comme dans son souvenir. Il entendit les tintements assourdis de la cloche dans la cour. Un moment passa avant que quelqu'un vienne ouvrir le judas.

Le père Angelo souffrait cruellement de son arthrite. Néanmoins, lorsqu'on vint lui dire que Luka Carolla était en bas, il eut si grande hâte de le voir qu'il en oublia sa canne.

Le vieil homme serra le garçon dans ses bras. Il pleurait de joie. Son accueil était si chaleureux que Luka en avait les larmes aux yeux. Frère Guido — un moine dont Luka ne se souvenait pas — se précipita pour seconder le supérieur. Il se pencha pour prendre le sac du jeune homme et fut stupéfait de se le faire aussitôt arracher des mains. Luka bredouilla des excuses, expliquant que ce sac ne pesait pas lourd et qu'il pouvait parfaitement le porter. Pas une seconde il n'avait lâché sa boîte gainée de cuir.

Frère Guido prit le bras du père Angelo, et tous trois traversèrent lentement la cour pour gagner la fraîcheur du vestibule.

Le vieillard s'immobilisa pour poser la main sur l'avant-bras de Luka.

— Tu vas retrouver ta cellule. Est-ce que tu t'en souviens?

— Oui, père, je m'en souviens, répondit-il en anglais.

— L'orphelinat est fermé, tu étais au courant? Est-ce que je te l'ai écrit?

— Oui, père, vous me l'avez écrit. Est-ce que c'est okay si je reste ici quelques jours?

— Mais dis-moi, Luka, tu es devenu un vrai Américain.

Les sandales du père Angelo produisaient un bruit de frottement familier. Il était devenu tellement frêle, avec la peau sur les os et de petites touffes de cheveux blancs autour d'un crâne chauve. Le jeune homme se sentait si tenté de le soutenir qu'il gagna un endroit plus sombre, effrayé par l'intensité de ses émotions.

Le vieil homme héla deux moines qui passaient dans la cour.

— Luka est ici, il est revenu!... Luka, tu reconnais sans doute frère Tommaso?

Celui-ci était méconnaissable. Il ne restait presque rien de sa corpulence d'autrefois, et son épaisse chevelure aux boucles noires avait complètement blanchi. Agitant la main et souriant, il approchait, accompagné d'un moine qui paraissait encore plus marqué par le temps. Luka fixait ce dernier. Il ne pouvait assurément s'agir de frère Luigi, et cependant... Lorsque les deux vieillards furent plus proches, Luka réalisa qu'il s'agissait bien de frère Luigi, mais il lui apparut très vite que ce dernier ne le reconnaissait pas. Sa tête était aussi vide que ses petits yeux délavés.

Frère Tommaso fronça le nez, puis hocha la tête.

— Luka? Luka, ma foi, sois le bienvenu, mon garçon. Te voilà devenu un superbe jeune homme, et rudement élégant. Tu as l'air en pleine santé, et américain jusqu'au bout des ongles.

Il se pencha vers celui qui l'accompagnait pour lui crier à l'oreille :

— Luigi, c'est Luka, tu te souviens de lui? Luka!

Les joues de l'autre se creusèrent, et il sourit de toutes ses gencives.

— C'est Luka! mugit frère Tommaso. (Puis, haussant les épaules :) Il n'entend pas, il est sourd. C'est qu'il a plus de 90 ans, tu sais. Eh bien... sois le bienvenu, mon garçon.

Les deux vieillards s'éloignèrent à petits pas.

Luka, le père Angelo et frère Guido suivirent le couloir. Guido ouvrit une porte basse et s'effaça pour faire entrer le jeune homme dans une cellule aux murs de pierre nus. La pièce était meublée d'une penderie, d'une commode et d'un lit métallique sur lequel étaient posés un matelas replié et un traversin. Tandis que le père Angelo demeurait accoté au dormant de la porte, frère Guido prit délicatement, dans un des tiroirs de la commode, un drap et une taie de traversin qu'il déposa sur le lit. Puis il se saisit d'un grand cruchon de porcelaine blanche et sortit pour aller chercher de l'eau.

Luka posa son sac à terre et déposa la mallette, plus petite, sur le dessus de la commode. Lorsqu'il se retourna, le père Angelo lui souriait. C'était un sourire plein d'amour. Il sentit son menton trembler, ses yeux se remplir de larmes, et il prit tendrement le vieillard dans ses bras.

— Ah! mon fils, mon cher garçon, comme tu me rends heureux. Je commençais à penser que je ne te reverrais pas avant de mourir. Je rends grâce au Seigneur.

Le frère revint avec la cruche d'eau.

— Merci, Guido, dit le père Angelo. Si tu veux bien m'aider à regagner ma cellule, je vais laisser ce garçon en paix. Si tu souhaites te changer, Luka, tu trouveras là une robe et des sandales. La messe sera célébrée dans une heure. Durant le souper, nous écouterons tout ce que tu as à nous raconter...

Le jeune homme balbutia une formule de remerciement, puis, prêtant l'oreille au bruit de leurs pas, attendit que le silence soit revenu. Il ferma les yeux et laissa échapper un soupir. Il était de retour chez lui.

Le volet en bois grinça lorsque Luka l'ouvrit. Il découvrit son ancien potager, tristement négligé. Il repensa à tout ce qu'il y avait fait pousser, à la peine que lui et le vieux frère Luigi y avaient prise. Plus loin s'étendait le jardin, enclos de murs, le monastère, et au-delà les champs, les friches, et enfin la mer. Jadis, il avait coutume de penser que l'on se trouvait ici au bout du monde. Rien n'avait changé, pas même ce léger parfum d'encens qui flottait dans les cellules et imprégnait la robe des moines.

Il se dévêtit rapidement, désireux d'être nu, désireux d'être propre. Il versa l'eau froide dans la cuvette et prit une brosse en bois, une brosse à ongles, très dure. Sans user de savon, il s'étrilla jusqu'à ce que sa peau très blanche soit rouge et presque à vif. Puis il enfila la robe, en noua la ceinture de corde et glissa ses pieds dans les sandales.

Il sortit ses vêtements du sac de voyage : deux belles chemises de batiste et un pantalon identique à celui qu'il venait de quitter. Puis il en sortit deux paires de chaussettes qu'il rangea dans un des tiroirs tapissés de papier de la commode. Il se munit d'un chiffon et astiqua ses souliers avant de les déposer dans le bas de la penderie, à côté du sac vide. Sur le dessus de la commode, près de la boîte oblongue, il déposa son matériel de rasage. Il ne put résister à l'envie d'effleurer du bout des doigts le cuir de la boîte. Puis il souleva le matelas et la dissimula dessous.

Il fit méticuleusement son lit, bordant avec soin les draps de lin écru, ménageant un rabat de quinze centimètres. Lorsqu'il fut satisfait, il jeta un regard à sa montre Gucci et sourit. Il n'allait pas en avoir besoin ici : les cloches lui indiqueraient l'heure. Il fut amusé d'entendre justement l'appel à la messe de 7 heures, et se demanda pendant un moment s'il allait se joindre aux frères. Non, il dirait qu'il s'était endormi. Mais dormir était le cadet de ses soucis. Il sortit silencieusement par la fenêtre et prit la direction de son ancien potager.

Il s'engagea entre les rangs de laitues montées et pourrissantes, les rames de haricots desséchés. La planche de fraisiers avait été laissée à l'abandon. Le carré réservé aux pommes de terre était dans un état lamentable. Il soupira. Combien d'heures avait-il passées ici à bêcher et sarcler, à tailler et planter ? Plongé dans ses pensées, il gagna le muret de pierres sèches, retroussa sa robe et, d'un mouvement fluide, atterrit de l'autre côté. Il promena le regard sur les champs à perte de vue. Il atteignit le haut de la pente, s'inscrivant entre ciel et terre. Devant lui s'étendait la mer, sombre et scintillante. La brise prenait dans le bas de sa robe. Il inclina la tête pour en goûter la fraîcheur sur son visage. Puis, comme au ralenti, il tomba à genoux et tendit les bras vers le ciel.

— Pardonnez-moi, pardonnez-moi car j'ai péché... Je vous salue, Marie, Mère de Dieu...

Les cloches du monastère se turent, et l'on n'entendit plus que le sifflement du vent et le bruit lointain du ressac.

Il allait faire pénitence. Il ne quitterait pas le monastère avant d'avoir semé et récolté, il ne se reposerait pas avant d'avoir remis en culture ce lopin négligé.

Luka se joignit aux moines assis autour de la grande table du gigantesque réfectoire. Le monastère comptait quinze ou seize moines lors de son précédent séjour, mais depuis, les effectifs avaient considérablement fondu. Frère Guido était le plus jeune. Il était assis entre deux autres moines que Luka ne connaissait pas.

Le père Angelo tapota le banc à côté de lui, puis inclina la tête pour prier et remercier le Seigneur d'avoir inspiré cette visite à Luka. Les repas étaient toujours pris en silence, et l'on n'entendait que l'entrechoquement des cuillers sur les bols de solide faïence blanche. Une corbeille contenant d'épaisses tranches de ce pain à grosse croûte que l'on faisait sur place circula autour de la tablée. Mais ce pain était rassis, et la soupe, déjà refroidie, sans goût. Cela n'empêcha pas le jeune homme de manger avec appétit. Son dernier repas remontait à plusieurs heures.

Le souper terminé, frère Guido ramassa bols et cuillers. Puis il posa au centre de la table un saladier de poires et de pommes talées. C'était le signal de la fin du repas : les conversations pouvaient commencer. Quelques moines prirent un fruit, mais la plupart préférèrent ce vin rouge épais dont Guido venait d'apporter un cruchon. Luka se versa un verre d'eau.

— Alors Luka, comment as-tu trouvé l'Amérique ?

Le jeune homme avait les poings serrés sous la table mais c'est avec un petit sourire timide qu'il répondit :

— L'Amérique, c'est complètement différent.

— Es-tu allé à la fac ?

— Oui, mais comme vous vous en souvenez sans doute, les études n'ont jamais été au nombre de mes priorités. J'ai appris l'anglais. Il faut parfois que je m'y reprenne à deux fois avant de trouver mes mots en sicilien. Est-ce que je fais américain, quand on m'entend parler ?

Le père Angelo opina du chef. Ses yeux brillaient de bonheur.

— J'ai vécu à New York avec mon père, reprit Luka.

Les moines le regardaient en silence. Une attention aussi soutenue avait quelque chose de déroutant, et le jeune homme ne trouvait aucune anecdote, aucun

71

incident plaisant à leur raconter. Il se mit à rougir. Ses joues se colorèrent si vivement que le père Angelo y porta la main.

— Tu es fatigué, je le vois bien. Peut-être vaudrait-il mieux que tu nous racontes tout cela une autre fois.

Luka hocha la tête avec une expression reconnaissante. Sous la table, ses doigts s'entremêlaient fiévreusement. Frère Guido continuait, lui, de scruter le visiteur.

— J'ai un frère qui vit à New York, dit-il en anglais. Quel quartier habitais-tu?

Luka se raidit intérieurement, mais il répondit d'une voix égale.

— Nous bougions pas mal, mon père et moi. Nous ne sommes jamais restés très longtemps dans le même appartement, mais je pense que c'est Manhattan que j'ai préféré. Êtes-vous allé à New York, frère Guido?

Les yeux bleus fixaient le moine sans ciller. Ce fut lui qui, cette fois, s'empourpra. Luka lui avait répondu en anglais, et il n'avait pas tout saisi.

— Je n'ai jamais mis les pieds en Amérique. À Londres, une fois...

Guido n'avait pas voulu se donner des airs inquisiteurs, mais il était avide de renseignements sur le monde extérieur. Il était le seul lecteur assidu de tout le groupe et lui seul avait fait des études supérieures. Il était au courant des procès qui avaient actuellement lieu à Palerme, même s'il était mal vu de lire les journaux, de sorte qu'il n'avait personne avec qui en discuter. Il n'y avait pas le moindre poste de radio ou de télévision dans le monastère.

Il allait poser une nouvelle question, quand frère Tommaso lui adressa la parole.

— Lorsque Luka était ici, nous avons eu un problème. Un poulet avait été dérobé dans les cuisines, et nous étions bien décidés à démasquer le coupable. Nous savions qu'il s'agissait d'un des garçons, mais lequel? Il fut décidé que tous seraient privés de jeux et de sorties, jusqu'à ce que l'on trouve le voleur. Est-ce que tu te souviens de cela, Luka?

Le jeune homme fit une moue enfantine.

— Un poulet? fit-il en haussant légèrement les sourcils.

— Oui, un poulet! (Frère Tommaso se leva pour se pencher encore plus au-dessus de la table.) Et j'ai retrouvé une cuisse de poulet sous ton traversin! Je l'ai même apportée en classe, tu dois bien t'en souvenir.

Luka fit entendre un rire aigu, presque un rire de fille. Il avait subitement changé du tout au tout. Cet éclat plein de fraîcheur surprit et charma frère Guido.

Tommaso suivait son idée.

— Dis-moi, Luka, tu t'en es tiré cette fois-là. Le petit Antonio s'est laissé accuser du larcin, mais tu l'y avais obligé, n'est-ce pas?

Le jeune homme esquissa un sourire qui creusa une fossette dans sa joue droite et révéla de petites dents blanches et parfaitement rangées.

— Frère Tommaso, je le jure sur la tête de mon père, sur la vie de notre bienfaiteur, que nous remercions pour la réfection de la toiture, la plomberie... jamais je n'ai volé la moindre cuisse de poulet. Des crayons, des livres, je pense que oui, mais ce n'est pas moi qui ai dérobé ce poulet.

Le moine se rassit en soupirant. Angelo tapota l'épaule de Luka.

— Ça y est, Tommaso, tu tiens enfin ta réponse. Et maintenant, je suggère que nous nous retirions. Notre jeune invité doit être bien fatigué. Il vient de faire un long voyage.

Ils se levèrent de table. Luka soutint Angelo, mais Guido se précipita pour apporter la canne du père prieur. S'étant assuré que le vieillard tenait bien sur ses jambes, le moine s'adressa à nouveau au jeune homme.

— Ton père, c'est bien Paul Carolla, non?

Luka fit volte-face, et Guido recula d'un pas.

— Excuse-moi, je ne voulais pas me montrer indiscret. Cela m'intéresse, c'est tout. C'est que j'ai lu des choses sur le procès.

— Comment cela, tu as lu des choses?

73

Rougissant, Guido regarda furtivement autour de lui avant de poursuivre.

— Les journaux sont très mal vus ici, mais ils sont exposés sur un présentoir à l'épicerie du bourg.

Luka marqua un temps d'hésitation, puis afficha à nouveau son sourire désarmant.

— C'est vrai, mon père est en prison. Mais il est innocent, frère Guido. Si je suis ici, c'est pour prier pour lui, prier pour qu'on le relâche.

Le cœur de Luka battait à se rompre. Jamais il n'aurait imaginé que quiconque, dans ce sanctuaire, puisse être au courant.

— Je suis un excellent jardinier. Me permettra-t-on de travailler au potager?

Guido hocha la tête et dit qu'il serait plus qu'heureux de l'aider.

— Ce ne sera pas nécessaire. Je peux m'en tirer tout seul, et je sais même où sont rangés les outils.

Le moine demeura immobile dans l'ombre du couloir jusqu'à ce que la porte de Luka se referme. Il était très excité par cette histoire de procès. Il n'avait nulle envie de jardiner, mais il désirait en savoir plus sur ce qui se passait à Palerme. Cette série de procès devait, selon les journaux, ouvrir une ère nouvelle en Sicile et marquer la fin de la Mafia.

Dans la sécurité de sa cellule, Luka ôta sa robe de bure. Puis il souleva le matelas afin de s'assurer que sa précieuse boîte était à sa place. Satisfait, il s'allongea, nu, sur cette couche qui évoquait un lit d'enfant. Il se sentait tout léger et goûtait la fraîcheur du soir.

Il sourit en se remémorant le vieux Tommaso et sa cuisse de poulet. C'était bien lui l'auteur du larcin, qui avait menacé Antonio pour qu'il se dénonce à sa place. Il se demanda quelle tête le frère aurait faite en voyant ce qu'il cachait maintenant sous son matelas : un 44 Magnum. Il ne put résister à l'envie de le sortir de sa cachette. Il se mit à le caresser, appréciant le contact de l'acier dur et froid, puis à en manipuler les cartouches très spéciales. Il avait en effet foré de petits trous dans chaque balle afin qu'elle se fragmente au moment de l'impact et que les éclats se dispersent. Après avoir laissé échapper un soupir de contentement, il replaça délicatement le revolver dans son coffret en velours. Puis il s'allongea à plat ventre sur le lit.

La brise qui entrait par les volets entrouverts le berça vers un sommeil sans rêves. Son corps semblait en marbre blanc. Toutefois, sur toute l'étendue de son dos et jusqu'à la naissance de ses fesses bien rondes luisaient des cicatrices en zigzag dont certaines avaient près d'un centimètre de profondeur.

Lorsque la police eut remis les corps aux pompes funèbres, Graziella, accompagnée du seul Mario Domino, se rendit sur place avec deux valises de vêtements.

Elle examina attentivement chaque cadavre. Deux embaumeurs la suivaient à distance respectueuse. Penchée au-dessus de ses enfants, elle demanda s'il serait possible de dissimuler leur blessure. Ils l'assurèrent que la matière plastique qu'ils utilisaient faisait des merveilles.

À leur grande stupéfaction, elle resta avec eux pour assister à toutes les opérations de l'embaumement, les regardant en silence laver les cadavres et leur injecter un fluide spécial.

Lorsque vint le tour de don Roberto, elle s'approcha.

— Est-ce que je peux m'en charger? J'ai regardé comment vous procédiez. Je vous en prie, laissez-moi le faire.

Injecté dans les veines, le fluide redonne presque au défunt l'apparence de la vie. Mais il arrive souvent qu'il faille lui masser les mains afin que le produit atteigne le bout des doigts et que l'épiderme, bleui par la mort, reprenne le rose de la vie. Graziella frotta et pressa doucement les mains de son mari jusqu'à ce qu'elles aient recouvré leur teinte chair, puis elle se pencha pour les embrasser. Elle tint ensuite à laver son épaisse crinière de cheveux blancs, à la sécher et à la coiffer comme il le faisait, rejetée en arrière de manière à découvrir son front haut. Enfin elle alla se rasseoir, pendant que les deux hommes posaient des clips entre la mâchoire inférieure et le nez du mort afin que sa bouche demeure fermée.

— *Signora* Luciano, nous en avons terminé. Si vous voulez les voir.

Graziella alla vérifier l'apparence de ses deux fils. Elle resta un instant penchée au-dessus des visages angéliques de ses petits-fils, puis se retourna pour appeler un des embaumeurs.

— Nunzio a trop de couleurs. Cet enfant a toujours eu le teint très pâle. Un peu plus de poudre, peut-être ?

Elle fit un hochement de tête approbateur lorsque le visage de l'enfant eut été retouché, puis elle alla se poster au-dessus du cadavre de son mari. Elle paraissait parfaitement maîtresse de ses émotions, mais les deux embaumeurs eurent la gorge serrée lorsqu'elle se pencha pour déposer un baiser sur ses lèvres. Enfin, elle les remercia l'un et l'autre pour leur travail et remit à chacun une enveloppe contenant plus d'argent qu'ils n'en gagnaient en une année.

— Merci de m'avoir permis d'être auprès des miens. J'avais une raison précise de venir ici. Voyez-vous, mon fils aîné est lui aussi mort tragiquement. Quand on me l'a ramené, j'ai eu l'impression d'enterrer un inconnu. Je ne saurais vous dire mon chagrin. Il est important que mes filles voient leurs bien-aimés comme ils étaient. Elles ont déjà suffisamment souffert. Merci encore, messieurs.

Dès 6 heures du matin, pour la première messe, une foule importante avait commencé à s'assembler. Hommes, femmes et enfants étaient venus des bourgs et villages, descendus des montagnes. Ils arrivaient par le train ou l'autocar, en bateau ou en voiture à cheval, pour faire leurs adieux à celui qu'ils appelaient *il Papa,* pour témoigner une dernière fois leur respect à don Roberto. Ils étaient déjà des centaines, massés sur la place de la cathédrale.

Les carabiniers avaient retiré ceux de leurs hommes qui étaient affectés à la villa, mais en marque de respect, seize motards ouvraient la route du cortège funèbre. Parmi les policiers qui n'étaient pas de service, nombreux étaient ceux qui, de leur propre chef, étaient venus se mêler à la foule bordant le trajet de la villa Rivera à l'église.

À la chorale paroissiale s'étaient joints un quatuor à cordes, une harpiste et quatre solistes de la Scala. L'autel croulait sous une telle profusion de lis blancs que leur parfum entêtant embaumait toute la nef. On avait allumé des centaines de cierges.

Le banc du premier rang attendait les veuves. Leurs agenouilloirs en velours violet avaient été brodés d'un L en or par les religieuses de la paroisse des Luciano.

À 10 heures quinze, les motocyclistes de la police se mirent en position. Les grilles de la villa s'ouvrirent, et on leur fit signe de démarrer.

Un étalon noir, drapé de violet et coiffé d'un plumet noir, menait le cortège. L'animal agitait nerveusement la tête, et le jeune valet de ferme qui le conduisait, agrippé au licol en cuir noir, tira de sa poche un harmonica. Le grand cheval se calma dès que le garçon se mit à jouer.

Un murmure parcourut la foule lorsque le premier corbillard, tiré par six hommes en tenue de deuil, apparut dans la rue. Le véhicule, vieux de plus d'un siècle, était chargé d'ornements sculptés à la sicilienne. Sur les flancs, on pouvait lire Il Papa écrit en lettres d'une quarantaine de centimètres de haut formées de roses blanches. Le cercueil était recouvert de fleurs blanches et, à son sommet, d'une unique rose rouge. Des rideaux en soie noire ondoyant sous la brise étaient retenus aux angles par des roses blanches.

Après celui de don Roberto Luciano venait le corbillard de Constantino, son fils aîné. Suivaient ceux de Filippo et d'Emilio, chacun également orné d'une unique rose rouge au milieu d'une débauche de blanc.

Vingt petits villageois de 6 à 8 ans en aube de

communiant allaient devant les deux minuscules cercueils fleuris de blanc. Chacun avait une rose à la main, et le voile des filles était couronné de fleurs blanches. Une toute petite fille qui ouvrait la marche se mit à pleurer, et ses sanglots cristallins rendirent encore plus poignante la vue des petits cercueils.

Progressant très lentement au son plaintif de l'harmonica du jeune palefrenier, la procession avançait par les rues silencieuses. Un tel silence planant sur une telle foule : c'était ce dont les gens se souviendraient plus tard.

Chacun s'étonnait que les veuves aillent à pied. Graziella marchait en tête. Ensuite, quatre pas derrière elle, venaient Sophia et Teresa, suivies, également à quatre pas, par la jeune Rosa. Elles marchaient tête haute, entièrement de noir vêtues. Chacune, comme si elle priait, avait joint ses mains gantées de noir. Alors qu'elles étaient séparées par plusieurs mètres et regardaient droit devant elles, elles semblaient n'être qu'une seule et même femme. Et même lorsque Graziella pénétra en tête dans la cathédrale, aucune d'elles n'eut un regard de côté.

Elles gagnèrent leur banc et s'agenouillèrent pour prier, tandis qu'au milieu du chœur s'élevait l'*Ave Maria* d'une jeune soprano.

Pendant le service, alors que les paroissiens se succédaient pour recevoir la communion, une vieille femme en noir passa à pas menus près des cercueils des enfants pour déposer un petit et antique crucifix sur celui du chef de famille. Elle pleurait bruyamment. Nul n'avait fait un geste pour l'arrêter. On aurait dit qu'elle avait endossé le chagrin de toutes les personnes présentes à la disparition du bien-aimé don Roberto, de ses fils et de ses innocents petits-fils.

Aux environs du tombeau familial, le sol disparaissait sous les fleurs. Des gerbes cachaient les grilles joignant les piliers en marbre blanc. Des pétales jonchaient l'allée menant à l'entrée du caveau. La foule se massait alentour, retenue par un cordon d'hommes en costume sombre dont le rôle était d'assurer un peu d'intimité à l'heure des ultimes adieux aux quatre femmes vêtues de noir.

Comme elles pénétraient dans le mausolée, quelqu'un déclencha un flash. Graziella, la dernière à entrer, le visage caché derrière son voile, désigna le responsable, un photographe de presse. Aussitôt, sans contrainte apparente, l'un des gardes se fit remettre la pellicule. Les portes se refermèrent sur les quatre femmes.

Dans la pénombre du caveau, les cercueils se trouvaient déjà dans leur logement définitif, qu'il ne resterait plus qu'à sceller à l'aide de plaques en ciment. Le bois ciré luisait à la lueur dansante d'une unique torche.

Les femmes prièrent ensemble jusqu'à ce que Graziella déclare d'une voix égale que l'heure était venue de partir. Rosa prit la main de sa grand-mère. Teresa commença d'ouvrir la porte. Cependant Sophia ne bougeait pas, comme pétrifiée. Incapable de regarder le cercueil de son mari ou ceux de ses enfants, elle avait les yeux rivés à la photo de Michael Luciano. Préservé par un sous-verre et l'atmosphère raréfiée du caveau, ce portrait était là depuis vingt ans, et l'on aurait pu croire qu'il y avait été placé la veille. Le visage angélique de Michael, son doux sourire étaient comme un couteau que l'on retourne dans une plaie. Poings serrés, Sophia se mit à hurler.

— Non !

Graziella lâcha la main de sa petite-fille et, d'une voix altérée, réitéra l'ordre de départ. Elle saisit Sophia par le bras au moment où celle-ci se laissait tomber à genoux.

— Debout, Sophia. Levez-vous.

Ses doigts pénétrèrent la chair de la jeune femme, appuyèrent sur un nerf de son coude, ce qui la tressaillir tout entière. Mais Graziella tenait bon. Les autres attendaient près de la porte entrebâillée. La vieille femme prit le mouchoir de Teresa, souleva le voile de Sophia et lui tamponna le visage.

— Je passe la première.

Satisfaite que Sophia se soit reprise, elle bouscula presque les trois jeunes femmes pour ressortir et affronter la foule scrutatrice.

Les malheureuses veuves n'étaient pas encore au bout de leurs épreuves. Il leur fallait à présent recevoir à la villa les condoléances des amis et connaissances.

Dans l'allée, ce fut un défilé de Rolls-Royce, Mercedes, Maserati et Ferrari.

Une rangée de chaises en bois doré, recouvertes de velours rouge, avait été disposée dans le salon, là où, quelques heures plus tôt, se trouvaient les cercueils. Cinq heures durant, les quatre femmes y demeurèrent assises, toujours voilées, pour recevoir les témoignages de sympathie de centaines de personnes. Lorsque cela prit fin, il leur sembla que la villa elle-même venait de mourir : plus une voix, plus un bruit. Épuisée par cette journée, chacune se retira dans sa chambre. Elles devaient retrouver Graziella à 21 heures pour le dîner.

Arrivant une par une dans la salle à manger, elles la trouvèrent assise dans le fauteuil de son mari. Elles remarquèrent également qu'elle portait la chevalière du défunt. Elles touchèrent à peine à ce que leur avait préparé Adina, qui était au service des Luciano depuis son adolescence. Les yeux rougis par les larmes, elle allait et venait, servant et desservant en silence.

La conversation fut quasi inexistante. Teresa tenait la main de sa fille et lui murmurait qu'il fallait qu'elle avale quand même un petit quelque chose, mais Rosa, comme droguée, regardait fixement devant elle. Sophia attrapa dans son sac à main une des petites pilules jaunes que Graziella lui avait données et l'avala avec un peu d'eau.

Il y avait dans l'air comme une attente. La plus âgée finit par prendre la parole.

— Mario Domino sera l'exécuteur testamentaire de mes fils et de mon mari. Il nous fera savoir lorsqu'il sera prêt à nous donner lecture des testaments. Peut-être préférez-vous, d'ici là, rentrer chez vous et attendre d'avoir de mes nouvelles, mais vous pouvez tout à fait rester à la villa, si vous préférez. Il n'y a pas grand-chose à faire de plus ici. J'ai pris mes dispositions pour assister chaque jour au procès. Nous obtiendrons justice. Celui qui est responsable de la mort de nos bien-aimés sera condamné.

Ne parvenant plus à masquer la tension qui l'habitait, elle parut hésiter, puis sortit un mouchoir bordé de noir pour s'en tamponner les yeux. Les autres posaient sur elle un regard éteint.

— Il y a une chose qu'il faut que vous sachiez, reprit-elle au bout d'un moment, une chose que je ne vous ai pas dite... Don Roberto avait commencé à déposer pour l'accusation. (Elle les regarda, s'attendant à quelque réaction, mais n'en obtint pas.) Votre père croyait au bien-fondé de sa décision et avait obtenu des assurances quant à notre protection.

Teresa sortit de sa torpeur, elle tremblait de fureur.

— Notre protection! Seigneur Dieu, notre protection! Mais il devait avoir perdu la raison! Alors tout cela est arrivé par sa faute?

— Croyez-vous donc que je n'y ai pas pensé chaque heure, chaque minute, depuis que tout cela est arrivé? Prenez-vous-en à moi autant qu'à votre père. Oui, j'étais au courant de sa décision. Je l'approuvais entièrement.

Teresa avait le visage crispé. Sa bouche était un trait haineux.

— Vous étiez au courant. Vous étiez au courant et vous nous avez reçus à bras ouverts! En arrivant, nous avons tout de suite remarqué tous ces gardes... Seigneur Jésus, Sophia vous a même interrogée à ce sujet! Elle vous a demandé pour quelle raison une voiture nous suivait lorsque nous sommes parties en ville, et que lui avez-vous répondu? *Que papa voulait qu'il en soit ainsi!* Vous auriez dû nous mettre tout de suite au courant. Croyez-vous que Sophia aurait laissé ses enfants un seul instant, si elle avait su? Nous étions tous en danger, et vous ne nous en avez rien dit!

Rosa se leva brusquement en renversant sa chaise.

— Est-ce que c'est pour ça que je devais me marier? Pour que nous soyons tous réunis ici? Tout cela n'était qu'une manœuvre, un prétexte, n'est-ce pas? (Poings serrés, elle faisait face à sa grand-mère; ses yeux lançaient des éclairs.) C'est ta faute si Emilio est mort, c'est toi qui l'as tué... Je te déteste. Tiens, c'est grand-père qui l'avait achetée, reprends-la, tu n'auras qu'à l'exposer sur sa tombe!

Elle jeta sa bague de fiançailles à travers la table et quitta la pièce en courant.

Sophia abattit le plat de sa main sur la bague.

— Rosa, ça suffit! Reviens ici. Rosa!

La jeune fille s'immobilisa dans le hall. Elle n'avait aucunement l'intention de retourner à table, et cependant il y avait dans les yeux noirs de sa tante quelque chose qui savait l'émouvoir... Lorsque celle-ci lui répéta à voix basse : « Rosa, reviens t'asseoir avec nous », elle obéit.

Graziella tortillait son mouchoir en dentelle.

— Il avait l'intention de vous mettre au courant, dit-elle à l'adresse de Teresa. Il tenait à ce que vous soyez tous réunis ici. Il ne voulait pas que vous vous inquiétiez.

— Et vous avez pris pour prétexte le mariage de ma fille, de votre petite-fille?

Teresa dut tendre l'oreille pour entendre la réponse de sa belle-mère.

— Je ne cherche pas à me disculper, mais c'est Roberto qui a pensé à ce mariage. Il a opté pour cette solution en se disant que si jamais il lui arrivait quelque chose, nous serions tous ensemble. Il pensait agir au mieux. C'est Paul Carolla qui a fait assassiner Michael, et...

Sophia intervint de sa voix mate. Elle parla avec calme.

— *Mamma*, Michael est mort il y a plus de vingt ans. Voulez-vous dire que votre mari a mis toute la famille en danger à cause de lui? J'aurais perdu mon mari et mes petits chéris à cause de *Michael*?

Toutes regardèrent Graziella dans l'attente de sa réponse. La tension qui emplissait la pièce était encore accentuée par les sanglots assourdis de Rosa. Graziella tire-bouchonnait son mouchoir plus que jamais.

— Votre père pensait agir pour le mieux. De quel droit pourrions-nous dire qu'il n'aurait pas dû...?

— Eh bien, moi, je le dis! hurla Teresa, le visage rougi par une colère subite. Je me fous de ce que pourront dire les autres! *Je le dis, mon mari en est mort!*

Graziella eut un regard méprisant pour sa belle-fille.

— Réservez votre haine pour ceux qui ont fait cela, ma petite. Toutes, vous le respectiez et acceptiez ce qu'il vous offrait. Toutes, vous avez porté le nom de Luciano, et toutes, vous avez bénéficié d'être l'épouse d'un Luciano.

Teresa frappa la table du poing.

— Rosa n'a pas eu cette chance. Il s'est servi d'elle. Regardez-la... Dites-moi donc à qui la faute! Dites-le donc!

Graziella bondit de sa chaise.

— Rien ne vous autorise, ici, dans cette maison, à lui manquer de respect. Il vous a pourvues, vous avez pu continuer à vivre comme des Luciano, à mener cette vie de luxe à laquelle aucune d'entre vous, pas une seule d'entre vous, n'avait goûté avant d'être accueillie dans cette famille.

— Par sa faute, cette famille n'existe plus. La responsabilité lui en incombe, à lui et à lui seul, et vous le savez parfaitement.

La gifle de Graziella projeta violemment la tête de Teresa en arrière.

— Je désire que vous partiez. Quand Mario Domino sera prêt à donner lecture des testaments, vous pourrez revenir, pas avant...

Elles la regardèrent sortir et l'entendirent traverser le hall à pas lents.

Teresa se frottait la joue, stupéfaite, incrédule.

— Alors c'est pour Michael qu'il a fait tout cela? lança-t-elle sans s'adresser à quelqu'un en particulier. Pour venger Michael? La vie de ma fille, la mienne, détruites à cause d'un garçon que nous n'avons seulement jamais connu! Eh bien moi, je crache sur le souvenir de Michael Luciano, parce que sans lui, nos hommes seraient toujours en vie. C'est sans regret que je vais quitter cette maison, laisser cette vieille femme à ses idées de justice...

Sophia plia méticuleusement sa serviette. Elle se sentait vidée, épuisée, incapable d'avancer aucun argument.

— Si vous voulez bien m'excuser, je vais me coucher.

— Tu n'as donc rien à dire? éclata Teresa. Tu ne trouves pas que nous devrions parler de tout cela? Quand même, elle nous a ordonné de partir. Tu vas te coucher?

— Qu'y a-t-il à dire, Teresa? Aucun commentaire ne va me rendre mes garçons, mon mari. Je me fiche de la justice, je me fiche de Paul Carolla. Mes bébés, mes gentils bébés sont morts.

Il n'y avait plus personne dans la pièce quand Adina vint desservir la table.

Sophia descendait silencieusement les marches. Au milieu de ces ténèbres, la maison elle-même semblait plongée dans l'affliction, et d'étranges craquements émanaient de l'escalier et des volets.

Elle ouvrit précautionneusement la porte du salon et alla jusqu'au meuble à liqueurs pour se verser une large dose de whisky. Les cachets qu'elle avait pris lui faisaient tourner la tête. Comme elle revenait sur ses pas pour regagner sa chambre, la frange du plaid qui recouvrait le piano lui effleura le bras. Elle sursauta. Il était là qui lui souriait. La photo de Michael se trouvait invariablement en avant des autres.

— Je te maudis, murmura-t-elle. Je maudis le jour où je t'ai rencontré.

Le son de sa voix altérée l'effraya, et elle porta le verre à ses lèvres, désireuse de tout oublier. Mais une petite voix intérieure lui soufflait de faire attention.

Quelque part, un volet se mit à battre. Elle se retourna

pour découvrir Graziella debout sur le seuil, un châle de laine sur les épaules, ses longs cheveux tressés en une grosse natte. Elle traversa silencieusement la pièce pour venir prendre le verre des mains de Sophia.

— Il ne faut pas boire d'alcool si vous avez pris des somnifères. C'est dangereux.

— Vous voulez dire que je pourrais m'endormir et ne jamais me réveiller ? Dans ce cas, rendez-moi mon verre.

— Je vous raccompagne jusqu'à votre chambre.

Sophia recula. Elle pensa à la main de fer qui s'était refermée sur son bras au mausolée. Mais Graziella avançait.

— Laissez-moi. Je veux être seule.

— Entendu, si c'est ce que vous souhaitez.

— J'ai l'intention de quitter cette maison.

Aussi silencieusement qu'elle était arrivée, Graziella tourna les talons pour s'en aller, mais Sophia bredouilla :

— Pourquoi ne pas m'avoir mise en garde ? Vous étiez au courant, n'est-ce pas ? Vous l'avez toujours été.

— Au courant de quoi ?

— Ce qu'est cette famille, ce qu'elle était... Vous l'avez toujours su. Est-ce pour ça que vous êtes si forte, est-ce pour ça que vous n'avez pas de larmes ? Est-ce que c'est pour ça ?

— Vous ne savez pas de quoi vous parlez, Sophia. Ne dites pas des choses que vous pourriez regretter plus tard.

Elle commit l'erreur de saisir Graziella au bras. L'autre la projeta à terre. Elle était d'une force incroyable.

— Parce que *vous*, vous ne saviez pas ? fit-elle, dressée au-dessus de sa belle-fille. Ne jouez pas les innocentes, cela ne vous va pas du tout. Oui, je le savais, tout comme vous, mais peut-être mes raisons ont-elles été différentes des vôtres. Quelles étaient vos raisons, Sophia ? Qu'est-ce qui vous a poussée à revenir dans cette maison ? Était-ce pour mon fils ? Était-ce pour les beaux yeux de Constantino ou bien pour ce que vous aviez vu ici ?

La jeune femme demeurait prostrée sur le sol.

— Je l'aimais. Vous ne pouvez le nier. Il était un bon mari, il était un bon père, seulement...

— Seulement c'était un Luciano.

Sophia se plaqua les mains sur les oreilles. Elle aurait voulu hurler, maudire ce nom à tue-tête.

Graziella se détendit, comme si cet accès de colère froide n'avait pas été le sien.

— Vous savez, la première fois que j'ai posé les yeux sur mon mari, j'avais à peu près l'âge que vous aviez le jour où vous êtes entrée ici pour la première fois. Oh! ça, je savais ce qu'il était, et Mario Domino le savait aussi, mais aucun de nous deux n'était capable de lui dire non. De toute mon existence à ses côtés, jamais je n'en ai été capable. Je ne veux pas me vanter, mais ma famille était très fortunée, ma vie toute tracée... Saviez-vous que j'ai failli épouser Mario Domino?

— Non, je l'ignorais.

Sophia se releva lentement, prit une cigarette dans le coffret et l'alluma.

Graziella entrouvrit les persiennes afin qu'un peu de la fraîcheur nocturne entre dans la pièce.

— Combien ma vie aurait été différente! Un avocat tranquille et tout ce qu'il y a de respectable, avec des parts dans un cabinet réputé... Cela aurait été du goût de mon père. Il se retournerait dans sa tombe s'il savait qu'au lieu de cela j'ai jeté mon dévolu sur Roberto. Mais voyez-vous, il était exclu que je fasse un autre choix, car sans lui, sans lui...

Elle n'acheva pas sa phrase.

— Vous allez prendre froid, *mamma*.

— Je m'efforçais de ne rien voir, de ne rien savoir. Tout se faisait à mon insu. Je pouvais me persuader que ce qui se passait à l'extérieur n'avait rien à voir avec moi. Je vivais ainsi, en me voilant la face. Et Michael a été assassiné. J'en ai fait porter la responsabilité à Roberto. Je l'ai torturé par mon chagrin, je l'ai haï pour ce qu'il était. Michael ne serait peut-être pas mort, si j'avais été moins étrangère à l'univers de mon mari. Car voyez-vous, Roberto s'efforçait de mener parallèlement deux vies : d'un côté il cherchait à être un brave homme, quelqu'un d'honnête, mais c'était impossible.

Quand j'ai réalisé ce à quoi je le contraignais, quand j'ai réalisé qu'il y avait une facette que je ne connaissais pas, je me suis fait un devoir de la découvrir. J'ai obligé Mario Domino à m'informer de tout ce qu'il savait. Si cela s'était su, il aurait été un homme mort. Ainsi, oui, je savais, j'en savais plus que ce qu'aurait jamais pu imaginer mon cher, mon bien-aimé mari, et je suis restée à ses côtés. S'il était coupable de quelque chose, alors je l'étais tout autant que lui...

Sophia leva les yeux. La voix de Graziella était redevenue un filet glacé.

— Je voulais qu'il détruise Paul Carolla.

— A-t-il jamais découvert à quel point vous connaissiez ses activités?

Graziella secoua la tête et referma les persiennes.

— Non, j'étais bien trop avisée. Il n'a jamais rien su. Il savait à peu près tout sur vous tous. Vous vous souvenez de quelle manière il a fouillé dans votre passé quand vous avez décidé d'épouser Constantino?

Sophia en eut le souffle littéralement coupé. Elle était incapable de répondre. Elle avait tout à coup très peur de Graziella. Est-ce qu'elle savait tout? Cela se pouvait-il? Elle écrasa sa cigarette. Elle n'avait qu'une idée en tête : quitter la pièce, s'éloigner de cette femme.

Mais l'autre poursuivait d'une voix égale, implacable.

— Il disait toujours que vous étiez sa préférée. Il faut lui pardonner, Sophia. Ne l'accablez pas. Vous n'êtes pas comme Teresa. Elle, elle n'est rien.

— Et Rosa, *mamma*? Est-ce qu'elle n'est rien, elle non plus? Était-ce une union de convenance, ou bien Emilio l'aimait-il vraiment?

Le visage de Graziella se ferma instantanément.

Sophia laissa échapper un soupir. Elle savait maintenant que don Roberto avait arrangé ce mariage tout comme il avait arrangé celui de Teresa.

— Ne le lui dites pas, il ne faut pas qu'elle sache. Laissez-lui au moins cela.

— Je vais prendre soin de Rosa. (À cet instant, elle détestait sa belle-mère.) Je rentre à Rome demain matin.

— Faites comme bon vous semble. Je regrette que nos avis soient aussi partagés. Ensemble, nous serions plus fortes.

— Plus fortes pour quoi faire? Il ne nous reste plus rien, *mamma*.

Graziella amorça un mouvement des bras comme pour étreindre sa belle-fille, mais celle-ci, peu désireuse d'être touchée, se hâta vers la sortie.

Restée seule, elle parcourut du regard la grande et belle pièce. Ses yeux étaient habitués à la pénombre, et elle remarqua un coussin déplacé. L'ayant remis, elle ramassa le verre de Sophia et son cendrier, puis s'immobilisa devant la petite galerie des portraits familiaux. La photo de Michael n'était pas dans l'alignement. L'ayant redressée, elle déclara à haute et intelligible voix à l'adresse de la pièce déserte, à l'adresse de ses chers disparus :

— Tout repose sur mes épaules à présent.

4

Chacune était rentrée chez elle, laissant Graziella seule à la villa Rivera. Portes et volets fermés, les pièces de la grande maison étaient privées d'air et de jour.

Graziella avait consacré sa vie d'adulte à sa famille. À présent, son unique souci était la fin de Paul Carolla.

Inquiet de la tension que cela représenterait pour elle, Mario Domino avait tenté de la dissuader d'assister au procès. Il avait prétendu qu'il ne restait plus une seule place disponible dans la partie du tribunal réservée au public, mais elle lui avait sèchement répondu qu'elle s'arrangerait.

— Les gardes sont payés une misère. Je me débrouillerai pour qu'ils me réservent chaque jour une place, quel qu'en soit le prix.

La première fois qu'elle vit Paul Carolla, elle fut saisie par l'audace et l'arrogance de ses attitudes. Elle n'arrivait pas à le quitter des yeux. Il finit par s'en apercevoir et interrogea un de ses gardiens en la désignant du doigt. Voyant cela, Graziella souleva un instant son voile. Il inclina très bas la tête, avec peut-être une pointe d'ironie, puis il regarda ailleurs, comme si elle n'avait pas plus d'importance pour lui que n'importe quel autre membre du public.

Cet échange de regards la fit se recroqueviller, comme sous l'effet d'un coup, réaction si vive qu'elle cassa la chaîne du crucifix en argent qu'elle avait entre les mains.

De retour chez elle, elle était encore sous le choc. Cette sensation d'une meurtrissure physique persista jusqu'à la nuit, jusqu'à ce qu'elle s'endorme en serrant dans ses bras l'oreiller de son mari.

Elle avait prié Roberto, elle l'avait supplié de lui donner un peu de sa force. Et, comme s'il avait encore été de ce monde, il lui donna le courage de ne pas renoncer.

À partir de cette date, Graziella s'endurcit suffisamment pour assister à l'intégralité des audiences préliminaires. Et jour après jour, Paul Carolla devint de plus en plus obsédé par cette présence. Elle ne s'intéressait à aucun autre accusé et ne vivait que dans l'attente du moment où Paul Carolla aurait à répondre de ses actes. Même s'il plaisantait à son sujet avec ses gardiens — la comparant à une mante religieuse —, il devint de plus en plus mal à l'aise et finit par orienter chaque jour sa chaise de manière à ne pas l'avoir dans son champ de vision.

Ayant épuisé tous les prétextes dilatoires, Emanuel dut se résoudre à recevoir Graziella Luciano. Lorsqu'elle passa enfin la porte de son bureau, il fut impressionné par son calme. Il lui assura que Carolla serait condamné.

Elle ôta posément ses gants, les lissa méticuleusement et les posa, pliés, sur ses cuisses.

— Va-t-on également l'inculper du meurtre des miens ?

— *Signora*, nous n'avons pour l'instant aucune preuve qu'il ait été impliqué dans ce drame affreux. Il se trouvait en prison au moment des faits.

— Il y était aussi quand le petit Paluso a été assassiné, et cependant je crois savoir qu'il est soupçonné d'avoir commandité ce meurtre. Est-ce que je me trompe ?

— Il a en effet été entendu à ce sujet.

— C'est pourquoi je vous demande s'il va être accusé du meurtre de mon mari, de mes fils et de mes petits-fils.

— Si des preuves sont apportées, cela nécessitera un procès séparé. Vous réalisez certainement que, lorsqu'on a su que don Roberto devait témoigner, beaucoup de gens ont pu estimer qu'il était dans leur intérêt de le faire taire.

— Mon mari vous apportait-il des preuves incriminant d'autres personnes que Carolla?

Emanuel vissa et dévissa le capuchon de son stylo, puis répondit en choisissant soigneusement ses mots.

— Il n'a pas porté d'accusations contre d'autres individus explicitement désignés. Son intention était uniquement de me révéler des faits précis concernant la mort de votre fils. Il se considérait d'ailleurs comme le principal responsable.

— Êtes-vous en mesure d'utiliser ses déclarations?

Emanuel manipulait toujours son stylo.

— En l'absence du témoin, de telles informations peuvent être considérées comme des preuves indirectes et jugées irrecevables. Cela s'applique également à la déposition de Lenny Cavataio. Comme je l'avais expliqué à votre époux, toutes les preuves contenues dans la déposition de Cavataio ont été contestées par l'avocat de la défense. Don Roberto l'avait compris, et c'est pour cette seule raison qu'il avait décidé de témoigner.

Graziella se pencha en avant, une main posée sur l'arête du bureau.

— En premier lieu, je souhaiterais récupérer les enregistrements effectués par mon époux. Est-ce possible?

Emanuel acquiesça. Les bandes avaient été retranscrites sur disquette. En revanche, le procureur ne s'attendait pas à ce qui suivit. Assise bien droite, les mains croisées sur les cuisses, Graziella Luciano déclara :

— Je désire remplacer mon mari. Je suis disposée à être témoin à charge.

Elle se tut, scrutant le visage de son interlocuteur, en quête d'une réaction. Unique manifestation d'étonnement, les mains d'Emanuel avaient brusquement cessé de manipuler le stylo. Il se leva pour marcher jusqu'à la fenêtre. Il écarta les lames du store et regarda dehors.

— Avez-vous interrogé don Roberto sur la teneur de sa déposition, *signora* Luciano?

— Je n'en avais nul besoin. Je connais parfaitement les faits et suis disposée à être votre témoin. Je suis disposée à répéter devant la cour tout ce que mon mari vous a affirmé.

— Répéter ses déclarations, vous voulez dire?

— Non, je veux dire rapporter la vérité telle que je la connais.

Emanuel se retourna pour regarder Graziella. Que pouvait-elle savoir exactement?

— Tous ces faits, *signora*, seriez-vous disposée à les évoquer sur-le-champ avec moi? Ou bien vous faut-il d'abord avoir accès aux enregistrements?

— Vous me demandez si j'envisage de commettre un parjure?

Elle le vit rougir.

— L'affaire est déjà en route, dit-il en regagnant son bureau. Afin de tout passer en revue avec vous, je serais obligé de solliciter un ajournement d'au moins une semaine. Si je devais demander cela au juge et qu'il me l'accorde, pour en définitive m'apercevoir que votre témoignage n'est pas... ne peut être utilisé contre Paul Carolla, alors j'aurais perdu mon temps, et mon temps, en ce moment, est mon souci premier. Tous ces hommes sont sous les verrous depuis bientôt dix mois. Nous ne pouvons nous permettre de nouveaux contretemps...

— Le meurtre de l'ensemble de ma famille ne serait-il qu'un contretemps? De combien l'assassinat de mes petits-fils retarderait-il la procédure? Une journée? Une heure?

— Écoutez, *signora*, mon intention n'était pas d'être brutal, mais nous avons évoqué il y a un instant le fait que la police n'a jusqu'à présent pu établir aucun rapport entre...

— *Aucun rapport?* Mon mari était le principal témoin à charge contre Carolla : le rapport n'est-il pas suffisamment flagrant?

Emanuel jugula son irritation.

— J'ignore, et les autorités avec moi, qui a organisé, mis sur pied, quel que soit le terme que vous souhaitez employer, l'affreuse tragédie qui est survenue. Je suis disposé à vous accepter comme témoin si et seulement si vous pouvez apporter des preuves concluantes, et ce par vous-même, sans le secours des enregistrements de votre mari.

— Je sais que Paul Carolla est à l'origine de la mort de mon fils. Je sais que lui et lui seul avait intérêt à ce que disparaisse la totalité de ma famille...

— Pardonnez-moi, *signora*, mais sans preuve...

— La preuve, elle se trouve au cimetière !

Il soupira.

— Croyez-moi, je vous donne ma parole que...

— Votre parole n'a aucune valeur à mes yeux. Mon mari y a cru, il vous a fait confiance lorsque vous lui avez promis protection pour lui et ses fils...

Emanuel tira son mouchoir et se moucha. Il était indéniable que les fuites étaient parties de ce bureau, son bureau. Après un silence, il demanda à Graziella si elle était disposée à répondre séance tenante à certaines questions en présence d'un témoin. S'il estimait qu'elle pouvait apporter des preuves valables, il l'accepterait comme témoin à charge.

Elle accepta sans hésitation. Une secrétaire leur apporta du café qu'ils burent en attendant l'arrivée d'une sténo. Emanuel parcourait ses notes, préparait des questions. Graziella se rapprocha lentement de son bureau.

— Est-il tellement impensable de me laisser écouter les enregistrements de mon mari ? Est-ce vraiment impossible de me laisser dire à sa place ce pour quoi il est mort ? Au bout du compte, ce que nous voulons tous les deux, ce que vous voulez, c'est que justice soit rendue.

— Je ne peux, *signora*, quelque désir que j'en aie, quelle que soit ma conviction de la culpabilité de cet homme, aller à l'encontre de la loi. Je ne le peux pas, ni pour vous, ni même à l'encontre d'un monstre comme Carolla.

Graziella passa une heure en compagnie du procureur et de la sténo. Emanuel se montra aussi retors avec elle que le serait la défense dans le cas où elle aurait à témoigner devant la cour.

— Voulez-vous préciser la nature de vos rapports avec Paul Carolla ?

— Je n'ai pas de rapports avec lui.

— Connaissez-vous personnellement l'accusé ?

— Il est venu plusieurs fois à la maison rendre visite à mon mari.

Elle ne se rappelait pas précisément la date, mais elle se souvenait d'avoir rencontré Paul Carolla pour la première fois à la fin des années 50. Elle expliqua qu'il y avait toujours eu des frictions entre Carolla et son mari.

— Qu'entendez-vous exactement par « frictions » ?

— Quand le père de Carolla est mort, son testament ne nommait pas son fils à la tête de la famille. Il avait au contraire désigné mon mari pour prendre sa succession. Paul Carolla lui en a toujours voulu, il le considérait comme un usurpateur.

Emanuel tapotait du bout du pied le côté de son bureau.

— Donc, dès les années 50, vous avez eu conscience d'un ressentiment opposant les deux hommes.

— Oui. Un jour, Paul Carolla est venu chez nous. Il voulait que mon mari lui rende sa liberté, il ne voulait plus travailler pour lui. Il désirait monter sa propre affaire.

— Et de quel genre d'affaire devait-il s'agir ?

— Je crois que cela avait à voir avec le trafic de stupéfiants.

— Vous croyez ? Avez-vous des éléments capables d'étayer cette affirmation ?

— Non.

— Bien. Revenons à ce ressentiment entre don Roberto et l'accusé...

— La seconde fois que Paul Carolla est venu chez nous, c'était pour solliciter le concours de mon mari. Il désirait se servir de nos compagnies d'import-export comme couverture pour le transport maritime des stupéfiants. À l'époque il était devenu très riche, et il l'a menacé.

— Avez-vous été témoin de ces menaces?

Elle marqua un temps d'hésitation et Emanuel sut qu'elle allait mentir.

— Je les ai entendus élever la voix. J'ai entendu Paul Carolla lui dire qu'il avait trahi son amitié et qu'il le lui ferait payer. Mon mari refusait de l'aider en aucune façon. Il avait toujours dirigé ses compagnies en toute légalité, il avait travaillé des années à leur renom. Mon mari était un homme d'honneur, et il abhorrait la drogue, sous quelque forme que ce soit.

— *Signora* Luciano, quand vous parlez d'homme d'honneur, reconnaissez-vous cependant le fait que, jusqu'au moment de sa mort, votre époux était un mafioso notoire et que...

Elle l'interrompit avec humeur.

— Mon mari était un homme d'honneur, héros de la guerre, décoré pour bravoure, un homme qui réprouvait le trafic de drogue, qui méprisait Paul Carolla.

Emanuel était déjà convaincu que cela ne pourrait aller. Il lui fallait néanmoins poursuivre. Il changea de sujet, demandant avec douceur :

— Parlez-moi de Michael Luciano.

Elle lui en parut reconnaissante et le gratifia de l'ombre d'un sourire.

— Michael était mon fils aîné.

Le procureur l'écouta patiemment évoquer son parcours scolaire, son admission à Harvard. Il l'interrompit au bout d'une minute.

— Voudriez-vous me dire ce qu'il est advenu de ce jeune homme, de ce garçon si prometteur?

— Il est revenu à la maison au cours de l'été 1963, au

terme de sa seconde année à Harvard. Il était très malade. Mon second fils est allé le chercher à l'aéroport, et Michael était pratiquement incapable de marcher tout seul. Ses cheveux étaient tout emmêlés, et ses vêtements...

Ses yeux s'emplirent de larmes.

— Il était malade, dites-vous ?

— Oui. Il s'est senti mal, et mon mari l'a conduit à l'hôpital. Il y est resté plusieurs semaines. Puis il est parti en convalescence à la montagne. Il est revenu à la maison pour un court séjour. Il était plein de vie et paraissait avoir récupéré. Il était très beau avec ses cheveux blonds décolorés par le soleil. Il allait beaucoup mieux, mais mon mari a estimé préférable qu'il passe encore quelques jours à la montagne, le temps d'être tout à fait remis.

— Qu'est-il arrivé à votre fils, *signora* Luciano ?

Elle voulut le dire de la façon la plus neutre possible, mais ne le put pas.

— Mon fils a été... il a été assassiné.

— Avez-vous assisté à sa mort ?

— Non. Il a été tué d'une balle dans la tête. C'était un avertissement, une mise en garde adressée à mon mari afin qu'il ne s'oppose pas à Carolla. Le retour de mon fils a coïncidé avec les menaces de cet homme, et mon mari l'a conduit à la montagne en pensant qu'il y serait en sécurité.

Emanuel tapotait le flanc du bureau avec le bout de son soulier.

— Mais ces menaces, *signora*... Avez-vous effectivement entendu Paul Carolla dire qu'il allait...

Il ne termina pas sa phrase. Michael Luciano n'avait pas été tué par balle, il le savait. La secrétaire attendait qu'il poursuive, et le discret cliquetis de la sténotype s'était momentanément interrompu.

— Quelles ont été les suites de cette tragédie ? reprit-il en choisissant soigneusement ses mots. A-t-on prononcé des inculpations ?

Graziella secoua lentement la tête.

— Non, mais Paul Carolla était derrière tout cela.

— A-t-il jamais été inquiété? L'a-t-on arrêté, inculpé? Quelqu'un disposait-il d'éléments capables de prouver que Paul Carolla avait quelque chose à voir avec cet assassinat?

Elle secouait la tête d'un air complètement désemparé.

— Non... mais il y a eu un témoin.

— Connaissez-vous le nom de ce témoin?

Ses yeux s'emplirent de larmes, et elle jeta un regard suppliant en direction de la sténo, comme si celle-ci pouvait lui venir en aide. Enfin, elle baissa la tête pour murmurer :

— Non, *signor*, je ne le connais pas.

L'église était fraîche et déserte. Sophia y était assise depuis près de deux heures. Le visage dissimulé derrière un voile en dentelle, elle étreignait son chapelet.

Elle avait voulu prier, mais ses idées s'étaient brouillées. Agenouillée, le visage entre les mains, elle écoutait les bruits feutrés du lieu, quelques bruits de pas allant et venant, des voix en écho, des chuchotements du côté du confessionnal. Par deux fois elle s'était relevée pour s'en rapprocher, mais elle s'était chaque fois ravisée et laissée retomber à genoux sur un prie-Dieu. Elle n'avait plus de larmes, et les petites pilules jaunes de Graziella enveloppaient toute chose dans une brume lointaine.

Elle avait demandé à la femme de ménage de rassembler les jouets des enfants pour les offrir en même temps que leurs vêtements à un orphelinat. Les effets de Constantino avaient également été enlevés. Le grand appartement vide avait un air de désolation, et Sophia passait la majeure partie de son temps au lit, emportée par le sommeil sans rêves des somnifères.

Elle ne sortait que pour aller à l'église. Elle s'y était rendue trois jours de suite, animée du désir de se confesser, du besoin de se confier, mais elle avait été incapable d'entrer dans le confessionnal. Le prêtre savait qui elle était. Il était au courant de ce qu'elle venait de subir.

Mais il la laissait en paix, soucieux de ne pas la déranger dans ce qu'il croyait être ses prières. ·

Les cierges qu'elle avait allumés pour ses enfants et son mari grésillaient, sur le point de s'éteindre, et elle les renouvela. Après les avoir allumés, elle resta un moment à contempler les trois petites flammes brûlant au pied de la statue de la Vierge. Deux femmes priaient, agenouillées non loin de là, et chaque cliquètement des grains de leur chapelet était pour elle comme un petit coup de marteau.

Le confessionnal était inoccupé. Elle s'en approcha lentement... Puis elle fit deux grands pas, écarta le rideau et se retrouva à l'intérieur du réduit obscur. Elle dut se faire violence pour s'exprimer et le fit d'une voix si sourde que le prêtre fut obligé de lui demander de parler plus fort.

— Mon père, j'ai péché.

Il se pencha en avant. Sophia avait la voix si voilée qu'il l'entendait à peine. Il l'engagea à poursuivre.

— Mon père, j'ai péché.

Il gratta une tache de sauce sur sa soutane, puis croisa les doigts.

— Soulagez votre cœur. Épanchez-vous, mon enfant. Rien ne presse. Prenez tout votre temps. Je suis ici pour vous réconforter, pour prier avec vous.

— J'ai eu un enfant, un garçon. J'étais très jeune. Je l'ai confié tout bébé à un orphelinat. J'avais l'intention... Je voulais venir le reprendre, mais il fallait d'abord que j'annonce la chose à son père, que je lui explique.

Le prêtre attendit la suite. Il pouvait voir la main de Sophia. C'était une main délicate, très blanche, avec des ongles rouge sang. Elle passait les doigts dans les losanges du grillage. Il les lui effleura doucement. Il avait la main chaude et très douce. Elle retira la sienne.

— Avez-vous annoncé la chose au père de votre enfant?

— Je n'ai pas pu, mon père. Je n'ai pas pu.

— Avez-vous eu peur? Peur qu'il vous rejette?

— Non... non, vous ne pouvez comprendre.

— Je ne peux comprendre et vous aider que si vous me dites tout.

— Il est mort... Il est mort avant que je puisse lui parler. Je n'avais plus personne à qui me confier.

— Donc, le père de votre enfant est mort. Qu'avez-vous fait ensuite ?

Elle eut un petit rire sans joie, puis demeura silencieuse pendant plus de cinq minutes. L'estomac du curé faisait entendre des gargouillements sonores. Il regarda sa montre.

— J'ai épousé son frère.

— Et votre enfant ?

— Je ne suis jamais allée le reprendre. Je l'ai abandonné. Je n'en avais jamais parlé à qui que ce soit. J'ai laissé mon bébé dans un orphelinat. Je l'ai laissé...

Le curé entendit cliqueter les pampilles du rideau. Il regarda à travers le grillage de séparation, mais Sophia courait déjà vers la sortie.

Emanuel regarda s'éloigner la voiture de Graziella. La sténo lui demanda s'il avait encore besoin de ses services, et il secoua la tête. Il était fatigué et n'avait aucune envie de se remettre au travail.

Il avait fait ce qui devait être fait. S'il avait pu paraître dur, voire cruel, c'était en définitive un service qu'il avait rendu à cette femme. Elle aurait été soumise à plus rude épreuve à la barre, et, ainsi qu'il l'avait su dès le début, elle ne disposait d'aucune preuve qu'il puisse utiliser. Simplement, il venait de perdre un temps très précieux.

Tout en se versant une vodka, Sophia ôta ses souliers d'un mouvement brusque. Elle avala deux Valium, vida son verre et s'étendit toute habillée sur son lit. Mais l'oubli ne vint pas. Elle se mit à revivre toutes les émotions par lesquelles elle était passée le jour où, avec ses chaussures éculées et sa petite robe cousue main, elle était venue attendre devant les énormes grilles de la villa Rivera pour s'entendre dire que Michael Luciano, le garçon qu'elle avait aimé, était mort et enterré.

La culpabilité descendit sur elle. Elle avait l'impression de suffoquer, étouffée par des émotions inavouables. Ce sentiment de culpabilité qu'elle avait toujours fui cherchait à s'imposer. Mais elle le combattit et, à force de rationalisation, elle le changea en une froide colère. Michael Luciano, père de son enfant bâtard, Michael Luciano était le grand fautif. Sans lui, son mari et ses fils seraient toujours vivants... Elle lança son verre contre le mur.

— *Salaud! Salaud! Salaud!* hurla-t-elle.

Elle fut prise de démence. Elle arracha du lit la couette et les oreillers, lança à travers la pièce tout ce qui lui tombait sous la main. Elle balança d'un revers de bras les flacons de parfum et les pots de crème qui se trouvaient sur la coiffeuse, elle ouvrit la penderie et se mit à en sortir ses vêtements pour les déchirer, puis elle éparpilla à grands coups de pied les souliers rangés dans le bas du placard. Enfin, épuisée, elle tomba à genoux. Agrippée au bord du lit, elle fondit en larmes, demandant à Dieu de lui pardonner, répétant sans désemparer :

— Ce n'est pas ma faute. Je n'ai rien fait. Ce n'est pas ma faute...

Mais elle savait que nul ne répondrait à sa place de ses péchés.

Elle se retrouva à nouveau dans le confessionnal.

— Ne voyez-vous pas ce que j'ai fait? Ne comprenez-vous pas?

Le prêtre fit son possible pour l'apaiser. Il dit qu'il comprenait, qu'il comprenait sa douleur.

— Non, vous ne pouvez pas comprendre.

— Mon enfant, dites-moi ce que je ne peux comprendre.

Elle faisait machinalement crisser ses ongles rouges contre le grillage.

— J'avais tellement envie de faire partie de leur famille. Tout ce qu'ils avaient, je le voulais. Je voulais devenir une... (Si perturbée qu'elle soit, Sophia eut le réflexe de ne pas prononcer le nom des Luciano.) Je voulais tout ce que je n'avais jamais eu. J'étais si pauvre, mon père. Ma mère faisait des ménages. C'était tout l'avenir que je me voyais : récurer des sols, laver le linge des autres. Quand mon bébé est arrivé, j'étais persuadée, tellement persuadée qu'ils m'accepteraient parmi eux. J'étais convaincue qu'il m'aimait.

— Savez-vous ce qu'est devenu cet enfant?

— Non... Je me suis forcée à le chasser de mon esprit. Il fallait que je l'oublie pour continuer à vivre... Et ensuite, lorsque j'ai été mariée, comment aurais-je pu leur en parler? Croyez-vous qu'on m'aurait permis d'épouser le fils de...

Une nouvelle fois, elle se retint. Les malheurs de la famille Luciano ayant fait les gros titres, le prêtre pouvait avoir deviné qui elle était.

— Souhaitez-vous maintenant retrouver votre enfant?

Elle se recula, s'adossant à la paroi du confessionnal. Elle pouvait sentir l'odeur de moisi de la soutane du curé, de même que celle de son capiteux parfum flottait jusqu'à lui. Elle lui répondit dans un long soupir.

— Oui... oui, c'est ce que je désire.

— Alors il faut le faire. Retrouvez cet enfant qui vous inspire d'aussi cruels remords. Ce sentiment de trahison est naturel, vous savez ce que vous avez fait jadis, et vous en connaissez les raisons. Retrouvez-le, demandez-lui de vous pardonner, et Dieu vous insufflera la force de vivre. À présent, nous allons prier ensemble pour son âme, nous allons prier pour vous, mon enfant, et demander au Seigneur de pardonner vos péchés.

Graziella regarda en direction du bureau de son mari. Elle y entendait des voix assourdies. Elle donna son voile et ses gants en dentelle noire à Adina.

— C'est le *signor* Domino. Il a dit qu'il pouvait se débrouiller tout seul. Il y a trois messieurs avec lui, *signora*.

— À l'avenir, Adina, et sauf indication de ma part, j'entends que vous ne fassiez entrer personne dans cette maison, *a fortiori* dans le bureau de mon mari. Vous pouvez disposer.

Elle attendit que la servante ait regagné la cuisine pour se diriger vers la porte du bureau. Elle s'arrêta et prêta l'oreille. C'était Mario Domino qui parlait.

— ... des compagnies panaméennes. Ils sont accompagnés de la liste des bons du Trésor américain. Nous réinvestissons les bénéfices en Suisse par l'entremise de notre banque...

L'entrée de la vieille dame l'interrompit.

— Graziella, je ne m'attendais pas à ce que vous rentriez de si bonne heure... Excusez cette intrusion, mais... Permettez que je vous présente ces messieurs. Ils sont spécialement venus des États-Unis, où ils s'occupaient de l'aspect juridique des affaires de don Roberto.

Elle demeura sur le seuil, ne tendant la main à aucun des inconnus. Domino fit les présentations, désignant d'abord un personnage de haute taille élégamment vêtu d'un complet anthracite. Il avait de petits yeux et de lourdes lunettes à monture d'écaille.

— Voici Eduardo Lorenzi, de New York.

Ce dernier inclina légèrement la tête.

— *Signora.*

Le deuxième, courtaud, avait le visage luisant de transpiration et un col douteux. Il tenait un grand mouchoir blanc entre ses mains grassouillettes.

— Je crois que vous connaissez déjà notre ami de longue date, le *signor* Niccolò Pecorelli, qui s'occupait des intérêts de don Roberto à Atlantic City. Et enfin, Giulio Carboni, lui aussi de la côte Est, qui est venu me seconder dans ma tâche.

Le troisième était beaucoup plus jeune que les autres, mais puissamment bâti. Il portait une chemise sport à col ouvert et des verres teintés de rose. Graziella eut un regard circulaire : des tiroirs, et même la porte du coffre étaient ouverts. Des dossiers noués d'une ficelle occupaient toute la surface du bureau, à l'évidence destinés à être emportés.

— Je serai dans la salle à manger. Si vous souhaitez vous désaltérer avant de partir, veuillez appeler Adina.

Graziella sortit, laissant la porte grande ouverte et ne faisant pas mystère de son désir de voir ces hommes s'en aller.

Elle était maintenant assise dans la pénombre, installée à la place de son mari, le dos tourné aux persiennes. Les hommes s'apprêtaient à partir, et leurs voix assourdies lui semblaient celles de conspirateurs. Puis Mario entra.

— Graziella, je suis navré. J'espérais en avoir terminé avant ton retour. Don Roberto opérait des transactions à l'échelle internationale. Je ne suis pas le seul avocat concerné par tout cela, aussi avions-nous pas mal de questions à voir ensemble. Ils vont s'occuper de tous les détails, là-bas, aux États-Unis.

Elle n'avait jamais vu Mario aussi hésitant. Il se tamponnait le front à l'aide d'un mouchoir en soie et avait un air coupable.

— Ils n'ont emporté que les dossiers qui leur étaient indispensables...

Graziella fixait ses propres mains, croisées sur la table.

— À l'avenir tu seras gentil de me prévenir lorsque tu auras besoin d'avoir accès au bureau de mon mari.

— Bien sûr, quoique je ne pense pas devoir à nouveau te déranger. Excuse-moi encore.

Il se pencha pour déposer un baiser sur la joue de Graziella, mais elle détourna le visage. Il alla rechercher en hâte sa mallette dans le bureau, parcourant le désordre du regard, s'assurant qu'aucun document compromettant ne traînait. Il n'était pas une pièce de la villa qui n'ait été passée au crible. Il allait maintenant entreprendre l'énorme tâche d'évaluer les avoirs Luciano, sachant que de nombreux territoires avaient déjà changé de mains, et que quelqu'un s'était déjà arrogé le trône de Roberto Luciano. Il l'avait compris à l'instant où les trois hommes que venait de rencontrer Graziella l'avaient contacté.

Celle-ci regarda Domino s'éloigner à bord de sa voiture, avant de prendre le lourd carton contenant les enregistrements de son mari. Elle alla le déposer sur la table du bureau, puis embrassa la pièce du regard. Il y flottait une odeur de cigare et de papier carbonisé. Et de fait, la grille du foyer contenait un tas de cendres noires.

Adina entra avec un plateau. Elle avait préparé un potage et un petit plat de pâtes.

— Il faut que vous mangiez un peu, *signora*.

Graziella hocha la tête. Elle prit le plateau et le posa sur le bureau.

— Vous pouvez partir. Je débarrasserai moi-même.

— Non, *signora*, je reste ici. Je veux m'assurer que vous prendrez au moins un peu de potage.

— Ce ne sera pas nécessaire. Laissez-moi, voulez-vous. Ah! Adina... Désormais, vous ne faites entrer personne ici, personne, est-ce bien clair? Cette pièce restera fermée à clef, personne ne doit y pénétrer, est-ce bien compris?

La servante referma doucement la porte derrière elle. Elle s'immobilisa, espérant entendre le bruit d'une cuiller sur un bol, car sa maîtresse n'avait pas mangé depuis plusieurs jours. Soudain, elle sursauta : de l'autre côté de la porte lui parvenait le timbre chaud et profond de don Roberto Luciano. Elle ne put étouffer un cri. Aussitôt, la porte s'ouvrit.

Graziella était blême de colère.

— Laissez-moi seule. Rentrez immédiatement chez vous!

Debout dans le bureau, les yeux clos, caressée par la brise vespérale qui séchait ses larmes, larmes qu'elle ne se souciait pas d'essuyer, Graziella écoutait la voix de son cher époux.

« Je m'appelle Roberto Luciano. Je fais cette déclaration le 8 février 1987. Je dispose de pièces certifiées prouvant que je suis sain d'esprit, et d'un témoin attestant que ces déclarations sont le fait de ma seule volonté et non le résultat de pressions de quelque sorte que ce soit... »

Cela lui faisait mal. Mais il lui fallait prendre connaissance de ces enregistrements et découvrir ce que son mari savait et qu'elle ignorait. Elle allait apprendre de quelle façon son fils avait été assassiné. Elle allait découvrir, par cette même voix chaude, une facette inconnue de l'homme qu'elle avait aimé et cru connaître.

5

Penchée à la fenêtre, Teresa vit le père Umberto héler un taxi. Il portait deux lourdes valises contenant des vêtements ayant appartenu à son mari. Elle resta postée à la fenêtre jusqu'à ce que le véhicule jaune s'insère dans la circulation ininterrompue de la 35ᵉ Rue, puis elle se retourna vers la petite pièce qu'elle et Filippo utilisaient comme bureau. Elle s'approcha de la table sur laquelle elle avait empilé — en prévision d'une soirée de travail — les factures impayées de son mari et des documents concernant la compagnie. Mais son esprit était à cent lieues de ce genre d'occupation. Elle était si furieuse qu'elle en tremblait. Elle se pressa les mains sur les joues, rougissant à la pensée de ce que sa fille avait dit au prêtre. Brusquement, elle ouvrit la porte et s'engagea dans l'étroit couloir.

— Rosa ! Rosa !

La porte de la chambre de la jeune fille restait obstinément close. Elle avait poussé le volume de son poste de radio à fond.

— Rosa ! Viens voir ici, Rosa ! hurla Teresa en frappant la porte du plat de la main.

Elle continua ainsi jusqu'à ce que sa fille baisse le volume du transistor. Puis, les mains sur les hanches, elle recula d'un pas. L'autre ouvrit la porte.

— Comment as-tu pu faire ça ? Qu'est-ce qui t'a pris de dire de pareilles horreurs au père Umberto ?

— Quoi?

— Tu sais parfaitement de quoi je veux parler. Comment as-tu osé? Jamais on ne m'a humiliée comme ça.

— Ça n'a pas eu l'air de le déranger, il était bien trop occupé à remplir ses valises.

— J'attends des excuses, tu m'entends? Des excuses!

— Sûr que je t'entends. La moitié du quartier t'entend. Inutile de piquer ta crise de nerfs. Tu crois qu'il n'avait jamais entendu ce mot? Tout ce que j'ai dit, c'est...

— Je sais ce que tu as dit : « Regardez dans les poches, des fois qu'il y aurait des capotes! » *Des capotes!* Mais qu'est-ce qui t'a pris de dire une chose pareille? (Teresa porta les mains à son visage.) Qu'est-ce qu'il va penser de nous?

— Il ne va pas en faire des Ave et des Pater, si tu veux mon avis. Écoute, maman, c'était trois fois rien, n'y pense plus.

— *Que je n'y pense plus?* Pourquoi as-tu dit cela, Rosa?

La jeune fille haussa les épaules et tourna les talons pour regagner sa chambre.

— Peut-être parce que ton comportement m'est insupportable, cette façon que tu as de rôder dans l'appartement. Ça fait deux mois que c'est arrivé, maman, et chaque fois que je pose les yeux sur toi, tu te mets à chialer. Et puis tu es toujours fourrée à la messe. Un miracle que tu n'aies pas des cors plein les genoux.

Rouge de colère, Teresa attrapa sa fille par les épaules.

— Et comment faudrait-il que je réagisse? Tu voudrais que j'écoute, comme toi, de la musique à m'en percer les tympans? Que j'ouvre grands les volets et que je lance des invitations pour une nouba? Mon mari est mort, ton père est mort! Seigneur Dieu, que faudrait-il que je fasse, selon toi?

— Je ne sais pas, moi. Simplement, je ne supporte pas tous ces gens qui se pointent ici avec leur livre de prières, des gens que je ne connais même pas, qui me tiennent la main pendant des heures ou qui me pincent la joue comme si j'étais une gamine.

— S'ils font cela, Rosa, c'est par gentillesse. Ils cherchent à nous aider.

— C'est faux. Ils viennent ici en voyeurs. Nous ne les connaissons même pas.

— Ils sont de notre paroisse.

— Ils ne m'avaient jamais vue avant. Ils n'ont pas connu papa. Il ne mettait jamais les pieds à l'église, sauf les rares fois où tu l'y as traîné. C'est une curiosité malsaine qui les pousse à venir ici, et toi, tu adores être le centre de l'attention.

La gifle fut si forte que Rosa alla percuter le mur. Elle tituba une seconde, puis se jeta sur sa mère toutes griffes dehors en hurlant :

— Laisse-moi tranquille !

— D'accord, je vais te laisser tranquille. Je ne vais plus te faire la cuisine, laver tes affaires, nettoyer ta...

— Personne t'a rien demandé, de toute façon...

— Non, personne ne m'a rien demandé, et rien ne m'oblige non plus à te donner chaque jour de l'argent pour aller à la fac. Plus question que je t'adresse la parole jusqu'à ce que tu m'aies fait des excuses. Puisse Dieu te pardonner. Et tu en as bien besoin, après ce que tu as dit au père Umberto.

— Ah oui ? C'est pourtant la vérité. Tu crois peut-être que je suis sourde ? Tu crois que je ne vous entendais pas vous engueuler ? Il ne t'a jamais aimée. Il avait d'autres femmes. Je le sais, tout le monde le savait...

Teresa ne put retenir ses larmes.

— Pourquoi, Rosa ? Pourquoi faut-il que tu dises toutes ces horreurs ? Depuis que nous sommes rentrées, je ne te reconnais plus, on dirait que tu as perdu la raison.

Elle tira de sa poche un mouchoir en papier et se moucha.

— Oh, maman, cesse donc de pleurer ! Je t'en prie, j'en ai plus qu'assez de t'entendre renifler.

— Tu as le cœur dur...

— Veux-tu me dire pourquoi je devrais pleurer ? Pour Emilio, peut-être ? Il ne m'aimait pas. Ce mariage avait été monté de toutes pièces. Je suis contente qu'il soit mort, parce que j'ai le sentiment d'avoir été manipulée. Manipulée comme un vulgaire morceau de viande.

— Dieu te pardonne, Rosa, tu sais que ce n'est pas vrai.

— Oh! que si. Et papa ne t'a jamais aimée. Ils t'ont manipulée, toi aussi.

Teresa ne put en entendre plus. Elle courut se réfugier dans sa chambre et claqua la porte derrière elle. Sa fille savait si peu de choses. Elle sortit une photo prise au lycée lors de la remise des diplômes. On l'y voyait, plus jeune que Rosa, vêtue de la toque carrée et de la robe.

Assise devant sa coiffeuse, Rosa se coupait les cheveux à l'aide d'une paire de ciseaux à ongles. De petites mèches tombaient sur le dessus de verre du meuble, sur les produits de beauté, mais elle taillait et taillait encore, prête à n'importe quoi pour s'empêcher de penser, pour tenir les souvenirs à distance.

— Rosa? Rosa, est-ce que je peux entrer?

— Non.

Teresa passa le buste à l'intérieur.

— Je voudrais te montrer quelque chose. C'est une photo de moi à ton âge, le jour de la remise des diplômes.

— Je la connais. Grand-mère l'avait sur sa cheminée.

— Non, mais regarde un peu la mine sévère que j'avais, avec mes verres épais.

Rosa jeta un rapide coup d'œil à la photographie.

— Tu te souviens de tes grands-parents? poursuivit Teresa. C'est dans cette boulangerie que j'ai grandi. Papa n'a jamais cessé de rêver au jour où il rentrerait au pays, mais ce n'était pas le cas de maman. Elle trouvait, elle, que l'Amérique leur avait rudement bien réussi. Papa était tellement fier, le jour où j'ai été admise à l'université; dans son esprit, c'était comme si j'étais déjà avocate diplômée. Il en parlait à qui voulait l'entendre, et les gens n'arrêtaient pas de défiler dans le magasin pour me féliciter ou me faire de menus présents...

Rosa, qui n'écoutait qu'à moitié, souffla sur sa coiffeuse pour en chasser les cheveux. Elle n'avait que peu de souvenirs de ses grands-parents maternels, même si elle ne pouvait passer devant une boulangerie sans que l'odeur du pain frais lui rappelle ses séjours chez eux.

— C'était mon père qui faisait marcher la boulangerie, mais elle n'était pas à lui. Il louait le logement qui se trouvait au sous-sol. Il y faisait sombre, il n'y avait pas d'air, et nous menions un combat constant contre les cafards. Ils arrivaient par centaines dès que le four était éteint...

— Pourquoi me racontes-tu tout ça? Je l'ai déjà entendu des centaines de fois. La façon dont tu les chassais avec un balai...

— Parce que l'homme qui a acheté la boulangerie pour l'offrir à mon père, ainsi que le petit appartement du premier, où il n'y avait pas de cafards, n'était autre que don Roberto.

— Et qu'est-ce que don Roberto devait offrir à papa, en échange de ma main? Allait-il nous sortir de ce trou à rats? Quel était le marché? Qu'est-ce que je valais, maman? Un nouvel appartement ou une plus grosse part des affaires de la famille? Tu t'es assez plainte qu'ils ne t'ont jamais traitée comme l'une des leurs, au contraire de tante Sophia! Eh bien, tu vas te retrouver avec beaucoup plus que ce que prévoyaient les termes du marché. Tu vas rouler sur l'or, désormais...

Teresa ne fut pas assez rapide pour empêcher sa fille de déchirer la photo en deux. Elle se baissa pour ramasser les morceaux, puis empoigna Rosa par les épaules et se mit à la secouer en hurlant :

— Tu ne sais rien de tout ça, tu ne sais rien du tout!...

La jeune fille se libéra et empoigna la paire de ciseaux. La pointe aiguë entailla le dos de la main de sa mère.

— Pourquoi ne me laisses-tu pas tranquille?

Teresa courut dans la salle de bains. Elle se passa la main sous le robinet d'eau froide, regardant le sang sortir de la profonde coupure pour ruisseler le long de ses doigts.

Rosa s'appuya contre l'encadrement de la porte, l'air honteux.

— Ça va aller?

— Oui.

— Tu veux un sparadrap?

— Oui.

Elle ouvrit la porte de l'armoire. Le blaireau, le rasoir et l'eau de Cologne de son père étaient à leur place, là où il les avait laissés. Elle ouvrit la boîte à pansements.

— Cette taille? (Elle attendit que sa mère se soit essuyé la main, puis plaça délicatement le sparadrap sur la blessure.) Tu as oublié d'enlever le matériel de rasage de papa. Je suis désolée de ce qui vient d'arriver, maman. Dimanche prochain, je présenterai des excuses au père Umberto.

Teresa s'assit sur le bord de la baignoire. Après un temps d'hésitation, Rosa lui déposa un baiser dans les cheveux. Teresa passa les bras autour de sa taille et posa la tête contre sa poitrine. Sentant sa fille amorcer un mouvement de recul, elle affermit son étreinte.

— Écoute-moi... je t'en prie, écoute ce que je voudrais te dire.

Rosa se dégagea doucement, mais demeura tout près. Les yeux rivés au sol, Teresa commença son récit.

— Je n'ai jamais eu le moindre petit ami, tu sais. Pas un seul pendant toutes mes études. Ce n'était pourtant pas faute d'en avoir envie. Je prétextais que je travaillais dur et que je n'avais pas le temps de faire autre chose. Ma mère n'arrêtait pas de me questionner, elle voulait savoir si je «fréquentais», comme elle disait. Elle avait tellement peur que je ne trouve pas à me marier. Cela l'obsédait. On aurait dit que j'étais anormale. Lorsque je rentrais, certains soirs, elle avait invité telle ou telle vieille bique de sa connaissance, qui ne demandait qu'à me faire connaître son fils, son neveu, va savoir... Tout le voisinage s'était fixé pour tâche de me trouver un mari. On ne cessait de me présenter des jeunes gens, mais cela ne donnait jamais rien. Mon père, lui, était toujours aussi fier de moi. Il ne manquait jamais d'informer tel nouveau client que sa fille était avocate, bien qu'il n'en fût rien. En fait, je n'ai jamais terminé mon droit.

— Tu n'as jamais terminé ton droit? répéta Rosa, ébahie.

— Eh non. Je m'étais promis de me réinscrire plus tard, pour terminer et décrocher mon diplôme, seulement... il a fallu que je m'occupe de toi, et aussi de Filippo. Il avait besoin de moi. Certaines licences d'exportation pouvaient être extrêmement complexes, et il n'entendait rien à la paperasse dont il faut s'acquitter quand on fait de l'import-export.

— J'ai toujours pensé que tu étais avocate.

— Eh bien, tu te trompais. Tu crois tout savoir, mais ce n'est pas le cas.

Teresa ôta ses lunettes et se mit à les nettoyer à l'aide d'une serviette. Rosa remarqua les traces rouges qu'elles avaient laissées sur son nez; elle remarqua les poches naissantes sous ses yeux, de petits yeux larmoyants. Ce nez mince et pointu, cette bouche étroite qu'elle était heureuse de n'avoir pas hérité... Voici que la laideur de sa mère l'émouvait, et elle rougit lorsque celle-ci leva tout à coup les yeux pour la gratifier d'un pâle sourire. Ce mouvement accentua les méplats de son visage, étira la peau sur ses pommettes saillantes.

— Tu lui ressembles tellement. Je crois le voir chaque fois que je te regarde. Tu as été conçue pendant notre voyage de noces. Tu le savais?

Rosa hocha la tête. Elle abaissa doucement le couvercle de la lunette des toilettes et s'y assit, les coudes sur les genoux, la tête entre les mains. Il n'était pas d'échappatoire possible, il fallait qu'elle écoute sa mère jusqu'au bout.

— Je suis rentrée à la maison un après-midi — il faut te dire que pour aller chez nous, il fallait passer par le magasin et descendre l'escalier qui se trouvait au fond du fournil. Donc, j'arrive à la maison et je tombe sur maman qui m'attendait dans sa plus belle robe. *Oh non, ai-je pensé en moi-même, encore un prétendant... une humiliation de plus.* « Vite, vite, m'a dit maman. Va te changer. Mets quelque chose de joli. Nous avons de la visite. » Évidemment, j'ai refusé — tu me ressembles par

113

bien des côtés — mais voilà que papa est venu me trouver, le visage rouge d'excitation. Il m'a soufflé de me donner un coup de peigne, de me débarbouiller; il m'a parlé comme à une enfant et a répété plusieurs fois : « Dépêche-toi, nous avons de la visite. »

— Est-ce que tu es allée te changer? interrogea Rosa, sincèrement intéressée.

C'était la première fois que sa mère lui racontait cet épisode de sa vie.

Teresa émit un rire bref.

— Ma foi, non. Je suis entrée dans la plus belle pièce de l'appartement, une pièce que maman passait son temps à briquer et où nous mettions rarement les pieds. C'était la première fois que je voyais don Roberto Luciano. Avant ce jour, j'ignorais totalement son existence. Il était si grand que sa tête semblait toucher le plafond. Il avait les cheveux poivre et sel et portait un costume rayé, avec un œillet à la boutonnière...

» Et tu sais, quand j'y repense très fort, je peux encore sentir le parfum de son eau de toilette, une odeur de citron vert. Elle a flotté dans la pièce des heures après son départ. Il n'est resté que très peu de temps. Il était tellement séduisant, tellement élégant, tellement gentil... oui, c'est le mot que j'emploierais pour le décrire. Très gentil, et plus attentionné envers ma mère qu'envers moi. En partant, il m'a fait un baisemain. Je savais qu'il se passait quelque chose, mais je n'avais pas la moindre idée de ce que cela pouvait être... Papa n'a pas dit un mot avant d'être certain qu'il était à l'autre bout de la rue. Je ne crois pas que mes parents en aient jamais su la raison, mais don Roberto Luciano était venu pour faire ma connaissance, car il voulait que j'épouse son fils Filippo.

Rosa était penchée en avant, vivement intéressée.

— Et ensuite?

Teresa sourit. Elle remonta ses lunettes sur l'arête de son grand nez.

— J'enrageais, je me sentais plus que jamais humiliée. Papa ne montrait pas grand-chose, il avait même l'air un peu gêné, mais maman, elle, était aux anges. Ils avaient dû se priver de tout afin que je puisse suivre des études. Je ne pensais guère à cet aspect des choses, remarque bien ; je devais être joliment égoïste. J'ai refusé tout net de rencontrer Filippo, et il y a eu une terrible dispute. Maman pleurait toutes les larmes de son corps. Papa répétait qu'il ne pouvait faire un tel affront à don Roberto. Et moi, je ne voulais rien entendre. Je leur disais qu'ils vivaient en pleine préhistoire. Et mon père de me crier que j'étais sa fille, sa seule et unique fille, que la Providence ne lui avait pas donné un fils pour s'occuper de lui sur ses vieux jours, qu'il était affligé d'une petite égoïste qui lui ponctionnait jusqu'à son dernier cent... Je ne l'avais jamais vu se comporter de cette façon. Il a même menacé de me jeter à la rue.

— Alors qu'est-ce qui t'a fait changer d'avis ?

— La peur. Mon père était terrifié, cela se voyait. C'était quelqu'un de simple ; il n'arrivait pas à comprendre ce qui avait bien pu pousser don Roberto à choisir pour son fils la fille d'un petit boulanger, une jeune personne à laquelle ses parents étaient déjà résignés à ne jamais trouver de mari. Alors j'ai fini par accepter de le rencontrer.

» Le lendemain, Filippo s'est présenté chez nous. Il était seul. Il m'attendait déjà, au salon, quand je suis rentrée à la maison après mes cours. Maman lui tenait compagnie. Papa a fait les présentations. Rosa, c'était atroce. Tu aurais vu les gestes frénétiques qu'il adressait à ma mère pour qu'elle nous laisse seuls... Je ne sais ce que j'avais espéré, peut-être un contretemps, un empêchement de dernière minute qui aurait tout annulé. Tout cela avait quelque chose d'insensé...

— Et ensuite ?

— Il m'est apparu comme le plus beau garçon que j'avais jamais vu. Il était probablement aussi gêné que moi. Je lui ai proposé d'aller prendre un café quelque part, et il a accepté. C'était surtout pour ne pas rester là, avec mes parents qui rôdaient de l'autre côté de la porte. Il m'a prise par la main, comme si c'était la chose

115

la plus naturelle du monde, et nous sommes sortis. Je l'ai aimé dès le premier instant, Rosa. Et j'avais tellement peur qu'il ne se détourne de moi que j'ai acquiescé à tout. J'étais d'accord pour que le mariage ait lieu un mois plus tard, j'étais d'accord pour que les Luciano s'occupent de la liste des invités, de la réception, de tout. Lorsque j'ai eu fait la connaissance de Graziella Luciano, j'ai eu plus que jamais peur de perdre Filippo. J'avais tout de suite compris qu'elle ne me trouvait pas assez bien pour lui. Elle avait commis l'erreur de lui parler en sicilien, sans se douter que je comprenais cette langue aussi bien que l'anglais. Elle avait des larmes dans la voix. Elle lui disait qu'il était trop jeune, qu'il avait bien le temps.

— Et qu'il était un Luciano.

— Cela ne signifiait rien pour moi, à l'époque. Seul Filippo m'intéressait. Moi qui n'avais jamais eu de petit ami, je me retrouvais tout à coup promise au plus beau garçon de la terre.

— Est-ce qu'il t'aimait? s'enquit Rosa sans parvenir à masquer une note d'incrédulité.

— Oui, Rosa, il m'aimait. Plusieurs fois, je lui ai demandé s'il était certain de me vouloir... Je n'arrivais pas à me départir de mes craintes, mais il semblait avoir peur que je ne me ravise. Et c'est comme cela que nous nous sommes mariés.

— Pour quelle raison t'ont-ils choisie? As-tu réussi à le savoir?

Sa mère fixait le carrelage du sol.

— Don Roberto voulait trouver quelqu'un de stable pour Filippo, quelqu'un qui ait les pieds sur terre, et je suppose que je faisais l'affaire. Son fils n'avait jamais quitté la Sicile avant de me rencontrer, et il avait décidé que le moment était venu pour lui de travailler en Amérique...

Tout à coup, elle n'eut plus envie de poursuivre. Elle laissa tomber la serviette dans le panier à linge sale.

— Mes parents se sont vu offrir la boulangerie et l'appartement, et chaque jour maman disait un Ave pour don Roberto Luciano. Elle l'a remercié et porté aux nues jusqu'à son dernier souffle...

— As-tu jamais demandé à papa pourquoi il s'était marié avec toi?

Les yeux de Teresa s'emplirent de larmes. Des années plus tard, lorsque Filippo avait commencé à la tromper, lorsqu'elle avait compris qu'il ne l'aimait plus, elle lui avait posé la question. Il lui avait répondu qu'il s'était plié à la volonté de son père. Il lui avait dit cela avec une telle cruauté, avec un tel mépris pour ce qu'elle pouvait ressentir, que même aujourd'hui, elle ne pouvait se résoudre à le confier à sa fille.

— Maman? insistait celle-ci. As-tu jamais su le fin mot?

— Non.

— Peut-être t'avait-il aperçue quelque part...

— Oui, c'est possible...

Rosa suivit sa mère dans le couloir.

— Emilio disait être tombé amoureux de moi dès l'instant où il m'avait vue. Tu te souviens de ce fameux jour, maman? C'était l'été dernier, à la villa Rivera.

Teresa avait la migraine. Elle se pressait les tempes du bout des doigts.

— Tu crois qu'il m'aurait épousée de toute façon? Même si grand-père ne s'en était pas mêlé? Maman, je te parle. Il a offert la boulangerie à tes parents. Est-ce qu'il vous a dit ce qu'il comptait vous donner?

— J'ai mal à la tête, Rosa. Il faut que je m'allonge.

— Je dois savoir, maman... J'ai besoin de savoir.

— Est-ce que cela a encore de l'importance? Ce garçon est mort.

— Je sais que l'on écartait peu à peu papa de la conduite des affaires. Est-ce qu'Emilio devait prendre sa suite? Était-ce pour cette raison qu'il devait m'épouser?

Elle était stupéfaite que sa fille en ait deviné autant.

— Écoute, Rosa, tu parles de choses dont tu ignores tout.

— Je vais téléphoner à grand-mère... Je vais lui poser la question.

— Certainement pas.

— Et pourquoi pas? Tu as peur que je ne dise un truc qui la contrarie? Elle pourrait t'oublier dans la succession. C'est de ça que tu as peur?...

Teresa capitula.

— Oui, c'est peut-être ça. C'est Graziella qui tient les cordons de la bourse, et jusqu'à ce que j'obtienne ce qui me revient de droit, tu ne l'embêtes pas avec ce genre de choses. Tu as beau être sa petite-fille, elle peut te déshériter comme ça. (Elle fit claquer ses doigts.) Et c'est tout ce que don Roberto avait à faire pour que les autres se plient à ce qu'il avait décidé. Qu'il s'agisse de marier son fils avec moi, ou son neveu avec toi... Ouvre les yeux, Rosa! Il manipulait tout le monde, et *mamma* était son fidèle lieutenant. Contrarie-la, et nous n'aurons rien. Cela ne te paraît peut-être pas très important en ce moment, mais pour moi ça l'est. C'est tout ce qui me reste.

Rosa s'enferma dans sa chambre et ouvrit l'album de photos familial. Sous chaque portrait figurait le nom du sujet, écrit de son écriture régulière, un peu enfantine. Elle déchira toutes les photos d'Emilio. Puis elle tomba sur un vieux cliché dont elle avait oublié l'existence. Elle allait le jeter à la corbeille, mais se ravisa.

— Maman? Maman?

— Je suis dans le bureau, répondit Teresa.

Elle avait entrepris de passer au peigne fin les affaires de son mari et parcourait présentement plusieurs piles de papiers et documents.

— Maman, qui est-ce? demanda Rosa en entrant.

Teresa plissa les paupières au-dessus de la photographie que lui présentait sa fille. Il s'agissait des trois fils de Roberto Luciano, mais le visage de l'aîné avait été oblitéré à coups de stylo bille.

— Il doit s'agir de Michael.

— Qui a bien pu faire ce gribouillis?

— Sans doute ton père. Cette photo a dû être prise... il y a une vingtaine d'années, peut-être plus. C'est quand même bizarre. J'avais ici tout un tas de vieux dossiers de la compagnie, des licences d'importation...

Rosa contemplait toujours le cliché.

— Tu cherches à évaluer combien on va toucher, n'est-ce pas?

— Simple curiosité. Tu sais, j'ai pris le bus jusqu'aux docks. Les entrepôts Luciano sont complètement barricadés, les portes des chantiers bardées de fil barbelé... J'étais pourtant certaine que ces dossiers se trouvaient là.

Teresa ouvrait tous les tiroirs. Tout à coup, elle se redressa sur son fauteuil.

— Quelqu'un s'est introduit dans cette pièce. Il ne reste pas un seul dossier portant le nom de Luciano, plus la moindre lettre. Les agendas de Filippo, son carnet d'adresses, tout était ici. Je les avais moi-même posés sur ce bureau.

— Tu vas appeler les flics?

Elle secoua la tête.

— À quoi bon? Aucun objet de valeur n'a disparu.

— Cela devait en avoir pour certaines personnes. Sinon, ils n'auraient pas pris la peine de s'introduire chez nous et d'emporter ces documents, pas vrai?

— Sauf s'ils *pensaient* qu'il pouvait y avoir quelque chose d'intéressant pour eux... J'appelle ta tante.

Il semblait à la jeune femme que la sonnerie du téléphone faisait partie de son rêve. Elle en émergea péniblement.

— Sophia? C'est Teresa. Je te réveille? J'avais oublié le décalage horaire.

— Ce n'est pas grave, Teresa. Comment vas-tu?

— Moyennement. Je suis fauchée et j'attends. Tu as vu Graziella?

— Non.

— Tu n'es pas allée la voir?

— Non... J'ai eu pas mal de choses à faire avec la nouvelle saison qui démarre et les soldes de la saison passée. Il y a tout le stock à préparer pour les boutiques, et je n'ai même pas encore eu le temps de passer à l'atelier...

Sophia réalisa qu'elle multipliait les excuses pour

n'avoir pas recontacté Graziella. Elle ferma les paupières et laissa échapper un soupir : elle n'avait rien fait et semblait incapable de faire quoi que ce soit.

— Nous avons été cambriolées... Allô! Tu es là? Est-ce que tu m'entends?

Elle avait toujours les yeux clos.

— Oui, je t'entends.

— Je disais que nous avons été cambriolées. Ils ont emporté tous les papiers de Filippo, des photos, certains dossiers concernant la compagnie de transports routiers et l'essence...

— Le bureau de Constantino a subi le même traitement il y a plusieurs semaines, interrompit Sophia. Même chose : rien que des papiers.

— Mais enfin, pourquoi? Tu ne penses pas qu'il pourrait s'agir de *mamma* ou de quelqu'un travaillant pour le compte de l'autre avocat, là?

Sophia réprima un bâillement.

— *Mamma*? Évidemment que non. Cela pourrait être la police. Cela pourrait être pas mal de gens, en fait. Probablement une personne ayant travaillé pour don Roberto. Sans doute par simple précaution. Ne te tracasse pas avec ça.

— Que je ne me tracasse pas? Mais enfin, quelqu'un s'est introduit dans mon appartement.

Sophia repoussa la couette. Nue, elle sortit les jambes du lit et, du bout des pieds, chercha ses mules. Elle tenait le combiné à quelque distance de son visage.

— Don Roberto travaillait avec des tas de gens, Teresa, des gens qui ne tiennent pas à ce que des personnes extérieures à leur milieu soient au courant de leurs activités. Sans doute voulait-on vérifier qu'il n'y avait rien de compromettant, pas de noms, pas d'affaires laissées en plan.

Teresa raccrocha brusquement.

— Sophia était vaseuse, comme si elle avait bu. Contrairement à nous, elle est loin d'être fauchée. D'ailleurs, l'argent n'a jamais été un problème pour elle.

— Tu ne la portes pas dans ton cœur, n'est-ce pas? demanda Rosa.

Sa mère avait recommencé à chercher les pièces manquantes. Elle soupira.

— Son appartement a également été visité, et elle a l'air d'accepter cela. Eh bien pas moi. Je vais faire changer les serrures.

Rosa était juchée sur le coin du bureau.

— À ta place, je ne m'embêterais pas avec ça. Dès que nous aurons touché l'argent, nous pourrons déménager. J'aimerais que notre nouvel appartement donne sur Central Park.

— Ma chérie, tu auras assez d'argent pour vivre où bon te semblera.

Teresa contemplait maintenant la vieille photographie. Les trois jeunes hommes semblaient tellement innocents... et pourtant, ces traits de crayon barrant le visage de Michael avaient quelque chose de sinistre.

— Quand je pense que s'il n'y avait pas eu ce garçon sans visage, don Roberto n'aurait pas songé à devenir témoin à charge dans ce procès. Sans Michael Luciano, tous seraient encore vivants, à l'heure qu'il est.

Rosa étudiait le visage de sa mère, qui fixait toujours la photo. Sa bouche s'étirait en une ligne très mince. Soudain, Teresa déchira le rectangle de papier et laissa les morceaux tomber un à un dans la corbeille.

— S'il n'y a rien de nouveau d'ici la fin du mois, nous partons pour la Sicile, que cela plaise ou non à *mamma*. Voilà déjà suffisamment longtemps que nous attendons.

6

Graziella rembobina la cassette. Elle avait déjà maintes fois écouté et réécouté cette partie des enregistrements et en connaissait le contenu presque par cœur, mais aujourd'hui, elle s'était munie d'un carnet et d'un stylo afin de prendre note des noms que son mari avait cités à peine quelques semaines plus tôt. Calée dans son fauteuil, crayon en main, elle entendit une nouvelle fois la voix grave de don Roberto emplir le grand bureau aux rayonnages garnis de livres. « Michael, mon fils aîné, est rentré des États-Unis dans le courant de l'été 1963... »

Elle appuya sur la touche d'avance rapide. Zzzzzzz... La voix reprit. « ... et c'est Lenny Cavataio qui, sur ordre de Paul Carolla, attendait Michael à son retour en Sicile. Lenny Cavataio savait que l'héroïne qu'il devait vendre à mon fils allait sans aucun doute le tuer. » Graziella fit à nouveau défiler la bande en accéléré. Elle écouta Roberto Luciano expliquer comment il avait remonté la piste de la drogue et obtenu la preuve qu'elle avait été raffinée dans les laboratoires de Carolla.

Emanuel demandait alors pour quelle raison, s'il détenait semblable preuve de l'implication de Carolla dans le trafic des stupéfiants, Luciano n'en avait à aucun moment informé la police. Elle écouta distraitement son mari répondre qu'à l'époque, Lenny Cavataio avait disparu dans la nature.

« Et puis, ajouta-t-il, je suis quelqu'un qui règle lui-même ses problèmes. Telle est ma loi. »

Il y eut un silence, et don Roberto reprit la parole. « J'avais néanmoins l'intention d'amasser suffisamment de preuves pour faire condamner Paul Carolla, si nécessaire. Mais les difficultés se sont multipliées. Les témoins disparaissaient, et j'ai attendu un temps considérable avant que mon fils soit suffisamment remis pour être interrogé là-dessus. Il faut bien comprendre qu'il était en état de dépendance, et donc très diminué physiquement et mentalement. »

Graziella étouffa une plainte. Jusqu'à ce qu'elle écoute pour la première fois cet enregistrement, elle avait tout ignoré de la toxicomanie aiguë de son fils.

La voix de don Roberto poursuivait : « Au bout de deux mois, mon fils avait déjà bien récupéré. Suffisamment pour que je le ramène quelques jours à la maison. Mais il n'était pas encore assez solide mentalement pour être tout à fait crédible. Il lui fallait encore du temps pour se réadapter et recouvrer sa santé physique et mentale. »

Elle le revoyait, debout près de la fenêtre de sa chambre, les bras pleins de fleurs, lui lançant : « Maman, hé, maman, je suis de retour ! Je vais bien. »

Nul signe d'émotion ne transparaissait dans la voix de son mari. « Michael est retourné à la montagne, dans une petite maison de berger. Quatre de mes hommes le gardaient jour et nuit. Mais seul Ettore Callea, mon chauffeur, était au courant de la précarité de son état. Cet homme, en qui j'avais toute confiance, est mort le 2 août 1963. La police possède, je crois, un dossier sur son assassinat. C'est ce 2 août 1963 que j'ai découvert le cadavre de mon fils. Trois de ses gardes étaient également morts : Marco Baranza, Giulio Nevarro et Silvio Braganza. Ils avaient été tués à l'aide d'un Beretta. Mon fils, lui, avait été battu à mort. Il avait les ongles arrachés. On lui avait injecté dans le bras assez d'héroïne pour en tuer cinq comme lui. Le seul garde ayant survécu fut retrouvé avec des blessures par balle à la poitrine et à l'aine. Gennaro Baranza a pu donner le signalement des meurtriers de mon fils. Il ne s'agissait pas de Siciliens mais d'Américains. Je n'ai connu leur identité que bien des années plus tard, de la bouche de Lenny Cavataio. Il connaissait les meurtriers de mon fils. Ils avaient agi pour le compte de Paul Carolla... »

Il y eut un silence, un bruissement de papier, puis la voix d'Emanuel : « Ces Américains, il me faut leurs noms. Il va falloir que je les entende. »

Et don Roberto de répondre : « Je crains que ce ne soit impossible. Paul Carolla a pris toutes les précautions pour qu'on ne puisse remonter jusqu'à lui. Même leurs cadavres n'ont jamais été retrouvés. »

Emanuel demanda s'il serait possible d'interroger Gennaro Baranza. Luciano répondit que Baranza, qui, depuis la fusillade, était cloué sur un fauteuil roulant, avait récemment été victime d'une attaque. Depuis lors, il ne s'exprimait plus qu'avec d'énormes difficultés.

Graziella éteignit le magnétophone. Elle était en nage, et ses paumes avaient laissé deux empreintes humides sur la surface vernissée du bureau. De combien de mensonges son mari l'avait-il bercée ? Trop, sans doute, pour qu'elle puisse en assimiler la totalité. Elle comprenait maintenant pourquoi le garçon qui lui avait été rapporté dans un cercueil tendu de velours portait des gants, pourquoi son visage était celui d'un étranger. Contrairement à ce qu'on lui avait dit, il n'avait pas été tué par balle. Sa mort n'avait pas été rapide. Il avait tenté de se défendre comme un pauvre animal forcé dans son repaire.

Son visage s'étirait à mi-chemin du sourire et de la grimace. Elle savait qu'il lui faudrait écouter l'ensemble des enregistrements.

Elle était sur le point d'enclencher la cassette suivante, quand Adina entra avec le plateau du petit déjeuner. Elle le posa sans un mot et prit celui de la veille, resté intact. Sa maîtresse, qui portait les mêmes vêtements que le jour précédent, lui adressa un « *grazie* » impatient.

La deuxième cassette débutait sur l'indication de la

date et de l'heure de l'enregistrement par Emanuel. La voix de don Roberto survint aussitôt après. Il déclara qu'il avait pleinement conscience des répercussions que pourraient avoir sur lui les informations qu'il s'apprêtait à divulguer, et qu'il en assumait toute la responsabilité. Il agissait de son propre chef.

Loin de chercher à nier son appartenance à la Mafia, il expliqua comment, lors d'une réunion au plus haut niveau, on lui avait refusé justice pour le meurtre de son fils. Ses pairs avaient laissé entendre que Michael s'était laissé sombrer dans la toxicomanie et qu'il ne fallait pas chercher de responsabilités ailleurs. Ils n'avaient pas pris en compte la façon dont il avait perdu la vie. Carolla avait fait son chemin, et ses activités valaient de juteuses retombées à chacun des membres de l'organisation. Nul ne souhaitait lui mettre des bâtons dans les roues. Et surtout, nul n'avait envie qu'une vendetta éclate sur son propre seuil.

Don Roberto évoquait ensuite un jeune parrain, Antonio Robello, surnommé l'Aigle, qui l'avait contacté pour lui offrir ses condoléances ainsi que l'aide de sa famille au cas où il aurait un jour besoin de soutien.

« J'ai donc décidé de faire ma propre justice. Il me fallait opérer avec la plus extrême minutie : si jamais un membre de l'organisation avait eu vent de mes projets, cela aurait pu avoir de graves répercussions sur mes affaires et sur ma propre famille. »

Graziella était plongée dans l'effroi. Quand cela avait-il eu lieu? Juste après l'enterrement de Michael? Alors qu'ils portaient encore son deuil? Quand? La réponse ne se fit pas attendre.

« J'ai fait en sorte qu'en l'espace d'une seule journée, dès les premières heures du 4 novembre 1963, les laboratoires clandestins de Carolla, ses fabriques, ses entrepôts et deux de ses chalutiers soient systématiquement détruits. Pendant la guerre, j'ai servi dans une unité du génie. Je savais donc quels types d'explosifs et de minuteries employer. Robello se montrait un élève assidu parce que je lui offrais, comme stimulant, la possibilité d'utiliser gratuitement pendant deux ans mes compagnies de transports maritimes, plus le libre accès à mes cargos, mes docks et mes entrepôts. Il était également acquis qu'il hériterait du territoire de Carolla. Les explosions devaient avoir lieu à intervalles réguliers durant toute la journée. Je savais que Carolla séjournait à Palerme avec sa maîtresse, et je savais aussi qu'il venait d'acheter une nouvelle Alfa Romeo... Je voulais qu'il voie, qu'il comprenne qu'il était fini, et ce avant la dernière explosion, celle de la charge qui, placée dans sa voiture, le tuerait. Chaque dispositif devait être méticuleusement réglé pour exploser au moment voulu, et j'ai formé Robello pendant les deux mois qui ont précédé.

Graziella éteignit l'appareil pour feuilleter son agenda. Cette date du 4 novembre lui disait quelque chose. Elle découvrit, parmi d'autres dates-clefs notées dans les premières pages du carnet, qu'il s'agissait de celle de l'anniversaire de mariage de Filippo et Teresa... Ainsi donc, pour la destruction de Paul Carolla, il avait choisi le jour du mariage de son propre fils.

Elle comprenait maintenant pourquoi cette union avait été organisée en si grande hâte, pourquoi son époux avait choisi une fille aussi effacée que Teresa Scorpio. Ces gens, qui tiraient leur subsistance d'une modeste boulangerie, n'étaient liés à aucune des grandes familles. Elle comprenait pourquoi il avait tenu à organiser lui-même la réception, n'invitant qu'une poignée de personnes. Elle avait tenté de dissuader Filippo de se marier avec une fille au physique aussi ingrat et, qui plus était, de plusieurs années son aînée. À l'époque, qu'il puisse seulement envisager pareille union la dépassait. À présent, tout s'éclairait : don Roberto avait utilisé le mariage de Filippo comme alibi. Il s'était servi d'un de ses fils pour en venger un autre.

Graziella se prit la tête entre les mains. Elle se souvenait : le couple engagé par son mari pour garder la maison en leur absence présentait une telle ressemblance physique avec eux que nul ne se douterait qu'ils étaient partis pour New York. Elle se souvenait : Roberto avait ri de cette prétendue coïncidence. Elle remit le magnéto-phone en marche, et ses cheveux se dressèrent sur sa tête : ce fut le rire de don Roberto qui sortit du haut-parleur. Puis il cessa, remplacé par la voix modulée, chargée de menaces.

« L'alibi parfait à New York. L'homme et la femme que j'avais engagés pour s'occuper de la villa pendant que nous serions là-bas devaient porter des vêtements nous appartenant, être en permanence coiffés d'un chapeau bien ramené sur les yeux... Car voyez-vous, je savais que Robello ne me faisait pas confiance. Il avait les dents bien trop longues. Il avait eu l'inconséquence de commencer à tâter le terrain avec quelques-uns des partenaires de Carolla, qui avaient aussitôt eu la puce à l'oreille. J'étais au courant de ces initiatives et j'avais l'intention de m'en servir le cas échéant. Robello devait donc absolument ignorer que j'avais quitté Palerme. Pour des raisons évi-dentes, nous étions préalablement convenus de n'avoir plus aucun contact pendant le mois suivant la mort de Carolla. »

Luciano se tut. Quelques instants passèrent avant qu'il reprenne la parole.

« En l'espace d'une seule journée, mon vieil ami Paul Carolla a perdu des millions, et plus de quinze de ses hommes ont été arrêtés. » « Combien perdirent la vie ? » interrogea Emanuel.

Luciano ignora la question. « Ce jour-là, Carolla a tout perdu, si ce n'est la vie. Mon action s'est retournée contre moi, me laissant dans une position très vulné-rable. J'étais, c'est compréhensible, le suspect tout indi-qué. Mais j'avais un alibi inattaquable, puisque je ne me trouvais pas à Palerme au moment des faits, mais à New York, au mariage de mon fils. »

Il y eut à nouveau une longue plage de silence. L'enre-gistrement n'avait pas été interrompu, puisque l'on per-cevait des bruissements de papiers.

« Poursuivez, s'il vous plaît, dit Emanuel. Je prenais note des dates de manière à vérifier qu'elles coïncident bien avec les archives de la police... »

Don Roberto l'interrompit d'un ton où perçait une colère contenue. « Mon cher, ce n'est pas moi qui passe en jugement. J'ai parfaitement conscience de porter des accusations contre moi-même, mais si je le fais, c'est pour une seule et unique raison : Paul Carolla. Beaucoup vont prendre peur, beaucoup, mais il est le seul qui m'intéresse. Voilà vingt ans que j'attends. »

Emanuel intervint d'une voix hésitante. « Essayez de comprendre ma position. Si vous vous accusez de certaines choses, je dois procéder à... » « Vous devez faire en sorte que cela n'ait pas de répercussions pour moi ou ma famille, est-ce clair ? Est-ce que je me fais bien comprendre ? Alors, souhaitez-vous que je poursuive ? »

Il y eut un silence, puis un faible cliquetis témoigna d'une interruption de l'enregistrement. Graziella comprit que les deux hommes avaient dû passer une sorte d'accord.

Nouveau cliquetis. Don Roberto parlait maintenant d'une voix plus calme. « Robello a échoué dans sa tentative d'assassinat. J'étais le principal suspect, et Carolla a porté des accusations contre moi. Résultat, nous avons été tous les deux convoqués devant la commission. Je ne citerai pas de noms, mais elle est composée d'un certain nombre d'hommes très haut placés dans l'organisation, qui sont élus pour agir en tant que jurés et juges... » « S'agit-il de ces hommes qui vous avaient opposé un déni de justice en ce qui concernait la mort de votre fils ? » « Oui, ceux-là même. Je leur ai communiqué ce que je savais des intentions de Robello — prendre la tête des activités de Carolla — et leur ai dit qu'avant même la série d'attentats, il avait contacté ses subordonnés en vue de cette prise de contrôle. Du coup, Robello est devenu le principal suspect. À mon retour en Sicile, il a cherché à se tirer d'affaire en perpétrant une désastreuse tentative d'assassinat contre moi. »

À nouveau ce rire dur et froid. « Voyant cela, Carolla m'a offert son amitié, il m'a proposé une trêve. Si je vous ai raconté cet épisode, c'était pour en arriver là. Il s'agit d'un cadeau de Carolla lui-même, destiné à prouver ses bonnes dispositions. Cette boîte a été apportée chez moi accompagnée de ce billet. »

Au bruit, Graziella comprit qu'il posait quelque chose sur le bureau d'Emanuel.

« Non, mon cher, il ne s'agit pas d'une bombe, mais de la main d'Antonio Robello. Ceci est la bague de la famille Robello. On croirait la serre d'un rapace, vous ne trouvez pas? Son surnom lui allait comme un gant. On n'a jamais retrouvé le reste de son cadavre, mais ce billet, de la main même de Carolla, constitue une preuve suffisante. »

L'enregistrement fut interrompu, puis reprit. Emanuel demandait : « Quel genre de rapports aviez-vous à ce moment-là avec Paul Carolla? Il vous avait proposé une trêve. L'avez-vous acceptée? » « Oui, bien sûr. En apparence. Je n'avais pas le choix, même si j'étais plus fort que jamais. Il avait perdu des millions et en devait presque autant, mais ce n'était pas suffisant. Je continuais d'attendre mon heure. J'avais juré de venger mon fils, et peu m'importait le temps que cela prendrait. Car voyez-vous, Michael est toujours vivant dans mon cœur. »

Graziella désirait vérifier certaines choses. Elle demanda sa voiture et se fit immédiatement conduire à la bibliothèque, dans le centre de Palerme.

Elle y passa trois heures à compulser des journaux remontant à l'époque du mariage de Filippo et Teresa. Elle lut des articles sur la destruction des laboratoires clandestins de Carolla. Les gros titres parlaient en termes tonitruants d'une vendetta au sein de la Mafia et du plus important coup de filet jamais réalisé dans les milieux de la drogue. Elle apprit également que la série de sabotages avait coûté la vie à douze hommes.

Elle retrouva les numéros qui couvraient la tentative d'assassinat dont son mari avait été l'objet. Chaque article décrivait don Roberto Luciano comme un héros et évoquait la façon dont il avait coopéré avec la police. Dans chacune de ses interviews, il déclarait tout ignorer d'une quelconque vendetta. Elle découvrait une fois de plus les talents de manipulateur de son mari. Le fait qu'il ait tenté de désamorcer lui-même la charge placée par Robello dans sa Mercedes semblait cependant suffisant, même aux yeux de Graziella, pour soupçonner son implication dans la série de sabotages. Il était cité, affirmant qu'il ne se trouvait pas à Palerme à cette époque mais au mariage de son fils en Amérique. La presse reproduisait des lettres que les veuves des policiers tués lors de son attentat manqué lui avaient adressé, lettres de remerciement pour les dons qu'il leur avait faits. Deux journaux seulement consacraient un paragraphe à la mort regrettable de deux fillettes, deux sœurs, qui passaient à bicyclette près de la Mercedes de Luciano à l'instant où la bombe avait explosé. Leurs parents, terrassés par le chagrin, remerciaient don Roberto de sa grande générosité.

C'est pleine d'amertume que Graziella reprit le chemin de la villa Rivera. Derrière la façade du bon père et du bon époux qui l'avait toujours dissimulé, elle découvrait un homme dont elle avait jusque-là ignoré l'existence. Elle s'était toujours inconsciemment voilé la face, elle avait toujours voulu ignorer que sa vie était environnée de crimes de sang.

Elle considéra son chauffeur, depuis de nombreuses années au service de son mari. Se penchant en avant, elle tapota son épaule massive.

— Diego... pendant combien d'années avez-vous travaillé pour don Roberto ?

— Vingt-cinq ans, *signora*.

Il régla le rétroviseur de façon à la voir.

— Alors vous devez avoir vu beaucoup de choses ? Rencontré une foule de gens ?

— Vous pouvez le dire, *signora*.

— Avez-vous connu Gennaro Baranza ?

— Ce nom ne me dit rien, *signora*.

— C'était un des gardes du corps de mon fils Michael. Est-ce que vous vous souvenez de mon fils ?

— Ça oui, *signora*, je m'en souviens parfaitement.

— Et Eduardo Lorenzi, Niccolò Pecorelli, Giulio Carboni. Vous est-il arrivé de transporter ces trois hommes ? De les voir en compagnie de mon mari ?

Il lança un coup d'œil furtif dans le rétroviseur. Les yeux bleus de Graziella captèrent un instant son regard, puis il reporta son attention sur la route.

— Désolé, *signora*, mais je n'étais rien d'autre qu'un chauffeur.

Ils n'échangèrent plus un mot jusqu'à ce qu'il lui ouvre la portière devant le perron de la maison. Il la dominait de toute sa hauteur, et elle dut lever les yeux vers son visage buriné.

— Vous avez passé vingt-cinq ans au service de don Roberto. Regardez autour de vous... Vous voyez? Tout le monde s'en est allé. Vous n'avez aucune raison d'avoir peur.

— *Signora*, je n'étais qu'un chauffeur parmi d'autres, et rien de plus.

— Oui, mais c'est vous qui les avez conduits au restaurant le soir où ils ont été assassinés, c'est vous qui les avez découverts.

Il se signa et baissa piteusement la tête. Graziella lui demanda de l'accompagner à l'intérieur, mais il refusa. Elle eut du mal à dissimuler sa colère.

— J'ai besoin de parler à quelqu'un, j'ai besoin de poser des questions, j'ai besoin... Est-ce que vous pouvez comprendre cela? Je vous paierai ce que vous voudrez.

Il s'écarta de plusieurs pas, et elle leva les mains dans un geste d'agacement. Elle tourna les talons et commença à gravir les marches du perron.

— Comprenez-moi, *signora*, fit-il dans son dos, j'ai une famille...

Elle fit volte-face.

— Moi aussi, Diego, j'avais une famille.

Graziella téléphona à Mario Domino, qui parut grandement soulagé de l'entendre. Cela faisait plusieurs semaines qu'il cherchait à la joindre, mais elle avait toujours refusé de le prendre au téléphone. Elle n'avait pas accordé la moindre attention aux liasses de documents qu'il avait diligemment mis en ordre, ni répondu à aucun de ses recommandés.

— Est-ce que ça va?

— Oui, Mario, ça va... Dis-moi, voudrais-tu me retrouver la trace d'un dénommé Gennaro Baranza? Je désire le rencontrer aussi vite que possible.

Il fut saisi par la froideur de son ton.

— Bon sang, Graziella, c'est moi que tu dois rencontrer! J'ai déjà bien clarifié la situation en ce qui concerne le fisc, mais il faut que nous parlions de la vente des sociétés.

— Une autre fois. Je dois me rendre au tribunal. N'oublie pas, Mario : Gennaro Baranza. Il a travaillé pour don Roberto. C'est très important.

— Mais enfin, Graziella, ce dont nous avons à parler passe avant tout! Tu dois comprendre que...

— Je m'en remets à toi pour tout.

— Ce n'est pas possible, Graziella. C'est une responsabilité que je ne peux pas prendre. Peut-être le mieux serait-il que tu appelles tes belles-filles... (Silence au bout de la ligne.) Graziella, tu es là? Écoute, c'est de la folie! J'ai licencié tout le monde, comme tu me l'avais demandé. J'ai l'impression que tu ne mesures pas ce que tu es en train de faire. Tout ce que Roberto a créé, ce qu'il a passé sa vie à bâtir...

— Je désire rencontrer ce Gennaro Baranza, coupa-t-elle avec brusquerie. Je te rappelle ce soir.

Et de raccrocher avant que Domino ait pu ajouter quoi que ce soit. Elle le mettait dans l'impossibilité de négocier la vente d'un grand nombre de sociétés, vente dont il avait pourtant organisé les phases préliminaires. Les seules instructions qu'elle lui avait données étaient : « Débarrasse-toi de tout, vends tout. » Elle ne voulait rien garder, pas la moindre participation dans les affaires de son défunt mari. Elle voulait que tout soit réglé afin de redistribuer l'argent à ses belles-filles et sa petite-fille. Domino l'avait suppliée d'attendre, de prendre conseil, mais elle n'avait rien voulu entendre. Il ne devait rien rester. Elle lui avait même demandé de trouver un acheteur pour la villa Rivera.

Graziella serra les poings d'agacement en voyant la servante entrer dans le bureau.

— Vous pouvez rentrer chez vous, Adina. Je me préparerai quelque chose à manger dans un petit moment.

— Diego m'a demandé de vous remettre ceci. Il attend dans la cuisine.

Elle déchira l'enveloppe bon marché. Celle-ci contenait un court billet écrit sur du papier réglé.

Chère Signora Luciano,

J'ai 64 ans. Je désire prendre ma retraite pour aller vivre avec mon fils et ma fille. Je vous supplie de me rendre ma liberté.

Votre dévoué et très respectueux,

D. Caruso.

Elle sortit son carnet de chèques.

— Il attend la réponse, dites-vous?

— Oui, *signora*.

Elle établit un chèque qu'elle glissa dans une des enveloppes à en-tête de son mari et la tendit à Adina.

— Dites au *signor* Caruso qu'il n'a rien à redouter. Il est libre, et je lui souhaite une retraite heureuse et paisible.

Le lendemain, Mario Domino partit de bonne heure pour la villa Rivera, dans l'espoir de trouver Graziella avant son départ pour le tribunal. Les grilles n'étaient gardées que par un seul homme, qui lui ouvrit sans même lui demander son nom.

Il remarqua que le parc avait déjà un air d'abandon. Le soleil avait eu tôt fait de dessécher la pelouse. L'eau de la piscine s'était teintée d'un vert sombre. Des essaims de grosses mouches vrombissaient dans le verger, dont les arbres étaient chargés de fruits en décomposition. Des touffes de liserons parsemaient le court de tennis où pendait mollement le filet et où une raquette ayant appartenu à Michael gisait dans l'herbe.

Tous les volets de la maison étaient fermés. Domino arrêta sa voiture derrière la Mercedes, restée depuis la veille garée dans l'allée. Il contourna la maison pour entrer par la cuisine. Adina était sortie étendre du linge.

Ils entrèrent et s'assirent dans la cuisine. Elle lui confia que sa maîtresse ne s'alimentait plus ou fort rarement et, bien souvent, ne fermait pas l'œil de la nuit.

— Elle n'arrête pas de passer les enregistrements de don Roberto... Sa voix résonne dans la maison, on croirait un revenant. Et puis elle a enlevé toutes les photos. Je ne sais plus quoi faire, elle est en train de se ruiner la santé, elle est d'une maigreur...

— A-t-elle vu le médecin récemment?

— Non, *signor*, elle ne voit personne. Elle me défend de répondre au téléphone... Tenez, vous voyez tout ce courrier, ces lettres, ces télégrammes? Elle ne les ouvre même pas. Elle ne fait qu'écouter ces sacrés enregistrements. Diego Caruso est parti hier soir. Elle n'a plus personne pour la conduire. Ce matin, elle a pris un taxi pour descendre en ville.

Domino décida de revenir dans la soirée avec le médecin.

Adina se mit à pleurer doucement, essuyant ses larmes du revers de la main.

— Tout se passe comme si elle avait pris don Roberto en haine. Elle m'a fait donner tous ses vêtements, tous ses objets personnels à des œuvres de charité... Que peut-il bien y avoir sur ces enregistrements? Qu'est-ce qui la pousse à agir comme ça?

Il laissa échapper un soupir.

— Peut-être la vérité, dit-il en tapotant l'épaule de la pauvre servante.

Tout en suivant l'allée, Domino repensait au jour où don Roberto avait découvert les incursions de sa femme dans son bureau. Domino avait commencé par affirmer qu'elles avaient un caractère tout à fait exceptionnel, mais l'autre avait sèchement rétorqué qu'il n'était rien qui ne devait lui être aussitôt rapporté. L'avocat était dans ses petits souliers : cet homme pour lequel il avait travaillé pendant toute sa vie d'adulte le terrifiait toujours autant.

— Roberto, ta femme a le sentiment d'être en partie responsable de la mort de Michael, elle pense que tu aurais dû la laisser veiller sur lui, le soigner. Si elle avait été un peu plus au courant de ce qui se passait...

— Il y a une chose qu'il faut que tu comprennes, Mario. Graziella est ma femme et la mère de mes enfants. Tu ne vas rien lui dire, rien du tout, à moins que je ne t'y autorise. (Puis il avait eu ce sourire charmeur.) On peut peut-être appeler cela de la jalousie. Même après tout ce temps, je n'ai pas oublié que vous avez jadis été promis l'un à l'autre. Excuse-moi si je t'ai parlé un peu sèchement... Laisse-toi tirer les vers du nez, disons... une fois par mois. Je te donnerai quelques informations à lui jeter en pâture, ni plus ni moins.

Le public avait toujours fini de prendre place avant que les prévenus, qui attendaient dans des cellules situées sous la salle du tribunal, fassent leur apparition. L'opération prenait souvent beaucoup de temps. Les cages occupaient la longueur de tout un mur, elles conféraient à l'immense salle des airs de ménagerie. Les barreaux allaient du sol au plafond, et l'on y faisait parfois entrer jusqu'à trente hommes, tous menottés et, pour certains, les fers aux pieds. Chaque cage était fermée à clef et surveillée par un garde avant que le groupe de prisonniers suivant ne soit introduit. Chacune était équipée d'un micro que l'on pouvait mettre en marche lorsqu'un détenu désirait s'entretenir avec ses défenseurs.

Les avocats n'arrivaient que lorsque tous les prisonniers étaient dûment enfermés. Enfin entrait le juge, qui prenait place sur une haute tribune face aux bancs de la défense.

Lorsqu'un prévenu devait venir à la barre, deux gardes armés l'escortaient jusqu'à une cabine en verre blindé, qui servait également aux témoins. Les assesseurs siégeaient de part et d'autre du juge. Chacun avait devant lui un micro. La salle retentissait de fracassants rappels à l'ordre. Lorsque le tumulte passait les bornes, le juge menaçait de poursuivre le procès en l'absence des prisonniers, initiative qui lui valait un bref retour au calme.

136

Graziella avait chaque jour le cœur un peu plus serré en considérant, fascinée, les détenus dans leurs cages. En était-il parmi eux qui avaient travaillé pour son mari, perpétrant, pour son compte, les crimes atroces dont les accusait la partie civile? Combien de ces hommes, entrés enchaînés les uns aux autres comme des animaux, étaient liés aux Luciano?

Le visage perlé de sueur de Carolla, le souci qu'il avait de ses ongles, la manière obsessionnelle dont il les taillait et les limait sans relâche monopolisaient son attention. Elle le fixait sans désemparer. La mort de Michael avait-elle, au bout du compte, réuni dans un même destin Luciano et Carolla? Si elle avait connu la vérité, su de quelle façon son fils était mort, rien n'aurait pu l'arrêter, quel qu'en ait pu être le prix. À la différence de son mari, elle aurait été incapable d'attendre son heure. Pourquoi n'était-il pas intervenu plus tôt? Et pourquoi, s'il était très improbable que Carolla soit jamais remis en liberté, Roberto avait-il décidé de témoigner contre lui? Il devait pourtant connaître les dangers auxquels il s'exposait et qu'il faisait courir aux siens par la même occasion.

Lorsque la journée s'acheva, Carolla n'avait toujours pas été appelé à la barre, ni utilisé le micro destiné à communiquer avec la cour. Installé sur son banc, il n'avait cessé d'afficher une totale indifférence pour le déroulement du procès.

Graziella regagna la villa Rivera plus décidée que jamais à découvrir la vérité. Elle trouva Mario Domino qui l'attendait. Conformément à ses instructions, Adina l'avait fait asseoir dans la salle à manger. Le bureau était maintenant fermé en permanence, et la servante n'avait même pas le droit d'aller y faire le ménage. L'endroit était jonché de papiers et de bandes magnétiques. De vieux agendas et livres de comptes étaient empilés sur le bureau. En fait, Graziella craignait surtout que l'on ne découvre l'étendue de ce qu'elle savait à présent sur les Luciano.

Il faisait froid dans la salle à manger. Préférant rester

assise dans la pénombre, elle ne donna pas de lumière. Domino ouvrit son attaché-case et en sortit quelques dossiers.

— Est-ce que tu m'as retrouvé Gennaro Baranza?

— Oui, il vit avec son fils à Mondello. Ils tiennent un petit hôtel. J'ai l'adresse et le numéro de téléphone. Son état de santé est très précaire. Puis-je savoir pourquoi tu t'intéresses à cet homme?

Ignorant la question, Graziella lui demanda s'il voulait un sherry. C'est alors que la sonnerie de l'Interphone retentit dans le hall.

Domino parut se troubler.

— Ah! cela doit être le médecin... Non, attends avant de dire quelque chose... Reçois-le, je t'en prie. Fais-le pour moi...

— Va répondre, Mario. Excuse-toi de lui avoir fait perdre son temps. Quand j'aurai besoin de voir un médecin, je l'appellerai moi-même.

Lorsque Mario revint dans la pièce, Graziella feuilletait les papiers qu'il avait apportés.

— Tu sais, chaque jour au tribunal, je regarde ces hommes qui sont dans les cages et je me dis que certains d'entre eux ont sans doute travaillé pour Roberto, ou que du moins il les connaissait. J'entends parler de prostitution, de chantage, de kidnapping, d'extorsion de fonds, d'assassinat, et je pense à cette maison, à ma vie. Puis j'écoute sa voix, et il m'apparaît comme un étranger... J'ai perdu mes trois fils, Mario, mais ce qui est encore pire, c'est que j'ai perdu tout respect pour lui.

— C'est lui faire grande injustice.

— Vraiment? Quelle fraction de cette fortune s'est bâtie sur la peur? Combien sont morts avant que quelqu'un prenne le risque d'assassiner ma famille? Tu veux un aperçu de tout ce que j'ai appris? Veux-tu l'entendre rire lorsqu'il explique qu'il a organisé le mariage de son fils parce qu'il avait besoin d'un alibi pendant qu'avaient lieu les assassinats qu'il avait organisés? Veux-tu savoir comment il s'est servi de moi, comment il s'est servi de ses fils?

— Débarrasse-toi de ces bandes, Graziella. Ne les écoute pas.

— Je compte toutes les écouter, sans exception. Parce que même dans les derniers temps, il m'a menti. Il disait qu'il ne pouvait trouver de repos, qu'il ne pouvait mourir en paix tant que Michael n'avait pas obtenu justice. Mensonges! Il ne pouvait mourir en paix avant d'avoir détruit Paul Carolla. Qu'il soit en prison ne lui suffisait pas. Non, il fallait encore qu'il *sache* que c'était don Roberto Luciano qui l'y avait mis. Michael n'avait rien à voir avec sa décision de témoigner. Non, c'était pour lui-même qu'il faisait cela. Il entendait démontrer à Carolla que c'était lui qui aurait le dernier mot.

— Ce n'est pas exact, Graziella.

— Ah oui? Et s'il avait vécu assez longtemps pour témoigner à la barre, peux-tu me dire qui aurait payé? Paul Carolla? Non! Ma famille, mes fils... Cela aurait de toute façon fini de la même manière. C'est pourquoi je ne veux rien garder de lui. Ma petite-fille, mes belles-filles, il ne faut pas qu'elles sachent la vérité. Je veux qu'elles n'aient rien à redouter. Je veux qu'elles soient libérées de tout cela, Mario.

Domino prit ses papiers et les remit en ordre avant de les glisser dans sa mallette, qu'il ferma.

— Comme tu voudras, dit-il, les mains posées sur le dessus de l'attaché-case. Je te fais signe dès que les transactions auront eu lieu. Mais tu dois savoir que c'est à ces gens que tu as en horreur que vont aller les sociétés de ton mari, ces sociétés qui auraient dû constituer l'héritage de tes fils.

— Ne me prends pas pour plus naïve que je ne suis, Mario. Je sais ce qu'il en était de mes fils. Ils étaient partie prenante dans toutes ces affaires. J'ai suffisamment parcouru tes paperasses pour savoir cela aussi. Je suis également au courant que tu faisais le jeu de Roberto. Alors s'il te plaît, plus de mensonges. Je veux finir mes jours en paix. Maintenant, si tu veux bien m'excuser, j'ai eu une longue journée.

Il la regarda tristement.

— Je t'ai toujours aimée. Tu le sais sûrement. Je donnerais ma vie pour toi. Seulement j'étais incapable d'aller contre sa volonté.

— Parce que tu avais peur? Dis-moi, Mario, est-ce que toi aussi tu avais peur de lui?

— Comment cela? Qui d'autre t'a dit qu'il avait peur de lui?

— Diego Caruso. Il a même refusé de me parler.

— Que lui as-tu demandé?

Elle haussa légèrement les épaules. Le rythme cardiaque de Domino s'accéléra, ses brûlures d'estomac reprirent de plus belle. Il suçait en permanence des pastilles contre l'acidité gastrique, mais la douleur ne le quittait jamais.

Ce qu'elle venait de dire avait produit sur lui l'effet d'une bombe. Ses mains tremblaient.

— Écoute-moi bien, Graziella. Ne pose jamais — *jamais,* tu m'entends? — de questions à qui que ce soit. Si tu as besoin de savoir quelque chose, alors adresse-toi à moi.

— Ces hommes, qui étaient-ils? Pourquoi as-tu fouillé toute la maison?

— Pour ta propre protection. Il fallait que je m'assure qu'il n'y avait rien ici, rien de compromettant, aucun document que certaines personnes auraient pu vouloir récupérer, tu comprends? Les hommes que je t'ai présentés dirigent certaines branches des intérêts Luciano aux États-Unis...

— Mais tu avais peur d'eux?

— Non, non, pas du tout... Si je t'ai donné cette impression, c'est peut-être parce que je suis surmené.

— Mario, tu ne penses pas qu'il y a eu assez de mensonges comme ça?

Ses brûlures d'estomac empiraient. Graziella commençait à l'agacer.

— Ce n'est pas pour moi que j'avais peur, si tu veux savoir! Tu commences par me demander de rompre toute attache avec l'organisation, et quand je m'y emploie, tu te mets à m'accuser.

— Je ne t'accuse de rien du tout.

— Graziella, il ne s'agit pas de petites sommes d'argent — en lires ou en dollars — mais de milliards ! Ne vois-tu pas à quel point tu me compliques les choses ? J'ai négocié avec les principales familles en vue de la reprise des territoires de don Roberto en Amérique, à New York, Atlantic City, Chicago et Los Angeles. Seulement les familles siciliennes désirent elles aussi participer aux négociations. Même s'il te semble que j'agis contre ta volonté, j'essaie simplement de faire ce que je crois être le plus profitable pour toi. Ton désir de tout vendre, à profit ou non, n'a fait que susciter la méfiance générale. J'essaie également de transférer tout l'argent sur un compte en Suisse, de sorte que tu sois moins lourdement taxée que s'il t'était versé ici, à Palerme. Tu y perdrais des milliards de lires, des millions de dollars en droits de succession et taxes diverses... Et voilà qu'aujourd'hui, un de mes collaborateurs...

Domino dut se rasseoir : le souffle lui manquait.

— J'ai à mon service seize personnes, qui s'occupent toutes de mettre la dernière main aux contrats destinés à tes belles-filles et ta petite-fille. Et aujourd'hui, nous nous sommes aperçus de certains écarts entre... Bref, il semble, bien que je n'en sois pas absolument certain, qu'un des acheteurs agisse sur ordre. (Domino dut prendre sur lui pour poursuivre.) Je crois que Paul Carolla se sert de personnes fictives pour acheter la compagnie maritime basée à Palerme, et avec elle les entrepôts, les docks et...

Graziella donna un coup de poing sur la table.

— Comment diable est-ce possible ? Ce type est sous les verrous, comment peut-il mener des négociations ?

— Ce n'est pas lui qui s'en occupe : certains de ses hommes s'en chargent. Cependant, avant que j'aie pu le vérifier, enquêter sur chacun de nos acheteurs... Tiens, vois par toi-même : regarde le nombre de contrats, imagine le travail que cela suppose. Demain, je me rends à Rome afin de faire le maximum de vérifications possible.

Le visage tourmenté de Domino prenait une teinte grisâtre. Graziella lui versa un verre d'eau et le lui tint tandis

141

qu'il cherchait ses dragées. Elle le regarda boire, puis elle passa les bras autour de ses épaules.

— Pardonne-moi. J'ai abusé de ton amitié, je t'ai chargé d'un travail épuisant, et jamais un mot de remerciement.

Il lui tapota la main.

— Tu sais bien que je vais faire de mon mieux : je n'ai jamais su faire autre chose. Seulement je suis fatigué, et tout ce... tout ce...

Il souleva d'un air désespéré la liasse de notes assemblée par ses subordonnés.

Graziella la lui prit doucement des mains pour la remettre dans la mallette.

— Si jamais tu découvres que Paul Carolla cherche à acheter ne serait-ce qu'un unique oranger, tu suspends la vente. Rien ne presse, nous pouvons attendre... Les bateaux peuvent rouiller, les entrepôts s'effondrer. J'aimerais mieux mendier mon pain par les rues que de vendre à cette crapule.

L'avocat sourit.

— Tu ne seras jamais à la rue. Je peux t'assurer que toi et tes belles-filles serez toujours à l'abri du besoin.

— Que comptes-tu faire, Mario, quand tout sera réglé ?

Il referma son attaché-case.

— Prendre ma retraite, passer mes vieux jours dans la bienheureuse ignorance des événements du monde. J'ai toujours rêvé d'un jardin, tu le savais ? Et j'ai toujours habité en appartement, sans même un bac à fleurs à ma fenêtre.

Bras dessus bras dessous, ils marchèrent jusqu'à sa voiture tout en contemplant les parterres naguère si bien tenus.

— Ou bien encore, tu pourrais me prendre à ton service, dit-il en riant. Je viendrais m'occuper de cette pelouse.

Graziella sourit à son tour.

— Tu oublies que la maison va être vendue.

— Ah oui ! c'est juste... Je ne pense pas que tu te souviennes de cela, c'était il y a fort longtemps... Tu te tenais là-bas, devant l'orangeraie. Tu portais un grand chapeau de paille et des gants de jardinage. « Voilà mon univers », m'as-tu dit. Tu étais tellement heureuse, et belle, tellement belle.

Elle lui serra un peu plus le bras.

— Oui, Mario, j'étais heureuse ; tenue dans l'ignorance, mais heureuse. J'avais mes trois fils, mon mari, cette merveilleuse maison... Qu'est-ce qu'une femme aurait pu désirer de plus ?

— Pas un Mario Domino, en tout cas, c'était flagrant, lança-t-il avec un rire bref.

Elle lui ouvrit la portière. Il posa sa mallette à l'intérieur, puis s'installa au volant, tiraillé entre la nécessité de partir et le désir de rester.

— Je m'étais bâti cet univers, Mario. Je m'y croyais à l'abri de tout.

Il hochait la tête, repensant à cette radieuse journée du temps jadis. Le lendemain, Michael avait été retrouvé assassiné.

Comme si elle lisait dans ses pensées, elle dit à voix basse :

— Je connais la vérité à propos de Michael. On n'aurait pas dû me la cacher. (Elle se pencha pour lui prendre le visage entre les mains.) Je sais maintenant qu'il était le seul innocent. Roberto se servait des autres. De Constantino comme de Filippo.

Mario opina tristement.

— Il était difficile de lui résister, Graziella, et en même temps si facile de l'aimer. Je l'ai aimé comme un frère. Mais oui, tu as raison : j'ai toujours eu peur de lui. Non, pas toujours... Tu te rappelles quand il est revenu après la guerre ? Il avait changé. Ce n'était plus le même homme, il était devenu si vulnérable.

Il leva les yeux vers elle. Encore maintenant, il hésitait à lui dire toute la vérité. Mais qu'y avait-il désormais à redouter ?

— Il voulait se retirer, Graziella, et il a essayé, mais les autres n'ont pas voulu lui rendre sa liberté. Il en savait trop, et puis c'était un élément de valeur.

Elle recula d'un pas et claqua la portière.

— Je me rends à Rome pour quelques jours, dit encore Mario. Si tu as besoin de me joindre, on te donnera mes coordonnées au bureau. Essaie de prendre un peu de repos.

Elle le regarda s'éloigner dans l'allée. Elle agitait la main, mais elle était tout à ce qu'il venait de dire. C'était exact, Roberto était revenu changé de la guerre. Il était très silencieux, renfermé, indifférent à tout. Elle avait attribué cela aux longs mois passés en captivité. Mais des mois avaient succédé aux semaines, et elle avait commencé à s'inquiéter, voyant qu'il ne faisait aucun effort pour trouver du travail. Les garçons étaient encore des bambins, et elle ne disposait plus des victuailles supplémentaires — œufs et poulets du marché noir — que lui apportaient pendant la guerre les camarades de son mari. Il était parfois arrivé, dans ces années-là, que le village soit au bord de la disette, ce qui lui donnait mauvaise conscience car elle avait toujours eu de quoi nourrir ses garçons, du pain en suffisance et même quelquefois du beurre.

Elle se tenait maintenant dans l'imposante entrée de la villa Rivera et considérait toutes ces antiquités, ces tableaux, ces tapis, ces statues. Combien la vie était différente, en ce temps-là. Elle s'assit sur les marches et ferma les yeux pour se représenter son mari jeune homme, travaillant dehors, réparant des clôtures, coupant du bois pour alimenter la cuisinière. Ce premier hiver avait été rude, mais elle l'avait vu recouvrer la santé en même temps que l'appétit. Malheureusement, les colis de vivres avaient cessé d'arriver.

Elle se plaqua les mains sur les oreilles. Elle revoyait de terribles scènes : les petits se raccrochant à ses jupes, et elle hurlant à Roberto qu'ils avaient faim, qu'il fallait qu'il leur trouve à manger. C'était la première fois qu'ils étaient à court de provisions. D'où provenaient ces victuailles dont ils avaient été approvisionnés pendant les années de guerre? C'était une question qu'elle n'avait jamais posée, peut-être parce qu'elle se doutait que tout cela était issu du marché noir, de même qu'elle savait, lorsqu'elle repassait la chemise blanche et le costume du dimanche de son mari, qu'il n'irait pas chercher du travail en ville, parce qu'il n'y avait tout simplement pas de travail. Au sortir de la guerre, la Sicile s'était retrouvée terriblement appauvrie...

Parcourant le hall en marbre à pas lents, elle murmura :

— J'ai su dès le début...

Elle s'immobilisa quelques instants près des portes moulurées de la salle à manger. On n'entendait que le tic-tac paisible de la pendule à socle en marbre. Elle parcourut la pièce dans sa longueur, longeant la table en bois lustré, l'alignement des chaises baroques recouvertes de satin prune. Elle passa devant des tableaux inestimables, puis devant le candélabre en argent massif. Elle leva les yeux vers le lustre en or et en cristal. Elle continua jusqu'aux vitrines marquetées, où étaient exposées toutes sortes d'objets précieux. Tout ici fleurait l'opulence.

Elle prit place dans le fauteuil ouvragé de son mari. Ses doigts caressaient la gueule de lion rugissant sculptée à l'arrondi des accoudoirs.

— Dès le début j'ai su, murmura-t-elle à nouveau.

Devant elle était posé un petit rectangle de papier sur lequel Mario Domino avait noté de son écriture méticuleuse : *Gennaro Baranza. Hôtel Majestic, Mondello.*

Adina n'en crut pas ses yeux lorsqu'elle vit Graziella faire irruption dans la cuisine.

— Nous allons à Mondello... J'ai besoin que vous m'accompagniez.

— À Mondello ?

Un sourire se peignit sur le visage de la servante : elle y était née et n'y était pas retournée depuis de nombreuses années.

— Mais, *signora*, vous n'avez plus de chauffeur...

— Je sais. C'est pour cela que j'ai besoin de vous. Vous regarderez la carte et me direz la route. C'est moi qui vais conduire.

— Oh non, *signora*! Ne me dites pas que vous comptez prendre le volant!

Dans la famille, ses talents de conductrice avaient toujours fait l'objet de plaisanteries. Nul n'avait oublié les dégâts occasionnés lors de ses leçons de conduite dans le parc. Un jour qu'Adina travaillait dans le potager, Graziella en avait renversé la palissade d'osier lors d'une marche arrière mal contrôlée. Elle avait fini par céder à la pression de son entourage et s'était de bonne grâce résignée à se laisser conduire.

Le garde de faction aux grilles eut tout juste le temps d'ouvrir le battant de droite. La Mercedes arrivait en trombe. Elle lui roula sur le pied. Comme il sautillait sur place en grimaçant de douleur, la voiture s'arrêta dans un crissement de pneus, et c'est avec effroi qu'il la vit amorcer une marche arrière... Il y eut un violent coup de frein, et Graziella passa la tête à l'extérieur.

— Vous ne laisserez entrer personne jusqu'à mon retour.

— Bien, *signora* Luciano.

La Mercedes s'éloigna dans un nuage de poussière, avec d'horribles grincements de la boîte de vitesses. Les traits crispés par la détermination, Graziella était au volant. Assise à côté d'elle, les yeux hermétiquement clos, Adina avait commencé à égrener son chapelet. Il fallut un rire de sa maîtresse pour lui faire rouvrir les paupières.

— Ah! comme cela fait du bien de rouler. Je me sens beaucoup mieux. Adina, la carte se trouve dans la boîte à gants.

— Oui, *signora*, mais je vous en prie, gardez les mains sur le volant. Je vais la trouver toute seule.

7

Sophia détestait l'odeur de ce taxi, elle en avait des nausées. Les embardées et la conduite approximative du chauffeur n'étaient pas pour arranger les choses.

Sur la dernière partie du trajet, elle dut lui donner des indications. Après avoir suivi d'étroites rues pavées, la voiture s'immobilisa devant les hautes grilles ouvertes des entrepôts, aujourd'hui reconvertis en ateliers. Penchées aux fenêtres, les ouvrières chargées de la coupe apostrophaient les hommes qui travaillaient sur d'énormes machines dans le bâtiment d'en face. Elles auraient immédiatement reconnu la Maserati jaune, mais elles ne prêtèrent aucune attention au taxi.

Sophia régla le prix de la course et fit quelques pas. Elle chancelait légèrement. Elle avait la bouche sèche, et la tête lui tournait. Elle mit une paire de lunettes de soleil.

Lorsqu'elle sortit de l'ombre du bâtiment pour émerger au soleil, un murmure affolé lui parvint.

— C'est la *signora* Luciano!

Les ouvrières se remirent précipitamment au travail.

Elle pénétra à l'intérieur du bâtiment par une petite porte latérale portant la mention S&N Designs et s'engagea dans un escalier étroit dont les marches inégales, usées par le temps, l'obligèrent à s'agripper à la rampe.

Arrivée sur le palier du premier étage, elle dut se pla-

147

quer au mur pour laisser passer deux employés aux bras chargés de classeurs et de cartons à dessin. Ils la remercièrent avec déférence. Avant qu'elle ait pu s'engager dans la seconde volée de marches, deux autres hommes la croisèrent, chargés de robes. Elle vit par la fenêtre qu'ils chargeaient le tout dans une fourgonnette S&N. Elle vit que deux meubles de classement se trouvaient déjà à bord du véhicule.

Un coûteux tapis pêche recouvrait la dernière partie de l'escalier. Elle poussa une porte récemment laquée, frappée de l'élégant logo S&N peint en lettres d'or et pénétra dans le hall d'exposition. L'entrée était ornée d'une profusion de fleurs fraîchement coupées.

— *Buongiorno, signora* Luciano.

— *Buongiorno,* Celeste. *Come sta?*

La jeune femme paraissait un peu gênée.

— *Molto bene.*

— Est-ce que Nino est ici?

— *Si, signora.* Voulez-vous que je l'appelle?

— Non, *grazie.* Ça ira.

Sophia s'engagea dans le couloir. Elle passa devant son bureau et continua en direction de celui de son associé. La porte s'ouvrit à son approche et deux employés sortirent, l'un portant une plante en pot, l'autre des tiroirs de classeur. Nino Fabio rougit en la voyant suivre des yeux les deux hommes.

— Qu'est-ce qui se passe, ici? lui demanda-t-elle.

— Cela fait des semaines que j'essaie de te joindre.

Elle se posta près du bureau, sur lequel ne restait plus le moindre objet, et ouvrit son sac pour prendre une cigarette.

Nino referma la porte derrière elle.

— Ça va, toi?

Elle hocha la tête, jeta son allumette dans la corbeille, puis parcourut la pièce du regard.

— Que se passe-t-il?

— Je suppose que ça crève les yeux. Je déménage.

Elle aspira une bouffée et laissa la fumée ressortir lentement par son nez.

— Oui, ça, j'avais compris. Et où vas-tu?

— Tu veux un café?

— Je veux bien.

Il ouvrit la porte et commanda deux cafés. Il semblait très tendu.

— J'ai essayé de te joindre pour t'annoncer la chose. On m'a fait une offre intéressante. Et ma foi, avec cette nouvelle collection pour Milan, j'ai accepté. Cela faisait déjà quelque temps que j'avais envie de partir... J'ai saisi l'occasion qui se présentait.

— Tu ne m'en avais jamais rien dit.

— Les choses ont changé, depuis.

— En quoi ont-elles changé?

Nino dansait d'un pied sur l'autre.

— Tu tiens vraiment à ce que j'entre dans les détails?

— Évidemment que j'y tiens. Je trouve ton bureau aux trois quarts vide, et tu m'annonces comme ça, tout à trac, que tu t'en vas. Je croyais que nous étions associés?

— J'ai essayé de te joindre.

Elle lâcha un soupir agacé.

— Tu dois bien savoir pourquoi je n'étais pas joignable.

— Oui, bien sûr. Je t'ai envoyé une lettre. Tu l'as reçue? Est-ce que tu as reçu mes fleurs?

— Oui.

La réceptionniste entra avec deux tasses de café, les posa sur le bureau et ressortit sans un mot.

— Je m'aperçois que tout le monde est au courant de ce départ subit, tout le monde sauf ton associée. Tu t'en vas au moment où j'ai plus que jamais besoin de toi... Que comptais-tu faire? Tout embarquer et m'envoyer un mot ensuite?

— Puisque je te répète que j'ai essayé de te joindre.

— On va le savoir. Combien de gens emmènes-tu avec toi?

— Tous ceux que j'ai amenés.

— Je vois... (Elle prit sa tasse. Elle tremblait si violemment qu'elle dut la tenir à deux mains.) C'est un peu moche, non, de s'esbigner comme ça par la porte de derrière?

— Je ne m'esbigne pas, comme tu dis. Écoute, Sophia, si tu avais passé un peu plus de temps ici, tu saurais que de toute manière nous avons des problèmes financiers. Et depuis que...

— Depuis que quoi?

Il toussota, rajusta le col de sa chemise. En dépit de son embarras, il ne put se refuser un coup d'œil dans le miroir au cadre doré à la feuille. D'un geste rapide, il remit en place ses cheveux oxygénés.

— Depuis que ton mari et...

— Mon mari n'avait rien à voir avec cette affaire, le coupa-t-elle sèchement.

Elle reposa brutalement sa tasse, renversant un peu de liquide dans la soucoupe.

Nino haussa un sourcil et sucra son café avec des gestes légèrement affectés.

— Elle le concernait sans doute plus que tu ne l'imagines. Écoute, Sophia, s'il te plaît, je n'ai pas envie d'entrer dans ce genre de détails...

— Qu'est-ce que ça veut dire, au juste? C'est mon affaire. Mon mari n'y avait rien à voir.

Il reposa précautionneusement sa tasse. Tout comme Sophia, il avait la main qui tremblait.

— Bon, alors écoute, il y a quelques petites choses qu'il te faut savoir. Ton mari, Sophia, participait au contraire grandement à cette affaire. Tu n'en as tout bonnement jamais été mise au courant.

Elle sentit ses jambes flageoler. Afin de n'en rien montrer, elle se laissa tomber sur le fauteuil. Nino jeta un nouveau coup d'œil à son reflet dans le miroir, puis lui refit face. Son eau de toilette un peu forte soulevait le cœur de Sophia.

— Le terme essentiel du contrat — de mon contrat — était que je m'arrange pour que tu ne l'apprennes jamais...

— Mais de quoi parles-tu? Quel contrat?

Il leva une main manucurée pour qu'elle le laisse poursuivre.

— Oh! et puis finalement, autant tout t'expliquer. Tu

150

étais une gentille dinde, ma chérie, le type de la femme mariée avec plus de temps libre qu'elle n'en peut occuper...

— Je ne t'ai pas demandé de me raconter ma vie, Nino.

— Tu voulais ta boutique de fringues, histoire de te prouver quelque chose, tu me dis si je me trompe. Seulement pour créer ta ligne, il te fallait aussi un bon styliste, quelqu'un qui ait des contacts, une belle clientèle. Tu te souviens comment tu es venue me soulever chez Vittorio? J'ai refusé, pas vrai? Combien de fois au juste ai-je refusé? Mais tu avais décidé que ce serait Nino Fabio qui dessinerait pour toi. Réfléchis deux secondes, Sophia : pourquoi un jeune créateur quitterait-il une maison renommée pour aller bosser avec quelqu'un qui n'a encore rien fait?

— Tu vas me le dire, Nino.

— Ben tiens, l'argent. Suite à mon refus, ton mari m'a rendu une petite visite. Il m'a offert un gros paquet, Sophia. Et puis je voyais bien qu'il aurait mal pris une nouvelle résistance de ma part. Alors j'ai accepté. Et à partir de ce jour, ma chérie, ma seule possibilité pour te quitter aurait été de me faire sauter le caisson.

Sophia était abasourdie. Elle suffoquait sous l'avalanche. Constantino... tendre, gentil Constantino...

Mais Nino poursuivait.

— Attention, je ne dis pas qu'on ne s'est pas éclatés, tous les deux. Seulement deux boutiques et deux défilés chaque année gentiment bricolés n'ont guère fait avancer ma carrière. Tes magasins étaient déficitaires, ils n'ont jamais eu un budget équilibré. Nous avons une bonne clientèle — on peut : des productions de qualité, et je suis un bon styliste. Seulement en plus, c'était moi qui faisais marcher les affaires.

Sophia avait la gorge nouée, et il se passa un moment avant qu'elle puisse parler.

— Alors comme ça... mon mari te payait en plus de ce que tu touchais avec les ventes. C'est bien ça? Tu avais un contrat avec moi, et un avec lui?

151

Nino soupira une fois de plus.

— Je m'occupe aussi d'une très lucrative affaire de vente par correspondance. (Puis, après un silence et penchant la tête sur le côté.) Tu veux jeter un coup d'œil?

Il la mena jusqu'au petit atelier où huit couturières travaillaient les tissus qu'elle avait choisis. Les murs étaient couverts de dessins de Nino, de notes de sa main.

— Combien de semaines ces filles ont-elles passé sur la robe de mariée de ta nièce? Selon toi, pendant ce temps-là, qui faisait marcher les boutiques, organisait les stocks? Des commandes arrivaient de tous les côtés, et personne ne s'en occupait, c'est pas vrai? Et huit filles qui travaillent du matin au soir, ça coûte un max, Sophia.

Elle avait le vertige. Elle cherchait à chasser de son esprit la vision de Rosa descendant majestueusement les marches de la villa Rivera.

Ils sortirent du bâtiment. Deux entrepôts plus loin, Nino ouvrit une porte sur laquelle ne figurait aucune indication de raison sociale. Il s'effaça pour laisser entrer Sophia. Ils se trouvèrent bientôt dans un grand atelier dont les machines à coudre faisaient un vacarme assourdissant. Trente-deux femmes levèrent la tête, puis reprirent leur travail. Complètement interdite, elle le suivait dans l'étroit passage entre les rangées de machines. Il prélevait çà et là un slip transparent, une nuisette, d'ignobles soutiens-gorge et des porte-jarretelles du plus mauvais goût. Il jeta le tout dans un coin et revint vers le fond de la salle.

Ils arrivèrent devant la porte vitrée d'un bureau. Nino se retourna et désigna d'un geste l'ensemble de l'atelier.

— Voilà ce qui a couvert les déficits de ton entreprise, Sophia. Tiens, viens dans le bureau.

Un petit homme dégarni, avec les manches de chemise relevées et tenues par une bande élastique, se leva en sursaut de son fauteuil. À travers un nuage de fumée de cigare, il regarda d'abord Nino, puis Sophia.

— Silvio, je te présente Sophia Luciano.

Elle passa le reste de la matinée à parcourir simultanément deux livres de comptes, l'un correspondant à l'activité de ses boutiques, l'autre à celle de la société de vente par correspondance. Nino lui montrait les chiffres importants.

— Nous réalisons le gros de notre bénéfice avec les putes et les clandés. Nous travaillons sur tous les marchés, nous fournissons même les marchands forains.

Sophia parvenait à afficher un semblant de calme. Elle se sentait toute bête, complètement ridicule, mais elle n'en montrait rien. Elle avait été fière de posséder deux magasins et d'être indépendante des Luciano. Dire que pendant tout ce temps, c'étaient *eux* qui, *à son insu*, dirigeaient son affaire.

Le *signor* Silvio avait une très forte odeur corporelle.

— Nous nous trouvons présentement dans l'expectative, *signora* Luciano. Souhaitez-vous que nous poursuivions nos activités ? Jusqu'à présent, Nino Fabio dirigeait la boîte, mais attendu qu'il s'en va, nous nous demandons qui va désormais s'occuper des salaires, des dépenses... Nous avons toujours des commandes à honorer, mais nous devrions sortir bientôt un nouveau catalogue. Comme par le passé, nous pouvons avoir des facilités, faire travailler des photographes et des maquettistes au noir...

Sophia se leva et lissa sa jupe.

— Cet atelier va fermer. Veuillez payer à chacun l'équivalent de son salaire mensuel.

Silvio devint livide. Il poussa les livres de comptes vers elle.

— Mais enfin, *signora*, c'est une affaire qui marche très fort. Voyez vous-même, le marché est énorme, pour ce genre d'articles. Toutes les femmes qui n'osent pas acheter en magasin se fournissent chez nous. Nous faisons de la pub dans les revues spécialisées...

— J'ai dit que l'atelier fermait.

Le petit homme les suivit hors du bureau. Il était en nage. Avait-il commis une erreur ? Ses livres étaient-ils mal tenus ?... Planté au milieu de l'atelier parmi les ouvrières, il glapissait :

153

— J'ai des commandes, nous fabriquons des articles de bonne qualité...

Sophia se retourna. Elle le vit, complètement congestionné, brandissant d'un côté une nuisette rose vif bordée de duvet de cygne et de l'autre un soutien-gorge dont les bonnets étaient percés d'un orifice pour les mamelons. Elle s'entendit éclater de rire, d'un rire qui n'était pas le sien.

Nino versa une large dose de vodka dans un verre qu'il lui tendit.

— Sans l'atelier, tu ne t'en tireras pas. Cela fait des années que tes magasins perdent de l'argent. Si jamais tu voulais continuer, Silvio est un bosseur. Et puis pense aux filles, elles vont se retrouver au chômage, de même que des centaines de camelots...

— Pourquoi ne m'as-tu jamais mise au courant? Pourquoi?

Le visage de Nino se durcit.

— Peut-être que je tenais à ma peau.

La vodka pure lui brûlait la gorge.

— Et maintenant?

Il haussa les épaules.

— Maintenant, ce n'est plus du tout la même chose. Écoute, Sophia, si tu voulais, tu n'aurais aucun mal à trouver acheteur. Moi, je reprends mes billes. Tu ne crois quand même pas que ça me plaisait de dessiner les trucs ringards que tu as vus en bas?

Elle lui proposa une des boutiques s'il acceptait de rester, mais il refusa, affirmant que ce type de commerce était dépassé.

— Elles vont te mener à la faillite, Sophia. Laisse tomber sans attendre, vends le stock. La lingerie rapporte un maximum, Silvio s'occuperait de faire marcher la boîte... À moins, bien sûr, que tu n'aies pas besoin de cet argent-là?

Elle vida son verre et se resservit largement.

— Et toutes les créations sur lesquelles nous avons travaillé?

— *Nous?* Choisir les tissus, ma chérie, ce n'est pas faire œuvre de styliste. Redescends un peu sur terre. On t'a permis de jouer à la marchande pendant des années. Maintenant, il faudrait peut-être que tu grandisses un peu, tu ne crois pas? Je me prends mes cartons sous le bras et je me tire. Et si ça ne te plaît pas...

— Si ça ne me plaît pas, Nino?

— On m'a trop longtemps manœuvré sans me demander mon avis. Tu ne peux pas m'obliger à rester. Essaie un peu, et je balance à la presse que tu vends de la lingerie pour putes. Avec ça, tu ne risques pas de conserver les clientes que je t'ai apportées. Remarque, de toute manière je doute qu'elles te restent fidèles. Après ce qu'elles ont lu dans la presse à propos de...

Elle se campa devant lui et ôta ses verres fumés.

— À propos de quoi, Nino? À propos de l'assassinat de l'ensemble de ma famille?

Il laissa échapper un soupir.

— Écoute, Sophia, essaie un peu de comprendre ma position. J'étais coincé ici, j'ai envie d'aller voir ailleurs. Est-ce un crime?

— Je n'ai aucun moyen de t'en empêcher.

Il parut se détendre.

— Je vois que tu es raisonnable. Je vais prendre un nouveau départ. Je vais avoir ma propre griffe. Nous allons organiser un défilé à Milan et attaquer le marché américain. Je compte aller bosser aux États-Unis. Seulement pour ça, il est préférable que je reste discret sur ma collaboration avec toi. Tu comprends bien que s'il venait à se savoir que j'ai travaillé pour une Luciano, mes chances d'obtenir un visa seraient compromises. Le nom de ta belle-famille a figuré à la une de tous les journaux; on ferait vite le rapport...

Elle sentit monter les larmes et remit ses lunettes en place.

— Allez, va-t'en.

Il ne se le fit pas dire deux fois. Elle put l'entendre rire et plaisanter un moment avec Celeste Morvanno. Puis un étrange silence s'installa. Elle rédigea une courte note et demanda par l'intercom à la secrétaire de venir.

155

— Vous voudrez bien taper ceci et le placer sur le tableau d'affichage?

Elle punaisa la feuille, et les employées vinrent aussitôt en prendre connaissance. Sophia leur donnait un préavis d'un mois et l'équivalent de six semaines de salaire. Ensuite, l'atelier de lingerie et le hall d'exposition seraient fermés.

Par la suite, elle s'aperçut que Nino Fabio avait retiré tout l'argent de leur compte de roulement. Il avait également emporté des rouleaux de soie, des dizaines de robes de soirée ainsi que tous ses dessins. Elle découvrit plus tard qu'il avait également fait main basse sur une large part du stock des deux boutiques, ce qui l'obligea à donner aussi leur préavis aux vendeuses. Elle paya celles-ci sur son compte personnel, sans se soucier qu'il ne soit pas suffisamment approvisionné.

Inquiet, son banquier lui demanda de passer au plus vite. Elle ne pouvait même pas songer à hypothéquer son appartement, celui-ci faisant partie du patrimoine de Constantino. En l'espace de quinze jours, elle atteignit plusieurs millions de lires de solde négatif.

Sophia prit l'avion pour la Sicile. De Palerme, elle emprunta le train jusqu'à la bourgade de Cefalù, où elle avait jadis confié son enfant à un orphelinat.

Elle était maintenant assise dans sa chambre du petit hôtel local, cherchant à échafauder un plan d'action qui lui permettrait de retrouver son fils. Elle avait fait inscrire son nom de jeune fille — Visconti — sur le registre de l'hôtel.

Depuis le minuscule balcon, elle pouvait voir le port, les ruelles pavées où elle et sa mère avaient vécu, l'hôtel où elle avait jadis travaillé comme femme de chambre. Plus loin, par-dessus les toits, elle apercevait le clocher de l'église et, à sa grande consternation, un hôtel tout en verre et en béton, construit sur l'emplacement de l'orphelinat.

Elle se faufilait entre les sépultures, incapable de retrouver la tombe de sa mère. En désespoir de cause, elle finit par déposer ses fleurs auprès d'une petite croix anonyme et, à voix basse, la supplia de lui pardonner.

Remontant la rue étroite qui donnait sur le cimetière, elle ne remarqua que fort peu de détails familiers. Bien des choses avaient changé, en l'espace de vingt-cinq années. Les gens du cru la regardaient avec curiosité : cette femme bien habillée était pour eux une étrangère. Une étrangère, elle l'était déjà à l'époque, la jeune Sophia Visconti, qui avait emmené sa mère convalescente à Cefalù dans l'espoir qu'elle y recouvrerait la santé.

C'était sa beauté qui avait d'abord fait l'objet de leurs commentaires. Puis, les mois passant, il avait fini par sauter aux yeux qu'elle était enceinte. Si sa mère n'avait pas vécu assez longtemps pour apprendre son déshonneur, en revanche elle n'avait pas ignoré ses sentiments pour le fils de don Roberto Luciano. Elle avait essayé de faire entendre à sa fille que cet amour était sans issue, que jamais l'aîné d'une famille aussi prestigieuse n'envisagerait de l'épouser, surtout s'il venait à se savoir qu'elle-même était une enfant illégitime. La *signora* Visconti avait été soulagée lorsque son médecin lui avait conseillé de quitter Palerme pour Cefalù : peut-être Sophia y oublierait-elle Michael.

Leurs modestes économies étaient presque entièrement passées dans ce déménagement; le peu qui restait avait été dépensé pour l'enterrement, six mois plus tard. Sophia s'était retrouvée sans argent et, à l'approche du terme de sa grossesse, son travail à l'hôtel était devenu trop pénible. Elle avait vécu les dernières semaines au couvent du Sacré-Cœur, où d'autres filles dans son état s'employaient à laver du linge ou faire le pain en attendant la naissance de leur enfant.

À la nuit tombante, elle poussa jusqu'au couvent. Elle demeura un moment devant la grande bâtisse percée de minuscules ouvertures. Un petit visage blême s'encadra à l'une des fenêtres du dernier étage. Jadis elle avait séjourné ici, apeurée et solitaire, rejetée.

Elle tourna brusquement les talons et se hâta de regagner son hôtel.

Dans la salle à manger, un petit groupe de clients, attablés ensemble, échangeaient des commentaires assourdis au sujet de cette femme splendide et si bien habillée.

C'est à peine si Sophia toucha à sa soupe et à son plat de poisson pêché du jour. Les mains croisées sur les cuisses, elle fixait le vide. Elle sentait la peau fine, les ongles soignés, la bague enchâssée d'un solitaire, elle pensait à ses mains, jadis à vif d'avoir trop récuré de carrelages. Elle pensait à sa rencontre avec Michael Luciano dans ce petit café où, à 15 ans, elle avait tenu un emploi de serveuse. Elle savait bien sûr qui il était : tout le monde connaissait ce beau garçon blond, avec son merveilleux sourire.

Une vieille femme vint enlever le plat à peine entamé, mais Sophia ne s'en aperçut pas. Elle était immergée dans ses souvenirs. Elle revoyait le visage juvénile de Michael, elle revivait le soir où il lui avait fait l'amour dans un verger, à la veille de son départ pour l'Amérique. Il lui avait promis de revenir, de lui écrire, mais il n'en avait rien fait, et elle ne l'avait jamais revu. Cette nuit-là, cette nuit de rêve, il lui avait pris sa virginité après lui avoir ôté sa robe de coton bon marché, la laissant grosse de son enfant. Cette fameuse nuit avait nourri ses rêves, lui avait donné la force d'endurer la mort de sa mère, sa grossesse et la naissance de son bébé.

Elle porta en souriant une main gracile à son cou. Michael lui avait donné une délicate chaînette en or, au bout de laquelle pendait un petit cœur du même métal.

— Un café, *signora*? *Signora*?

Sophia tourna la tête et adressa à la serveuse un gentil sourire qui creusa une fossette sur sa joue droite.

— *Grazie, grazie...*

Le lendemain matin, la même vieille femme remarqua que Sophia Visconti était toujours en noir, et elle lui adressa un sourire bienveillant. Sans doute cette belle dame au visage de madone avait-elle, comme elle, perdu son mari.

La fraîcheur était toujours la même. Les murs de pierre, les parquets, les lourdes portes de chêne : rien n'avait changé. La religieuse lui demanda à voix basse d'attendre dans le couloir. Elle reparut un instant plus tard et l'invita à la suivre le long d'un passage exigu. Elle s'arrêta pour frapper à une porte, puis, sans attendre, ouvrit et fit entrer la visiteuse.

La mère supérieure était assise derrière un grand bureau sculpté. Elle portait de petites lunettes sans monture.

— *Signora* Visconti, je vous en prie, asseyez-vous.

Elle la regarda relever son voile de fine dentelle noire avec intérêt.

— Sœur Matilda ? Est-ce que vous vous souvenez de moi ? Je suis Sophia.

Elles évoquèrent le temps où la mère supérieure n'était encore que sœur Matilda. Beaucoup de changements étaient survenus depuis cette époque : l'orphelinat avait malheureusement été supprimé, mais l'on avait créé une nouvelle école et une aile supplémentaire avait été affectée à l'accueil des jeunes personnes dans le besoin. La mère supérieure eut d'abord de la peine à se rappeler la Sophia de l'époque — tant de pensionnaires s'étaient succédées depuis lors — mais la mémoire lui revint lorsque sa visiteuse lui eut confié la raison de sa venue. Elle désirait retrouver son fils, l'enfant dont elle avait accouché ici même.

— Je suis désolée, mais tous nos dossiers d'adoption de 1950 à 1974 ont été détruits dans un incendie, il y aura bientôt treize ans de cela.

— N'y a-t-il pas d'autres archives ? Peut-être que grâce au registre paroissial...

La mère supérieure regrettait. Il ne serait pas possible de retrouver la trace de ce garçon. Elle proposa à Sophia de lui montrer les nouveaux bâtiments, et celle-ci accepta sans presque s'en rendre compte.

Un flot de soleil s'engouffra à l'intérieur lorsque la religieuse ouvrit la porte d'entrée du couvent. Sophia porta la main à ses yeux.

— Venez que je vous montre notre nouvelle école.

Sophia la suivit dans un état second. Elle souriait mécaniquement à des rangs de jeunes enfants, mais son esprit était tout à son bébé et au petit pendentif en or... Pendant le travail de l'accouchement, elle avait pris le cœur entre ses dents et l'avait mordu au point d'y imprimer de petites indentations. Au moment de quitter définitivement son enfant, elle lui avait passé la chaîne autour du cou.

Elle prit la mère supérieure par la manche.

— Il avait un petit médaillon, un petit cœur en or. Il aimait bien que je le fasse osciller au-dessus de lui et il cherchait à l'attraper avec ses petites mains... Je le faisais jusqu'à ce qu'il s'endorme...

— Je suis navrée, Sophia. Souvenez-vous : vous avez laissé le bébé à l'orphelinat afin de pouvoir recommencer à travailler. (Les yeux de la supérieure étincelaient derrière ses lunettes, et elle percevait de la froideur dans sa voix.) Il y avait de nombreux enfants, à l'orphelinat ; leurs mères promettaient toutes de venir les reprendre. Je suppose que lorsque vous avez quitté Cefalù, vous avez rempli des papiers permettant que votre enfant soit adopté si vous n'étiez pas venue le reprendre. Avez-vous signé un tel document ?

Sophia hocha la tête.

— N'y a-t-il vraiment personne à qui je pourrais m'adresser, personne qui pourrait se souvenir de quelque chose ? Il devait bien y avoir quelque part un autre registre... Et le docteur ?

— Il est mort il y a plus de dix ans, Dieu ait son âme.

Elle aurait voulu hurler, mais elle se força à suivre la silhouette vêtue de noir. La religieuse lui montrait maintenant le gymnase.

— Notre bienfaiteur était quelqu'un de très généreux. C'est à lui que nous devons tout ceci, ainsi bien sûr que la nouvelle chapelle. Comme vous le savez sans doute, nous vivons de charité.

Elles traversèrent la petite cour et regagnèrent le bâtiment principal pour prendre le café. La mère supérieure demanda d'une voix calme si Sophia désirait du lait, du sucre...

Cette dernière bondit de son siège.

— Sœur Flavia, la sœur qui s'occupait de l'orphelinat. Je me souviens que lorsque j'ai téléphoné pour savoir si mon fils était toujours là, c'est à elle que j'ai parlé. Elle était au courant de l'adoption de mon bébé. C'était sœur Flavia.

La mère supérieure épongea le café renversé à l'aide d'un mouchoir en papier qu'elle jeta ensuite dans une corbeille.

— Pourquoi aujourd'hui, Sophia? Pourquoi aujourd'hui? Vous avez abandonné cet enfant, et je souhaite que Dieu vous pardonne, mais croyez-vous que ce serait lui rendre service que d'essayer de le retrouver maintenant? À moins que vous n'ayez une raison impérieuse de le faire?

— C'est mon fils, articula-t-elle d'une voix altérée.

— Il l'était quand vous l'avez abandonné. Je sais que vous n'étiez vous-même qu'une enfant, néanmoins vous avez décidé qu'il en serait ainsi.

La sœur croisa ses mains blanches et lisses comme pour prier. Elle n'avait pour tout bijou qu'une bague de mariage en or. Elle jeta un regard à l'annulaire de Sophia.

— Ma mère, je vous supplie de m'aider. Si je pouvais juste rencontrer sœur Flavia...

— Je crains que ce ne soit impossible. Elle a fait vœu de silence il y a plus de cinq ans. Elle partage la retraite des sœurs du Sacré-Cœur... Quelque bouleversement qu'ait connu votre vie...

Sophia fut saisie du désir de s'en aller : elle n'allait pas supporter une seconde de plus la voix distante et glaciale de cette femme.

— Je vous remercie du temps que vous avez bien voulu m'accorder, dit-elle en cherchant fébrilement son chéquier dans son sac à main. (Elle établit un chèque.) Veuillez accepter ce modeste don.

La mère supérieure prit le chèque avec un sourire de gratitude. Elle s'efforça de ne pas regarder directement son montant mais eut l'œil accroché par le nom du titulaire.

— Luciano? Sophia Luciano? (Elle s'en voulut d'avoir été aussi sotte.) Ah! dans ce cas je comprends mieux.

Sophia était déconcertée. Sans doute la mère supérieure était-elle au courant des meurtres, cependant...

Le visage austère se fendit d'une grimace qui se voulait un sourire.

— Oui, notre bienfaiteur était don Roberto Luciano.

Sophia voulut parler, mais aucun mot ne put percer le hurlement intérieur qui lui envahissait le crâne.

— Vous vous sentez mal?

La sœur lui donna un verre d'eau. Elle sentit le contact froid du verre contre ses dents mais ne parvint pas à avaler. Le hurlement ne s'arrêtait pas, et l'eau lui ruisselait sur le menton.

Les sons produits par l'ouverture de la porte, puis par un entretien à voix basse entre la mère supérieure et une autre personne s'imposèrent à ses sens engourdis. Terrifiée à l'idée de perdre l'occasion de demander ce qu'elle désirait si désespérément savoir, elle recouvra l'usage de la parole.

— Non, je vous en prie, restez... Ça va aller, maintenant.

La religieuse regagna son fauteuil et la porte se referma.

— Est-ce que don Roberto venait ici en personne?

— Non, il envoyait quelqu'un.

Sophia fixa les petits yeux acérés de la sœur. Celle-ci détourna le regard.

— Est-ce que vous vous souvenez du nom de ce quelqu'un?

Sophia contemplait maintenant les mains blanches de la femme assise en face d'elle, tantôt détendues, tantôt crispées.

— Je crois qu'il s'agissait de son fils.

On frappa doucement à la porte. La mère supérieure se leva lentement. Il y eut le bruissement de sa robe sur le sol en pierre, le grincement ténu des gonds, puis à nouveau un échange à voix basse. Lorsqu'elle revint, elle avait un journal de comptes à la main. Elle l'ouvrit et se mit à le feuilleter.

Sophia la regarda consulter tels et tels chiffres, puis se reporter à d'autres pages, revenir en arrière, vérifier.

Elle a peur, se dit la jeune femme. *De quoi a-t-elle peur?*

La sœur se racla la gorge et redressa le dos du livre.

— La première fois, c'est un personnage du nom de Mario Domino qui est venu s'entretenir avec la supérieure de l'époque. Il était accompagné du fils de don Luciano. Iis ont demandé à voir toutes les archives de l'orphelinat.

Ayant retrouvé quelque force, elle demanda avec colère :

— Qui a pris mon enfant?

— Sophia, comprenez qu'il y en avait beaucoup. Votre bébé n'était pas le seul de son âge, et ce n'est qu'en voyant votre nom que j'ai fait le lien avec notre bienfaiteur. Jamais un enfant n'a été confié à qui que ce soit sans un consentement signé de sa mère. Vous avez sûrement rempli les papiers autorisant l'adoption.

— Est-ce Mario Domino qui a emmené mon fils?

— Des dispositions ont été prises pour que l'enfant puisse être adopté. Il en serait resté des traces si, comme je vous l'ai dit, nos archives n'avaient été détruites dans un incendie.

Sophia se leva, se pencha par-dessus le bureau et s'empara du journal de comptes. Puis elle se rassit. La page à laquelle il était ouvert était blanche, hormis la mention du don substantiel de don Roberto Luciano à l'établissement. La date portée était antérieure de deux semaines au mariage de Sophia et Constantino Luciano.

Elle traversa la cour à toutes jambes. Elle n'eut pas un regard en arrière, elle ne vit pas la mine pincée de la

163

mère supérieure qui la suivait des yeux et qui fit le signe de croix en direction de sa silhouette titubante.

Lorsque le portail se referma sur elle, Sophia, appuyée contre un mur en pierre, sanglotait en fixant la nuit.

— Il le savait, répétait-elle... Oh! Seigneur, il l'a toujours su...

Arpentant sa chambre d'hôtel, la jeune femme passait inlassablement en revue ce qui était arrivé lorsqu'elle s'était rendue à Palerme après la naissance de son fils. Elle avait préparé ce voyage pendant des mois, économisant le plus possible sur ce qu'elle gagnait en faisant des lessives.

Avec la robe qu'elle s'était elle-même cousue et des souliers offerts par la mission, elle était allée à la villa Rivera, résolue à retrouver Michael. S'il refusait de la voir, elle exigerait d'être reçue par don Roberto. Si Michael ne voulait pas l'épouser, il devrait au moins contribuer financièrement à l'entretien de son enfant. Elle était tout à fait déterminée à aller rechercher ce dernier à l'orphelinat.

Le gardien lui avait dit de passer son chemin, que la maison était en deuil. Mais elle avait agrippé le fer forgé des grilles et, pressant son visage contre les barreaux, s'était mise à hurler qu'il fallait qu'elle voie Michael Luciano. Il avait fini par la repousser et lui avait asséné que Michael Luciano était mort et enterré.

Elle était restée des heures assise au bord de la route, incapable du moindre mouvement, dans un tel état d'hébétude qu'aujourd'hui encore, elle ne se rappelait pas ce qui lui était arrivé après. On lui avait par la suite expliqué que Filippo Luciano l'avait percutée après avoir pris un virage à trop grande vitesse.

Elle s'était réveillée dans un lit de la villa Rivera. Elle avait été pansée et veillée par nulle autre que Graziella Luciano, la mère de Michael. Commotionnée, stupéfaite de ce qui lui arrivait, elle n'avait osé lui dire quoi que ce soit. Elle s'était même imaginée, à un moment, que ces gens avaient l'intention de la tuer.

164

Sophia rinça un gant de toilette et garda un instant les mains sous le jet d'eau froide. Elle avait un souvenir précis de ce qui était arrivé ensuite. Les Luciano avaient pris soin d'elle et, peu à peu, la peur avait fait place à un sentiment de sécurité. Sans s'en rendre compte, par sa seule présence, elle avait quelque peu distrait la mère de Michael de son terrible chagrin.

Graziella avait soigné cette étrangère comme s'il s'était agi de sa propre fille, et tant de douceur et de gentillesse avaient amené Sophia à se croire en plein rêve. Puis, une fois rétablie, ils l'avaient conduite jusqu'à un petit hôtel. Ils lui avaient donné de l'argent pour vivre en attendant d'être suffisamment remise pour travailler, et elle s'était peu après aperçue qu'ils avaient également réglé la chambre. Tout aurait pu s'arrêter là si, à la villa Rivera, elle n'avait fait la connaissance de Constantino.

Elle se prit le visage entre les mains. Dès le début, il avait connu l'existence de son bébé, et c'était lui qui l'avait retiré de l'orphelinat... Elle ne pouvait ni ne voulait le croire.

Tandis qu'elle marchait de long en large, un épisode depuis longtemps oublié lui revint en mémoire : la visite que lui avait rendue Constantino à son hôtel.

« Je me demandais si vous accepteriez de dîner avec moi un de ces soirs ? »

Elle avait toujours eu l'intention de le mettre au courant au sujet de son enfant, et elle avait plusieurs fois été sur le point de tout lui dire. Mais, chaque fois, elle s'était ravisée au dernier instant... Était-ce parce qu'elle se rendait compte qu'il était en train de tomber amoureux ?

Elle alla se poster à la fenêtre, se rappelant la fois où depuis la fenêtre de l'hôtel, elle avait aperçu le gardien de la villa Rivera, l'homme qui l'avait si durement traitée quelques semaines plus tôt. Elle était précipitamment descendue dans la rue pour le rattraper. Elle l'avait abordé avec un sourire, sans savoir s'il allait la reconnaître.

— Je suis Sophia Visconti, vous vous souvenez de moi ? Je venais présenter mes condoléances à la famille, mais vous m'avez repoussée. Vous vous souvenez de moi? Vous vous rappelez ce que vous m'avez dit, ce que vous m'avez fait?

— Je suis désolé, *signorina*. Je ne voulais pas vous manquer de respect. Je sais que vous avez séjourné à la villa.

— Je n'en dirai rien à don Roberto.

Elle avait vu une lueur de peur passer dans le regard de l'homme. Puis il avait légèrement incliné la tête.

— Je vous remercie au nom de ma femme et de mes enfants, *signorina*. C'était un malentendu. Vous comprenez, la famille était en deuil et...

— Oui, c'était un malentendu. La famille pleurait Michael. Je l'ai appris par la suite.

Elle avait regagné sa petite chambre toute tremblante, néanmoins satisfaite de son initiative. Elle était désormais certaine que cet homme se garderait bien de raconter l'incident, de crainte de perdre son emploi. Elle avait vu juste : lorsque Constantino avait commencé à l'inviter à la villa, cet homme ne manquait jamais de la saluer avec déférence. Et puis elle n'avait pas tardé à comprendre que don Roberto avait beaucoup d'employés et que celui-là était trop bas dans la hiérarchie pour avoir aucun contact étroit avec lui.

Graziella avait semblé encourager cette relation entre Constantino et le « petit oiseau tombé du nid », ainsi qu'elle l'appelait parfois, même si leurs rencontres avaient toujours lieu quand don Roberto était absent de la maison. Lorsque celui-ci avait fini par découvrir que son fils courtisait Sophia, cela s'était très mal passé.

Elle s'assit et se mit à se brosser les cheveux. Elle se souvenait combien elle avait désiré qu'il s'attache à elle. Non qu'elle ait vraiment été amoureuse de lui, mais elle ne pouvait oublier le luxe et l'aisance découverts lors de son séjour à la villa Rivera. Michael était mort, mais son frère, le timide Constantino, qui bégayait chaque fois qu'il la voyait, était follement épris. Depuis qu'elle avait goûté à leur mode de vie, elle voulait devenir une Luciano.

Afin d'arriver à ses fins, et pensant que jamais don Roberto ne l'accepterait pour belle-fille s'il découvrait son état de fille mère, elle avait définitivement tiré un trait sur son enfant.

Elle se brossait toujours les cheveux, lentement, régulièrement, en fixant son reflet dans le miroir. Elle n'ignorait pas que don Roberto avait pris des renseignements sur son compte quand il avait appris que Constantino projetait de l'épouser, mais elle avait toujours cru son secret bien gardé. Le nom de Michael ne figurait pas sur le certificat de naissance de son enfant.

Elle se rappelait le jour où elle avait découvert que sa chambre d'hôtel avait été fouillée. Ce même jour, don Roberto était venu la voir sans prévenir. Il l'avait longuement interrogée sur sa famille et en particulier sur sa mère, lui laissant entendre qu'il savait tout de son passé.

Certaine qu'il était au courant de l'existence de son enfant, elle avait fait fi de toute prudence. Elle lui avait crânement tenu tête, résolue à lui annoncer que cet enfant était le bâtard de son fils. Mais il ne lui en avait pas offert l'occasion. Lui prenant le visage entre ses grandes mains, il lui avait déclaré qu'elle était habitée d'un feu intérieur et qu'il aimait cela. Il l'avait fait rasseoir pour lui dire que, même si elle l'avait élevée seule, sa mère pouvait être fière d'elle. Il était aussi séduit que son fils.

Elle ouvrit les persiennes et sortit sur le balcon, se remémorant les paroles de don Roberto ce jour-là :

— Sophia, comprenez que si je vous pose toutes ces questions, c'est parce que je me soucie de mon fils. Vous l'aimez, n'est-ce pas ?

N'osant parler, de crainte de laisser échapper une parole malheureuse qui aurait pu modifier d'aussi bonnes dispositions, elle avait hoché la tête. Il avait alors donné sa bénédiction pour le mariage. Il avait accepté qu'une enfant illégitime de 17 ans épouse le plus âgé de ses fils.

Ses doigts se refermèrent sur le garde-fou du balcon. Au fil des années, elle était devenue la belle-fille préférée de don Roberto. Elle s'était montrée une bonne épouse et avait fait sortir de sa coquille son introverti de mari. Les deux petits-fils qu'elle avait offerts à son beau-père avaient achevé de lui gagner ses grâces.

À présent, elle savait que don Roberto avait été au courant de l'existence de son enfant dès le début. Il ne pouvait en revanche savoir que son cher Michael en avait été le géniteur. Dans ce cas, pourquoi tant de mensonges, pourquoi avoir si soigneusement maquillé le passé de sa chère belle-fille? Pourquoi n'en avait-il pas fait le prétexte d'une opposition à ce mariage? Mais peut-être Constantino avait-il découvert la vérité et, avec le concours de Mario Domino, avait-il fait en sorte que son père ne l'apprenne jamais? Mais alors, comment don Roberto aurait-il pu être nommément le bienfaiteur du couvent?

Sophia laissa échapper un étrange petit rire. Tant de choses étaient arrivées, et elle était si meurtrie que son rire était vide et sans consistance. Il ne restait plus rien qui n'ait été détruit. Et derrière toute cette douleur, il y avait le sentiment d'une immense tromperie. Elle avait le sentiment de n'avoir été qu'un pantin. Mais qui avait tiré les ficelles? Quelle était la personne suffisamment forte pour avoir à ce point truqué les choses? Graziella? Non, Sophia était certaine que l'austère et très pieuse femme était innocente. Il ne pouvait s'agir que de don Roberto. Cependant, c'était Constantino qui avait dirigé en sousmain sa maison de couture, une facette de son mari dont elle avait toujours ignoré l'existence. Elle n'avait personne vers qui se tourner pour obtenir la confirmation de ses soupçons ou quêter quelque réconfort, et ce sentiment d'avoir été en permanence dupée la submergea, s'ajoutant au poids de son chagrin.

Elle réintégra la chambre et s'obligea à se mettre au lit. Loin de l'apaiser, le Valium lui donnait envie de s'abandonner totalement à la sensation de lourdeur qu'il induisait, envie de pousser à l'extrême et de sombrer dans un oubli définitif. Ses paupières se fermaient peu à peu, quand, tout à coup, une sensation de brûlure la fit suffoquer. C'était comme si son cœur allait exploser. Elle s'accouda pour reprendre sa respiration. Elle venait de trouver la colère, une colère sourde, montée du plus profond de ses entrailles. Parce qu'elle était une Luciano elle avait tout perdu, mais elle ne se sentait pas disposée à tout abdiquer.

Son fils était le seul Luciano encore vivant. Il faudrait bien que Graziella l'accepte. C'était incongru et tragique, mais le bâtard de Michael Luciano était le dernier homme que comptait encore la lignée. Il n'y avait qu'une seule personne qui connaissait la vérité, la seule personne qui, elle en était certaine, consentirait à l'aider. Au besoin, elle l'y contraindrait. Il s'agissait de Mario Domino.

8

Mario Domino n'était pas à son appartement du centre de Palerme. Il se trouvait présentement à Rome, tout près, en fait, de chez Sophia.

L'heure était fort matinale, mais il était déjà au travail dans sa chambre de l'*hôtel Raphaël*, assis à un bureau Louis XIV, des papiers entassés tout autour de lui et jusque sur le sol. Bien que la chambre fût équipée de l'air conditionné, il avait ouvert les fenêtres donnant sur le balcon. Les rues retentiraient bientôt du vacarme de la circulation, mais pour l'instant, en ces premières heures du jour, elles étaient raisonnablement tranquilles. Domino était si profondément concentré sur son travail que, lorsqu'on vint lui apporter son petit déjeuner, il bondit sur son siège, le cœur battant.

Il buvait tasse de café sur tasse de café tout en notant au feutre rouge les initiales *P. C.* sur nombre de documents. Il avait remonté la piste des acheteurs de plus de dix des filiales appartenant aux Luciano et avait abouti à une agence bancaire romaine et à un numéro de boîte postale. Deux hommes qu'il avait engagés s'étaient relayés pour attendre la venue de la personne chargée de prendre le courrier. Celle-ci avait été filée jusqu'à son domicile; il s'agissait d'Enrico Dante, qui possédait une boîte de nuit avec Paul Carolla. Toutefois, le nom porté sur les contrats était celui de Vittorio Rosales — un nom

171

d'emprunt, pensait Domino. Quant au compte, il était suffisamment approvisionné pour financer toutes les opérations; c'était là la seule information qu'il avait pu obtenir d'un contact dans cette banque.

Domino regardait les photographies de Dante retirant le courrier ou versant de grosses sommes en liquide sur le compte de Vittorio Rosales. Il était certain que cet homme agissait pour le compte de Paul Carolla, et c'était pour cette raison qu'il avait décidé de suspendre les opérations. Il soupira : ce travail paraissait — était — interminable. Il avait l'intention de rentrer à Palerme, mais il lui restait une visite à effectuer. Cette perspective ne l'enchantait guère, car il savait que l'entrevue serait longue et fastidieuse.

Le cabinet d'affaires qui se chargeait à Rome des transactions commerciales pour le compte des Luciano fonctionnait très lentement, et Domino désirait activer les choses. Ce cabinet s'occupait entre autres de la société de lingerie. Le bâtiment qu'il occupait appartenait aux Luciano et devait être mis en vente, en même temps que deux immeubles divisés en appartements et trois stations-service.

Domino s'aspergea le visage d'eau froide et s'essuya en fixant son image dans le miroir. Il revoyait don Roberto assis à son grand bureau, dessinant des ronds sur une feuille de papier.

— Tu vois, Mario, le grand cercle extérieur est occupé par les petites sociétés, qui forment comme une armée. Elles embrouillent l'ennemi et protègent le cercle intérieur. C'est surtout à ce cercle intérieur que je tiens : il est très puissant et inattaquable devant la loi. Si jamais il m'arrive quelque chose, les piranhas vont faire claquer leurs mâchoires. Il leur faudra d'abord entamer le cercle extérieur, et pendant ce temps, tu pourras faire en sorte que le centre reste inébranlable, qu'il reste solide pour mes fils.

Domino laissa échapper un soupir. Le cercle intérieur était rompu, et le vaste holding pour la préservation duquel Luciano s'était battu — les docks d'embarquement, les entrepôts, les cargos — était immobilisé. Il n'y avait pas de successeur.

L'avocat avait mal dans la poitrine. Maintenant ses douleurs ne connaissaient plus de rémission, et les comprimés étaient sans effet. Il nota sur son agenda d'aller se faire faire un bilan dès son retour à Palerme.

Adina apporta de la limonade sur un plateau. Ses mains tremblaient toujours. Graziella était assise, parfaitement calme, les paupières closes et le visage incliné vers le soleil. Elles attendaient dans un petit café situé à l'entrée de Mondello que la voiture soit réparée.

Cela faisait deux heures qu'elles se trouvaient là. De l'autre côté de la route, le mécano était couché sous la Mercedes, dont la carrosserie était sévèrement emboutie en trois endroits. Elles n'avaient pas eu trois accidents, simplement un accrochage assez compliqué avec un poteau et un arbre.

— Elle n'est pas aussi bonne que la vôtre, dit Graziella en levant son verre d'un air dégoûté.

— En effet, signora... Dites, nous pourrions appeler un taxi. La réparation va peut-être demander un moment.

— Non, nous ne sommes pas pressées.

Adina étouffa un soupir. Elle n'était pas enchantée à la perspective de devoir remonter en voiture avec sa patronne pour chauffeur. Celle-ci roulait constamment en seconde, et le véhicule avait tendance à avancer par à-coups. On n'était qu'à une douzaine de kilomètres de Palerme, cependant le trajet avait pris presque toute la matinée.

— Une fois que nous aurons passé la gare routière, je connais toutes les rues sur le bout des doigts. En revanche, l'itinéraire pour arriver jusqu'ici...

— Vous n'avez pas à vous excuser, Adina. Le trajet a été très agréable. J'ai pris beaucoup de plaisir à conduire.

La servante reposa son verre un peu rudement sur le plateau mais ne répondit pas.

— L'*hôtel Majestic*, est-ce que cela vous dit quelque chose?

— Non, *signora*. Je ne suis pas revenue ici depuis mon enfance. Je ne connais plus personne, mis à part ma cousine. Cela a bien changé, depuis ce temps-là. C'est devenu une station très fréquentée. Autrefois, ce n'était qu'un village de pêcheurs. N'empêche que la plage...

— Oui, Adina, je sais. Nous y amenions les garçons lorsqu'ils étaient petits. Allez donc vous renseigner au sujet de cet hôtel.

Elle traversa la route et s'entretint longuement avec le garagiste.

— Il connaît ma cousine, dit-elle à son retour. (Elle se rassit et approcha sa chaise de la table.) Il connaît aussi Antonio, le fils du vieux Baranza. Ils n'aiment pas trop avoir de la visite. Le père met rarement le nez dehors. Il vaudrait peut-être mieux commencer par aller interroger ma cousine.

— Comme vous voudrez. Cela va prendre longtemps, la voiture?

— C'est presque terminé. Nous avons fait un trou dans le réservoir. Pour le *Majestic*, pas de problème : il m'a indiqué le chemin. Il se trouve de l'autre côté de la grand-place, pas loin de chez ma cousine.

Une heure plus tard, la Mercedes traversa la place en hoquetant, au grand amusement de plusieurs vieillards sirotant une bière sous les ombrages.

Adina, prétendant ne plus connaître personne, fit le trajet penchée à la fenêtre, apostrophant, sembla-t-il à Graziella, tous les citoyens du cru. La rue étant trop étroite, elle suggéra que l'on gare la voiture sur la place. Elle irait interroger sa cousine et reviendrait immédiatement. En fait, il s'écoula une demi-heure avant son retour.

Graziella était furieuse, mais Adina parut ne pas s'en apercevoir. Tandis qu'elles quittaient la place pour s'engager dans une petite rue, elle semblait très anxieuse.

— Le *Majestic* est surtout un café, *signora*. Ils louent quelques chambres. Une petite salle, plus quelques tables dehors. La clientèle est uniquement composée d'habitués. On n'y voit guère de touristes. (Elle demanda à sa patronne d'arrêter un instant la voiture.) Excusez-moi, *signora*, mais je dois vous demander d'être très prudente.

— Je commence à l'avoir bien en main, Adina. Je sais où sont toutes les vitesses.

— Non, non, *signora*, je veux parler de la famille Baranza. (Elle baissa la voix pour parler sur le ton de la conspiration.) Ils ne vous diront rien, ils ne vous laisseront pas voir le vieux. Son fils dit à tout le monde qu'il est sénile, mais ma cousine connaît la femme qui aide aux cuisines. Elle l'emmène de temps en temps faire son tour, elle le promène sur le port dans sa chaise roulante. Il y a un petit bar avec terrasse. Elle va l'y conduire cet après-midi. Si vous alliez l'attendre là-bas, elle et moi pourrions...

— Cette femme, vous la connaissez?

— Oui, *signora*, nous étions à l'école ensemble. Il faut patienter jusqu'à cet après-midi, *signora*. Ils savent qui vous êtes.

— Uniquement parce que vous l'avez crié sur tous les toits. Mais cela n'a pas d'importance. Je désire seulement m'entretenir un moment avec Gennaro Baranza.

— Ce quartier est aux mains de la famille Carboni, *signora*. Le frère de ma cousine travaille pour Alessandrino Carboni. Le fils Baranza travaille lui aussi pour les Carboni.

— J'attendrai, Adina. Mais pas des heures.

Gennaro Baranza portait un chapeau de paille dont tout un côté semblait avoir été mâchonné par un chien. Sur son gros nez reposait une paire de lunettes de soleil plutôt féminines, d'un rose surprenant. Il n'était pour le reste qu'un vieillard décati, tassé dans un fauteuil roulant.

La femme au physique ingrat qui poussait l'invalide agita la main en direction d'Adina. Celle-ci courut la rejoindre. Tout en bavardant, elles se dirigèrent vers l'endroit où se tenait Graziella. La femme arrêta le vieillard à l'ombre des arbres.

En voyant cet homme secoué de tremblements sous son chapeau mité, elle eut le sentiment d'avoir perdu son temps. C'est alors qu'elle entendit sa voix, très faible.

— J'ai pleuré votre famille, *signora*.

Il articulait difficilement car la moitié de son visage était paralysée. Il haussa légèrement les épaules et fit un geste pour désigner sa bouche.

— J'ai eu une attaque il y a deux ans de ça. Ça n'a pas arrangé mon état.

— Ainsi vous savez qui je suis? murmura Graziella.

— Oui, *signora*, je vous connais. Nous nous sommes rencontrés plusieurs fois. Je n'étais qu'un jeunot, à l'époque.

— Excusez-moi, mais je ne me souviens pas.

Il haussa à nouveau les épaules. Une de ses mains était paralysée, mais de l'autre, il arrachait machinalement des fibres de laine au châle qui lui couvrait les cuisses.

— Mon fils a beau raconter partout que je suis gaga, je n'oublie rien. Sauf peut-être ce qu'il vaut mieux oublier.

— Avez-vous connu Michael?

— Ça oui, je l'ai bien connu. C'est lui qui m'a appris à lire et à écrire. On a passé six semaines ensemble dans la montagne. Je l'aimais beaucoup. Il était... (Il porta sa main valide à son cœur)... c'était un cœur pur.

Il y eut un silence, puis Graziella soupira.

— J'ignorais qu'il s'était drogué à l'héroïne. Je ne l'ai découvert que tout récemment.

— Don Roberto avait juré de couper la langue à celui qui vous le dirait. Des souvenirs comme ça, on ne peut jamais s'en défaire. Croyez-moi, ils vous hanteront jusqu'à la fin.

— Des souvenirs, c'est tout ce qu'il me reste de mes fils. J'ai perdu mes trois garçons, Gennaro.

— Je le sais, *signora*. J'en ai deux, mais ils étaient quatre, autrefois. Et mes frères, tous partis eux aussi.

Graziella se pencha en avant.

— Dites-moi comment Michael est mort. Racontez-moi tout ce que vous savez.

Bien qu'elle ne pût voir ses yeux à travers les lunettes de soleil à monture rose, il détourna le visage comme s'il ne supportait pas qu'elle le regarde.

— Je ne me souviens de rien. Il y a des jours où ma tête ne vaut guère mieux que ma carcasse.

— Je ne vous crois pas.

— Voyez-vous, *signora*, j'ai de bonnes raisons d'avoir oublié la fin de votre fils, car ce jour-là, j'ai été laissé pour mort. Il aurait peut-être mieux valu que j'y reste, moi aussi. Tout ce que j'en ai gardé, c'est une grande douleur, une douleur que je traîne avec moi le jour et la nuit.

Même ici, à l'ombre, il faisait une chaleur étouffante. Elle lui proposa d'aller se promener le long du port. En dépit de sa décrépitude physique, Gennaro n'était pas un poids léger, et Graziella peina pour pousser le fauteuil. Ils arrivèrent néanmoins au bout de la jetée. Elle orienta la chaise roulante vers la mer.

La tête tournée de côté pour contempler les bateaux de pêche peints de couleurs vives, Gennaro souriait.

— Qui était le roi Lear?

Graziella baissa la tête pour l'observer.

— Le roi Lear? C'est le personnage central d'une pièce de Shakespeare. Pourquoi cette question?

Il marqua un temps d'hésitation.

— Diego Caruso, vous connaissez?

— Oui, je le connais.

Il y eut un long silence, puis Gennaro se mit à parler de sa voix enrouée.

— Il était avec don Roberto, cette nuit-là. Il m'a dit que votre mari portait son fils comme si ça avait été un nouveau-né. Il l'avait enveloppé dans une couverture qu'il avait prise sur le lit. Nul ne savait que lui dire ni que faire pour lui. Debout sur le pas de la porte avec son fils dans les bras, il a poussé une longue plainte. C'est Caruso qui m'a raconté ça. Il a dit qu'il n'avait jamais rien entendu de plus épouvantable que ce gémissement, et que cela lui avait fait penser au roi Lear. Mais je n'ai jamais compris ce qu'il entendait par là.

— Lear était un grand roi. Sa fille préférée vient de mourir, et il la porte dans ses bras. Je crois que le vers est : « Hurlez ! Hurlez !... »

La face de Gennaro se renfrogna.

— Une fille, hein, et non un fils ?

Graziella fit pivoter le fauteuil de sorte que le vieillard lui fit face.

— Ceux qui ont tué mon fils, est-ce qu'ils étaient américains ? Tout ce que je vous demande, c'est de me dire ce que vous savez. Mon intention n'est pas de vous faire témoigner devant un tribunal. C'est juste pour moi, Gennaro, pour la maman de Michael...

Il poussa un long soupir.

— C'étaient des Américains.

— Connaissez-vous leurs noms ?

— Non. On m'a montré des tas de photos.

— Qui vous les a montrées ?

— Don Roberto. Je les ai reconnus à leur visage, mais j'ignorais comment ils se nommaient. Il les a retrouvés. Un par un, il leur a tous mis la main dessus. (Il coassa un rire.) Don Roberto a retrouvé tous les gars qui avaient ne serait-ce que fumé une cigarette avec Michael, là-bas en Amérique. Pas un n'en a réchappé.

— Ces Américains, est-ce qu'ils ont reconnu que Paul Carolla leur avait ordonné de tuer mon fils ?

Gennaro détourna une nouvelle fois la tête. Elle lui arracha ses lunettes et fut frappée de stupeur. Une de ses orbites était vide. La paupière n'était qu'un amas de tissus cicatriciels.

Sa voix se fit plaintive.

— S'il vous plaît, *signora*, mes lunettes.

Elle les tenait hors de sa portée.

— Lenny Cavataio a vécu plus longtemps. Est-ce que vous vous souvenez de cet homme ?

Gennaro fit la grimace.

— Il a été le dernier survivant. Il était au courant de

tout. Mais lui aussi est mort, à présent. Je vous en prie, *signora*, mes lunettes.

Elle les lui donna, mais il ne put les remettre en place. Elle le fit pour lui, puis lui posa une main amicale sur l'épaule.

— Ne m'en veuillez pas... Je vous dois une explication. J'essaie de comprendre pour quelle raison mon mari a attendu si longtemps alors qu'il connaissait le rôle joué par Paul Carolla dans le meurtre de mon fils. Pourquoi a-t-il attendu?

Gennaro regardait droit devant lui. Elle dut s'accroupir pour entendre ce qu'il disait.

— Don Roberto avait deux autres fils, une famille. Ce n'est que lorsqu'il a retrouvé Lenny Cavataio qu'il a obtenu la preuve lui donnant le droit de demander justice. Mais il était trop tard. Carolla se trouvait déjà en prison.

Graziella s'approcha encore.

— Si ce que vous dites est exact, alors pourquoi a-t-il remplacé Lenny Cavataio comme témoin de l'accusation?

Il la regarda dans les yeux.

— Je ne sais pas, *signora*. Témoigner à ce procès revenait à signer l'arrêt de mort de Carolla. Il aurait plus forcé le respect s'il l'avait lui-même descendu. Peut-être, finalement, a-t-il attendu trop longtemps.

Elle saisit fermement l'accoudoir au moment où Gennaro tentait de faire pivoter son fauteuil.

— Qui a donné l'ordre de tuer mes fils, mes petits-fils? *Dites-le-moi!*

Elle le sentit paniquer.

— Je ne sais rien, *signora*.

Un petit garçon courait dans leur direction sur le muret de la digue. Lorsqu'il fut plus près, il agita le bras en appelant.

— Grand-père! Grand-père!

Gennaro tourna la tête vers son petit-fils au moment où celui-ci sautait sur le terre-plein. L'enfant perçut l'angoisse du vieil homme et se mit à hurler en essayant de faire lâcher le fauteuil à Graziella.

Elle l'écarta avec rudesse.

— Mon mari aurait pu vous obliger à comparaître, puisque vous avez assisté à la mort de mon fils. Vous avez une dette envers lui; honorez-la. Est-ce que l'ordre venait de Paul Carolla?

Adina entendit les cris de l'enfant, la voix de Graziella. Prise de panique, elle arriva en courant.

— *Signora! Signora!*

Si diminué que soit Gennaro, il tint tête à Graziella et cria d'une voix rauque :

— Je ne sais rien, je ne suis rien! Je vous supplie de nous laisser en paix, moi et les miens.

Un essaim d'enfants environnait la Mercedes. Ils s'acharnaient sur les rétroviseurs extérieurs, et l'emblème du capot avait déjà disparu. Adina fonça sur eux, en agitant les bras.

À l'instant où les deux femmes démarraient, une petite Citroën déboucha d'une rue latérale et leur bloqua le passage. Le conducteur était un personnage trapu portant une chemisette à rayures et une vieille casquette de toile. Il jaillit de sa voiture, brandissant le poing comme pour l'abattre sur le pare-brise de la Mercedes. Rouge de fureur, il jurait et vitupérait tout en essayant d'ouvrir la portière de Graziella.

Celle-ci enfonça la pédale de l'accélérateur, et la voiture bondit en avant dans un crissement de pneus, percutant l'arrière de la Citroën qui fut projetée sur le côté.

— Foutez le camp! Qu'on ne vous revoie plus par ici! hurla encore le fils de Gennaro.

Puis sa colère commença à retomber et, haletant de peur, il se retourna vers son père, que l'on poussait dans sa direction.

— Espèce de vieux cinglé! Qu'est-ce qu'elle te voulait?

— Quelle importance? Ce n'est qu'une femme, que veux-tu qu'elle fasse?

Le fils ôta sa casquette pour se frotter la tête. Le vieux avait raison. Que pouvait faire une vieille femme?

— Alors, qu'est-ce qu'elle voulait ?

— Dis donc, sais-tu qui était le roi Lear ?

Le fils cracha par terre et ordonna à la femme de ramener le vieillard à l'intérieur, ajoutant à l'adresse de son père qu'il ne mettrait désormais plus le nez dehors.

Les cahots de la rue pavée secouaient douloureusement la pauvre carcasse de Gennaro et provoquaient de fulgurants élancements jusque dans son œil. Il tourna néanmoins la tête pour lancer, par-dessus son épaule :

— Si tu es patron d'un hôtel, si tu as de quoi te payer de la bière, c'est bien grâce aux Luciano.

— Et si tu es infirme, c'est aussi grâce à eux.

— Oui, mais moi, je sais lire et écrire...

Le fauteuil roulant franchit une marche basse et fut poussé jusque dans le petit hall de l'hôtel.

Ayant sans encombre réintégré sa chambre aux volets clos, Gennaro se souleva du fauteuil pour se laisser tomber sur son lit avec un soupir de soulagement. Il jeta ses lunettes de soleil de côté et, de sa main valide, se mit à masser son orbite creuse. Il avait toujours une balle logée dans le crâne et une autre du côté de la colonne vertébrale.

Il avait maintes fois regretté de n'être pas mort cette nuit-là, la nuit où il avait vu la voiture de don Roberto gravir la piste à flanc de montagne. Présumant qu'il s'agissait de son patron qui venait voir son fils, le guetteur placé en avant-poste avait fait le signal convenu à l'aide de sa lampe torche. L'homme assis à l'arrière portait un chapeau semblable à celui de don Roberto, et Ettore Callea, son chauffeur personnel, était au volant. Mais, dès que la voiture s'était immobilisée devant la maison, deux hommes s'étaient redressés sur le siège arrière pour faire feu à l'aide de mitraillettes. Deux gardes, dont le frère de Gennaro, avaient été fauchés. Lui-même s'était élancé vers la chambre de Michael en lui hurlant de filer par la fenêtre. Il atteignait la porte lorsqu'il avait été abattu à son tour.

Il était resté inconscient pendant peut-être quelques secondes — ou quelques minutes — mais les autres l'avaient cru mort. Dans un état de demi-conscience, il les avait vus battre et torturer celui qu'il appelait Gueule d'ange. Il n'avait rien pu faire, et surtout pas appeler à l'aide. Couché dans son sang là où il était tombé, il avait assisté à la fin de Michael Luciano, entendu ses atroces hurlements.

Puis les hommes étaient partis, adossant au passage le cadavre du chauffeur de don Roberto contre le montant de la barrière. Il s'était traîné tant bien que mal jusqu'à Michael. L'ange gisait comme un pantin brisé. Son visage n'était plus qu'une masse sanguinolente de chair et d'os.

Puis plusieurs heures s'étaient écoulées, tandis que Gennaro se vidait de son sang et qu'une douleur si atroce le gagnait qu'il se croyait déjà en enfer. Enfin, il y avait eu des phares de voitures, des voix... Don Roberto avait enveloppé son fils dans une couverture ensanglantée et l'avait pris dans ses bras comme on porte un enfant. Et sa longue plainte s'était répercutée dans la montagne. Ce n'était pas Caruso qui l'avait entendue, mais Gennaro lui-même. Pourquoi avait-il menti sur ce point ?

De retour chez lui, Domino trouva dans le réfrigérateur le potage et le poulet que sa gouvernante lui avait préparés avant de partir. Il chargea un petit plateau qu'il emporta dans sa chambre. Mais il se sentit trop fatigué pour avaler quoi que ce fût, et la sensation de brûlure qu'il éprouvait dans la région du cœur était pire que jamais. Assis sur le bord de son lit, il but un verre de lait.

Non seulement il avait découvert la participation de Carolla, mais il avait aussi détecté de la part de la banque des jeux d'écriture qui avaient permis de détourner des millions. Pour couronner le tout, il avait découvert de nombreuses indélicatesses au sein même de son propre cabinet : des collaborateurs en qui il avait placé sa confiance avaient systématiquement détourné d'énormes quantités d'argent liquide qui auraient dû être dirigées sur le compte des Luciano en Suisse. La situation était incontrôlable, et il se sentait incapable de la reprendre en main.

Il y avait plusieurs photographies près de son chevet ; toutes représentaient des membres de la famille Luciano. Après tant d'années, il avait le sentiment d'être un des leurs. Il lui était souvent arrivé de prendre entre ses mains précautionneusement, tendrement, la photo de Graziella le jour de son mariage, et de se demander si elle aurait été aussi rayonnante s'il s'était trouvé à ses côtés au lieu de Roberto Luciano.

Domino était très riche. Les antiquités et les œuvres d'art qu'il collectionnait étaient un peu ses enfants. Il sortit sa calculatrice de poche afin de voir s'il lui serait possible de couvrir lui-même certaines des pertes. Il avait le sentiment de n'avoir pas convenablement servi Graziella, ses belles-filles et sa petite-fille. Ses doigts couraient sur les touches de la calculette, quand un violent élancement lui saisit le bras... Le souffle lui manqua, tandis que la douleur empirait rapidement. C'est alors que le téléphone se mit à sonner. Domino tendit le bras, effleura l'appareil du bout des doigts. La sonnerie persistait, aiguë, insistante, mais il ne put franchir les quelques centimètres qui le séparaient du combiné...

Dès qu'elle eut regagné Rome, Sophia essaya d'appeler Mario Domino. Elle laissa longtemps sonner, puis raccrocha et composa le numéro de la villa Rivera. Là non plus, pas de réponse. Elle se mit à arpenter la pièce, se demandant que faire. Elle finit par appeler le concierge pour lui demander de monter son courrier.

Ce dernier frappa légèrement à la porte et lui remit le courrier de deux jours et les journaux du matin. Il gardait les yeux baissés et paraissait désireux de s'en aller au plus vite.

Sophia referma la porte et regagna le salon. L'agencement de la pièce était impeccable, et il n'était pas un coussin qui ne soit à sa place. Un silence de mort régnait là où naguère il y avait tant de bruit. Combien de fois avait-elle crié aux garçons de se tenir tranquilles ?

Le gros du courrier était fait de factures qu'elle jeta directement à la corbeille. Elle déchira la bande d'un des journaux. Une grande photo de don Roberto figurait à la une. Il s'agissait d'un cliché assez ancien ; il avait encore les cheveux noirs, et Sophia lui trouva une forte ressemblance avec Constantino.

ACCUSATIONS LANCÉES POST MORTEM PAR LE PARRAIN ASSASSINÉ, proclamait le gros titre. Elle commença à lire le chapeau de l'article. On y racontait qu'au procès de Paul Carolla, le ministère public avait fait sensation en produisant la main sectionnée d'un dénommé Antonio Robello : Carolla venait d'être accusé du meurtre.

Sophia reposa le journal. Les autres, d'un contenu plus sinistre encore, publiaient des dessins représentant une main squelettique, en forme de serre de rapace, qui tenait une corde de pendu. Le nom de Luciano s'étalait sur toutes les unes. En mourant, il était devenu le parrain des parrains. Les meurtres remontaient à plus de cinq mois, mais la presse saisissait chaque occasion de ressortir l'affaire. Ce procès permettait aux journalistes de noircir les morts tout en continuant de ménager les vivants.

Écœurée, elle jeta tous les journaux à la corbeille. Ces choses — qui la révoltaient — devaient être une véritable torture pour Graziella. Elle se sentit coupable de n'avoir pas essayé de lui téléphoner plus tôt.

Mais, tout comme l'appartement de Domino, la villa Rivera ne répondait toujours pas. Il fallait qu'elle sorte, sinon elle allait devenir folle. Elle n'avait nulle part où aller, mais un peu d'air frais lui ferait du bien. Sitôt dehors, les paparazzis l'assaillirent de questions, lui demandant si elle avait connu le mafioso Antonio Robello, celui qu'on surnommait l'Aigle. Elle se cacha le visage entre les mains sous le crépitement des flashes.

À son retour, elle trouva une journaliste qui l'attendait dans l'entrée de l'immeuble. Cette femme affichait un chaleureux sourire, ce qui la désorienta quelque peu. Était-ce quelqu'un qu'elle connaissait ?

— Bonjour, Sophia...

C'est alors qu'elle vit le micro. Et de s'élancer vers l'ascenseur.

— *Signora* Luciano, vous venez de perdre votre mari et vos enfants. Nos lecteurs seraient très intéressés par votre version de l'histoire...

Elle claqua violemment la porte et ferma les yeux. Sa version de l'histoire? Elle poussa un cri qui se répercuta dans la cage de l'ascenseur.

— Fichez-moi la paix!

Elle tenta une nouvelle fois d'obtenir Graziella et Domino. Elle se mit à hurler dans le combiné, exigeant qu'on lui réponde, mais la sonnerie continua de retentir dans le vide. De rage et de frustration, elle lança le téléphone contre le mur.

Les petites pilules jaunes l'attiraient comme un aimant. En désespoir de cause, elle allait dormir. Lorsqu'elle dormait, le temps passait plus vite.

À peine Graziella était-elle rentrée de Mondello qu'elle avait reçu un coup de téléphone de la gouvernante de Mario Domino.

Elle se tenait à présent près de son lit de mort. Il gisait les mains croisées sur la poitrine, un rosaire entre les doigts. On attendait l'arrivée de sa nièce, un des rares parents qui lui restaient. De crainte que la presse ne tente de graisser la patte de la gouvernante, Graziella, aidée d'Adina, avait ôté du chevet du défunt tous les clichés de la famille. Les Luciano restaient en effet un excellent matériau journalistique : photographiée alors qu'elle arrivait au palais de Justice, Graziella n'avait-elle pas retrouvé son image dans le journal du lendemain, sous le titre : LA VEUVE DE LA MAFIA ATTEND QUE JUSTICE SOIT RENDUE?

Le bureau contenait trop de dossiers pour qu'elle envisage de commencer à les mettre en ordre, et elle demanda au cabinet de Domino d'en faire transporter la totalité à la villa Rivera. Elle referma la porte derrière elle et se mit à parcourir l'appartement en compagnie d'Adina.

Elle n'était venue chez Mario qu'à deux ou trois occasions, et elle découvrait aujourd'hui un aspect de sa personnalité qu'elle n'avait jamais vraiment connu : celui de l'amateur d'art. À ses yeux, il n'avait jamais été autre chose que Mario, l'ami fidèle. Pour qui avait-il mis autant d'amour et de goût dans la décoration de cet endroit ? Quelqu'un venait-il jamais admirer ses collections ? Quelqu'un avait-il jamais partagé sa joie de faire telle ou telle trouvaille chez les marchands de tableaux ou d'antiquités ? Elle ne se souvenait pas qu'un homme ou une femme ait compté dans sa vie, à l'exception d'elle-même.

— Vous n'avez pas l'impression de vous trouver dans un musée, Adina ?

— Ça oui, *signora*. J'ai mis tous les dossiers dans des cartons. Est-ce que vous avez vu les porcelaines ?

Elles s'approchèrent de la vitrine dans laquelle il avait placé sa collection, dont un service de table doré à la feuille.

— Voyez-vous, Adina, je n'avais pas réalisé combien il était riche. Je ne sais pourquoi, j'ai toujours conservé l'image du pauvre étudiant qu'il était. Enfin, jusqu'à ce qu'il rencontre Roberto.

La nièce et un cousin éloigné de Domino parcouraient l'appartement avec un air de stupéfaction : jamais ils n'avaient vu de telles richesses. Cependant ils n'en recevraient rien, car l'avocat avait légué tous ses biens — hormis les peintures — à son université, afin qu'y soit créée une bourse portant son nom. Dans ce but, il avait méticuleusement dressé la liste de tous les articles de ses collections.

La seule chose qui n'avait pas été réglée était la question de la propriété des tableaux, à eux seuls estimés à vingt-cinq milliards de lires. Il les avait achetés comme placement pour le compte de Roberto Luciano, mais les veuves ne devaient jamais les recevoir. Ils furent mis sous séquestre par l'administration dans l'attente de vérifications ; plusieurs de ces toiles de maîtres avaient en effet été volées. Les autres disparaîtraient sans laisser de traces.

La succession Luciano s'amenuisait rapidement. Domino avait pris la mesure de l'ampleur des détournements, mais sa mort eut pour effet de les multiplier de façon exponentielle.

Les documents enlevés de son appartement transitèrent d'abord par son cabinet. Graziella signa avec ses collaborateurs une procuration prévoyant que tout serait réglé en l'espace d'un mois. Elle avait attendu suffisamment longtemps et souhaitait que les questions d'héritage soient conclues sans délai supplémentaire.

Parmi les papiers se trouvait un petit carnet noir, l'agenda de Domino pour l'année 1963. Sur l'une des pages, il avait noté de son écriture méticuleuse : *Enfant retiré de Cefalù et confié à l'orphelinat du Sacré-Cœur de Catane.*

Il avait choisi la ville la plus importante de Sicile après Palerme pour s'assurer que l'identité de l'enfant ne puisse jamais être découverte.

9

En robe et sandales de moine, Luka Carolla flânait dans la petite ville d'Erice. Il portait, jeté sur l'épaule, un sac en paille de riz rempli de semences.

Il s'arrêta un instant devant l'étal de fruits d'une épicerie et palpa de grosses prunes noires. Il pénétra dans un petit magasin envahi de mouches, dont les rayonnages croulaient sous les conserves, les cartouches de cigarettes, les bocaux de bonbons et les pots d'herbes aromatiques. Il demanda une livre de prunes et se tourna vers le présentoir à journaux. Un gros titre accrocha son regard : Le procès historique se poursuit.

Tandis que la vieille femme le servait, il voulut s'intéresser aux herbes, mais il ne cessait malgré lui de lorgner en direction des journaux. Au dernier moment, il en acheta deux. Il les plia soigneusement et les glissa dans son sac sous les prunes.

L'épicière lui décocha un sourire édenté.

— Américain? demanda-t-elle.

— Oui, américain. Au revoir, *signora*.

Sur l'insistance de frère Guido, le père Angelo se rendit au jardin potager en compagnie des frères Tommaso et Luigi. Luka y avait travaillé jour et nuit, mettant un soin obsessionnel à passer la terre dans le tamis qu'il s'était fabriqué. Il ne restait pas le plus petit caillou. Il fallait que la terre soit absolument pure : cela faisait partie de la punition.

Guido en fit couler un peu entre ses doigts.

— Je n'aurais pas cru cela possible. Regardez comme cette terre est fine. Il ne reste plus la moindre pierre.

Les rames en bambou étaient soigneusement entassées. Bêches et fourches brillaient, tant elles avaient été briquées.

— Il est un peu tard pour semer, mais Luka n'est pas de cet avis, dit le moine en secouant la tête. (Il mit sa main en pare-soleil pour regarder le jeune homme qui arrivait au loin.) Jamais je n'ai vu un garçon de cet âge mettre autant de cœur à l'ouvrage.

Le père Angelo sourit en repensant à l'enfant qu'il avait été.

— Il aimait tant ce jardin, tu t'en souviens, Tommaso?

Ce dernier inspira bruyamment.

— Combien de temps va-t-il rester parmi nous? Il avait parlé de quelques jours, et cela fait maintenant des mois qu'il est ici.

— Et tu t'en plains? Allons, Tommaso, vois ce que ce garçon a accompli.

Ils se retournèrent en entendant grincer la grille. Luka leur apparut. Le père prieur eut un sourire de bienvenue, puis, s'appuyant sur Guido :

— On nous a exhortés à venir voir ton travail. Frère Guido est très impressionné. Et nous le sommes avec lui. La terre est-elle toujours bonne?

— Oui, mon père.

Les yeux bleus de Luka étaient d'une aveuglante limpidité, mais, passant de l'un à l'autre, son regard avait un éclat mauvais. Il leur en voulait d'avoir foulé la terre qu'il avait remuée.

— Marchez plutôt sur l'herbe du bord. Cette planche est prête à être mise en culture.

Il leur passa sous le nez et, les traits crispés par la colère, partit vers le monastère. L'idée de cette visite revenait à Guido, il le savait. Ce Guido, toujours en train de fureter partout...

Il avait tout fait pour se mettre bien avec Luka, mais celui-ci lui avait toujours battu froid, ne répondant pas à ses questions ou, lorsqu'il le faisait, ne le regardant pas. Aussi le moine s'était-il contenté d'observer le jeune homme, le regardant travailler le soir, torse nu, bêchant, tamisant. Il avait vu les cicatrices de son dos rosir sous le bronzage de sa peau moite. Certaines nuits, il l'avait vu endormi sous le grand chêne ou marchant à l'horizon, tel un spectre noir.

Guido se demandait pourquoi Luka se rendait si rarement à la chapelle ; depuis son arrivée, il n'avait assisté qu'à une seule messe. Mais le jour où il avait abordé le sujet avec le père Angelo, il s'était entendu répondre de laisser le jeune homme agir à sa guise.

— Il viendra à la chapelle lorsqu'il en aura le désir. Il est ici chez lui, Guido, et je le considère comme mon propre fils. J'ai pour lui l'affection d'un père pour son enfant. Seulement Luka renferme en lui-même... comme une zone d'ombre, quelque chose qui nous échappe. Il faut rendre grâce à Dieu qu'il soit venu à nous, et prier pour que le Seigneur apaise ses tourments, car c'est pour cela qu'il est ici.

Luka feuilleta ses journaux comme s'il craignait que les murs n'entendent le bruissement du papier. Il prit connaissance des dernières initiatives du ministère public contre son père, qui se proclamait toujours innocent de tous les crimes dont on l'accusait. Il lut un bout de l'article tapageur sur le soi-disant parrain des parrains, don Roberto Luciano. Il examina la photo qui accompagnait l'article, celle-là même que Sophia avait jetée à la corbeille. En dépit du nez busqué et des yeux noirs, cet homme n'était pas tel que dans son souvenir. Celui de la photo avait les cheveux noirs, alors que celui qu'il avait vu en compagnie de ses fils les avait blancs... S'il fermait les paupières, il les revoyait encore...

Luka tremblait de tout son corps. Le visage de Luciano le rendait physiquement malade. Il était en nage, il avait les joues en feu. Incapable de lire plus avant, il déchira les articles, les plia fébrilement et les cacha dans son sac de linge sale. Son père l'avait traité de fou. Le traiter de fou, après tout ce qu'il avait fait pour lui... Il avait prouvé qu'il était un professionnel.

Un coup léger contre la porte le fit se retourner.

— Oui?

— Luka? C'est père Angelo. Est-ce que je pourrais te parler?

Du pied, il envoya les journaux sous le lit, puis il alla ouvrir. Le prieur entra à petits pas en s'aidant de sa canne. Il tendit la main pour que le jeune homme l'aide à s'asseoir sur le lit.

— Il y a un problème?

— Est-il nécessaire qu'il y ait un problème pour que je vienne te voir?

— Non. Non, bien sûr, mon père. Seulement j'allais me mettre au travail.

— Que se passe-t-il, Luka? Tu ne viens jamais me voir, tu ne fréquentes pas la chapelle. Une seule messe, depuis que tu es arrivé ici.

— J'en suis désolé, mon père, mais je dois finir le jardin. Il aurait dû être ensemencé en avril et nous sommes presque en août.

— Quand t'es-tu confessé pour la dernière fois?

— Je me suis moi-même infligé une pénitence, mon père.

— Vraiment? Et depuis quand es-tu ton propre confesseur? Je t'entendrai ce soir. Peut-être pourrais-tu te reposer un peu. Tu as travaillé dur, trop dur. C'était la même chose quand tu étais plus jeune, Luka. Que tu aies menti ou chapardé, tu t'amendais toujours par le travail. Viens me voir ce soir.

— Bien, mon père.

Luka aida Angelo à se relever et le soutint jusqu'à la porte. Le vieillard s'immobilisa.

— Ça va, je vais pouvoir me débrouiller. Dieu te bénisse. Ah! Luka, fais-moi disparaître ces journaux. Tu sais que je n'ai jamais accepté qu'on en introduise dans ce sanctuaire. Si tu tiens à les lire, fais-le en dehors de nos murs. Le monastère n'est pas un hôtel, même si tu l'utilises comme tel.

Le jeune homme le suivit dans le couloir.

— Désirez-vous que je m'en aille?

Le prieur s'arrêta et se retourna pour lui faire face.

— Surtout pas. Je crois que tu es venu ici pour y trouver la paix. Peut-être devrais-tu envisager de rester parmi nous. Au cours des quelques années qu'il me reste à vivre, rien ne me ferait plus plaisir que de te voir recevoir les ordres.

Luka se mit à rire. C'était un rire extraordinaire, peut-être parce qu'il était rare. C'était un rire communicatif, et le vieillard fit entendre un gloussement.

— Je vois que l'idée t'amuse. J'ai toujours pensé que tu y étais destiné, mais je dois admettre que j'ai toujours été le seul à penser ainsi.

— Est-ce vrai, mon père?

— Quoi? Que j'ai toujours été le seul de cet avis? Ça, il faut bien dire que, comme le répète le vieux Tommaso, tu étais un vrai petit démon.

Marchant en crabe, dos au mur, Luka restait à hauteur du père Angelo.

— Et vous pensez que j'avais la vocation?

— Oui, si bizarre que cela puisse paraître. Un jour, quand tu auras triomphé de la part d'ombre qu'il y a en toi, peut-être le découvriras-tu toi-même.

Le jeune homme s'immobilisa. Le prieur continuait son chemin.

— Elle est toujours en toi, Luka. Je le sens...

Angelo jeta un regard en arrière. Le couloir était désert. La porte de la cellule achevait de se refermer sans bruit.

Luka était adossé au battant de la porte. Comment aurait-il pu savoir? Si cher que lui soit le père Angelo, il ne pouvait pas savoir, il ne pouvait pas comprendre. Ses yeux s'emplirent de larmes, de grosses larmes qui lui roulèrent bientôt sur les joues. Il murmura le nom de son ami, le malheureux garçon, contrefait et totalement dépendant des autres, dont il s'était occupé quand il vivait au monastère.

Un des autres garçons, le petit Antonio, avait assisté à l'arrivée de Giorgio, un soir, très tard. Il s'était gagné l'attention de tous en racontant qu'il avait vu le diable, qu'il avait aperçu une figure épouvantable, une énorme tête toute déformée et pourvue de cornes.

Ayant eu vent de ces rumeurs, le père Angelo avait rassemblé tous les garçons pour leur expliquer avec colère que le nouvel arrivant n'était pas un démon, mais un jeune garçon très malade. Il les avait également exhortés à penser à lui lors de leurs prières quotidiennes.

Il leur avait ensuite expliqué que, cloué au lit depuis sa naissance, Giorgio n'avait jamais connu les plaisirs les plus simples. Il était venu au monde gravement handicapé, la colonne vertébrale mal formée et le cœur défectueux. Sa mère était morte en couches. Incapable de s'en occuper, son père l'avait placé dans des institutions spécialisées. Il ne pensait pas qu'il dépasserait la petite enfance, mais Giorgio avait déjà vécu, caché aux yeux de tous, douze longues années de souffrance et de solitude. Il allait maintenant passer parmi eux le peu qu'il lui restait à vivre.

Le volontaire et incorrigible Luka avait relevé le défi lancé par ses camarades et s'était hissé à la fenêtre du petit invalide pour jeter un œil à l'intérieur de sa chambre. C'était lui qui avait le premier chantonné certaine cruelle ritournelle sous ladite fenêtre, encourageant les autres à l'imiter. Mais il s'était fait prendre. Pour punition et comme exercice d'humilité, il avait été décidé qu'il aiderait les moines au ménage de la chambre de Giorgio. En dépit de ses bravades, la perspective de se retrouver face au « diable » l'avait terrifié.

Le visage délicat et parfaitement proportionné de Luka, ses yeux d'un bleu saisissant auraient mieux convenu à une fille. Avec son gros front proéminent, sa bouche humide d'une salive trop abondante, son corps horriblement contrefait, Giorgio évoquait vraiment une gargouille.

On avait laissé les deux garçons seuls. Luka se concentrait sur la serpillière qu'il promenait sur les dalles en pierre. Il avait fallu le vrombissement d'une abeille pour qu'il lève enfin la tête. Il l'avait cherchée des yeux. Les deux garçons avaient vu le gros insecte se poser au pied du lit et marcher vers son occupant.

— Espèce de con, qu'est-ce que t'attends pour l'écraser avant qu'elle me pique?

Luka avait regardé l'insecte de plus près.

— Ça ne risque pas. Je connais les abeilles. Il y a les ouvrières et ce qu'on appelle les faux bourdons. Ça, c'est un faux bourdon. Sa seule fonction, c'est de s'accoupler avec la reine. Il n'a pas de dard. De quoi as-tu peur? Il peut rien te faire.

Il avait alors délicatement pris l'insecte dans ses mains. Arrivé à la fenêtre, il avait poussé un hurlement.

— C'était une ouvrière! La salope, elle m'a piqué!

Il avait fait le tour de la cellule en agitant la main avant de la plonger dans le seau. Giorgio avait éclaté de rire, surpris de sa propre joie.

Ainsi se passa leur première rencontre. Elle fut l'événement le plus important de la vie du jeune garçon. Giorgio avait le don de faire se dissiper la nuit que Luka portait en lui. Son intelligence surpassait de très loin celle des autres garçons de l'orphelinat, et son extraordinaire connaissance du monde profane — effet de lectures incessantes et éclectiques — englobait toutes choses, depuis la pornographie jusqu'à d'obscures tragédies anglaises du xvie siècle. Le candide Luka en était ébahi et ravi.

Giorgio avait eu accès à une mine de livres. Il semblait avoir un compte illimité dans nombre de magasins les plus importants de Palerme. C'était la première fois que Luka voyait des « Aladins en plastique », ainsi que l'autre appelait ses cartes de crédit.

Il faisait nuit. Le jeune homme était maintenant assis au jardin, près de l'arbre sous lequel était toujours placé le fauteuil roulant qu'il avait fabriqué pour son ami. Le seul fait que Giorgio ait été capable de sortir avait fait l'émerveillement de toute la communauté. Il lui avait insufflé une féroce envie de vivre. Leur duo aux allures comiques était inséparable.

Et Giorgio était présentement à ses côtés. Luka lui montrait les alignements rectilignes de ses semis.

— Ce rang-là, c'est de la laitue. Là, ce sont des haricots, et là-bas des pommes de terre... Cet hiver, on aura des choux qui font péter frère Tommaso, et puis ensuite ce seront les choux de Bruxelles... Il faut manger tes légumes verts, Giorgio. Ils sont pleins de vitamines. Faut entretenir ses forces. On est ce qu'on donne à son corps. Pour l'instant, toutes tes forces se trouvent dans ta sacrée caboche. Faudrait essayer de les répartir dans ce torse tout ratatiné.

C'est en s'abreuvant d'insultes qu'ils avaient regagné la cellule de Giorgio. Luka avait soulevé le malade du fauteuil pour le déposer sur son lit.

— Oh, ta gueule, tête de nœud ! Tu me refiles encore de tes putains de légumes, et je dégueule ou je chie sous moi. Faudra que tu me nettoies. Alors va te faire foutre, étron illettré !

— Va te faire foutre toi-même !

— Connard !

— T'as une tête comme mon cul !

— Peut-être, mais dedans c'est de la cervelle. Dans la tienne, y a que de la merde.

Les bras autour des genoux, Luka se mit à rire en repensant à cet échange. Frère Luigi les avait entendus. Contrairement à Giorgio qui l'avait vu approcher, il ne s'était aperçu de rien. Et il avait continué à brailler des insultes.

— Moi au moins, ma merde, je la mets aux chiottes, pas dans mon lit, trou du cul.

Et Giorgio, d'une voix destinée à porter :

— Bonjour, frère Luigi. Nous étions justement en train de discuter de la traduction de certains termes latins et de leur équivalent dans la langue courante. Le mot « foutre », vous savez, a pris son acception vulgaire à la fin du XVIIIe siècle... Déféquer : chier. Très intéressant, vous ne trouvez pas? Les Américains utilisent le terme *john*, qui signifie cabinet d'aisances; les Anglais disent *toilet*, qui vient du français « toilettes »... Le talon de chiottes fut imaginé et utilisé par Louis XV, roi de France, pour dissimuler sa petite taille. La couleur rouge lui permettait de passer inaperçu sur le rouge des tapis. Ce talon évoquait la forme d'une cuvette d'aisances. De nos jours, lorsqu'une prostituée lève un micheton...

— Giorgio! Dieu te pardonne. Tous ces mots sont horribles... Et toi, Luka, t'entendre t'exprimer dans un langage digne des bas-fonds...

Le jeune malade avait interrompu le moine en claironnant :

— Je suis désolé, frère Luigi, vous aurais-je offensé?

— Tout à fait, et je peux vous assurer que je vais en parler au père Angelo. Il va sûrement punir ce comportement révoltant. Luka, fais-moi le plaisir de retourner immédiatement en classe.

Il avait à nouveau été coupé par Giorgio, criant encore plus fort.

— Lorsque vous irez le voir, frère Luigi, comptez-vous seulement lui rapporter les terminologies modernes, ou bien également leurs équivalents latins? Il serait dommage que le père Angelo interprète mal ce dont nous discutions, et que vous avez entendu par inadvertance. On ne peut en aucun cas blâmer Luka pour une conversation que vous avez espionnée. Mon père m'a assuré que...

Bouche bée, le garçon avait écouté son ami soûler de paroles le malheureux frère Luigi, pour finalement l'amener à s'excuser. Ce dernier espérait que le père de Giorgio n'apprendrait pas que son fils avait subi la moindre contrariété au sein de la communauté.

Lorsque le moine s'en était allé, Luka avait dû se plaquer la main sur la bouche pour ne pas éclater de rire. Giorgio était complètement exalté, mais son numéro l'avait considérablement fatigué, même s'il s'était efforcé de n'en rien montrer tandis que Luka l'accompagnait jusqu'à sa cellule.

197

— Tu as été incroyable! J'ai jamais rien entendu de pareil. Tu l'as complètement tourneboulé. Giorgio, tu sais que tu es sacrément fortiche... (Il avait arpenté la cellule un moment en contrefaisant la voix haut perchée, le ton condescendant employés par Giorgio face à frère Luigi.) Ton père, c'est quelqu'un d'important? Quand tu en as parlé, j'ai bien cru qu'il allait faire sous lui.

— C'est ce qui vient de m'arriver, alors tu aurais intérêt à le rappeler. Il va se faire encore plus de cheveux parce qu'il ne m'aura pas lavé et que si jamais je me plains à mon père, le chèque mensuel sera moins étoffé. Une des raisons qui les incitent à tout mettre en œuvre pour me garder en vie, c'est que je vaux un paquet d'argent, à leurs yeux. Si je meurs, fini les subsides.

— Ce que tu peux être drôle! À part un cinglé, personne n'irait payer pour mettre quelqu'un ici. Tu es le meilleur menteur que j'aie jamais rencontré. En fait, je crois bien que tu mens encore mieux que moi.

— Les meilleurs mensonges, mon cher enfant, sont ceux qui contiennent un élément de vérité. Et maintenant, dis à ce pauvre diable de revenir. C'est très inconfortable, sans parler de l'odeur.

Luka était allé prendre la bassine et avait dit que, plutôt que de rappeler cette vieille tante de frère Luigi, il s'en chargerait lui-même. Il avait ôté la robe de Giorgio. C'était la première fois qu'il le voyait nu.

Les jambes parcheminées n'étaient pas plus épaisses que celles d'un enfant de 3 ans, et la courbe anormale de la colonne vertébrale dessinait une bosse au niveau de l'épaule gauche. Il avait voulu se couvrir, mais sa tête avait roulé des coussins contre lesquels il était adossé. Il en aurait pleuré. Il avait été saisi de tremblements incontrôlables.

— Ô Seigneur, pourquoi m'as-tu fait ça?

Quand ses tremblements s'étaient enfin apaisés, Giorgio avait détourné la tête, incapable de regarder Luka en face.

— Je pue, excuse-moi.

Jusqu'alors, les seules personnes qui avaient vu ou touché son corps étaient des infirmières et des médecins, et il avait eu honte que Luka doive faire cela pour lui.

Ce dernier était furieux : les escarres de son ami étaient à vif, et, si jeune et inexpérimenté qu'il ait été, il en avait conclu qu'on ne s'occupait pas de Giorgio comme il convenait. Il avait farfouillé dans la boîte à pharmacie et en était revenu avec une pommade et du talc.

— Je vais juste tamponner, je vais y aller tout doucement pour ne pas te faire mal. Bon, appuie-toi sur moi, le temps que je te fasse les fesses. Oui, comme ça, c'est parfait.

Giorgio pouvait sentir, dans le cou de Luka, l'odeur du savon au phénol employé par toute la communauté. Il avait les yeux à hauteur de la ligne de crasse qui ceinturait la nuque de son ami, là où celui-ci avait oublié de se savonner. Il n'avait jamais éprouvé une telle bouffée d'émotions. La tête appuyée sur l'épaule de Luka, il avait été saisi d'une brutale impulsion et l'avait embrassé dans le cou. C'était la première fois qu'il embrassait quelqu'un.

— Je t'aime, Luka, avait-il confié dans un souffle.

L'autre l'avait pris dans ses bras pour effleurer le gros visage aplati d'étranges et enfantins baisers.

— J'avais encore jamais fait ça pour personne, alors sans doute que je t'aime moi aussi, espèce de con, avait-il dit dans un sourire.

Il avait fait passer une chemise de nuit propre par-dessus la grosse tête de Giorgio et en avait boutonné le devant.

Dans le jardin enténébré, Luka ne riait plus.

— Espèce de con ! Salopard ! Pourquoi m'as-tu laissé tomber ? sanglotait-il.

Giorgio avait nargué la mort pendant des années. Grâce à l'amitié de Luka, il s'était ménagé un sursis supplémentaire. Tragiquement, alors qu'il semblait devenir physiquement plus fort, ses problèmes cardiaques s'étaient mis à empirer. Il était à peine assez robuste pour subir l'opération nécessaire ; cependant, s'il n'était pas opéré, les médecins ne lui accordaient que quelques semaines à vivre. Instruit de ce dilemme, Luka avait hurlé que le cœur de son ami était en parfait état de marche, et Giorgio avait hurlé en retour que, de même que le reste de sa personne, son cœur était bien évidemment délabré.

— Comment ça ?

— Il y a un trou dedans.

— Ils peuvent réparer ça ?

— Pourquoi crois-tu que je passe sur le billard ? Tout est arrangé, Luka, et tu viens avec moi. Mon père me l'a promis. On va aller ensemble à Rome. Je voulais t'en faire la surprise.

À ces mots, il avait pris la tête de Giorgio entre ses mains pour lui couvrir le front et les joues de baisers de joie. Mais, la date du départ approchant, l'état de son ami s'était rapidement détérioré. L'ayant examiné, les médecins avaient annoncé à son père qu'il ne serait pas en état de voyager, encore moins de subir une opération.

Ils étaient deux enfants, mais l'un d'eux paraissait si vieux, si sage. Giorgio avait compris en voyant l'expression du dernier médecin à l'avoir examiné qu'il n'y aurait ni opération ni sursis supplémentaire. Il n'en avait rien dit à Luka, désireux qu'il était de mettre à profit le peu de temps qui lui restait pour préparer son ami à vivre sans lui. Il avait attendu que la cloche marquant la fin des cours tinte, et il l'avait aperçu arriver en courant par la fenêtre.

Luka s'était follement élancé vers le haut mur du jardin et, riant de sa propre folie, avait pris un élan qui lui avait fait passer l'obstacle de justesse. Sa force, sa santé, sa beauté à couper le souffle étaient aux yeux de l'infortuné Giorgio l'essence même de la vie. La cellule du malade baignait toujours dans une demi-obscurité, mais la limpidité de l'azur et l'éclat du soleil y étaient entrés en même temps que son ami.

200

Avec un juron, Luka avait envoyé ses cahiers voler à travers la pièce. Il était toujours parmi les derniers de la classe, et cet après-midi-là, son dernier après-midi, Giorgio l'avait menacé du doigt.

— Si tu n'apprends pas à lire, jamais tu ne sauras qu'il y a tout un monde qui t'attend au-dehors. Un monde tellement vaste et qui t'opprimera si tu restes un ignorant. Et tu ne feras jamais rien de bien.

Luka lui avait répondu en riant qu'il n'avait nul besoin d'acquérir des connaissances, qu'il pourrait toujours venir le consulter.

C'était le moment que Giorgio redoutait.

— Non, Luka, je ne serai pas toujours là.

— Déconne pas! Après Rome, tu galoperas à mes côtés.

D'une tape, Giorgio avait désigné le bord de son lit.

— Pose-toi ici, espèce de feignasse! Je vais te lire quelque chose. Non, ce n'est pas ton auteur préféré, le *signor* Anon.

Il faisait allusion à la fois où il avait demandé à Luka quel était son poète préféré. Celui-ci avait répondu le plus sérieusement du monde qu'un dénommé Anon écrivait les meilleurs trucs. Aussi avaient-ils rangé le *signor* Anonyme au nombre de leurs plaisanteries habituelles.

Pendant des heures, il avait écouté Giorgio lui lire des œuvres de Byron, telles que *La Fiancée d'Abydos, Le Corsaire* et *Lara;* ils étaient même venus à bout du *Siège de Corinthe* et avaient pleuré ensemble à la lecture de *Werner,* bien que Luka n'ait pas été en mesure d'apprécier pleinement l'élégance et la beauté de ces vers. Il était allé jusqu'à affirmer d'un ton chagrin que si son ami lisait Byron, c'était uniquement parce qu'il s'agissait également d'un infirme.

Giorgio avait ouvert un volume peu épais à reliure de peau. Mais avant qu'il ait pu entamer la lecture du *Don Juan* de Byron, frère Luigi avait frappé à la porte et fait entrer son père. Pour lui, cette présence ne pouvait signifier qu'une seule chose : il lui restait moins de temps qu'il ne l'avait espéré.

On avait demandé à Luka de se retirer, mais il ne s'en était pas inquiété, pensant que le père de son ami était venu régler les derniers détails de ce voyage à Rome tant attendu. Remarquant son air joyeux, Giorgio lui avait lancé, comme il passait la porte :

— Ce soir, lis donc Rupert Brooke !

À la surprise et pour la plus grande gêne du vieux frère Luigi, Luka avait déclaré à pleine voix :

— Brooke était une tante.

Et de détaler dans le couloir pour ne pas se faire attraper.

Allongé sur le dos, Giorgio s'étranglait de rire. Ignorant son père, il avait dit à frère Luigi :

— Pardonnez mon incorrigible ami. En fait, c'est Edmund Spenser qui a écrit *Faerie Queene*[1].

Épuisé, sa face de lune luisant de transpiration, il avait fermé les yeux. Il n'avait rien à dire à son père, pas plus qu'au peu ragoûtant frère Luigi, avec son odeur de moisi et de naphtaline et son chapelet qui ne cessait de cliqueter. Leur seule présence suffisait à le fatiguer, et il était trop épuisé pour seulement parler.

Tout ce que Giorgio souhaitait était qu'on le laisse en paix. Dans l'espoir de chasser les deux hommes, il avait lâché un long pet des plus sonores, un vent qu'il savait que son ami aurait applaudi. Son espoir n'avait pas été déçu.

Un peu plus tard dans l'après-midi, Luka était reparu, avide de nouvelles. L'état de Giorgio l'avait aussitôt alarmé. Ce dernier avait tendu le bras en un geste qui semblait lui demander beaucoup d'effort.

L'autre avait tendrement pris la petite main molle et demandé à voix basse :

— Qu'est-ce qui t'arrive ?

— Je suis en train de mourir, Luka, je suis désolé.

Les deux garçons qui avaient blasphémé le nom de la

---

1. *La Reine des fées.* En anglais, *fairy* signifie « tante », « folle ». *(N.d.T.)*

Vierge Marie, qui, dans la chapelle du monastère, s'étaient délectés à faire des bras d'honneur à la représentation du Christ sur la croix, leur avaient alors adressé la plus fervente des prières, non pas agenouillés mais dans les bras l'un de l'autre. La main de Luka reposait légèrement sur le pauvre corps de son unique ami. Il entendait les battements de ce cœur si fragile, dont il ne doutait pas qu'on allait le réparer. Il avait donné sa parole que rien ne les séparerait jamais. Il était certain que, touché par la ferveur de leurs prières, Dieu aurait un geste. Il leur accorderait un temps infini, et ils demeureraient toujours ensemble. Giorgio était mort dans la nuit.

Un mois plus tard, le père de Giorgio avait emmené Luka en Amérique. Il avait emporté avec lui le recueil des œuvres complètes de George Byron, ayant appartenu à son ami, mais jamais plus il n'avait lu un vers de poésie.

Des années après, Luka était revenu en Sicile et avait veillé à ce que Carlo Luciano et son petit frère, Nunzio, se tinssent embrassés dans la mort. Ainsi, jamais les petits garçons endormis ne connaîtraient l'horreur de se trouver face à deux yeux grands ouverts et inertes, de toucher des doigts glacés et sans vie. Ils demeureraient à jamais réunis.

Guido avait été réveillé par le rire aigu de Luka. Il était allé jusqu'au bout de la cour, mais n'avait pas osé en passer le portillon. Il était resté là un long moment, puis il avait regagné sa cellule.

À 5 heures du matin, il traversa une nouvelle fois la cour. Luka se trouvait toujours dans le potager. Il était à quatre pattes en train de tasser la terre. Guido poursuivit son chemin en direction des cuisines. Sur le point d'y entrer, il s'immobilisa. Le couvercle d'une des poubelles était posé de travers. Dans la chaleur du jour, des nuages de mouches allaient s'y abattre. Il prit le couvercle pour le remettre en place. C'est alors qu'il vit les journaux déchirés. Il les emporta dans sa cellule.

La disparition de certains articles ne fut pas sans lui causer quelque frustration. Il lut néanmoins tout ce qu'il y avait à lire, puis il alla redéposer les journaux dans leur poubelle. Il vit que Luka s'activait toujours dans son potager, et, sous le prétexte d'y apporter des draps propres, il se rendit dans la cellule du jeune homme.

Il mena une fouille rapide. Il était peu d'endroits où l'on pouvait cacher quelque chose, aussi ne tarda-t-il pas à mettre la main sur les articles manquants. Il les parcourut rapidement et les remit aussitôt en place. Lorsque Luka entra, il avait les draps propres à la main et s'apprêtait à défaire le lit.

— Ah! te voilà... fit Guido avec un rougissement coupable. Je t'apportais des draps.

— Merci. Je peux changer mon lit moi-même. Je sais où se trouve la buanderie. Inutile de...

— Oui, mais tu es un peu comme un invité, ici. C'est pourquoi j'insiste.

Il souleva le matelas pour dégager le drap. Il ne vit pas le coffret renfermant le pistolet. Luka, lui, en aperçut un coin. D'un geste prompt, il saisit fermement le poignet du moine.

— S'il te plaît, sors d'ici.

Tout tremblant, Guido plongea son regard dans ses yeux bleus étincelants. Il était comme fasciné. Lentement, Luka desserra sa prise.

— Je suis désolé, dit le religieux en se massant vigoureusement l'avant-bras. Je ne voulais pas être importun. Pardonne-moi.

L'autre le fixa jusqu'à ce qu'il ait refermé la porte sur lui. Il attendit quelques instants. Puis, en deux enjambées, il gagna le lit et jeta le matelas à terre. Il devait trouver une autre cachette, et vite.

La chapelle était ténébreuse. Luka se faufila sans peine entre les rangées de bancs usés. Il gagna l'autel et, après un regard circulaire, s'engagea dans la crypte.

La croix mesurait trois mètres de haut et trente bons centimètres d'épaisseur. Elle était fixée à la muraille par deux forts tasseaux en bois. Il y grimpa avec agilité et glissa le coffret dans sa nouvelle cache. Il se laissait glisser à terre lorsque la porte s'ouvrit en grinçant. Il y eut un cri étouffé, suivi d'un bruit de pas précipités.

Frère Luigi courut en tous sens, percutant le mur de plein fouet, avant d'atteindre enfin la porte du couloir. Agitant frénétiquement les bras, il se précipitait à la recherche du père Angelo.

— Le Christ est ressuscité...

Entre ses accès de sanglots nerveux et de prière extatique, il affirmait avoir vu la silhouette du Christ bouger au fond de la crypte. Nul ne le prit au sérieux, car il était coutumier de telles hallucinations. N'avait-il pas, la dernière fois, soutenu avoir vu un cirque dans la cour?

L'état de frère Luigi fournit à Luka un excellent prétexte pour ne pas aller à confesse. Il avait eu de la chance, même s'il était persuadé que celle-ci était en train de tourner. De retour dans sa cellule, il sortit les coupures de journaux et vit immédiatement que quelqu'un y avait touché.

La colère inspirée par cette découverte laissa place à l'incrédulité lorsqu'il lut un des articles et en vérifia la date. Le titre en était : UNE LACUNE JURIDIQUE PROVOQUE UN TUMULTE DANS LE PRÉTOIRE.

À Palerme, pendant des heures, le téléphone d'Emanuel n'avait cessé de sonner. Dans un état proche de l'épuisement, il fit signe à son assistant de répondre, tandis qu'il poursuivait son entretien avec deux magistrats de l'accusation.

— Ce qui se passe est complètement insensé... de la folie pure. Le juge va sûrement s'asseoir dessus.

Le docteur Inzerillo faisait son possible pour calmer le procureur.

— Il n'en a pas le pouvoir. Il lui faut d'abord l'accord du gouvernement. Mais les autorités ne resteront pas sans réagir, croyez-moi.

— Bon sang, et cela va durer combien de temps?

— Le temps qu'il faut au gouvernement pour prendre une décision...

Emanuel avait envie de pleurer. Tout à coup, il bondit sur ses pieds. •

— Est-ce que la presse s'en est emparée ? Est-ce que ça va sortir ?

Inzerillo hocha la tête.

— Vous parlez, ils ont jailli du tribunal avant même que l'avocat de la défense ait fini de parler. Ça passera ce soir au journal télévisé. Où allez-vous ?

— Il y a quelqu'un que je dois mettre au courant. La veuve Luciano.

Graziella venait de rentrer des funérailles de Mario Domino. Par conséquent, elle ne s'était pas rendue au tribunal cet après-midi-là et n'avait pas non plus lu les journaux.

Emanuel rajusta sa cravate, se regarda dans le rétroviseur pour voir s'il était bien coiffé, puis il s'engagea dans la longue allée de la villa Rivera. Il se sentait nauséeux.

Graziella lui proposa un verre de vin qu'il refusa. Il semblait incapable de tenir en place et n'arrêtait pas de s'agiter sur sa chaise. Il avait sorti son stylo et en tapotait la surface encaustiquée de la table de la salle à manger.

— *Signora*, je tenais à vous voir en personne pour vous annoncer que... il y a eu du nouveau, aujourd'hui, au tribunal. (Il porta une nouvelle fois la main à son nœud de cravate et prit une profonde inspiration.) J'ignore si vous étiez au courant, mais la loi italienne prévoit qu'un homme ne peut être maintenu plus de dix-huit mois en détention préventive. Comme vous le savez, l'instruction a été très longue : des centaines de personnes ont été inculpées, certaines à titre individuel, d'autres collectivement. La loi prévoit que tout prisonnier peut exiger, avant que la sentence ne soit rendue, que la cour donne lecture de toutes les dépositions et de tous les chefs d'accusation. C'est ce que les avocats ont demandé aujourd'hui. Est-ce que vous me suivez ?

— Oui. J'ai fait du droit avant mon mariage. Êtes-vous au courant pour Mario Domino ?

206

— Attendez, *signora*, laissez-moi terminer. Pardonnez-moi, mais je dois repartir au plus vite. La plupart des inculpés sont détenus depuis longtemps. Ainsi, Paul Carolla est en prison depuis plus de seize mois.

Graziella l'interrompit d'une voix altérée, les yeux agrandis par la peur.

— Combien de temps cela va-t-il prendre de lire toutes les dépositions?

Emanuel s'humecta les lèvres.

— Au bas mot, plus d'un an et demi. Si la loi reste inchangée, la plupart des détenus devront être relâchés.

— Paul Carolla?

— Oui, *signora*, Paul Carolla serait libéré.

Graziella se laissa aller contre son dossier et leva les mains en signe d'incrédulité.

— C'est la raison de ma visite, poursuivit Emanuel. Je voulais vous assurer que nous faisons tout notre possible. Cependant, le juge ne peut rejeter cette requête. La question va être soumise au gouvernement. Ce sera aux autorités de trancher. Je suis certain, tout à fait certain, *signora*, que ce sera le déboutement. En attendant, le procès va se poursuivre comme si rien n'était.

Graziella se leva. Sa maîtrise de soi imposait le respect.

— Oui, je sais comment procède le gouvernement... Je vous remercie d'avoir eu la délicatesse de venir m'annoncer cela personnellement. Vous avez fort à faire, c'est pourquoi je ne vous retiens pas plus longtemps...

Adina se précipita dès qu'elle entendit des voix dans l'entrée, mais sa maîtresse raccompagnait elle-même le magistrat. Il s'excusait encore lorsque la porte se referma.

Graziella fit signe à la servante de la suivre.

— Je dois contacter mes belles-filles. Il faut qu'elles reviennent immédiatement. (Son visage était un masque cireux.) Paul Carolla va être libéré.

Carolla s'entretenait par téléphone avec son visiteur, assis de l'autre côté de l'épaisse vitre blindée.

— Je vais être relâché. C'est tout ce qu'il y a de légal. Ils peuvent rien contre ça. Plus que deux mois à tirer. Mes bavards ont mérité le putain de fric que je leur allonge. J'aurais voulu que tu voies ce bordel, dans le tribunal.

Enrico Dante souriait mécaniquement. Il avait été chargé par Carolla de gérer les affaires, de s'occuper des contrats et des transferts de fonds. Certain que son patron ne serait jamais libéré, il avait détourné d'énormes sommes. Il allait devoir fournir des explications.

— Oh! Ça va pas? Qu'est-ce qu'il y a?

La voix de Dante était une octave plus haut que d'ordinaire.

— Rien, Paul, rien du tout. C'est une excellente nouvelle, ça nous change des légers embêtements qu'on a par ailleurs...

L'expression de Carolla changea. Ses petits yeux de rat se durcirent.

— Ça ne se passe pas comme prévu? T'as des problèmes?

— Non, non, tout suit son cours, seulement va y avoir un peu de retard. L'avocat, là, l'exécuteur testamentaire des Luciano, il est mort.

— Bordel, qui l'a descendu?

— C'est le cœur qui a lâché. On ne peut rien faire tant qu'il n'aura pas été remplacé. On a les actes mais pas les signatures. Domino était d'accord sur les montants, mais rien n'est signé, rien n'est conclu. Nous étions les premiers sur le coup, mais maintenant, les autres familles vont se mettre de la partie.

— J'étais le premier, tu veux dire. Ça fait des années que je grignote le territoire de Luciano, et il s'en est jamais aperçu. Combien de temps avant que les choses soient réglées?

— J'en sais rien.

— Renseigne-toi. Je veux le port, les docks. Les autres

conneries ne m'intéressent pas. Occupe-toi de ça. Au besoin, tu offres un peu plus, c'est compris? À part ça, tout baigne?

— Aucun problème.

— Parfait. Autre chose : un flic du nom de Pirelli, ça te dit quelque chose?

Dante plissa les paupières et se tamponna la nuque avec son mouchoir.

— Pirelli? Jamais entendu parler.

— Ce type insiste pour me voir, il veut m'interroger au sujet du petit Paluso... Tu sais, ce gosse qui s'est fait buter, le fils de l'agent de nettoyage de la prison. Comment se fait-il que j'aie plus de renseignements dans cette taule de merde que toi dehors?

— Je rentre de Rome à l'instant.

Sous le regard scrutateur de Carolla, Dante avait du mal à cacher son embarras.

— Bon, ça va. Tant que tu fous pas mon fric en l'air, t'auras pas d'emmerdes.

Il reculait sa chaise pour se lever, mais l'autre lui dit sèchement qu'il n'avait pas fini.

— Mon fils, Luka, est-ce qu'il est bien reparti pour les States?

— J'ai pas eu de nouvelles, reconnut Dante.

Carolla donna un grand coup de poing dans la vitre de séparation.

— Renseigne-toi! Je veux pas l'avoir à traîner dans le coin. Je vais être libéré, tu saisis? Alors renseigne-toi, et en vitesse.

Le commissaire Joseph Pirelli avait interrogé à nouveau chaque suspect, vérifié chaque déposition, et tout ce qu'il avait obtenu jusqu'à présent, après interrogatoire de l'unique témoin du meurtre du petit Julio Paluso, était que le chauffeur de la voiture non identifiée était peut-être jeune, peut-être blond, et portait peut-être des lunettes de soleil antireflets. C'était pour cette raison que le témoin n'avait pas vu son visage...

Pirelli n'avait pas encore réussi à voir Carolla dans sa

prison. Mais compte tenu de sa possible libération, il avait fait preuve d'insistance et avait été récompensé par une entrevue à 6 heures du soir, en présence de l'avocat du détenu.

La rencontre eut lieu dans une salle spéciale, sous la surveillance de deux gardiens. Carolla était déjà assis lorsque Pirelli entra.

D'un signe de tête, le policier salua maître Ulliano, avocat de Carolla, qui fit aussitôt une brève déclaration expliquant que son client avait déjà collaboré, faisant preuve de la meilleure volonté possible en ce qui concernait une affaire avec laquelle il n'avait à l'évidence rien à voir, puisqu'il était déjà incarcéré au moment des faits.

Pirelli alluma une cigarette et jeta son allumette dans le cendrier.

— J'ai parfaitement conscience de cet aspect des choses. Nous disposons cependant d'éléments nouveaux qui pourraient impliquer le *signor* Carolla. Nous avons maintenant une assez bonne description du tueur.

Il remarqua le regard que le détenu lançait à son avocat. Il poursuivit.

— Vous avez déclaré que Giuseppe Paluso est venu faire le ménage de votre cellule. Vous lui avez demandé de porter un message à l'extérieur, est-ce exact ? Sachant que la loi l'interdit.

Carolla fit la moue.

— Écoutez, vous avez ma déposition. J'y ai reconnu que je voulais que ce type transmette un message...

— Rien qu'un ? Ou bien comptiez-vous que Paluso accepte de le faire de façon régulière ?

L'autre se pencha en avant pour s'accouder sur ses genoux.

— Vous avez lu ma déposition : tout y est noté noir sur blanc. Je voulais faire parvenir un message à mon associé. Rien de plus.

— Et quand Paluso vous a opposé un refus ?...

Carolla écarta les mains en riant. Ses doigts étaient potelés.

— Je reconnais que ça m'a mis en rogne. J'ai eu quelques mots, peut-être quelques paroles de menace. C'est la prison qui vous rend comme ça.

— Vous l'avez donc menacé? (Pirelli feuilleta la déposition de Carolla puis se munit d'un bloc-notes.) *Tu as une famille. Tu as une femme. Tu as un...* Est-il nécessaire que je poursuive? Vous reconnaissez avoir proféré ces menaces?

Le détenu haussa les épaules et jeta un nouveau coup d'œil à son avocat.

— Comme je l'ai dit, j'étais en rogne et il se peut que j'aie dit certaines choses, mais je ne me rappelle pas quoi.

— Vous ne vous rappelez pas, fit Pirelli d'une voix très douce. Vous avez proféré des menaces contre la femme de cet homme, contre sa famille, et deux jours plus tard, son fils de 9 ans, de *9 ans, signor* Carolla, a été abattu à bout portant. La balle lui a fracassé le crâne. Vous avez vu les photos?

Il fit glisser sur la table l'image du petit cadavre, mais l'autre détourna la tête.

— Qu'est-ce que c'est que ce bordel? fit-il à l'adresse de son avocat. Je veux qu'on me ramène à ma cellule.

— C'est moi qui déciderai de la fin de cette entrevue, *signor* Carolla. Donc vous le menacez et, deux jours plus tard...

— J'ai rien à voir avec ce putain de môme. Vous savez comment ça se passe, pour moi, dans cette taule de merde, depuis que c'est arrivé? Je peux pas aller prendre une douche sans tomber sur un connard qui veut me trancher la gorge. Même chose au réfectoire...

— Vous prétendez qu'il s'agit d'une pure coïncidence? Nous avons les enregistrements de toutes vos conversations au parloir... Vous est-il arrivé de parler à un de vos visiteurs de votre, disons... différend avec Paluso?

Carolla bondit de sa chaise.

— J'en ai jusque-là de vos conneries. Si vous avez réellement un témoin et un suspect, alors vous savez que je suis innocent. J'ai un alibi, et vous n'y pouvez rien, ni vous ni qui que ce soit. Amenez-le, votre témoin. En attendant, allez vous faire foutre.

Pirelli ramassa posément ses documents.

— Merci de m'avoir accordé un peu de votre temps, *signor* Carolla. J'aurai sûrement besoin de vous interroger à nouveau dans un proche avenir.

Il demeura un moment sur place après que le détenu eut été ramené à sa cellule. Il n'avait rien obtenu de nouveau, sinon l'intime conviction que cet homme avait bien ordonné l'assassinat du jeune garçon. Il ne disposait pas d'enregistrements de ses conversations au parloir. Mais il allait éplucher la liste des visites qu'il avait reçues depuis le jour de son arrestation.

La paranoïa de Carolla avait monté d'un cran. Seul dans sa cellule, il se repassa mentalement tout ce que Pirelli avait dit. Vint le moment où il se figura le visage de son fils sur le mur, et il se mit à marteler le béton jusqu'à se mettre les poings en sang. Puis il alla donner de grands coups dans la porte. Il fallait qu'il passe un coup de téléphone.

C'est hors d'haleine que Teresa atteignit la porte de son appartement. L'ascenseur était une fois de plus en dérangement et tout donnait à penser que les plaintes réitérées des occupants de l'immeuble n'y changeraient jamais rien. Serrant sous son bras un sac de victuailles, elle chercha vainement ses clefs, puis, du coude, écrasa la sonnette.

Après avoir appuyé un bon moment, elle posa ses courses sur le paillasson et plongea le nez dans son sac à main. C'est alors que la porte s'ouvrit sur Rosa, la tête enveloppée d'une serviette.

— Tu ne m'as pas entendue sonner?

— Je me lavais les cheveux.

Teresa entra et referma la porte d'un coup de talon. Sa

fille ne fit rien pour la soulager de son fardeau et regagna directement la salle de bains.

Elle faillit ne pas remarquer le télégramme. Elle posa ses sacs et déchira le bord de l'enveloppe.

— Rosa! Rosa! Ça y est! Un télégramme de Graziella! Tiens, regarde... Il faut que nous retournions à Palerme par le premier avion. Seigneur Dieu! (Bouche bée, elle fixait sa fille avec de grands yeux effarés.) Qu'est-ce que tu as fait? Seigneur, qu'est-ce que tu as fait?

Rosa recula. Elle s'était coupé les cheveux, les avait tailladés en tous sens. Ils étaient presque ras au sommet du crâne. Pire encore, elle se les était teints — du moins partiellement — en orange.

Elle se passa la main sur la tête.

— Je les ai coupés.

— Ça se voit! Mais pourquoi?

Rosa haussa les épaules. Elle avait pris soin de rester à bonne distance de sa mère. Celle-ci agita le télégramme dans sa direction.

— Nous allons en Sicile, il faut que nous allions à Palerme, et toi, *tu viens de te couper les cheveux*!

Elle tourna les talons et s'élança dans le couloir.

— Maman? Où est-ce que tu vas?

— Je vais te chercher une perruque, pardi! Si jamais *mamma* te voyait dans cet état... Seigneur, qu'est-ce qui t'a pris? Comment as-tu pu me faire ça?

— Mais enfin, maman, ce sont *mes* cheveux.

— Tu es *ma* fille! Tu es la petite-fille de Graziella. Qu'est-ce qu'elle va penser? Va immédiatement faire tes bagages.

Teresa ressortit en claquant la porte derrière elle. Rosa ramassa le télégramme. Il était laconique : VENEZ PALERME D'URGENCE. PREMIER AVION. GRAZIELLA LUCIANO.

Graziella appela son autre belle-fille à Rome. Sophia la trouva très distante et fort peu loquace. Il fallait qu'elle vienne dès le lendemain à la villa Rivera. L'échange se borna à cela.

Paul Carolla dut attendre deux heures et demie avant de pouvoir téléphoner à Enrico Dante. Sans apporter d'éclaircissements à celui-ci, il lui ordonna de revenir le plus rapidement possible.

Pirelli occupait un appartement de location dans le centre de Palerme. Les vastes pièces étaient parcimonieusement meublées d'antiquités baroques aux lignes massives. Au moins le sol de mosaïque avait-il le mérite d'être frais sous ses pieds nus.

Il s'affaira un moment dans la cuisine, se préparant une tasse de café et un sandwich, puis il emporta le tout sur l'énorme table ovale de la gigantesque salle à manger. L'étui de son holster était vide. Saisi de dégoût pour les taches de transpiration qui cernaient ses aisselles, il ôta sa chemise et la jeta dans un coin. Il était robuste et bien bâti. Il ne paraissait pas ses 41 ans, même si ce soir-là, fatigué et les yeux douloureux, il se sentait beaucoup plus vieux. Avant d'aller dormir, il tenait néanmoins à étudier la liste des personnes ayant rendu visite à Carolla au cours des seize derniers mois. Plus vite avancerait l'affaire Paluso, plus vite il rentrerait à Milan. Sa femme ne lui adressait pratiquement plus la parole depuis qu'il avait annulé leurs vacances. Il lui avait bien suggéré de partir seule avec leur fils, mais elle avait hurlé que tout l'intérêt de ces satanées vacances était qu'ils les passent ensemble. Il consulta sa montre : il était minuit passé, et il avait, comme toujours, oublié de l'appeler. Il le ferait à la première heure le lendemain matin.

Il commença à lire la liste par la fin : les visites effectuées à la période du meurtre étaient à l'évidence les plus importantes. Il ne tarderait pas à découvrir si les mêmes noms réapparaissaient au fil des mois.

Luka Carolla contempla les impeccables rangées de rames de bambous. Son travail était terminé. Cependant, ce qu'il en avait attendu — une forme d'apaisement, peut-être — n'était pas venu.

Il regagna sa cellule et prépara son menu bagage, y ajoutant au dernier moment sa robe et ses sandales. Il était prêt à partir, mais il lui fallait d'abord se rendre à la chapelle.

C'est le cœur battant qu'il s'engagea à pas de loup dans le couloir. L'angoisse, cette zone d'ombre dont avait parlé le père Angelo l'oppressait.

Les craquements de la lourde porte en chêne le firent grimacer. Mais le silence était aussi profond que l'obscurité. Il posa son sac à terre et remonta la nef sans bruit.

Un mince rayon de lune éclairait la crypte. Sur la grande croix, le Christ luisait faiblement, et ses plaies étaient creusées d'ombre par la lumière rasante. Luka s'en approcha. Ses cheveux pâles formaient comme un halo autour de sa tête, et son profil ciselé paraissait celui d'un ange. L'angoisse le submergea. Ses pieds étaient de plomb et chaque pas lui coûtait un effort. Il ne pouvait avancer, escalader la croix comme il l'avait fait. Il ne pouvait plus bouger...

Caché sur la droite de la croix derrière un paravent chantourné, frère Guido osait à peine respirer. Il priait lorsque Luka était entré dans la chapelle. Un réflexe l'avait fait se baisser, et il épiait maintenant comme un voleur à travers les découpes du panneau. La beauté du garçon avait quelque chose d'éthéré. Il se tenait la tête légèrement inclinée de côté, le corps droit, aussi immobile qu'une statue, et Guido n'osait faire un mouvement.

Ce fut à peine audible. Un gémissement ou une inspiration un peu sonore. Le moine réalisa qu'il s'agissait d'un mot. Luka soufflait « non », et le répétait comme en proie à une terrible souffrance. L'autre ne put endurer cela un instant de plus. Il se releva.

Par la suite, il ne parvint pas à se rappeler s'il avait effectivement prononcé le nom de Luka, mais celui-ci réagit comme sous l'effet d'une décharge électrique. Il gronda en retroussant les lèvres. Son visage se tordit et il feula, crachant comme un chat... Il recula vers une zone d'ombre.

Puis il parla, et Guido en eut les sangs glacés.

— Je sais ce que tu es, et je sais ce que tu cherches. Mais ne compte pas sur moi, espèce de sale pédé.

La porte s'ouvrit et se referma. Le religieux sentait son corps le brûler, et son visage ruisselait de larmes. Il se jeta à plat ventre au pied de la croix.

Enrico Dante réfléchissait à la façon dont il allait s'y prendre pour retrouver la trace de Luka, lorsque celui-ci fit irruption dans son bureau. Il portait ses lunettes anti-reflets et souriait comme s'il était attendu.

— Bon sang, mais qu'est-ce que tu fous à Palerme?

— J'ai lu les journaux. Il va être libéré.

— S'ils te trouvent, ça risque pas. Tu sautes dans le premier avion. Ils ont mis un nouveau gars sur le meurtre du petit Paluso, et paraîtrait qu'il a un témoin.

— Il me faut de l'argent. Je suis fauché.

Dante sortit son trousseau de clefs et se dirigea vers son coffre.

— Tu fous le camp, c'est compris? Si jamais ton père apprend que tu traînes dans le coin, il va devenir fou furieux. Tiens, pour ton billet et tes frais.

— C'est pas suffisant.

— Prends ce qu'on te donne et estime-toi heureux.

— Et s'il a besoin de moi?

— Il n'a pas besoin de toi. Il veut te savoir le plus loin possible de l'endroit où il se trouve.

Luka contourna le bureau.

— Tu me prends pour un pauvre cave, c'est ça, hein? Je suis son fils, tu entends? Son fils!

Au lieu de gifler — comme il en avait envie — ce visage narquois, Dante posa une nouvelle liasse de deux cents dollars sur le meuble.

— Essaie de grandir un peu, connard. Tu n'impressionnes personne. Tu dois comprendre un truc : si les flics n'arrivent à rien et font monter la pression sur lui, Carolla aura besoin de quelque chose à leur donner en échange, comme le nom de celui qui a buté le môme. Alors ne viens pas rouler des mécaniques. T'as encore du lait qui te coule du nez. Prends ton fric et casse-toi. Tu te tires, c'est compris? Qu'on t'oublie un peu.

Luka avait la mine contrite d'un enfant de 10 ans. Il battit rapidement des paupières pour ne pas pleurer.

Dante pressa une touche de son Interphone et demanda à un de ses hommes de venir.

— Veille à ce que le gosse prenne un avion, dit-il en le désignant du menton.

Pirelli entra en trombe dans son bureau. Sous l'effet de la surprise, Bruno di Mazzo, son jeune adjoint, bondit sur sa chaise. Mais Pirelli était trop excité pour le remarquer.

— Nous avons un suspect, et qui correspond au signalement fourni par notre témoin. Il est venu voir Carolla en prison à deux reprises. Lunettes antireflets, blond, dans les 25 ans. Il a dû montrer son passeport pour obtenir un droit de visite.

L'inspecteur en était bouche bée. L'autre rayonnait.

— Notre suspect n'est autre que le propre fils de Paul Carolla.

10

Luka était assis dans la salle d'attente. Son avion partait dans une vingtaine de minutes. L'hôtesse s'installa pour commencer l'embarquement. Il se joignit à la file des voyageurs.

Qu'est-ce qui l'attendait à New York? Où irait-il? Il ne savait même pas si son ancien appartement était encore disponible. Il lui restait quelques traveller's chèques, plus l'argent que lui avait remis Dante, mais cela ne le mènerait pas loin.

Il y avait bien le coffre de son père, mais il écarta cette solution comme étant trop difficile. Par association d'idées, il repensa à celui du bureau de Dante. Il était plein de billets, dont la plus grosse partie appartenait sans aucun doute à Paul Carolla. Cependant, l'autre ne lui avait donné que quelques misérables centaines de dollars. Que se passerait-il si son père avait décidé de lui couper les vivres et de ne plus lui parler?

Il pivota pour voir si l'homme de Dante montait toujours la garde. Non, il était parti.

— Votre billet, s'il vous plaît, fit l'hôtesse.

Luka amorça machinalement le geste attendu. Puis il se ravisa, tourna les talons et s'en fut.

Il héla un taxi à l'extérieur du terminal et se fit déposer devant un supermarché des faubourgs de Palerme. Puis il prit un second taxi qui l'arrêta devant un petit garage où il loua une Fiat usagée. Il gagna le quartier le plus misérable de la ville et réserva une chambre dans un hôtel bon marché. Il portait toujours son chapeau de paille et ses lunettes antireflets. Il saisit le stylo pour noter son nom sur le registre, balança un instant, puis écrivit *Johnny Moreno*.

La chambre sentait le renfermé et la sueur, les draps étaient froissés, le plancher partiellement recouvert d'un tapis usé jusqu'à la corde et maculé de taches.

Il accrocha ses affaires à des cintres en fil de fer et rangea sa robe de moine dans un tiroir. Puis il se posta devant le lavabo craquelé. La chambre ne comportait ni douche ni toilettes. Il sortit du sac du supermarché deux boîtes de teinture pour les cheveux, lut attentivement le mode d'emploi, puis dilua la poudre dans le verre à dents en plastique. Torse nu, il enfila des gants en caoutchouc et appliqua précautionneusement le produit. Puis il s'assit sur le lit et attendit les vingt minutes nécessaires pour que la teinte prenne.

Johnny Moreno avait été le chauffeur de son père. Un peu plus âgé que Luka, il avait été tué lors d'une bagarre dans un bar. De tous les hommes travaillant pour Carolla, c'était un des rares pour lequel il avait eu quelque affection. Il lui avait appris à se servir d'un pistolet. Il l'emmenait avec lui chez les armuriers et dans les clubs de tir. Les armes à feu étaient devenues l'obsession de Luka ; il s'était procuré tous les magazines spécialisés dans ce domaine. Puis il avait lui-même commencé à acheter des armes et s'était peu à peu constitué un véritable arsenal. Il avait également fait l'acquisition d'une fraise de dentiste afin de modifier ses balles.

Il s'était mis en tête de faire partie des gardes du corps qui entouraient son père jour et nuit. Cela faisait sourire Carolla, jusqu'au jour où il avait découvert la réserve de Luka. Il avait bondi au plafond. D'une part, il n'avait pas de permis ; d'autre part, n'importe laquelle de ces armes pouvait permettre de remonter jusqu'à lui. Il avait ordonné à un de ses hommes de s'en débarrasser.

Ensuite, le garçon s'était mis à hanter les magasins spécialisés dans les arts martiaux. Il avait, entre autres,

220

fait l'achat d'un petit couteau de lancer à lame très affilée. Il passait des heures à s'entraîner. Il avait cousu à l'intérieur de la manche de sa chemise une bande de tissu dans laquelle il glissait l'arme. S'il faisait certain mouvement de l'avant-bras, le stylet glissait le long de son bras jusque dans son poing. Carolla le surprenait fréquemment en train de s'entraîner devant un grand miroir.

À l'aide d'une planche anatomique grandeur nature, Luka avait étudié les parties de l'organisme les plus vulnérables. Il se construisait de petits scénarios dans lesquels il attaquait cette représentation du corps humain, fixée au mur de sa chambre. Cela mettait son père en rage ; il le menaçait de confisquer le couteau. La première de leurs terribles disputes remontait à cette époque.

Elles étaient devenues de plus en plus fréquentes. C'était en vain que Carolla s'efforçait de comprendre son fils. Il n'avait pas d'amis et ne se souciait apparemment pas de s'en faire. Il ne manifestait aucune inclination naturelle pour le sexe opposé ; les femmes étaient pour lui comme une espèce inconnue. Mais Carolla n'avait ni le temps ni la patience de décrypter ses complexes. Quoique fort riche et en plein essor, il connaissait à cette époque de sa vie d'énormes soucis.

Le FBI et la Drug Enforcement Agency, services américains de lutte antidrogue, mettaient la pression. Le procureur local, nouvellement nommé, avait décidé de le coincer, et il savait que les preuves contre lui commençaient à s'accumuler. Pour aggraver encore les choses, Lenny Cavataio venait d'être retrouvé et extradé vers la Sicile.

Lorsque, six mois plus tard, son père avait pris la fuite, Luka avait réussi à le persuader de l'emmener avec lui. Voyageant ensemble avec de faux passeports et sous des noms d'emprunt, ils avaient gagné la Sicile *via* Londres et Amsterdam. Lorsqu'ils étaient arrivés, des mandats d'arrêt avaient tout juste été délivrés contre Carolla aux États-Unis.

Lenny Cavataio était détenu sous surveillance renforcée à Palerme. Venu avec pour objectif essentiel de le réduire au silence, Carolla avait mis le pied dans le plus important coup de filet de l'histoire de la lutte contre la Mafia.

En compagnie de Luka et de deux de ses gardes du corps, il avait gagné la montagne. L'étau se resserrait rapidement, mais grâce à ses contacts à travers le pays, il avait pu conserver de l'avance sur la police et se préparer à passer au Brésil.

Son attitude envers son fils avait radicalement changé : calme, réfléchi, il se trouvait constamment à ses côtés, et le fait qu'il ne manifestait aucune nervosité — bien au contraire — l'impressionnait beaucoup.

Jamais le garçon ne s'était senti aussi important; il avait le sentiment de jouer un rôle écrit pour lui, celui du professionnel. Rien ne lui échappait. Il observait, écoutait, et par-dessus tout, mémorisait noms et visages, surtout lorsqu'il s'agissait de personnages haut placés dans l'organisation. Il était impératif qu'il ne commette aucune erreur, qu'il n'outrepasse jamais le rôle qu'il jouait, celui du fils de l'homme le plus recherché de Sicile. Pendant des années, il s'était secrètement entraîné, de façon à être prêt à tuer pour la toute première fois sans le moindre tressaillement d'émotion. Il devait prouver sa valeur et sa compétence à son père.

Inconsciemment, Luka commença à se balancer d'avant en arrière avec de petites oscillations rigides. Il se rappelait comment il s'était imposé à lui, comment il lui avait prouvé qu'il était un professionnel, ne laissant derrière lui aucun indice sur son identité. Il avait appris plus rapidement que son père ne se l'était imaginé, et il avait ridiculisé les minables qui riaient derrière son dos. Ils s'étaient fait prendre, pas lui. C'étaient eux les amateurs. À présent, Paul Carolla verrait combien il était difficile de se débarrasser de lui.

Luka était si profondément absorbé dans ses pensées qu'il avait perdu la notion du temps. La teinture dégoulinait le long de sa nuque. Il regarda sa montre : encore cinq minutes. Il se tourna vers le miroir fêlé et essuya lentement les traînées de couleur, puis regarda les taches marron foncé qui marquaient ses doigts et la serviette. Il fit couler de l'eau froide et regarda le produit courir en rigoles dans le lavabo. Après tout ce qu'il avait fait, sa seule rétribution ne dépassait pas quelques centaines de dollars. Ses traits se durcirent, son corps tout entier se contracta.

Il se rinça fébrilement les cheveux, la tête sous le robinet, s'aspergeant de shampooing et envoyant l'écume brunâtre tourbillonner autour de la cuvette.

Le shampooing lui piquait les yeux, lui coulait le long du torse. Il chercha la serviette à tâtons et s'en couvrit la tête comme s'il craignait de se voir. Puis il tituba jusqu'au lit et, tout en se frictionnant, se calma peu à peu. Enfin, il laissa glisser le linge détrempé et tomba à la renverse sur l'oreiller. Il amena une main devant son visage, puis l'autre. Elles étaient propres. Il se glissa hors du lit et fit le tour de la chambre pour finalement s'arrêter devant le miroir. Il jeta un coup d'œil rapide à son reflet. Rassuré, il tourna la tête à gauche, puis à droite, la pencha un peu en avant. La teinture avait bien pris, et il se félicita. Il se sentait comme purifié. Luka Carolla était maintenant devenu Johnny Moreno.

La séance quotidienne du tribunal de Palerme venait de s'achever, mais l'on ignorait toujours si les charges seraient ou non abandonnées. Les avocats de Carolla ne chômaient pas : de nouvelles preuves venaient chaque jour grossir le dossier monté par Emanuel contre leur client; il y était question de fraude fiscale, de détournement de fonds, de chantage et d'extorsion. Et tout dernièrement s'y étaient ajoutés les meurtres de Michael Luciano et Antonio Robello. Les avocats contestaient la validité de chaque élément, mais le juge rejetait invariablement leurs objections.

Carolla conservait néanmoins une belle sérénité, même s'il paraissait fatigué, ce soir-là, lorsqu'il fut conduit au parloir.

Dante lui demanda comment ça allait, et il haussa les épaules.

— Mes défenseurs sont des cracks ; ces gars-là seraient capables de faire passer Mussolini pour le pape. Alors, le colis est bien parti ? Il a quitté la Sicile ?

L'autre hocha la tête et précisa qu'il avait pris le vol de 14 heures à destination de New York. Il avait les mains moites.

— Est-ce qu'il y a du nouveau ?

Carolla secoua la tête.

— Ça prendra quelques jours. Ils vont me relâcher, c'est la loi... Fais gaffe à ce que tu dis. Le nouveau, là, Pirelli, il m'a dit qu'on enregistre les conversations.

Il demanda à Dante si les choses avançaient concernant les affaires des Luciano.

— Encore rien. Paraîtrait que l'accusation a trois nouveaux témoins, des gars promis à perpète qui sont prêts à témoigner en échange d'une réduction de peine, mais je n'ai pas de noms. Ce n'est qu'une rumeur.

Carolla comprit que sa cellule venait d'être fouillée : des objets personnels avaient disparu. Il appela le gardien, mais n'obtint aucune réponse. Il traversa la pièce pour allumer sa lampe de chevet, un des nombreux privilèges qui lui avaient été accordés. Ampoule et piles avaient disparu. Il l'envoya se fracasser contre le mur. On avait également enlevé les piles de son transistor et emporté le poste de télévision. La plupart de ses vêtements n'étaient plus à leur place, ainsi que son papier et ses stylos. Il hurla à en perdre la voix, mais n'eut pour toute réponse que la rumeur assourdie des autres détenus et le bruit de leurs gamelles frappant les conduites d'eau.

Pour la première fois depuis son arrestation, il envisagea la possibilité de ne jamais retrouver la liberté.

Graziella savait que, légalement, Paul Carolla ne pourrait être maintenu en détention au-delà du mois suivant ; elle ne doutait pas qu'il serait libéré. Elle avait passé toute la journée au tribunal, pratiquement sans le quitter des yeux, au paroxysme de sa haine.

Tout son corps était parcouru de picotements ; il lui semblait qu'il ne lui appartenait pas. Son esprit, en revanche, était parfaitement clair. Le risque d'une fouille était écarté. Venant chaque jour au tribunal, elle connaissait maintenant tous les gardiens de vue, et tous la saluaient d'un petit signe de la tête. Durant les premières semaines, chaque matin, elle leur avait tendu son sac pour qu'ils l'inspectent. En revanche, les deux dernières fois, on lui avait fait signe de franchir directement le contrôle de sécurité.

Le Luger se trouvait au fond du coffre-fort, dans un petit sac en velours. Elle le trouva à tâtons et le posa délicatement sur les actes testamentaires empilés sur le bureau de don Roberto.

Elle ouvrit le tiroir inférieur du meuble pour y prendre les cartouches. Elle savait exactement comment charger le pistolet et en connaissait même le maniement. Il n'y avait qu'un seul moment favorable, celui où les prisonniers étaient introduits dans le tribunal. Paul Carolla, menottes aux poignets, était toujours le dernier de la file. Il occupait une cage réservée à lui seul, proche du banc de la défense. Le déroulement était toujours le même : avant que les avocats gagnent leurs places, il était conduit dans sa cage et on lui mettait des fers aux pieds. Graziella était assise juste en face de lui. Elle ne pourrait pas le rater.

Le potager était en friche, même si Adina faisait son possible pour l'entretenir. Les stolons des fraisiers s'accrochaient au bas de la jupe de Graziella. Elle s'éloigna de l'arbre en comptant quinze pas. Elle pointa le pistolet bras tendus, comme son mari le lui avait enseigné. Il riait en la voyant cligner les paupières au bruit de la détonation. Elle s'efforça de garder le regard rivé à l'écorce de l'arbre.

Elle s'exerça pendant quinze minutes. La serre subit

des dégâts, le portillon fut percé de plusieurs impacts. L'arbre, en revanche, était intact. Lèvres serrées, elle compta à nouveau quinze pas, se remit en position de tir...

« Garde le bras bien ferme. N'oublie pas que c'est du canon que va sortir la balle. Laisse-le sur la cible. Imagine que ton œil est l'arme. » La voix de Luciano était comme un murmure d'encouragement résonnant dans sa tête... Quinze minutes passèrent encore et de nombreuses douilles tombèrent à ses pieds, avant qu'elle entende le bruit mat d'un impact dans l'écorce de l'arbre. Transportée de joie, elle sortit un nouveau chargeur de sa poche.

Enrico Dante ouvrit le robinet de la douche et commença à se déshabiller. Son pantalon lui tombait sur les genoux lorsqu'il eut conscience d'une présence dans la chambre. Ses cheveux se hérissèrent. Il se figea pour tendre l'oreille.

Les rideaux bougèrent. Il les ouvrit, si violemment qu'il manqua les arracher de leur tringle. La fenêtre était ouverte. Il la referma tout aussi violemment en essayant de se rappeler s'il l'avait laissée ainsi en sortant. Il entendit quelque chose, écouta, puis se détendit : ce n'était que le bruit de la douche. Expirant profondément, il enleva son pantalon et se le coinça sous le menton pour le plier. Il ouvrit la porte de la penderie et poussa un cri...

La main de Luka jaillit pour le saisir à la gorge. Bras tendu, il le força à reculer. Dante ne le reconnaissait pas. Émettant un cri étranglé, il recula jusqu'à son lit. Il buta contre le sommier et tomba à la renverse.

D'un brusque mouvement de l'avant-bras, le garçon fit apparaître son couteau. La lame affilée comme un rasoir jaillit avec un bruit sec. Il se mit à califourchon sur lui et posa le tranchant de son arme sur sa gorge. Il vit que l'autre venait brusquement de le reconnaître.

— J'ai bien peur d'avoir raté l'avion. (Il sauta du lit, referma le cran d'arrêt et sourit.) J'aurais pu te trancher la gorge.

Dante se souleva sur ses coudes.

— Si jamais Carolla apprend que tu es toujours ici...
Espèce de petit salopard, faut que tu sois timbré...

Luka rouvrit le couteau.

— Parce que t'as l'intention de le mettre au courant?

L'autre secoua la tête. Avec les cheveux teints, le garçon avait l'air encore plus dérangé que d'ordinaire.

— Qu'est-ce que tu veux?

— Je n'ai pas encore décidé. Peut-être bien de
l'argent.

Lentement, Dante releva encore un peu le buste.

— Écoute, j'ai fait qu'obéir aux ordres. Tu peux pas
rester ici. Ils vont faire le rapport entre Carolla et toi.

— Je suis blanc comme neige.

— Si tu le dis... Bon, tu veux du fric? Je garde rien ici.
(Il acheva de se redresser et en profita pour se rapprocher un peu de la table de nuit, sans jamais quitter Luka
des yeux.) On passe à la boîte et je te donne ton
pognon, ça marche?

Luka fit une moue puis hocha la tête. Il rangea son
couteau.

— Tiens, passe-moi mon pantalon, que je me rhabille.

Dès qu'il se retourna pour ramasser le vêtement,
l'autre se rua vers le chevet pour en ouvrir le tiroir. Luka
parut voler à travers les airs. Il atterrit à cheval sur Dante
et lui assena un coup de poing. La lame jaillit comme
l'éclair. Il la pressa sur son cou; le sang se mit à couler. Il
se releva d'un bond, ouvrit le tiroir et empocha le pistolet qui s'y trouvait.

La peur le faisait larmoyer.

— D'accord, j'aurais pas dû. Je recommencerai pas.
Je t'en prie, ne me saigne pas... (Il porta la main à sa
gorge et la ramena couverte de sang.) Merde... Crois-
moi, tu fais un mauvais calcul. S'ils ne le relâchent pas,
fils ou pas fils, il te balancera. Il se servira de toi pour
négocier avec le procu. Il sait que c'est toi qui as buté le
gosse. Tu auras besoin de moi, sinon tu n'arriveras
jamais à quitter la Sicile. Les ports, les aéroports seront
surveillés. Je peux t'avoir des papiers, des billets... *Tu as
besoin de moi.*

Dante roula jusqu'à l'*Armadillo Club* avec un canon de pistolet posé sur le col ensanglanté de sa chemise. Ils passèrent par la porte de service et suivirent un long couloir. La musique était si forte qu'il doutait de pouvoir être entendu si jamais il se mettait à crier.

Luka verrouilla la porte du bureau et empocha la clef. L'autre ouvrit le coffre et en sortit des liasses de lires et de dollars. Le garçon en évalua le contenu.

— Il n'y a que ça?

Dante expliqua qu'il avait payé le personnel le soir même, que c'était tout ce qui restait.

L'autre s'assit sur le coin du bureau et inclina la tête.

— À ton avis, si ça ne donne rien, il en prend pour combien? Tu crois qu'il pourrait être enfermé jusqu'à la fin de ses jours?

— Va savoir. Si tu veux, je peux en prendre d'autres dans la caisse.

— Assieds-toi. Tu t'imagines que je vais te laisser faire un tour au bar?

Dante posa la main sur le téléphone.

— Non, j'appelle le barman et je te fais apporter la recette. C'est tout ce que j'ai ici, je te le jure sur ma vie.

Tout à coup, Luka rangea le pistolet dans sa poche.

— Dis, si mon père mourait, tu serais plutôt en bonne position, non? Et ça vaut aussi pour moi.

L'autre le regardait sans comprendre.

— Je suis son fils, reprit-il en souriant. Tout ce qu'il possède est à moi. Et pas mal de trucs te tombent dans le bec, à toi aussi.

Dante gardait le silence. Il paraissait très attentif.

Luka balançait nonchalamment les jambes, donnant de petits coups de talon dans le côté du meuble.

— Ça fait... quoi?... dix-sept mois qu'il est au trou. T'es aux commandes depuis tout ce temps? Il ne t'a jamais fait confiance, il a toujours su que tu l'arnaquais. S'il sort, ça ira mal pour toi, pas vrai?

Dante ne répondait toujours pas, mais il observait ce gosse qui était si proche de la vérité.

— Ce que j'essaie de t'expliquer, c'est que dans les deux cas, toi comme moi pourrions y laisser des plumes.

Avec mon père, c'est pas la franche affection. Il veut se débarrasser de moi, c'est bien ce que tu m'as dit?

Dante acquiesça.

— S'il mourrait, ça nous profiterait à tous les deux, non?

Dante retrouva enfin la voix.

— C'est pas jouable, tu ne t'en sortirais pas...

Il se reprit aussitôt. Qu'en avait-il à faire, que le petit y arrive ou pas? S'il se faisait prendre, Carolla mort, c'était encore mieux. Il changea de tactique.

— Comment tu t'y prendrais?

— Peut-être au tribunal, fit Luka avec une moue. Seulement je vais avoir besoin de ton aide.

— Allons, tout le monde sait que je bosse pour lui. Tu crois peut-être qu'on me laisserait entrer dans la salle d'audience? Déjà que je passe quasiment tout mon temps à obtenir des droits de visite.

Le garçon sauta à terre.

— Je parlais pas du coup lui-même. J'opère seul. Je suis un professionnel, compris? Nous travaillons toujours en solo.

L'autre opina du chef.

— Bien sûr, Luka.

Il eut un mouvement de recul en voyant le jeune homme bondir vers lui.

— Non! Pas de Luka, ne m'appelle plus comme ça! Je suis Johnny Moreno. Je m'appelle Johnny Moreno, mets-toi ça dans le crâne, vu?

— Bien sûr, Johnny, suffisait de le dire.

Il le regarda ramasser les liasses de lires, laissant de côté les dollars. Il s'en bourrait les poches.

— Bon, je repasse demain te dire de quoi j'ai besoin.

Luka fit un clin d'œil et s'en fut. Dante resta comme pétrifié près de son bureau jonché de dollars. Un type avec du sang séché sur la chemise lui faisait face dans le miroir.

— Bordel, un peu plus, j'étais mort!

Il ne savait que faire. À l'évidence, ce gosse était complètement désaxé. Cependant, pourquoi lui, Dante, irait lui annoncer que son fils allait tenter de le tuer?

Cela faisait trop longtemps qu'il jouait les larbins ; Carolla mort, il pourrait prendre les commandes. Il décida de ne plus lui rendre visite d'ici là ; il ferait le jeu de Luka et attendrait de voir le résultat.

Sophia Luciano arrêta sa voiture devant l'entrée de la propriété. Ne voyant pas de garde, elle ouvrit suffisamment les grilles pour faire passer sa voiture. C'est alors qu'elle entendit les coups de feu.

Elle remonta prestement dans son véhicule et roula jusqu'à la maison. Comme elle s'élançait sur les marches du perron, il y eut deux nouvelles détonations. Elle martela la porte en appelant Graziella à pleins poumons. Pas de réponse. Elle fit le tour de la maison en courant, entendit un nouveau coup de feu et hurla le nom de sa belle-mère.

La tête de cette dernière apparut au-dessus de la palissade. Elle lui fit signe de la main. L'autre s'était immobilisée, suffoquée par la peur.

— Ça va ? J'ai entendu des détonations...

Graziella avait glissé son arme dans la poche de sa robe.

— Oh ! ce n'est rien. C'était le garde. On est embêtés par des chats sauvages. Ils s'en prennent aux pigeons. Je ne vous attendais pas avant cet après-midi. Passez par devant.

Elle ouvrit la porte, embrassa chaleureusement sa belle-fille et insista pour porter sa mallette.

— Où sont passés les hommes de l'entrée ? Et Adina, où est-elle ? Vous êtes toute seule ici ?

— Non, non, il y en a un dans le fond du jardin. Il doit avoir fait fuir ces satanées bestioles, à l'heure qu'il est.

Toutes les persiennes étaient fermées, plongeant la maison dans la pénombre. Sophia suivit la vieille femme jusqu'à la cuisine. Il y avait une cafetière sur le coin du fourneau. Graziella emplit deux tasses.

— Adina ne va pas tarder. Elle est partie faire des courses. Vous allez rester toute seule ici, car je dois aller au tribunal.

La jeune femme but une gorgée de café et demanda quand les autres seraient là. Sa belle-mère répondit en haussant les épaules qu'elles devaient arriver dans l'après-midi, mais qu'elle ne savait pas exactement à quelle heure. Elle paraissait agitée et ne cessait de regarder la grande horloge.

— Elles m'ont envoyé un télégramme pour m'annoncer qu'elles étaient en route, donc nous dînerons ensemble ce soir. Cela ne vous ennuie pas trop que je vous laisse toute seule ?

Sophia secoua la tête et s'excusa : elle aurait dû appeler pour annoncer son arrivée. Elle trouvait que Graziella avait perdu du poids et allait lui en faire la remarque lorsque celle-ci vint lui pincer la joue.

— Vous avez maigri. Adina va vous remplumer.

— Est-ce que le testament est définitivement établi, *mamma* ?

— Je pense, mais cela n'a pas été sans problèmes. Ce pauvre Mario n'avait pas...

— Il faut que je le voie, l'interrompit-elle. Je vais descendre à Palerme avec vous.

— Oh ! mais vous n'êtes pas au courant ? J'aurais dû vous appeler, seulement j'ai eu tant de choses à faire. Mario est mort, Sophia.

Sa belle-fille en laissa échapper sa tasse.

— Oh non... ce n'est pas possible...

L'autre attrapa une lavette pour réparer les dégâts.

— Je suis navrée... Sophia, ça va aller ?

Elle tremblait comme une feuille.

— Non, ce n'est pas possible... ça ne se peut pas...

— Il a fait un infarctus.

La jeune femme quitta la cuisine en courant. Graziella allait la suivre lorsque le Klaxon du taxi d'Adina retentit. Le chauffeur dut faire quatre allers-retours entre son coffre et la porte de service. La table de la cuisine fut bientôt entièrement recouverte de cartons de victuailles.

— Allez-vous au tribunal ce matin, *signora* ? Je peux demander au taxi de vous attendre.

— Non, je vais prendre la voiture. Sophia est arrivée.

Apportez-lui du café. Elle est complètement bouleversée. Je viens de lui annoncer le décès de Mario Domino.
J'ignorais qu'elle avait une telle affection pour lui.

La servante commençait à vider les cartons.

— C'est peut-être qu'il y a eu trop de morts autour
d'elle.

Sa maîtresse hocha la tête.

— Oui, peut-être.

— Le taxi peut vous attendre, *signora*. S'il vous plaît,
prenez-le, faites ça pour moi.

— Non, je vais y aller avec l'autre voiture.

— La Rolls-Royce, *signora*? Oh non! je vous en supplie. Pourquoi pas la Mercedes?

— Le réservoir est vide.

Adina courut régler le chauffeur, puis revint par
l'arrière de la maison. Elle passa devant les écuries et la
serre, non sans en remarquer les vitres brisées. Elle
ouvrit les portes du garage. La Mercedes était en piteux
état. Le pare-chocs était embouti, les ailes cabossées et
rayées. Elle chercha les clefs de la Rolls Corniche, entièrement recouverte de poussière. Ne les trouvant pas,
elle retourna à la maison, foulant des morceaux de verre
brisé.

Graziella se changeait dans sa chambre quand Adina
vint s'enquérir de ce qui était arrivé à la serre durant la
nuit. Elle lui dit qu'un chat y avait poursuivi un oiseau,
que ce n'était rien de grave. Adina leva les yeux au ciel
et descendit préparer du café frais pour Sophia.

Son plateau à la main, elle s'immobilisa à mi-hauteur
de l'escalier pour regarder par la fenêtre la Rolls s'éloigner dans l'allée. Elle fit une douloureuse grimace en
voyant la voiture toucher une des grilles, ouvertes suffisamment grand pour laisser passer un camion.

Elle frappa doucement à la porte, puis ouvrit. La jeune
femme était assise au bord du lit, la tête entre les mains.

— Je peux vous dire un mot, *signora* Sophia? La
signora Luciano a pris la Rolls-Royce, la voiture de don

232

Roberto. Écoutez, je ne vis plus. Elle n'a pas le droit de conduire, elle n'a pas de permis, elle ne sait même pas passer la marche arrière. Nous sommes allées à Mondello, à une quinzaine de kilomètres d'ici. Ça a été épouvantable. On est rentrées dans un arbre et aussi un poteau électrique, on aurait pu se tuer... *Signora*, vous devez faire quelque chose.

Sophia n'avait rien entendu.

— À votre avis, que sont devenus les papiers de Mario Domino, ses papiers personnels ? Se pourrait-il qu'ils soient toujours chez lui ?

— Je ne sais pas, *signora*. Dans le bureau, il y a des cartons et des cartons de documents venant de son cabinet. Nous n'avons plus qu'un seul homme ici, et il arrive et repart quand bon lui chante. Nous n'avons pas de chauffeur, pas de jardinier... Elle a besoin de quelqu'un auprès d'elle, elle n'aurait jamais dû rester seule pendant si longtemps. Elle s'est rendue tous les jours au tribunal. Le procès, elle ne pense à rien d'autre.

La jeune femme se leva lentement.

— Il y aura du monde désormais, Adina. Les autres arrivent dans la journée.

Elle descendit voir si le bureau était accessible. La porte était fermée à clef. Elle gagna alors le salon. Debout au milieu de la pièce, elle regarda longuement autour d'elle.

La servante l'avait suivie en se tordant les mains.

— Comme vous pouvez voir, elle a enlevé toutes les photos.

— Ouvrez les persiennes, Adina. Et ôtez-moi ces draps à poussière. Cet endroit ressemble à un tombeau.

Adina fit le tour de la pièce, repliant sommairement les pièces de tissu, tout en expliquant qu'elle ne pouvait assurer seule l'entretien de toute la maison. Elle allait sortir, sa pile de draps sur les bras, lorsque Sophia dit, comme pour elle-même :

— Il fallait que je voie Mario Domino.

— Je suis désolée pour vous, *signora*.

Elle émit un rire bas, presque une plainte.

233

— Et moi donc. On ne saura jamais à quel point je suis désolée. (Elle eut pour la servante un sourire plein de douceur, et la fossette fit naître une ombre minuscule sur sa joue droite.) Je vais vous aider à préparer les chambres.

— Oh non! *signora*, surtout pas...

— Adina, je vous en prie, il faut que je m'occupe.

Dante remit à Luka une carte d'étudiant au nom de Johnny Moreno. Il n'avait eu aucune peine à la faire faire.

Le garçon l'étudia rapidement, puis s'en tapota la joue.

— Avec ça, je devrais pouvoir accéder au tribunal. Bon, à plus tard. Ah! Il me faut aussi un passeport au même nom. Tu peux avoir ça?

Cela prendrait un peu plus longtemps, mais Dante acquiesça. Luka s'arrêta près de la porte entrouverte.

— Il va aussi me falloir une arme, mais je ne saurai pas exactement quoi tant que je n'aurai pas assisté à une séance.

Sitôt qu'il fut seul, il appela un de ses hommes — un dénommé Dario — et lui demanda de filer le jeune homme, mais en restant à bonne distance. L'autre ne devait se douter de rien.

La foule avançait lentement. Chacun était fouillé avant de pouvoir gagner sa place sur les bancs du public. Contre un gros billet, Luka avait obtenu d'un homme qu'il lui cède sa place, en milieu de file. Il devrait arriver beaucoup plus tôt la prochaine fois s'il voulait être bien placé, non loin des cages. Aujourd'hui, cependant, il souhaitait en être le plus loin possible : son père pouvait le reconnaître, même avec ses cheveux teints.

À la reprise de l'après-midi, la procédure fut la même que le matin. Carolla était chaque fois le dernier prisonnier à entrer. Luka prit note du temps mort qui séparait l'arrivée des deux derniers, du bref instant où il attendait, immobile, qu'on ouvre sa cage.

C'était le moment où l'homme inspectait toute la salle du regard. Il paraissait confiant, allant jusqu'à saluer les autres accusés de la main ou échanger quelques paroles avec eux.

Ensuite, les gardiens s'effaçaient pour le laisser entrer. Pendant ces quelques secondes, il n'y avait personne auprès de lui.

Le jeune homme interrogea son voisin de banc pour savoir s'il avait assisté à beaucoup de séances. Comme l'homme hochait la tête, il lui demanda si la routine était chaque fois la même. L'autre acquiesça à nouveau, et désignant Carolla du menton, il lança :

— Il est toujours très sûr de lui, ce salopard. Il se conduit exactement comme sur une scène de théâtre. Quand on l'interroge, il vous fait un de ces numéros.

Luka ne prêta aucune attention au déroulement de la séance. Il réfléchissait au meilleur endroit possible pour le lendemain. Son regard se posa quelques instants sur une femme d'un certain âge, habillée tout en noir, puis parcourut le reste de l'allée. La place du bout, voilà la meilleure. Il passa le restant de l'après-midi à décider du type d'arme qu'il utiliserait, et à réfléchir à la façon de l'introduire dans l'enceinte. Il n'eut pas d'autre échange avec son voisin.

Graziella n'avait pas à faire la queue, son siège lui étant réservé. Elle n'en avait pas changé depuis le premier jour et continuait de payer chèrement ce passe-droit.

Elle tenait un crucifix et avait les mains posées sur son sac, dans lequel elle avait mis une grosse pierre. Le gardien ne lui avait pas demandé de l'ouvrir.

Sans cesser de manipuler son crucifix, elle laissait son regard vagabonder vers la silhouette ramassée de Carolla. Elle éprouvait une étrange satisfaction à savoir qu'il restait si peu de temps : le lendemain matin, elle le tuerait.

Pirelli avait reçu un fax des États-Unis. Paul Carolla avait épousé une dénommée Eva Gamberno à New York le 19 avril 1955, mais on n'avait rien sur un éventuel enfant. La femme était morte en mai 1959, et cependant le registre de la prison prouvait bien que Carolla avait reçu la visite de son fils Giorgio, en janvier et février 1987. Il était précisé qu'il avait produit son passeport pour identification. Mais on n'en avait pas relevé le numéro.

Un second fax était arrivé, fort décevant : on n'avait aucune trace de l'existence de Giorgio Carolla ; il ne pouvait s'agir d'un citoyen américain.

Le troisième était porteur d'une lueur d'espoir : Eva Carolla était enterrée en Sicile. Pirelli avait aussitôt consulté les archives de 1959.

Le décès de l'épouse de Carolla y figurait effectivement. Mais toujours aucune mention d'un enfant. Qui donc était venu le voir en se servant d'un faux passeport ? À qui avait-il ordonné de tuer le petit Paluso ?

Pirelli sollicita une nouvelle entrevue avec Carolla pour s'entendre dire de la bouche de son supérieur hiérarchique qu'il serait à la barre toute la journée et sans doute également le lendemain. Il passait ses soirées avec ses avocats — ainsi qu'il en avait le droit — et à moins de disposer d'éléments nouveaux l'impliquant directement, Pirelli n'obtiendrait pas l'autorisation de l'interroger.

Le commissaire répondit avec humeur qu'il était démontré que quelqu'un avait utilisé un faux passeport pour voir Carolla au parloir deux jours avant l'assassinat de l'enfant Paluso. Il expliqua, preuve à l'appui, que Giorgio Carolla n'existait pas. Il fut finalement autorisé à voir le détenu après la session du lendemain.

Maussade, il regagna son bureau. Son adjoint l'y attendait. Il lui tendit une feuille de papier.

— Regarde un peu ça. C'est à peine croyable. J'étais au quatrième quand c'est sorti ; c'est pour ça qu'on a pu en avoir un exemplaire. C'est le rapport balistique. Tu sais que les enfants Luciano ont été tués par balle tous les deux. Regarde la description des balles.

Pirelli s'empara du document. Il le parcourut rapidement puis le laissa tomber sur son bureau.

— Ben merde, alors! C'est à se demander comment tourne cette putain de boîte. Qui est sur l'affaire Luciano?

Le sergent-inspecteur Francesco Ancora leva le nez des derniers résultats de football lorsque Pirelli entra en brandissant le rapport balistique.

— Tu as jeté un œil là-dessus? C'est avec la même arme qu'ont été tués le petit Paluso et les enfants Luciano.

L'autre reposa doucement son journal.

— Ils pensent que c'est le même flingue. C'est pas sûr à 100 %. Ils sont encore dessus. Ils n'ont que quelques fragments provenant de la victime.

— Arrête de déconner, grogna Pirelli, regarde les ressemblances, les rayures. Tu as les agrandissements?

Ancora lui lança une chemise et l'observa prendre connaissance du rapport, scruter les clichés des minuscules éclats des différentes balles.

— Pourquoi ne me les a-t-on pas envoyés plus tôt? Ça fait longtemps que tu les as?

— C'est arrivé hier. Ils travaillent toujours dessus. Ils pensent que les balles ont été modifiées à l'aide d'une fraise au carbone, sans doute un truc de dentiste. Des trous forés à l'avant pour qu'elles se fragmentent au moment de l'impact. Seulement ils n'ont en tout et pour tout qu'un morceau d'un millimètre venant de ton...

— Bordel, mais qu'est-ce qu'il te faut? Que le mec vienne gentiment faire un carton au stand de tir de la maison? Je trouve ça renversant...

— Tu as un suspect?

Le commissaire laissa retomber la pochette sur le bureau.

— Je ne suis pas sûr à 100 %. Quand ça sera le cas, je te le ferai savoir.

La porte vitrée manqua se briser lorsqu'il la referma derrière lui. Ancora courut la rouvrir.

— Pirelli! Oh! Pirelli! J'apprécie pas ton attitude. T'as un problème, ou quoi? Et moi qui me casse le cul à bosser.

L'autre rétorqua sans s'arrêter :

— Ouais, ça m'en a tout l'air : ton cul déborde même de ton fauteuil.

Il entra dans son bureau en claquant la porte derrière lui.

Dante en avait le cœur battant. Il n'avait pas entendu Luka pénétrer dans son bureau.

— Tu te déplaces vraiment comme un chat.

Le garçon lui sourit. La comparaison lui plaisait. Il s'assit à sa place habituelle, sur le coin du bureau.

— C'est demain que j'opère. Le gros problème va être d'introduire l'arme dans la salle, mais je pense tenir la solution. À condition que tu me fournisses ce dont j'ai besoin.

L'autre montra la paume de ses mains potelées.

— Annonce la couleur. Avec mes relations, rien n'est impossible. Qu'est-ce qu'il te faut, au juste ?

— Ceci... fit Luka avec un large sourire.

Dante regarda un moment le bout de papier, puis releva les yeux.

— Et comment veux-tu que je te déniche un truc pareil ?

— Il y en a un au musée, répondit-il avec un sourire affecté, et un autre à la villa Palagonia. Il y est exposé. Bien sûr, il va falloir y apporter quelques améliorations, mais nous avons toute la nuit devant nous.

La villa Palagonia était une improbable construction gothique située à la périphérie de Palerme, bâtie par un aristocrate excentrique et contrefait. Ses hautes murailles étaient couronnées d'étranges nains en pierre qui semblaient autant de sentinelles montant la garde.

Luka montra l'une de ces hideuses représentations.

— Ça te rappelle pas quelqu'un ?

Dante haussa les épaules, plus soucieux d'écouter un des guides, qui expliquait à Dario Biaze que la villa venait de fermer, qu'on ne la visitait qu'à 16 et 18 heures.

— Ce truc, c'est mon père tout craché, s'esclaffa-t-il.

L'homme de main revint à la voiture et se pencha pour parler à son patron.

— C'est fermé jusqu'à demain. Il y a un système d'alarme, mais je pense que le mieux est de revenir dans deux ou trois heures...

Luka s'appuya contre le dossier et ferma les paupières.

— Bon, eh bien nous n'avons plus qu'à attendre. Remonte et démarre, faudrait pas que ton guide se mette à avoir des soupçons.

Lorsque la voiture passa devant la villa, on aurait pu penser qu'un des nains en pierre lorgnait méchamment ses occupants. Il avait effectivement quelque chose de Paul Carolla.

11

Teresa laissa retomber le rideau.

— La voilà qui arrive. J'ai aperçu la Rolls en haut de la côte.

Sophia prit une cigarette dans une boîte en or massif et l'alluma à l'aide d'un briquet Dunhill du même métal. Elle avait des gestes lents et désinvoltes, mais grillait ses cigarettes à la chaîne, les écrasant à demi fumées.

— Est-ce que quelqu'un veut que je lui serve un verre?

Elle regarda sa montre. Il n'était pas 5 heures, et elle murmura qu'il était encore trop tôt pour elle.

— Et toi, Rosa?

La jeune fille secoua la tête et se replongea dans les mots croisés du *New York Times*. Elle avait les jambes croisées et son pied tapotait de façon agaçante le barreau d'une chaise. Elle portait un jean, un T-shirt et des espadrilles.

Sophia quitta le canapé, s'étira en bâillant comme une chatte et traversa la pièce. Elle actionna le cordon de la sonnette de service, puis s'adossa à la porte et regarda sa nièce.

— Alors Rosa, et la fac?

— J'ai laissé tomber... En cinq lettres : presque avec chaleur mais sans affection?

Teresa se leva à son tour.

— Tiède...

Elle ne supportait pas de regarder sa fille. Durant le voyage, sa nouvelle coupe de cheveux avait été source d'intérêt, voire de stupéfaction.

On entendit un choc suivi d'un bruit de tôle froissée. Teresa écarta à nouveau les rideaux.

— Seigneur, la voiture est entrée dans le montant de la grille. Mais... mais c'est *mamma* qui est au volant!

— Il va falloir t'y faire, dit en souriant Sophia. Surtout, ne monte jamais avec elle. Je voudrais que tu voies le traitement qu'elle a infligé à la Mercedes blindée.

— Pourquoi n'a-t-elle plus de chauffeur? Il n'y a pas non plus de garde aux grilles, et il saute aux yeux que personne ne s'occupe du jardin. La piscine est couverte de guêpes mortes. C'est une honte. Comment peut-elle laisser tout cela à l'abandon?

Elles entendirent Adina ouvrir la porte d'entrée. Elles fixaient l'ouverture à deux battants du salon, mais perçurent bientôt la voix et les pas de Graziella montant l'escalier.

Sophia se rendit dans le hall. Elle revint presque aussitôt et alluma une nouvelle cigarette.

— *Mamma* est fatiguée. Elle nous rejoindra pour le dîner, à 8 heures... Elle désire que nous soyons habillées.

— Qui peut bien venir? Mario Domino?

— Non, Teresa, Mario est mort. Tu n'étais pas au courant? C'est arrivé il y a peut-être une semaine.

Teresa ôta ses lunettes.

— Comment l'aurais-je su? Pourquoi ne m'en a-t-elle rien dit?

Sophia commençait à avoir mal à la tête.

— Elle ne m'a rien dit à moi non plus. Est-ce vraiment si important?

Sa belle-sœur eut une moue irritée.

— C'était lui qui s'occupait de la succession. Ça aurait été la moindre des choses de me mettre au courant.

— Eh bien, voilà qui est fait. Maintenant, excusez-moi, je vais prendre une douche.

Teresa suivit Sophia des yeux. Rosa regardait sa mère par en dessous.

— Maman, pourquoi ne vas-tu pas te reposer un peu? Je te rejoins dans un petit moment.

Restée seule, la jeune fille tenta de se concentrer sur ses mots croisés, mais elle réalisa que cette activité ne la passionnait guère. Elle posa le journal, et son regard se porta vers le piano. Cela faisait un drôle d'effet de le voir sans toutes les photos qui l'ornaient naguère. Tout à coup, seule dans cette pièce, elle se sentit mal à l'aise. Elle monta à l'étage.

Rosa regardait sa mère depuis un moment.

— Tante Sophia n'est pas le genre de personne qui passe inaperçue, n'est-ce pas, maman? Enfin, j'ai du mal à m'expliquer, mais je lui trouve comme une espèce de magnétisme.

— Si tu le dis.

— Tu n'es pas de mon avis?

— En tout cas, elle est à l'abri du besoin, ça saute aux yeux. Ce diamant qu'elle a au doigt doit bien valoir plusieurs milliers de...

— Tu ne la portes pas vraiment dans ton cœur, hein, maman?

— Pas particulièrement. Je la crois incapable de lever le petit doigt pour les autres. Et puis j'ai toujours eu le sentiment qu'elle avait quelque chose à cacher. Comment expliques-tu qu'elle était au courant pour Domino, alors que nous pas? Tu crois qu'elle voit *mamma* à notre insu? Tu es l'unique descendante... De nous toutes, tu es la seule qui puisse assurer la continuité de la lignée. Si tu avais un fils...

— Il est peu probable que j'en aie un d'ici le dîner, maman. Aussi je te conseille de parler d'autre chose.

— Ça bien sûr, si tu t'entêtes à porter ces horribles jeans, tu ne trouveras aucun garçon convenable. Ce soir, fais-moi le plaisir de t'habiller comme il faut, que ta grand-mère voie comme tu sais être jolie.

— Ce que tu peux être vieux jeu! Mais s'il n'y a que

ça pour avoir une part de la galette, je suis prête à me coiffer d'un abat-jour, ça te va?

Teresa frappa son oreiller du poing et tourna le dos à sa fille. Cette petite était si exaspérante qu'elle avait parfois envie de l'étrangler.

La lumière était déjà éteinte dans la cellule de Carolla. Il avait continué de se voir priver de nombreux privilèges, et c'était de très mauvais augure. Quelque argent qu'il offrît, on lui refusait maintenant tous les petits conforts qu'il demandait. Se pouvait-il qu'ils sachent tous quelque chose qu'il ignorait?

Un grand bruit résonna contre la porte de sa cellule. Le volet du judas s'effaça et le visage d'un gardien s'y encadra en partie.

— Vous recevrez la visite du commissaire Pirelli demain matin avant d'aller au palais. Soyez habillé pour 7 heures.

Carolla frappa la porte du plat de la main.

— Je veux parler à mon avocat. Pas question que je voie ce fumier si mon avocat n'est pas présent... Hé, connard, reviens!

Il s'adossa au mur et se mit à réfléchir. Il allait devoir faire de nouvelles révélations avant l'arrivée de Pirelli. C'était le seul moyen d'éviter de le voir.

La table aurait aisément pu recevoir quatorze convives, et les quatre couverts dressés à l'une des extrémités paraissaient à l'étroit en regard de la longue étendue de nappe blanche inutilisée.

Elle étincelait comme pour un banquet. Pour l'occasion, Adina avait astiqué la lourde argenterie dont chaque pièce était monogrammée d'un grand L. On avait également sorti le service de porcelaine, cadeau de don Roberto à Graziella pour leur mariage. Un verre en cristal taillé complétait chaque couvert. Le centre de la table était occupé par un chandelier à huit branches. Deux carafes — l'une de vin rouge, l'autre de blanc — étaient placées à portée de main.

Les trois femmes attendaient l'arrivée de Graziella. Sophia portait une robe longue en soie noire dont le corsage et la jupe étaient admirablement coupés. Ses seuls bijoux consistaient en une bague enchâssée d'un diamant et des boucles d'oreilles ornées de brillants. Comme à son habitude, elle avait les cheveux ramenés en un sévère chignon. Elle était d'une éblouissante beauté. La robe noire de Valentino faisait ressortir la pâleur laiteuse de son teint et ses yeux sombres en amande.

Teresa avait fait de son mieux, mais sa robe de crêpe noir avec son col en V était mal ajustée et démodée. Les manches longues étaient trop amples pour ses bras maigres. De même, la robe semblait trop grande de plusieurs tailles. Elle portait trois rangées de perles avec des boucles d'oreilles assorties, et ses cheveux étaient relevés sur les côtés par des peignes.

Rosa était vêtue d'une simple robe noire, faite d'un tissu moiré qui rappelait le satin. Il suffit à Sophia d'un coup d'œil pour savoir où elle avait été achetée. Il s'agissait d'une robe bon marché, mais la fraîcheur de Rosa la rendait acceptable. La jeune fille ne portait pas de bijoux, et sa chevelure, jaillissant en mèches d'inégale longueur, la faisait paraître beaucoup plus jeune que ses 20 ans. Son fard à paupières, trop chargé pour ses grands yeux noisette, soulignait son absence de fond de teint et de rouge à lèvres.

Graziella entra telle une duchesse. Amaigrie, elle paraissait plus grande et plus austère. Toutes songèrent qu'elle avait dû être très belle. Adina la fit asseoir avant que les autres aient décidé s'il convenait ou pas de se lever. Le vin fut servi, et la doyenne leva son verre pour porter un toast.

— À vous trois. Merci d'être venues et que Dieu vous bénisse.

Elle trempa à peine ses lèvres, mais ses belles-filles et sa petite-fille répondirent à son toast et vidèrent leur verre. La conversation resta d'abord très contrainte, chacune complimentant les autres sur leur mise, tandis qu'Adina servait une crémeuse bisque de homard et des petits pains chauds. On commença à manger.

Le foyer emplissait l'atelier d'une chaleur éprouvante. Les hommes grimaçaient à chaque coup de marteau de l'armurier occupé à façonner la culasse. Luka observait toutes les phases du travail et multipliait les questions. Il coiffa même un lourd masque de protection afin de se tenir tout près de l'homme qui, maintenant, travaillait à la lime.

Le vieux monsieur presque octogénaire était un maître artisan. Excessivement lent et méthodique, il tirait une grande fierté de son travail et, après chaque phase de l'opération, il levait la pièce à la lumière pour l'inspecter avec minutie. Bien sûr, il allait falloir couler des balles spéciales. Cette arme était si ancienne qu'aucun des différents types de munitions qu'il avait en stock ne pourrait convenir.

Luka, qui examinait les fraises, se retourna vers Dante.

— Tant qu'à attendre, ça te dirait de te faire rectifier les dents?

L'autre regarda sa montre.

— Encore combien de temps?

— Quatre ou cinq heures, annonça le vieillard.

Dante étouffa un juron.

— Je suis un professionnel, *signor*. Je dois refaire le percuteur, et ensuite il faudra ajuster tout ça. Le gros problème, c'est la longueur du canon.

— Prenez le temps qu'il faut, *signor*, dit Luka en tapotant l'épaule du vieil homme. (Puis, l'air de rien, il s'approcha de Dante.) Quand ce sera fait, il vaudra peut-être mieux lui régler son compte.

Son compagnon laissa échapper un rire bref et secoua la tête.

— Il a 80 ans, il ne l'ouvrira pas, crois-moi, assura-t-il d'une voix sourde.

Un éclat mauvais passa dans les yeux de Luka.

— Moi aussi je suis un pro, *signor*, et je dis que ce type est un témoin en puissance.

Il se retourna vers l'armurier et poussa un sifflement d'admiration pour son travail.

Graziella attendit qu'Adina ait posé le plateau à café et quitté la pièce. Elle ne voulait pas aborder la question de la succession avant d'être certaine qu'on ne les dérangerait pas. Elle prit elle-même la cafetière en argent et emplit les quatre tasses.

— Il y a quelques jours, le procès a connu un rebondissement. Les avocats de la défense ont demandé que soit donnée lecture de la totalité des dépositions des accusés. Si le gouvernement n'accorde pas au juge le pouvoir de leur dénier ce droit, tous les prisonniers seront relâchés.

Tout à ce que disait sa belle-mère, Sophia passa, sans se servir, le sucrier à Rosa.

— Vous voulez dire qu'il va être libéré?

— Tout juste, Sophia. Justice ne sera pas rendue et Paul Carolla sera libre comme l'air.

— Mais est-ce qu'il n'est pas également poursuivi aux États-Unis pour trafic de drogue? intervint Teresa. Ce procès ne fait pas seulement les gros titres à Palerme, il intéresse l'ensemble de la planète.

— Il faudrait que le juge obtienne des autorités qu'elles abrogent la loi, et vous et moi savons que de nombreux membres de notre précieux gouvernement auront bien trop peur pour accomplir quoi que ce soit allant dans ce sens... Mais ce ne sera bientôt plus un problème. Je tiens d'abord à vous présenter des excuses pour ce long retard. Vous voici cependant de retour, et je pense que vous allez trouver que beaucoup de travail a été accompli. J'ai donné procuration à Mario. (Graziella ouvrit un dossier et y préleva différents documents.) Sur son conseil, nous avons commencé à liquider toutes les compagnies. Comme vous le savez, du fait de la mort de mes fils, c'est à moi que revient tout le bien. Le retard est dû au fait qu'il a fallu fondre les trois testaments...

Teresa sirotait le vin qu'elle n'avait pas terminé pendant le repas.

— Cela aura quand même pris six bons mois...

Graziella lui adressa un regard glacial.

— Mario Domino a pensé que plutôt que de reprendre la conduite des affaires, vous préféreriez toucher de l'argent liquide. Aussi avons-nous décidé que je diviserais cet argent entre nous.

Teresa interrompit sa belle-mère.

— Un instant, *mamma*. Tout liquider? Est-ce que vous parlez sérieusement? Vous n'avez quand même pas eu le temps d'organiser des ventes, des adjudications... Qu'est-ce que Domino a pu faire avant de mourir?

Graziella l'ignora et s'adressa à Sophia.

— Comme vous le savez, c'est Constantino qui dirigeait les sociétés d'import-export. Peu de temps avant sa mort, Mario a mené des négociations pour leur vente, et il a retenu une offre inférieure à celle demandée au départ, mais provenant d'une source fiable. J'ai décidé qu'en tant qu'épouse de Constantino c'était à vous, Sophia, qu'il revenait de régler cette affaire. J'ai donc pris toutes les dispositions pour que vous puissiez étudier ces contrats durant votre séjour ici.

Teresa, qui ne trouvait pas du tout cela à son goût, revint à la charge.

— *Mamma*, est-ce que cela englobe la société que Filippo dirigeait à New York?

Mais elle n'obtint pas de réponse. Graziella feuilletait son dossier, dont elle remettait certaines pièces à Sophia.

Comme elle allait à nouveau prendre la parole, sa belle-sœur leva les yeux et lui fit signe de la laisser parler.

— Je ne m'y retrouve absolument pas, *mamma*. Il s'agit des entrepôts?

Teresa se pencha en avant.

— Enfin, *mamma*, Domino n'a pas pu entamer des négociations sans nous consulter d'abord. La compagnie de Filippo était tributaire des marchandises, or toute activité a cessé à New York. Qui s'en est occupé au cours des derniers mois? J'ai moi-même voulu passer aux bureaux, mais les serrures avaient été changées. Qui a fait cela? Domino?

— Je me suis entièrement reposée sur lui. Il avait de gros problèmes avec le fisc. Les droits de succession s'élèveraient à...

Graziella feuilletait le dossier dans tous les sens.

— *Mamma*, c'est Domino qui a établi ce dossier? interrogea Teresa, le front perlé de sueur. (Elle réalisait que sa belle-mère avait une méconnaissance totale des affaires.) *Mamma*, pourquoi ne me laisseriez-vous pas débrouiller tout cela? Je peux voir ça ce soir. C'était l'essentiel de mon activité. Je pourrais au moins y mettre un peu...

— *Non!* cria presque Graziella. Je tiens à ce qu'aucune d'entre vous ne s'occupe de ça. Il faut vendre. Je veux que tout soit vendu. Il ne faut rien conserver qui puisse vous valoir des ennuis.

Teresa avait du mal à garder son calme.

— *Mamma*, qui se charge des actes, de tout le côté légal?

— C'est Mario Domino.

Sophia prit la main de sa belle-mère.

— Il est mort, *mamma*. Pourquoi ne pas laisser Teresa jeter un coup d'œil à tout ceci? Nous pourrions en reparler demain. Pour l'instant, nous serions bien incapables de décider ce qui revient à l'une ou à l'autre, puisque nous ignorons ce que nous possédons exactement.

Teresa entreprit de parler pour son propre compte.

— *Mamma*, je ne connais pas la situation de Sophia, mais ces six derniers mois ont été très difficiles pour Rosa et moi. Filippo n'a laissé que des dettes...

— Non, ce n'est pas vrai! s'indigna Graziella en un sursaut d'orgueil. Si une chose est sûre, c'est bien qu'aucun Luciano n'a jamais fait de dettes.

— Et moi je vous affirme le contraire. J'ai payé ce que j'ai pu, mais à l'heure qu'il est, on est probablement en train de nous saisir l'appartement. J'ai besoin de savoir exactement ce que je vais toucher en espèces sonnantes et trébuchantes. Parce que je suis mieux placée que personne pour savoir à combien s'élevait le chiffre d'affaires des filiales new-yorkaises.

— Non, Teresa, vous ne savez pas... Non, vous ne pouvez savoir ce que...

— *Oh que si!* (À présent elle criait.) Les contrats, les licences me passaient entre les mains, figurez-vous! Je vais emporter tout ça dans le bureau. Je vais m'y plonger maintenant, cette nuit. Quand je saurai mieux de quoi il retourne, nous pourrons reprendre cette conversation. Est-ce que quelqu'un y voit une objection?

Sophia posa la main sur le dossier de sa chaise et lança à sa belle-sœur un regard réprobateur.

— Êtes-vous d'accord, *mamma*, pour qu'elle épluche tout ça?

Graziella hocha la tête, mais Sophia vit un muscle tressaillir au coin de sa bouche. L'atmosphère était électrique.

Teresa parcourut la première page du dossier, qui fournissait la liste d'une partie des actifs liquides de don Roberto.

— Seigneur, c'est à peine croyable... Rosa, il y a quarante millions de dollars!

Sophia remarqua l'expression de sa belle-mère. Tandis que Teresa continuait de compulser les papiers, les deux femmes quittèrent la pièce.

Graziella manœuvra la clef et ouvrit la porte. Des cartons de documents encombraient toute la pièce. Le bureau était jonché de chemises et de feuilles volantes.

— Mon Dieu, *mamma*, mais qu'est-ce que c'est que tout ça?

Graziella haussa les épaules, impuissante.

— À la mort de Mario, c'est son cabinet qui a pris la relève. Quand j'ai su que vous alliez venir, je leur ai demandé de tout me restituer, y compris ce qui n'était pas terminé. Certains de ces cartons contiennent des papiers qu'il avait établis, des papiers provenant de son propre bureau. Bien évidemment, je n'ai pas pu tout regarder.

Sophia considérait, immobile, les amoncellements de cartons. Sa belle-mère remua des papiers sur le bureau et lui tendit une liasse de télex.

— Il y a ceci que je ne comprends pas...

Elle alluma une cigarette, tira une longue bouffée et commença à les parcourir. Elle ne tarda pas à interrompre sa lecture.

— Je n'y comprends rien moi non plus...

— Et ce n'est pas tout.

Graziella lui tendait une chemise bourrée de feuilles dépareillées.

Les deux femmes s'étaient absentées une demi-heure, mais Teresa semblait ne pas avoir conscience de l'écoulement du temps, et elle ne remarqua même pas que Sophia était revenue et se servait un alcool avant de venir reprendre sa place à table.

Elle releva la tête pour la regarder, plissa les paupières et remonta ses lunettes sur l'arête de son nez.

— Il y a quarante millions de dollars sur un compte en Suisse. C'est une approximation, mais il semble qu'il s'agisse uniquement d'espèces. *Mamma*, connaissez-vous le numéro de ce compte? D'après mes calculs, il devrait même y avoir plus que ça. C'est à peine croyable!

Sophia soupira et but une nouvelle gorgée d'alcool.

— Teresa, écoute-moi et essaie de te calmer. Pour autant que je sache, il y a suffisamment pour que nous vivions confortablement — sinon fastueusement — jusqu'à la fin de nos jours.

L'autre se mit à rire.

— Tu sais, ce qui n'est à tes yeux que le simple confort représente peut-être carrément le grand luxe pour Rosa et moi. Songe qu'il y a quarante millions de...

— Si tu me laissais parler, Teresa? Au fait, où est passée Rosa?

La jeune fille apparut dans l'encadrement de la porte avec une tasse de café.

— Me voici. Dites, le champagne serait peut-être de mise?

Sophia lui désigna une chaise.

— Assieds-toi, Rosa. Il n'y a rien à arroser. L'essentiel des liquidités a été englouti par le fisc, et selon Domino,

d'énormes sommes ont été détournées au profit de personnages en relation avec son cabinet, des gens de
confiance, très haut placés, qui ont autrefois travaillé
pour don Roberto...

— Ça, bien sûr, fit Teresa avec un demi-sourire, il y a
toujours de petites visites au tiroir-caisse. Mais enfin, ça
se monte à combien? Cinq, quinze mille?

Sophia alluma une nouvelle cigarette. Elle avait les
mains qui tremblaient.

— Aucun relevé en ce qui concerne le compte en
Suisse. On a en revanche des kilomètres de télex.
Domino faisait son possible pour...

Sa belle-sœur l'interrompit, l'air hébété.

— Attends... attends un peu... La compagnie, est-ce
qu'elle est toujours à nous? Seigneur, j'essaie d'emmaga-
siner tout ça... Es-tu en train de...? Vas-y, répète ce que
tu viens de dire.

À présent plus calme, Graziella prit la parole.

— La société mère, Teresa, la partie import-export,
est en sommeil, et ce depuis la mort de don Roberto.
Tous les employés ont été licenciés.

Teresa bondit de sa chaise.

— Non! Pas ça! Ce n'est pas possible...

Les yeux dans le vague, Rosa paraissait plongée dans
un monde à elle. Sa mère se prit la tête entre les mains,
tandis que Graziella poursuivait.

— Tout est en vente : les entrepôts, les ateliers, les
docks et les navires.

— Où sont-ils, ces navires? Est-ce qu'ils sont immobi-
lisés dans les docks?

Le visage de sa belle-mère se durcit sous l'effet de la
colère. Elle ignora la question.

— La partie des docks qui nous appartient en totalité
va être vendue aux enchères. Cependant, à cause des
retards...

— D'où viennent ces retards? Voulez-vous dire qu'il y a
des entrepôts bourrés de marchandises en train de pourrir? Et qui a pris la décision de licencier le personnel?

— C'est moi, répondit Graziella. S'il vous plaît, Teresa, laissez-moi continuer sans m'interrompre. Nous avons eu à payer des amendes et des droits considérables sur des cargaisons qui n'avaient pas été livrées. Il y avait des vols, les dockers se servaient comme ils voulaient. Il a bien fallu...

— Ça, que voulez-vous qu'il arrive quand on laisse tout à vau-l'eau ? C'est quand même... Ne pensez-vous pas qu'il y a beau temps que nous aurions dû nous réunir ? Où sont les relevés des droits de succession ? À combien se chiffrent-ils ? En milliers ou en millions ?

Graziella but un peu d'eau et reposa son verre.

— J'ai mis la maison en vente, l'ensemble de la propriété, les bois, les vergers, tout. J'ai reçu des offres intéressantes, et comme je viens de le dire à Sophia, ce sera plus qu'assez pour que vous rentriez l'une et l'autre chez vous.

La voix de Teresa était altérée par l'effort qu'elle faisait pour se contenir.

— Sophia, qu'entendais-tu par « sommes détournées » ? Était-ce un euphémisme pour dire qu'on nous a carrément dépouillées pendant que nous étions à New York, en train d'attendre comme des idiotes ?

Graziella abattit sa main sur la table.

— Mario Domino a fait tout ce qui était humainement possible. Lui et son cabinet ont travaillé en collaboration avec nos avocats en Amérique. Il a tout mis en œuvre pour...

Teresa bondit à nouveau de sa chaise.

— Il n'était plus qu'un vieillard. Qu'est-ce qu'il pouvait connaître à tout ça ? Bon sang, *mamma*, j'ai là un relevé qui donne quarante millions *en espèces* ! Où sont-ils passés ? Pardi, des détournements de fonds ! Moi, j'appelle ça du vol pur et simple ! Ce que je voudrais savoir, c'est qui, dans le cabinet de Domino, s'occupe désormais de nos affaires. Et d'ailleurs, depuis combien de temps est-il mort ?

Sophia se tourna vers Graziella d'un air interrogatif.

— Oui, depuis combien de temps ? Une semaine ? Une dizaine de jours ?

La vieille dame manipulait son collier machinalement.

— Huit jours. J'ai appris la nouvelle à mon retour de Mondello.

Teresa regarda tour à tour les deux femmes.

— Vous prétendez que tout cela s'est passé en l'espace de *huit jours*? Qui a pu avoir accès à notre argent, argent qui nous revient de droit, à moi, à ma fille, votre petite-fille? Seigneur Dieu, ce n'est pas croyable! Et vous pensez que je vais bien gentiment rentrer à la maison pour vivre — comment avez-vous dit, déjà? — *confortablement*? Après ce que nous avons traversé, un banal confort est loin d'être suffisant...

Sophia prit la main de Graziella.

— *Mamma* m'a expliqué qu'il y a plusieurs semaines, Domino a amené ici trois hommes. Ils venaient spécialement d'Amérique. Leurs noms lui échappent pour l'instant, mais Mario leur a confié une grande part des intérêts Luciano.

— Qui était-ce, *mamma*? Comment s'appelaient-ils?

Teresa semblait au bord de la crise de nerfs.

Graziella libéra sa main de celle de Sophia et se leva.

— Pardonnez-moi, mais cela m'échappe pour l'instant. Le plus important est que nous obtenions ce qui nous revient. Don Roberto était un homme d'honneur... Justice sera rendue, comme il le désirait. Ce n'est pas terminé. Je vous ai fait venir parce que...

Teresa envoya voler les papiers.

— Comme vous dites, ce n'est pas terminé! Seulement laissez-moi vous préciser, *mamma*, que je me fous de l'honneur de don Roberto! Il n'aurait jamais dû faire ce qu'il a fait, et jamais vous n'auriez dû laisser cela arriver. La justice est le cadet de mes soucis, vous m'entendez? Tout ce qui m'importe, c'est moi et ma fille. Croyez-moi, je n'ai pas oublié toutes ces années passées à m'échiner dans l'ombre pour le compte de la famille Luciano. Rester sans rien après tout ça...

Elle serrait les dents pour ne pas pleurer. La colère déformait son visage.

— C'est cela, *mamma*, votre vision de la justice? J'ai

46 ans. Tout ce que j'avais, c'était cet héritage à venir. C'était tout ce qui me restait, et vous l'avez jeté aux quatre vents. Alors vous pensez si je m'en tape de votre putain de justice...

La gifle fut si violente qu'elle fit chanceler Teresa, mais elle bondit et saisit sa belle-mère au poignet.

— C'est la deuxième fois! Ne faites plus jamais ça! Qu'est-ce qui vous donne le droit de me frapper?

Graziella se libéra d'une secousse.

— C'est moi qui suis le chef de famille, maintenant. Je vous défends de me parler sur ce ton, et je vous interdis de jurer sous ce toit. Vous m'avez bien comprise, Teresa? Ceci est ma maison, et j'y ai tous les droits. Vous avez insulté la mémoire de mon mari, vous vous portez insulte à vous-même... Vous devriez avoir honte. Vous n'avez aucun amour-propre, aucune dignité...

Il y eut un grand silence. Graziella regardait tour à tour ses deux belles-filles.

Ce fut Sophia qui lui répondit. Ses yeux sombres fulminaient, mais elle parla d'une voix sourde, un peu voilée, parfaitement maîtrisée.

— Je ne pense pas, *mamma*, que nous nous souciions beaucoup d'honneur pour le moment. Vous pouvez mépriser le désir que nous avions de ce bien, de cet argent. Pourtant, il aurait contribué à alléger notre malheur, à combler un peu de ce vide. Don Roberto a placé sa confiance en la justice. Eh bien, j'espère qu'il se retournera dans sa tombe, lorsque Paul Carolla sortira libre du tribunal. Sa mort n'a rien eu d'honorable, *mamma*. Cela a été une fin tragique, un meurtre abominable, certes, mais à la différence de mes bébés, il aura eu, lui, le temps de vivre. J'ai trop perdu à être une Luciano, et si la possibilité m'était offerte de revivre ma vie, je fuirais cette maison, je fuirais ce que je suis aujourd'hui : une des veuves Luciano. Nos maris ont été tués pour qu'il n'y ait pas de représailles. Sans eux, nous ne sommes plus rien... Vous vous contentez peut-être des miettes qu'on vous abandonne, *mamma*, mais ne comptez pas que je réagisse comme vous. J'ai trop d'amour-propre pour cela. Bonne nuit.

255

Elle quitta la pièce, bientôt suivie de Teresa, qui referma doucement la porte derrière elle. Graziella se tenait tête baissée. Elle avait presque complètement oublié la présence de Rosa, si silencieuse depuis un long moment. Elle leva un visage étonné en entendant la voix de la jeune fille.

— Grand-mère, est-ce que je peux te poser une question?

La vieille femme hocha la tête et entreprit de rassembler les papiers épars.

— Est-ce que toi et grand-père aviez arrangé mon mariage comme vous l'aviez fait pour celui de maman?

Ce sujet était bien au dernier rang des soucis de Graziella. Elle se sentait si épuisée qu'elle tendit la main à sa petite-fille.

— Rosa, accompagne-moi donc jusqu'à ma chambre.

Mais l'autre s'écarta. Elle laissa retomber son bras. Elle soupira, puis sortit et s'engagea dans l'escalier. Elle savait que sa petite-fille la suivait.

Arrivée dans sa chambre, elle s'assit pesamment sur le lit.

— Il y a une chose qu'il faut que tu saches, Rosa. Filippo aimait ta maman. Je le sais parce qu'il me l'a dit. De même, ton Emilio t'aimait et avait demandé la permission de t'épouser à ton grand-père. Il n'avait pas besoin d'encouragements, crois-moi. Il t'aimait, Rosa. En douterais-tu?

Graziella avait la gorge serrée. Elle était en train de devenir une menteuse patentée. Mais où était le mal?

La jeune fille se tenait tête baissée. Elle se mit à faire jouer la porte sur ses gonds.

— Tu n'aurais pas dû gifler maman. Tu n'es pas au courant de tout. Elle a eu une existence difficile, même quand papa était encore là. Il avait des maîtresses. Elle n'a jamais été heureuse...

— Cela a été difficile pour nous tous, ma petite.

— Pour toi, ce n'est pas pareil. Tu es vieille.

— Oui, mais je ne suis pas encore au bout de mes peines. Allez, bonne nuit. Je suis fatiguée.

Rosa sortit sans embrasser sa grand-mère, et celle-ci se sentit extrêmement seule. Elle ne s'était pas attendue à une telle colère, un tel désespoir de la part de ses belles-filles. Elles n'avaient aucune idée de ce qu'elle avait traversé, de ce qu'il lui incombait pour venger ses fils et son mari.

Elle rédigea un court billet par lequel elle chargeait Sophia de tout. Quoi qu'elle ait dit, cette dernière demeurait sa préférée. Puis elle sortit du tiroir de sa coiffeuse les photographies qu'elle avait retirées des différentes pièces de la maison, et les disposa sur toutes les surfaces disponibles. Entourée de ses chers disparus, elle pria Dieu de lui donner la force nécessaire.

Teresa attendit que sa fille soit endormie pour descendre à pas de loup dans le bureau. La porte n'était pas fermée à clef. Elle y entra, décidée à voir par elle-même ce qu'il était advenu de son héritage.

Plusieurs heures plus tard, incapable de trouver le sommeil, Sophia vit de la lumière filtrer sous la porte ; elle descendit à son tour et passa la tête à l'intérieur du bureau.

Teresa était environnée de papiers, et l'ensemble de la pièce était jonché de chemises et de documents de toutes sortes.

— Je ne refuserais pas un coup de main, dit-elle sans lever la tête. Il va nous falloir plusieurs jours pour y voir un peu plus clair. Les factures sont mélangées avec les bordereaux de règlement. Je suis même incapable d'évaluer combien il nous reste de salariés.

— Coup de main me paraît un terme bien modeste. Ce qu'il nous faut, c'est une armée de secrétaires.

Teresa posa les doigts sur une pile bien rangée.

— D'après moi, moins il y aura de gens pour s'occuper de notre prétendu héritage, mieux ce sera. Si nécessaire, je me chargerai de tout. Voici les titres de beau-papa, ils représentent à eux seuls... (Elle ouvrit un carnet et compulsa ses notes, puis grimaça un sourire.)... au bas mot dix millions de dollars, mais selon les agents de change, il ne faut pas vendre en ce moment. Ils sont tous passés au nom de Graziella ; voilà au moins quelque chose dont Domino s'est occupé. Elle n'a plus qu'à nous les céder, et nous vendrons quand les conditions seront favorables.

» Sur la fin, don Roberto avait visiblement pris ses distances avec l'organisation. C'est pourquoi il mettait une bonne part de ses liquidités dans des titres, de façon à jeter le voile sur ses gains. Peut-être cherchait-il à nous affranchir complètement de l'organisation. Il y est presque arrivé. D'après ce que j'ai pu voir, il semble qu'il essayait de tout liquider. Simplement, il ne s'y est pas pris suffisamment tôt...

Elle feuilletait maintenant le contenu d'une autre chemise. Au bout d'un moment, elle tourna la tête vers Sophia et plissa les paupières.

— Ça, c'est une offre d'achat pour la tuilerie, datée de mai 1985... et là... (Elle tendit le bras pour attraper un papier à en-tête noirci de caractères serrés.)... voici l'offre adressée presque deux ans plus tard par la même société à Mario Domino. Elle est inférieure à la première. Tu as à tes pieds les livres de comptes et les ordres d'exportation de la tuilerie.

» Au cours de ces deux années, l'affaire s'était développée, alors pourquoi en offraient-ils moins ? Domino cherchait à gagner du temps. Les contrats sont annotés dans tous les sens. J'ai trouvé deux offres faites *avant* la mort de don Roberto, à l'époque où il cherchait à tout vendre, tu me suis ? Eh bien, Domino les a rejetées. Ensuite — depuis sa mort —, son cabinet a adopté le même comportement. Attends, regarde un peu... Tout ça, ce sont des offres émises par un dénommé Vittorio Rosales, et les seules coordonnées que j'ai pu lui trouver, c'est un numéro de boîte postale à Rome. Est-ce que tu peux lire ce que Domino a écrit là, en haut et à droite ? Ici, ce qui est souligné. Qu'est-ce que tu déchiffres, toi ?

Sophia prit le document pour le placer sous la lampe de bureau.

— Il me semble que c'est Parolla...

— Moi, je pense que c'est P. Carolla. Rosales pourrait être son prête-nom.

— Tu parles sérieusement?

Teresa était toute frémissante.

— Si je vois juste, cela signifie que Carolla avait de bonnes raisons d'ordonner l'assassinat de nos hommes. En l'absence de tout héritier, il était bien placé pour s'approprier l'ensemble de l'empire Luciano. Si nous arrivons à prouver que Vittorio Rosales et lui ne sont qu'une seule et même personne...

— Comment faire?

Sa belle-sœur brandit l'un des contrats.

— En prenant pour point de départ la seule adresse que nous ayons, cette boîte postale à Rome. Mais nous devons agir vite, car ces documents sont établis et prêts à être envoyés. Demain, afin de gagner du temps, nous révoquerons la procuration. Carolla sera libéré dans moins d'un mois, mais si nous arrivons à prouver cela, nous pouvons le faire inculper de nouveau...

Sophia hocha la tête, puis tapota la pile de documents la plus proche.

— Il y en a pour combien, à ton avis?

Teresa haussa les épaules.

— Sans compter les actions, je dirais que la compagnie pèse dix millions de dollars, peut-être quinze millions. Mais si ces contrats passent, nous ne les aurons pas, ni même rien d'approchant. Il faut les récupérer et demander un prix raisonnable. Je commence à me sentir rassérénée, et je pense que nous allons pouvoir vivre sur un pied plus élevé que ce simple confort dont tu parlais ce soir.

Sophia fouilla dans un des cartons de l'avocat.

— Teresa, est-ce qu'il y a d'autres cartons contenant des papiers personnels de Domino?

— Il y en a un là-bas dans le coin, des trucs sans intérêt, de vieux agendas, et encore quatre autres derrière moi.

Elle repéra la pile de vieux agendas posée juste sur le dessus du carton. Elle les passa en revue, le cœur battant : 1980, 1979, 1976...

— Je t'ai noté le numéro de la boîte de Rosales, dit Teresa.

Sophia avait les mains qui tremblaient. Elle venait de trouver ce qu'elle cherchait : un petit carnet relié en cuir noir et marqué 1963. Elle se releva et le glissa dans sa poche.

— Entendu. Je... je repars immédiatement.

— Hé, rien ne presse à ce point.

Elle se dirigeait déjà vers la porte.

— Plus vite ce sera fait... Tu n'as qu'à me noter tout ce que tu veux que je vérifie, pendant que je vais me préparer.

Elle avait déjà la main sur la poignée de la porte : il lui tardait d'être seule pour ouvrir l'agenda.

Teresa se leva.

— Sois prudente. Est-ce qu'il n'y a pas quelqu'un qui pourrait t'aider ? Car enfin, nous ne savons rien de ce type, et s'il travaille effectivement pour Carolla...

Sophia se retourna avec une lueur farouche dans le regard.

— Si je découvre que c'est Paul Carolla qui a donné l'ordre de tuer mes bébés, alors j'espère qu'il sera libéré, parce que je le tuerai de mes propres mains.

Domino n'écrivait pas de notes détaillées dans ses agendas, se bornant à des listes de chiffres et d'occasionnelles initiales. Sophia s'humecta le doigt pour feuilleter le carnet à la recherche de la date de son mariage.

Elle y trouva cette simple note : *Mariage S&C*. Elle passa à la page suivante. Combien de temps après son mariage avait-elle appelé l'orphelinat ? Elle sursauta en entendant frapper. Teresa passa la tête dans l'entrebâillement de la porte.

— Je t'ai fait peur ? Excuse-moi. Tiens, voici le papier où je t'ai noté le numéro de la boîte postale de Rosales.

— D'accord. Merci, et bonne nuit. Je reviens dès que j'ai du nouveau.

Elle poussa presque Teresa dehors, puis ferma la porte à clef et se précipita sur l'agenda. Un gémissement lui échappa quand elle trouva ce qu'elle cherchait.

Graziella entendit la porte d'entrée se refermer. Le temps qu'elle aille à la fenêtre, Sophia roulait déjà à grande vitesse dans l'allée. Elle laissa retomber le rideau. Ainsi, sa belle-fille préférée l'abandonnait. Elle prit le billet qu'elle avait écrit à son intention et le déchira en mille morceaux.

À 8 heures le lendemain matin, Graziella quitta la villa. Elle portait sa robe de crêpe de Chine noire, un manteau léger également noir et son voile de veuve. Ses mains étaient gantées de noir. Dans l'une elle tenait son rosaire, dans l'autre une grande pochette noire en cuir.

Un petit paquet sous le bras, Luka Carolla quitta son hôtel à 8 heures et quart. Il gagna des toilettes publiques pour passer sa robe de moine. Après avoir soigneusement plié les vêtements qu'il venait d'ôter, il les enveloppa de papier kraft et cacha le tout au-dessus du réservoir de la chasse d'eau. Il redescendit de la lunette des toilettes et empoigna sa canne.

Lorsqu'il fut sur le trottoir, il commença à claudiquer. Il tourna dans une rue latérale, puis dans une venelle d'où il déboucha sur la place, face à la prison Unigaro et au palais de Justice. Il était 9 heures. La séance débutait à 10 heures.

Dante reçut le coup de téléphone à 9 heures et demie. Il fut mis au courant des derniers faits et gestes du jeune homme.

— Il s'est déguisé en moine? Tu déconnes ou quoi? Est-ce qu'il a pu entrer au tribunal?

Dario, qui appelait d'une cabine où il pouvait voir le palais de Justice, dit que Luka faisait la queue. Dante lui demanda de rappeler dès que le garçon serait entré.

Il raccrocha et gagna sa salle de bains en frottant la barbe naissante de son menton. Ils avaient passé une bonne partie de la nuit à travailler sur l'arme, puis ils étaient encore allés l'essayer pendant deux heures dans les bois. Luka avait tiré sans relâche sur une petite marque tracée sur le fût d'un arbre. Pour finir, il avait fait feu en employant une des cartouches dont il avait foré la balle. Cette fois, le tronc, déjà bien meurtri, avait paru exploser. Il avait éclaté de rire devant l'air hébété de Dante.

Il s'enduisit le visage de mousse et prit son rasoir. Sa main tremblait. Ce gosse, le fils de Carolla, était fou, fou et dangereux. Comment pourrait-il s'en tirer après un coup pareil en plein tribunal?

Pirelli sut qu'il y avait du nouveau à l'instant où il arrêta sa voiture devant l'hôtel de police. Ancora l'attendait devant l'immeuble pour lui annoncer que le grand patron voulait le voir. Il monta les larges marches en pierre quatre à quatre.

Son supérieur le prit à part.

— Vous allez devoir attendre la fin de la session pour interroger Carolla. Les autorités ont rejeté la requête de la défense concernant la lecture des dépositions. Aucune libération en perspective. Carolla sera à la barre toute la matinée. Toutefois, son avocat ne veut pas qu'on le mette au courant.

Pirelli hochait la tête, s'efforçant de contenir sa colère. Son chef lui tapota l'épaule.

— Vous tenez peut-être le moyen de le faire se mettre à table. Ils sont d'accord pour que vous le voyiez sitôt la clôture. Ils seront disposés à négocier, parce qu'Emanuel sort de nouvelles charges aujourd'hui.

C'est le cœur battant que Graziella gagna lentement sa place. Ce matin-là, elle était parmi les toutes premières personnes à entrer dans le prétoire.

Luka posa sa canne contre le mur, tandis que les gardiens le soumettaient à une fouille sommaire. Ils fuyaient son regard, gênés de palper ainsi la personne d'un père de la Sainte Mission. Il prit appui sur l'un d'eux pour reprendre sa canne, puis demanda d'une voix de gorge s'il lui serait possible de se placer en bout de banc car sa jambe lui faisait mal lorsqu'il ne pouvait la déplier.

On le conduisit obligeamment à un siège situé quatre rangs en avant de Graziella. Le visage dissimulé derrière son voile, elle regardait droit devant elle. Il prit place et posa sa canne contre le dossier qui lui faisait face.

Paul Carolla mesurait 1,75 mètre, et Luka savait exactement quel angle de tir il lui faudrait adopter.

Graziella entrouvrit son sac à main et se défit de son rosaire. Elle ne disposait pas de beaucoup de temps : la place voisine était encore libre, mais la salle se remplissait et quelqu'un pouvait venir l'occuper d'un instant à l'autre. Ce jour-là, elle avait choisi de s'asseoir en bout de rangée. Le moment venu, elle ferait un pas de côté et, debout dans l'allée, elle tirerait. Elle pencha le buste en avant, sortit le pistolet et, tout en se redressant, le glissa sous son sac. Le métal était froid. Elle posa le pouce sur le cran de sécurité.

Au bout de quelque dix-huit mois d'un tel régime, les détenus étaient rompus à la routine quotidienne. Tous les matins, dans les sous-sols du palais de Justice, chaque cellule était tour à tour ouverte à l'appel du nom de son occupant, qui, menotté, venait alors se joindre à la file des autres détenus auxquels on le reliait par une chaîne et des fers.

L'assistant de maître Ulliano répétait aux gardiens qu'il devait absolument s'entretenir avec son client. La chose était contraire au règlement, mais, après beaucoup de cris et de gesticulations, il fut autorisé à longer l'étroit couloir jusqu'à la dernière cellule. Les prisonniers faisaient un vacarme assourdissant.

Carolla attendait, le visage appuyé contre les barreaux. Il aperçut enfin le jeune stagiaire qui se frayait péniblement un chemin à travers la cohue. Par deux fois, le jeune homme fut arrêté par des gardiens, mais il parvint enfin à la porte de Carolla.

— Il y a du nouveau? interrogea le prisonnier. J'entends courir toutes sortes de bruits, ce matin.

Le stagiaire secoua la tête. Il avait reçu pour instruction de ne surtout rien dire.

— Vous seriez le premier au courant, *signor* Carolla. Vous savez que c'est contre le règlement. Si vous continuez à abuser des privilèges qui vous sont accordés, on ne me laissera pas vous voir aussi souvent...

Le jeune homme fut rudement bousculé par deux détenus qui se disputaient avec un gardien. Carolla passa le bras à l'extérieur pour saisir l'avocat par la manche.

— Attendez, attendez...

— Écoutez, *signor*, tout le monde va monter. Aussi, à moins que vous n'ayez quelque chose de la première urgence à me...

— Approchez plus près... (Carolla tira l'avocat contre les barreaux.) À propos de ce dont parlait Ulliano, j'ai un nom, mais je veux votre parole : vous ne l'utiliserez que si on n'obtient pas l'élargissement...

— Écoutez, *signor*, s'il vous plaît...

Il était en nage, terrifié à l'idée que les autres prisonniers puissent l'entendre. Il baissa tellement la voix que l'avocat dut se coller le visage contre les barreaux.

— Un nom, dites-vous?

— Oui, il a dit que si je lui donnais un nom, le nom de quelqu'un qui pourrait être responsable de l'assassinat du petit Paluso...

La file des détenus progressait au fur et à mesure que se vidaient les cellules. Les cris, l'appel des noms empêchaient le jeune homme d'entendre ce que disait Carolla.

Le prisonnier lui prit la main.

— Il s'agit de mon fils, Luka Carolla. Retrouvez-le...

L'autre eut du mal à en croire ses oreilles. Venait-il réellement de dénoncer son propre fils? Mais il ne put lui faire répéter ses paroles. Les gardiens lui ordonnèrent de partir. Déjà, ils ouvraient la porte de la cellule.

Carolla pleurait.

Le stagiaire rejoignit les autres avocats au vestiaire. Il prit Ulliano à part et l'aida à passer sa robe.

— Notre entretien d'hier soir a porté : il vient de me donner un nom au sujet du petit Paluso.

— Quoi? C'est vrai? Est-ce qu'on peut lui faire confiance?

— Il a nommé son fils, Luka Carolla.

— *Quoi?*

— Comme je vous le dis. Qu'est-ce qu'on en fait?

Les gardiens invitaient les avocats à se rassembler pour le début de la séance. Ulliano regroupa ses affaires.

— Vous allez passer à l'hôtel de police pour demander au commissaire Pirelli de venir me retrouver pendant l'interruption de midi, mais ne lui en dites pas plus.

Ulliano se dirigea vers le groupe des avocats de la partie civile. Il repéra Emanuel et lui fit signe d'approcher.

— Pouvez-vous m'accorder quelques instants à l'heure du déjeuner? Il se pourrait que j'aie quelque chose à vous...

Le procureur se détourna, la mine pincée.

— Il est trop tard pour passer des arrangements. Vous avez eu votre chance. C'est aujourd'hui que je le crucifie, et vous le savez.

Il s'éloigna pour prendre la tête du groupe qui suivait le passage souterrain menant au tribunal. Tandis qu'il gagnait lentement le fond de la salle, le stagiaire d'Ulliano courait déjà vers l'hôtel de police. Toutes les places étant occupées, Pirelli dut rester debout au fond de la salle surpeuplée.

Luka fit jouer la poignée de la canne. Le cran de sécurité étant ainsi ôté, il posa l'index sur la détente. On faisait entrer l'occupant de l'avant-dernière cage. Il attendit, les mains parfaitement immobiles.

Graziella avait les mains toutes moites. Elle fit sauter le cran de sécurité du Luger.

Les gardiens refermaient la cage voisine de celle de Carolla. Elle tourna la tête vers l'entrée des accusés à l'instant où le signal était donné d'amener Carolla.

Comme à l'accoutumée, plusieurs gardiens l'entouraient. Tandis qu'il progressait vers sa cage, des acclamations s'élevèrent parmi les autres détenus. Certains l'interpellaient amicalement, d'autres essayaient de le toucher.

La tête légèrement penchée, il ne regardait ni à droite ni à gauche. Cependant, lorsqu'il fut devant sa cage et fit un pas de côté pour que l'on puisse l'ouvrir, il embrassa la salle d'un regard mauvais. C'était le moment.

La porte commença à coulisser. Un des gardiens s'effaça, un autre se déplaça vers la gauche. Carolla était complètement exposé. Il tourna la tête et ses petits yeux clignèrent.

Graziella se leva brusquement, son sac à main tomba à terre.

Le bras de Luka ne connut nul tremblement.

Les deux armes firent feu ensemble, comme si cette parfaite synchronisation était le fruit de maintes répétitions. Carolla fut touché au visage. Le projectile lui fracassa la boîte crânienne.

La balle de Graziella manqua sa cible, ricocha sur un barreau et alla se ficher dans le mur. Ce fut néanmoins sur elle, non sur Luka, que se portèrent tous les regards. Les carabiniers coururent à sa rencontre dans un brouhaha de hurlements et de bousculades. Tout le public était debout. Au milieu de la panique générale, Luka imita ceux qui l'entouraient, se haussant du col pour tenter de voir ce qui venait de se produire.

Pirelli ne voyait rien. Sa seule certitude était qu'un coup de feu avait été tiré et que Carolla était touché. Il se fraya un chemin à travers la cohue en brandissant sa carte de police.

La confusion était à son comble. Tandis qu'un mouvement de panique précipitait maintenant les gens vers la sortie, des carabiniers s'occupèrent de Graziella. On lui arracha son arme.

Les détenus hurlaient et cognaient leurs chaînes aux barreaux pendant que Luka, perdu dans la foule, se rapprochait lentement de la sortie. Les gardiens demandaient au public de garder son calme, de se rasseoir. Tout était joué...

Dante ne reconnut pas tout de suite la voix confuse et paniquée qu'il entendait au bout du fil. La nouvelle le força à s'asseoir. Dario Biaze avait perdu Luka dans la cohue, mais la police venait d'arrêter une femme, une femme âgée. C'était *elle* la meurtrière.

Il demanda si Paul Carolla était mort. Biaze répondit qu'il avait eu la calotte crânienne emportée.

— Tu vas retourner à son hôtel et voir s'il y est. Ensuite, tu viens me retrouver. Je serai à la boîte.

Luka retourna dans les toilettes publiques et changea de vêtements. Lorsqu'il eut regagné sa chambre, son corps tout entier tremblait d'exaltation. Il se dévêtit. De la sueur dégouttait de ses cheveux et faisait briller son torse. Il remplit le lavabo et se mit la tête sous le robinet d'eau froide. Lorsqu'il se redressa, l'eau était rouge foncé.

Ses pupilles étaient deux petits points noirs qui tranchaient sur la pâleur de son visage. Il s'essuya lentement en regardant ses cheveux dans le miroir. Il allait devoir employer une teinture de meilleure qualité.

Et puis il fallait qu'il recontacte Dante. Il demeura un long moment aussi immobile qu'une statue, plongé dans ses réflexions, comme incapable du moindre mouvement. Non, Dante attendrait. Il se sentait trop fatigué, son cerveau ne fonctionnait plus. Il fallait dormir.

Il prit le petit cœur en or et le fit osciller au bout de sa chaînette jusqu'à ce que ses paupières se ferment et qu'il sombre dans un sommeil profond et sans rêves.

12

Arrivée à Catane, Sophia avait attendu l'ouverture de l'orphelinat pendant une heure, puis encore une demi-heure, que le père supérieur puisse la recevoir. Lorsqu'elle exposa ce qui l'amenait, il s'excusa, expliquant qu'il ne pouvait pour sa part lui être d'aucun secours car il n'était à l'orphelinat que depuis dix ans. Il revint flanqué d'une religieuse âgée, qui tenait le dossier renfermant les noms des pensionnaires avec leurs dates d'arrivée et de départ.

Sous le regard intense de Sophia, la sœur se mit à feuilleter lentement le livre. Penché au-dessus du bureau, le visage creusé de rides profondes, le prêtre parcourait chaque page. Sans regarder la visiteuse, il demanda à la religieuse si l'on disposait de renseignements supplémentaires. Celle-ci secoua la tête et posa sur elle un regard triste.

— Est-ce que mon fils a séjourné ici? Je vous en prie, dites-le-moi...

La religieuse regarda le supérieur. Il déplaça sa chaise et s'assit à côté de Sophia. Il parla d'une voix douce, d'un ton de ménagement qui la fit tressaillir. Elle pressentait une terrible révélation.

— Votre enfant figure dans ce dossier pour les cinq premières années de sa vie, celles qu'il a passées parmi nous.

Sophia se pencha en avant.

— A-t-il été adopté? Pouvez-vous me donner des noms? Je vous en conjure.

Alors le prêtre adressa un signe de tête à la religieuse. Elle posa les mains à plat sur le bureau, comme si ce contact lui était nécessaire pour parler.

— Je me souviens bien de votre fils, même si cela remonte à fort longtemps. Quand je suis arrivée ici, il devait avoir 4 ans, presque 5. Chaque dimanche après la classe, nous emmenions les enfants en pique-nique. À l'époque, il y avait une fête foraine, tenue par des gitans. Les gamins n'avaient pas d'argent, mais certains forains avaient la gentillesse de leur offrir des tours de manège... Votre fils était un garçon très volontaire, réfractaire à la discipline. Ce jour-là, lorsqu'il a fallu rentrer, il s'est mis en colère et nous a faussé compagnie pour retourner à la fête. Nous l'avons rattrapé et réprimandé.

» Durant le trajet de retour à l'orphelinat, il s'est à nouveau enfui — c'est du moins ce que nous supposons. Son absence n'a pas été remarquée tout de suite; vous comprenez, il y avait quinze enfants. Nous sommes retournés à la fête pour essayer de le retrouver, et quand le soir est tombé, nous avons prévenu la police. Nous avons fait tout ce qu'il était possible. Les forains ont été contraints de rester sur place une semaine supplémentaire, tandis que la police poursuivait ses recherches...

Sophia était incapable de parler. Le prêtre retourna le dossier afin qu'elle lise les nombreuses lettres et coupures de journaux. Mais elle regarda tout cela sans paraître comprendre.

Lorsqu'elle prit enfin la parole, ce fut d'une voix à peine audible.

— Est-ce qu'il est mort?

— Nous ne savons pas. Aucun corps n'a jamais été retrouvé. Il a disparu, c'est tout. Comme vous voyez, nous avons fait tout ce qui était humainement possible pour le retrouver. La police a mené ses recherches des mois durant.

— Est-ce qu'elle soupçonnait les gitans de l'avoir enlevé?

— De toute évidence. Seulement l'enfant était blond aux yeux bleus ; il aurait été facilement identifiable au milieu de ces gens à la peau mate. La police ne les a pas perdus de vue lorsqu'ils sont repartis, mais on ne l'a jamais retrouvé.

Sophia voulut se lever pour partir, mais ses jambes se dérobèrent sous elle, et elle tomba en avant. Ils la transportèrent sur un petit canapé en cuir et lui donnèrent du thé sucré lorsqu'elle revint à elle.

Elle tremblait de froid mais n'arrivait pas à pleurer. Elle ne parvenait pas à assimiler ce qu'on venait de lui dire ; tout cela manquait de réalité. Assise à côté d'elle, la religieuse lui tenait la main. Les ongles longs et rouges de la jeune femme entraient dans sa peau fanée, mais elle ne cherchait pas à se dégager.

— Vous avez été très gentils. Je vous remercie beaucoup, dit Sophia au bout d'un moment. (Elle n'avait que fort peu d'argent sur elle et n'osait établir un chèque, aussi ôta-t-elle son diamant de son doigt.) Quand j'ai abandonné mon bébé — c'est un remords qui ne me quittera jamais —, il portait autour du cou une chaînette avec un petit cœur en or. Est-ce que... quand il est arrivé ici, est-ce qu'il l'avait toujours ?

La bonne sœur réfléchit un moment en portant la main au crucifix qu'elle avait au cou.

— Oui. Oui, cela me revient... Il le balançait comme ceci avant de s'endormir.

Elle leva la croix à hauteur de son visage pour la faire osciller d'avant en arrière.

La jeune femme éclata en sanglots. La religieuse s'agenouilla pour prier, les mains jointes sur la poitrine. Sophia ne put se résoudre à faire de même : la prière ne lui était plus d'aucun secours. Elle murmura qu'il lui fallait partir, et attendit que la sœur se relève.

— Je vous prie d'accepter ceci. Elle a une grande valeur. C'est tout ce que j'ai.

Elle remonta en voiture et, enveloppée dans sa souffrance, sortit de Catane. Elle n'avait pas cherché à se renseigner sur le titulaire de la boîte postale ; rien n'était plus éloigné de ses pensées. Plongée dans son hébétude, elle reprit la direction de Palerme, manquant même de tomber en panne d'essence.

Elle s'arrêta dans une station-service. Le transistor du pompiste déversait un torrent de pop music qui s'interrompit pour un flash d'information : Paul Carolla avait été abattu le matin même en plein tribunal. Assise à son volant, comme tétanisée, Sophia entendit le journaliste dire que le meurtrier était une femme âgée, qui avait aussitôt été arrêtée.

Le poste de télévision de la cuisine était allumé. Une speakerine récapitulait les gros titres de la journée. Teresa se figea en entendant le nom de Paul Carolla. Elle haussa le son.

Rosa entra quelques secondes plus tard. Sa mère la regarda, complètement choquée.

— Seigneur, je crois que *mamma* a tué Paul Carolla.

Le commissaire Pirelli mélangeait son café. Il était froid. Il était assis depuis un moment, cherchant à assimiler les événements de la matinée. L'excitation éprouvée en obtenant de nouveaux éléments sur Luka Carolla était presque retombée depuis l'assassinat de son père.

On frappa doucement à la porte.

— Entrez, dit-il sans lever les yeux, certain qu'il s'agissait de Bruno, son adjoint.

La porte s'ouvrit. Comme le silence durait et que personne n'entrait, Pirelli tourna enfin la tête. Il bondit de son fauteuil.

— Excusez-moi, *signora*. Vous désirez me parler ?

Sophia restait sur le seuil, hésitante. Il fit le tour de son bureau. Il se passa la main dans les cheveux, des cheveux épais, bouclés, indomptables.

— Est-ce que je peux quelque chose pour vous ?

Elle s'avança de quelques pas.

— Je ne sais pas exactement à qui je dois m'adresser. Je m'appelle Sophia Luciano.

Cette voix mate, un peu rauque, fit frissonner le commissaire. C'était la plus splendide créature qu'il ait jamais vue.

Il déglutit, lui désigna un siège, puis le lui présenta.

— Vous venez sans doute pour la *signora* Luciano. Malheureusement, ce n'est pas moi qui... Euh, je vous en prie, *signora*, asseyez-vous. Je vais me renseigner pour savoir où elle se trouve, puis je vous emmènerai la voir.

Il lui proposa une tasse de café, mais elle refusa. Elle s'était assise et tenait la tête légèrement inclinée.

— J'ai entendu la nouvelle à la radio. Je suis venue directement ici. Je n'étais pas certaine de l'endroit où je devais m'adresser...

Il était bouleversé par son désarroi, ce sentiment de déréliction qui émanait d'elle. Il aurait voulu la prendre dans ses bras. Il essayait de se rappeler quelle Luciano elle était. La mère des deux petits garçons? Il s'excusa et sortit.

Ayant passé la porte, il respira profondément, comme s'il avait eu le souffle coupé depuis qu'elle lui était apparue. Il s'engagea à grands pas dans le couloir et tomba sur Ancora, qui arrivait en sens inverse, le visage tout rouge.

— Commissaire, il y a deux jours, Luka Carolla avait une place sur un vol. Il ne s'est pas présenté à l'embarquement. La réservation était à son nom...

— Au nom de Luka, pas de Giorgio?

— Oui. Cela signifie qu'il est toujours en Sicile, à moins qu'il n'ait un autre passeport ou qu'il ait pris l'avion à Rome. Je suis en train de vérifier.

Pirelli hocha la tête, puis saisit Ancora par le bras.

— Laquelle des veuves Luciano était la mère des deux gosses?

L'autre réfléchit un instant en se mordillant la lèvre.

— Sophia. L'épouse de Constantino.

— Elle est dans mon bureau. Je vais l'emmener voir sa belle-mère. Tu sais où elle est, en ce moment?

Ancora répondit que Graziella se trouvait au dernier étage, avec l'équipe de Mincelli, puis il gagna rapidement son propre bureau.

273

Sophia avait conservé exactement la même position. Pirelli referma la porte.

— Vous pourrez la voir dans un petit moment. On a pris sa déposition, et je doute fort qu'on la garde ici.

Ses yeux noirs contenaient une telle angoisse qu'il n'osait la regarder et manipulait fébrilement ses crayons et stylos.

— Mais... elle a quand même tué Paul Carolla...

— Non... elle a essayé, mais ce n'est pas elle qui l'a tué. Quelqu'un d'autre a fait feu exactement au même instant. Je n'en sais pas plus pour le moment. D'ailleurs, je n'aurais peut-être pas dû vous en parler.

— Quelqu'un d'autre?

— Il semble que oui... Vous en apprendrez certainement plus de la bouche de la *signora* Luciano.

Elle hocha la tête et balbutia quelques remerciements. Il lui proposa une cigarette, mais elle refusa. Elle ouvrit son sac à main et en sortit une de son étui.

— Je ne fume que cette marque. Elles coûtent très cher et on ne les trouve pas partout. Je fais semblant de croire que cela m'oblige à moins fumer. En voulez-vous une?

Pirelli avait déjà une Marlboro à la bouche. Il manqua se déchirer la lèvre dans sa hâte à la faire disparaître.

— Non, merci, dit-il toutefois.

Il chercha du feu, mais elle le prit de vitesse et alluma sa cigarette à l'aide d'un briquet en or. Il s'agissait d'un mélange de tabacs turcs. Elle souffla une fumée bleutée qui fit comme une brume autour de sa tête.

— Est-ce que vous l'avez vue? l'interrogea-t-elle.

Il raffolait de ses intonations voilées.

— Non, je n'en ai pas eu l'occasion, mais je crois qu'elle est très choquée. L'inspecteur avec lequel j'ai parlé m'a dit ne pas trop savoir si c'était l'effet de son geste ou bien le fait que Carolla ne soit pas mort de sa main.

Il se hâta d'effacer le sourire qui lui barrait le visage.

— A-t-on arrêté quelqu'un d'autre?

— Non, pas à ma connaissance.

Elle chercha des yeux un cendrier. Il en plaça un devant elle. Elle y écrasa sa cigarette à demi fumée et se leva. Il n'avait pas réalisé à quel point elle était grande. Elle mesurait presque la même taille que lui. Il eut un coup d'œil rapide à ses talons hauts et remarqua qu'elle avait des jambes parfaites.

— Vous m'avez très gentiment reçue. Est-ce que je peux aller la voir?

Après avoir passé un rapide coup de téléphone, Pirelli gagna la porte. Elle vint vers lui en titubant légèrement, et il tendit le bras pour lui prendre le coude. Elle resta un court instant appuyée contre lui.

— Ça va? Voulez-vous un verre d'eau?

— Non, merci, non, ça va aller...

Il la conduisit dans le bureau voisin, où il lui présenta l'inspecteur chargé de l'affaire. Il s'attarda un moment, le temps qu'elle demande ce qu'il allait advenir de Graziella, puis il s'éloigna à pas lents. Il n'avait aucune envie de la quitter...

Il entendit la réponse de son collègue.

— Elle sera poursuivie pour tentative d'homicide et port d'arme prohibée, mais elle bénéficiera des circonstances atténuantes. Elle devra passer en jugement, mais je doute qu'elle soit condamnée à une peine d'emprisonnement. Vous pouvez rester le temps que nous en ayons terminé avec les formalités. Ensuite, elle pourra repartir avec vous.

Lorsque Pirelli regagna son bureau, il y trouva Ancora au téléphone. Le jeune inspecteur lui fit signe d'approcher et griffonna sur un bloc : *Eva Carolla a eu un fils... né à Rome. Giorgio Carolla... Il est plus vieux que nous ne le pensions : 28 ans. Né en 59.*

Il raccrocha au bout d'un moment.

— Elle est morte en le mettant au monde. Ils nous envoient tous les détails par télex. Joe? Joe, tu m'entends?

Pirelli hocha la tête. L'enquête progressait, il le sentait. Cependant, il n'arrivait pas à détacher ses pensées

275

de Sophia Luciano. Le téléphone sonna. Ancora répondit et lui tendit le combiné.

— C'est ta bourgeoise.

Pirelli fit une grimace et prit l'appel. Ancora l'entendit expliquer pourquoi l'affaire s'éternisait, et affirmer que oui, il comptait la mener rapidement à son terme... Il interrompit sa femme pour lui demander des nouvelles de leur fils. Cependant, tandis qu'elle lui répondait, l'image de Sophia et de ses deux petits garçons flottait devant lui. Il ferma les paupières, se remémorant son parfum entêtant, puis il s'obligea à réfléchir à la question de savoir si son propre fils devrait ou non prendre en plus des leçons particulières de violon.

— Je croyais qu'il faisait de la guitare?... Ah, c'était le trimestre dernier?... Écoute, décide pour le mieux... C'est ça, à ce week-end.

Il raccrocha, s'étira et gagna la fenêtre pour regarder la rue. Sur le trottoir, Sophia Luciano aidait sa belle-mère à monter à bord d'une Mercedes 280SL.

Lorsque Ancora revint, Pirelli était toujours à la fenêtre.

— Heureusement que l'un de nous est sur le coup. Je viens de m'engueuler avec l'avocat de Carolla. Tu parles d'un peigne-cul! Il se soucie plus de ses honoraires que d'avoir perdu son client... Joe? Je te parle...

Il se retourna.

— Moi, j'appelle ça une sacrée bonne femme.

Ancora haussa les épaules.

— Si ma grand-mère se mettait à faire des cartons sur les gens, je ne sais pas si je l'appellerais comme ça. Je la mettrais dans un hospice où elle ne risquerait pas de faire de dégâts.

Pirelli ne prit pas la peine de contredire son adjoint, maintenant occupé à feuilleter un annuaire ferroviaire.

— T'es déjà allé à Erice? Il y a un monastère au-dessus de ce patelin. D'après Ulliano, Giorgio — alias Luka, ou quel que soit son nom — y aurait séjourné. Ça vaut peut-être la peine de vérifier?

— Un monastère? Tu es sûr?

Ancora opina.

— Je suppose que c'était pas bidon, cette histoire de fils. Quand Carolla a balancé son nom à l'assistant d'Ulliano, il chialait comme une madeleine.

Pirelli arpentait le bureau, les mains dans les poches.

— On a des suspects, pour ce matin?

— Aucun. Ils sont encore en train d'éponger la cervelle de Carolla. Il va falloir vérifier l'identité de toutes les personnes présentes. Tu as assisté à la chose, non?

— J'étais tout au fond. Je n'ai rien vu. Ensuite, sitôt les coups de feu partis, ça a été le chaos.

Il ouvrit le tiroir du fichier. Bien qu'il ne soit théoriquement chargé que de l'affaire Paluso, il en sortit la chemise concernant le meurtre des enfants de Sophia et referma lentement le tiroir.

— Qui s'occupe de l'affaire Luciano?

— Mincelli, mon ancien patron. Le pauvre, il écope aussi du meurtre de Carolla. Il va y perdre la boule. Remarque, il risque de laisser tomber l'affaire Luciano pour se mettre en priorité sur ce qui s'est passé ce matin. Tu veux un petit conseil, Joe? Si tu veux rentrer un jour à Milan, ne mets pas ton nez dans cette affaire Luciano. Sinon, tu en as pour... Joe?

Mais Pirelli était déjà dans le couloir.

Sophia ramena Graziella à la villa Rivera, resta auprès d'elle pendant que le médecin lui administrait un sédatif, et s'assit à son chevet jusqu'à ce qu'elle s'endorme. Pendant tout ce temps, la vieille femme lui tint la main comme une enfant, pleurant doucement de soulagement et rendant grâce à Dieu que ce soit Sophia qui soit venue la chercher. Elle avait cru sa belle-fille préférée repartie pour Rome.

Son geste de folie avait touché ses deux belles-filles. S'y ajoutait pour elles le sentiment de culpabilité de ne l'avoir ni l'une ni l'autre accompagnée au tribunal. Elles s'occupèrent de lui trouver un avocat, Teresa se chargeant de toutes les formalités.

Lorsqu'elles eurent épuisé le sujet, leurs émotions

refluèrent, les laissant sans énergie et déprimées. Elles dînèrent en silence, jusqu'à ce que Teresa déclare que, maintenant que Graziella semblait hors de danger, leur principal objectif était de régler les affaires de la famille. Sophia s'excusa de n'avoir rien pu découvrir à Rome, expliquant qu'à peine arrivée elle avait appris la nouvelle et était remontée dans le premier avion pour Palerme.

Teresa ouvrit son agenda.

— De toute façon, ça aurait été une perte de temps, parce que ce brave vieux Mario avait mené sa propre enquête. J'ai trouvé ces photos, je ne sais pas qui les a prises, mais quelqu'un a noté au dos *Enrico Dante, alias Vittorio Rosales*. Ce Dante travaillait pour Carolla et menait les transactions pour son compte. C'est lui qui attend qu'on lui envoie les contrats dûment signés. De toute évidence, Mario aura découvert le pot aux roses et refusé de conclure l'affaire. C'est là que nous avons une chance de récupérer ce qui a déjà été signé.

Elle montra à Sophia plusieurs colonnes de chiffres.

— La première indique ce que nous pourrions retirer de la vente de tout ce que j'ai pu vérifier comme nous appartenant en toute légalité. La seconde correspond à ce que nous pourrions récupérer avec un peu de chance. Ce sont des affaires dont le siège est aux États-Unis, des boîtes de transports routiers, ce genre de choses. Dans la troisième, j'ai fait figurer ce que je vois comme nos perspectives à long terme. Ça, c'est si nous dirigeons le consortium Luciano nous-mêmes.

Sophia ne prêta guère d'attention aux chiffres.

— Tu penses qu'on nous laisserait faire?

— C'est une question qui ne regarde que nous. Je m'y connais suffisamment... pour ce qui est des échanges internationaux, en tout cas. Du temps de Filippo, c'est moi qui m'occupais de...

Sophia leva les mains dans un geste d'impatience.

— Et don Roberto était encore de ce monde, et Constantino de même... Tu étais protégée, Teresa, ce n'est pas toi qui menais la barque, même si tu jonglais avec les chiffres, même si quelques contrats te passaient entre les mains. Tu vis dans une espèce de monde imaginaire. Don Roberto voulait tout réaliser et que nous soyons désengagés des affaires. C'est aussi le désir de *mamma*, et c'est ce à quoi Mario Domino s'est employé. C'est ce que nous allons faire, Teresa! Nous vendons tout, sans exception.

— Tu ne comprends donc pas que les sociétés valent trois fois ce qu'on nous en propose? Dante — ou plutôt Carolla — cherchait à nous dépouiller. Je suis d'accord pour vendre, si c'est ce que tu veux, mais pas à lui, pas au prix qu'il propose. S'il est disposé à nous faire une offre raisonnable, alors nous pouvons discuter. Mais en attendant de savoir exactement ce qui nous appartient, il est vain de se disputer pour savoir qui va faire quoi. Tu n'es pas de mon avis?

Trop fatiguée pour défendre son point de vue, Sophia haussa les épaules et se tut.

— Qu'est-ce que tu en penses, Rosa? interrogea Teresa.

Sa fille était accoudée, la tête entre les mains. Elle n'avait écouté qu'à moitié cette conversation qu'elle trouvait ennuyeuse.

— Je marche. Plus vite nous partirons d'ici, mieux ce sera.

Teresa ramassa son carnet.

— Bien, la question est réglée. Je ne crois pas nécessaire de parler de tout ceci à Graziella. Laissons-la se reposer. Rosa, tu vas rester avec elle.

— Où vas-tu, maman?

— À la boîte de Dante. Autant s'occuper de cela sans attendre. Sophia, je pense que le mieux serait que tu m'accompagnes.

Sa belle-sœur se leva en grommelant.

— Ai-je bien le choix?

Dante avait fermé sa discothèque et licencié le personnel. Il réglait les problèmes les uns après les autres et le plus rapidement possible.

Dario Biaze ne tarda pas à revenir. Cela signifiait que la question de l'armurier était réglée. Ne restait plus que Luka ; ensuite, il pourrait dormir sur ses deux oreilles.

— Je vais me mettre au vert, annonça-t-il à Dario. Je reviendrai quand tout se sera tassé. Je te conseille de faire la même chose. Il y a une boîte à Trapani ; tu n'as qu'à y emmener ta femme et tes gosses.

Il posa une liasse de billets sur le bureau, mais la grosse main abîmée de l'ancien boxeur ne fut pas assez rapide. Dante plaqua la sienne sur les billets.

— Attends... Si tu règles son compte à Luka, tu toucheras dix fois ça. Il est cinglé ; nous ne pouvons pas lui faire confiance. Tu connais beaucoup de mômes, toi, qui seraient capables de buter leur propre père ?

Il avait toujours les doigts sur l'argent. Dario cligna un moment ses yeux larmoyants. Enfin, il hocha la tête.

Il retira lentement sa main. Il vit que l'autre hésitait. Il ajouta une seconde liasse.

— Dix fois ça...

Dante tendait l'oreille. Les pas lourds s'arrêtèrent sur le seuil de la discothèque, puis la porte métallique se referma avec un grand bruit. Il ouvrit alors un cartable noir et commença à y ranger l'argent. Trois allers-retours furent nécessaires entre le bureau et le coffre. Enfin, il posa le pistolet sur le dessus. Dario Biaze en savait trop ; jamais il n'atteindrait Trapani. Lorsqu'il viendrait se faire payer, Dante le tuerait. Cette fois, la basse besogne lui incomberait.

Il emporta le cartable dans la partie la plus sombre du bar et le déposa près de la caisse enregistreuse. Puis il regagna son bureau et travailla pendant près d'une heure.

Content de lui, il retourna au bar pour en terminer l'inventaire. Il ne prêta que peu d'attention à un bruit du côté de la sortie de secours, pensant qu'il s'agissait d'un client ignorant que la discothèque était fermée. Puis il tiqua : jamais un client n'aurait tenté d'entrer par la porte de derrière...

Le bruit se répéta et il s'immobilisa, tendant l'oreille. Il se résolut finalement à aller voir si quelqu'un tentait d'entrer par la sortie de secours.

Il cria à travers la porte que la discothèque était fermée. Silence. Il sortit alors de sa poche un lourd trousseau de clefs, déverrouilla le cadenas et entrouvrit légèrement les deux battants. Il regarda des deux côtés du passage. Personne en vue. Il allait refermer le cadenas lorsqu'il entendit un bruit, cette fois à l'intérieur, en direction du bar.

— Dario? C'est toi?

Il revint lentement vers la grande salle, s'arrêtant derrière le rideau qui masquait le couloir menant à la sortie de secours. La pièce n'était éclairée que par la lumière derrière le bar...

— Dario?

Plissant les yeux, il parcourut du regard les tables, les empilements de chaises et, au fond, les abords de la piste de danse.

— Salut, je me suis servi, ça t'ennuie pas?

Luka sortit de derrière le comptoir. Il avait un verre de jus d'orange à la main. Il le leva en manière de toast.

— Est-ce que t'as regardé les infos?

— Comment as-tu fait pour entrer? Dario est avec toi?

Le jeune homme s'assit sur un tabouret et but une gorgée de son jus de fruits. Il était en chemise, sans veste; il était évident qu'il n'avait aucun pistolet sur lui.

— Non. Je suis passé par-devant, c'était ouvert.

Dante jura entre ses dents : ce crétin de Dario n'avait pas refermé en sortant. Il affichait un sourire crispé.

Luka mit la main dans sa poche et en ressortit une cartouche. Il la leva à la lumière, la tenant entre le pouce et l'index.

— Tiens, tu veux un souvenir? On en avait fait deux, juste au cas où... À propos, et l'armurier?

Dante était maintenant de l'autre côté du bar. Il se servait un whisky.

— Ouais, Dario s'en est occupé. (Il but une gorgée.)

J'ai fermé la boîte, histoire de me mettre au vert en attendant que ça se tasse. Je t'ai préparé un plein sac de fric.

— C'est gentil de ta part. Mais dis-moi, qu'est-ce qui t'inquiète? Ils n'ont pas le plus petit début de piste, pas le moindre indice...

Tout en parlant, Dante s'était lentement déplacé le long du bar. Il fallait qu'il atteigne le cartable, qu'il atteigne le pistolet. Les grands yeux de Luka se posèrent sur lui, puis sur la sacoche.

— Combien as-tu mis là-dedans pour moi?

Il posa son verre.

— Quelques milliers de dollars, peut-être plus. Ça devrait te permettre de tenir un moment. Plus tard, on pourra se partager le reste. (Il tourna le dos pour se baisser et prit le cartable.) Tu veux compter?

Il glissa la main à l'intérieur. Le contact froid de l'acier lui donna confiance. Il souriait. Il releva la tête et se figea : l'autre voyait chacun de ses gestes dans le miroir.

Luka fit passer son verre dans sa main gauche, leva l'avant-bras et le rabattit. Un couteau apparut dans son poing. Les deux hommes se toisèrent pendant quelques secondes. Puis le plus jeune fit un grand sourire.

— Non, j'ai confiance. Qu'est-ce que quelques milliers de dollars, entre amis?

Comme Luka prononçait le mot « amis », Dante fit feu à travers le cuir, à travers une liasse de dollars. Le verre de jus d'orange glissa des doigts du jeune homme et alla rouler sur le sol sans se briser. Il ne s'aperçut même pas que la balle l'avait atteint à l'épaule. Vif comme l'éclair, il plongea son couteau dans le ventre de Dante. La lame, fine et aiguë, coupait autant qu'un rasoir.

L'autre avait toujours la main sur son arme, dans le cartable. Il tenta de frapper Luka avec celui-ci, mais son adversaire parvint à l'empoigner et à le lui arracher. Dante se mit à hurler et à produire des sons inarticulés. Il se plaqua les deux mains sur le ventre. Du sang coulait entre ses doigts. Il fit un effort désespéré pour sortir du bar. Des bouteilles se fracassaient par terre.

Aussi prompt et agile que le chat auquel l'autre l'avait un jour comparé, Luka ouvrit le cartable, empoigna le pistolet et d'un bond se propulsa de l'autre côté du comptoir, se retrouvant face au gros homme épouvanté. Il fit feu par deux fois, visant d'abord Dante à la gorge, puis au cœur. Il resta debout : le tir à bout portant l'avait projeté dans les rangées de verres, mais il était toujours debout. Luka allait tirer une nouvelle fois lorsque, comme au ralenti, Dante rendit l'âme. Dans un gargouillis, ses poumons se remplirent de sang. Du sang lui sortit par la bouche, et il tomba lourdement à la renverse pour ne plus bouger.

Luka se regarda dans le miroir brisé. Il fut fasciné par la vision de son épaule ensanglantée et de la tache rouge qui s'étendait sur le devant de sa chemise... Il avait été touché, et la fulgurante douleur ne s'imposait à sa conscience que maintenant.

Le projectile s'était enfoncé jusqu'à l'omoplate. Son vêtement était en partie couvert de fragments en cuir et de confettis de papier-monnaie. Il savait qu'il lui fallait déguerpir, et vite. Trois coups de feu avaient été tirés; cela avait dû s'entendre, à l'extérieur. Il courut prendre son propre sac sur la table où il l'avait laissé. La douleur était maintenant si violente qu'il en avait des étourdissements. Renonçant à trier les billets brûlés par le coup de feu, il se dirigea vers le bureau dont il ouvrit la porte d'un coup de pied. Il posa son sac sur la table et s'approcha du coffre.

Il était grand ouvert... Il allait commencer à emplir son sac quand il entendit du bruit du côté de la sortie de secours...

Il manqua tomber, le sac lui échappa. Il se dirigea vers le bar et entendit à nouveau du bruit. Puis une voix de femme lança :

— Il y a quelqu'un?

Il éteignit l'éclairage du comptoir et empoigna le pistolet. Il faillit encore tomber.

Une autre voix, également féminine :

— Teresa, par ici, c'est ouvert... Il y a quelqu'un, j'ai vu de la lumière...

Sophia ouvrit la porte en grand et considéra le couloir obscur.

— Bonsoir... Il y a quelqu'un?

Luka se glissa dans le vestiaire et s'embusqua derrière la porte à peine entrebâillée. Sophia apparut sur le seuil de la grande salle. Sa belle-sœur était sur ses talons.

Elles scrutèrent un moment la pénombre. Puis Teresa murmura :

— Faudrait regarder dans le bureau. Tu vois quelque chose qui ressemble à la porte d'un bureau? (Puis, à haute voix :) Ohé! Il y a quelqu'un?

Elle se dirigea vers une porte affichant la mention PRIVÉ. Elle frappa, attendit, et entra. Sophia demeurait au milieu de la piste de danse. Elle était au centre du champ de vision de Luka. La douleur, intense, le faisait grincer des dents. Le sang coulait maintenant jusque sur sa main. Il se demandait ce que ces deux gêneuses attendaient pour foutre le camp. L'hémorragie était importante, le temps pressait.

Sophia regardait alentour. Elle s'étonnait que les portes soient ouvertes, qu'il y ait tous les signes d'une présence, alors que l'endroit était désert. Quelque chose luisait sur le comptoir. Elle s'approcha. Il s'agissait de la cartouche de Luka. Elle allait la saisir lorsque Teresa l'appela depuis le seuil du bureau.

— Ça y est, Sophia, je les ai! Le coffre était grand ouvert. J'y ai trouvé tous les papiers concernant la compagnie, les entrepôts, tout... Tout est là. Sans eux, il ne peut rien prouver.

Elle retourna dans le bureau, et sa belle-sœur s'écarta du bar. Elle n'était qu'à quelques pas du cadavre de Dante. Son pied buta dans le cartable. Elle se pencha pour le ramasser et se releva en hâte. Sa main était tachée et poisseuse, mais l'obscurité l'empêchait de voir ce dont il s'agissait.

— Sophia, viens voir. Vite! (Elle sortait fébrilement les derniers documents du coffre.) Sainte Mère de Dieu, non mais regarde-moi ça!

— On prend juste les contrats, Teresa, et rien d'autre.

Dépêche-toi. (Elle tenait le sac de Luka.) Tiens, tu n'as qu'à tout mettre là-dedans.

L'autre ramena des liasses de dollars et de lires.

— Tu prends uniquement les contrats, répéta-t-elle. Tu laisses l'argent. *Tu le laisses.* Fichons le camp d'ici.

Elle retourna au bar. Elle vit tout le verre brisé. Elle s'avança encore un peu. Elle poussa un hurlement.

Teresa arriva en courant sur la piste de danse. Sophia, toujours derrière le bar, était en train de reculer, montrant quelque chose avec une expression d'horreur.

— Il est mort! Ô mon Dieu! il est mort!...

Sa belle-sœur se pencha par-dessus le bar et se détourna aussitôt. Ce qu'elle venait d'entrevoir lui soulevait le cœur. Sophia la tira par le bras.

— Il faut filer.

Teresa fit un pas en arrière.

— Tu crois que je ne le sais pas? Qui est-ce? Tu as vu qui c'était?

— Non... Viens, je t'en supplie, partons, fit Sophia, pleurant presque de peur.

Le regard mauvais, l'autre lui dit de se reprendre. Elle fit le tour du bar pour regarder le cadavre.

— Tu crois que c'est Dante?

— Comment veux-tu que je sache? Je ne l'ai jamais rencontré.

Après un temps d'hésitation, Teresa retourna le cadavre et glissa la main dans sa poche revolver. Elle ouvrit le portefeuille.

— C'est Dante. (Elle lui toucha la main.) Et il est encore tiède. Ça vient de se produire. Qu'est-ce qu'on fait? On prévient la police ou quoi?

Chargée du sac de Luka bourré à craquer, elle glissa sur la flaque de sang et ses talons hauts se dérobèrent sous elle. Elle poussa un cri. Prises de panique, les deux femmes s'enfuirent.

Sitôt arrivées à la villa Rivera, elles s'enfermèrent dans le bureau. Teresa retourna le sac qu'elles avaient trouvé à la discothèque pour le vider. Ce fut une avalanche de documents et, à la grande colère de Sophia, de liasses de billets de banque.

— Je t'avais pourtant dit de ne pas prendre l'argent.

— Ce n'était pas mon intention, mais j'ai tout fait tomber dedans. Je te jure que je ne voulais pas le prendre... Je ne l'ai vraiment pas fait exprès. Remarque, il n'y en a pas pour beaucoup.

Elle retourna à nouveau le sac de Luka pour vérifier qu'il n'y restait plus rien. En tombèrent les parties, démontées, de la canne-fusil. Le morceau le plus lourd, celui qui contenait la culasse, rebondit sur le bureau et lui tomba sur le pied. La douleur lui arracha un juron.

Sophia examina le pommeau de la canne, qui figurait une étrange tête de cheval. Puis elle regarda les poignées du sac. Teresa y porta également son regard.

— Tu as vu les poignées? Fais voir. C'est du sang. À ton avis, c'est son sac?

— Je n'en sais rien, fit-elle d'une voix un peu trop forte. Comment veux-tu que je sache à qui il est, ce sac?

Teresa se mit à marcher de long en large.

— Et s'il appartenait à quelqu'un d'autre, à la personne qui a tué Dante? Il était encore tiède quand je l'ai touché. Si le meurtre avait eu lieu juste avant notre arrivée? Peut-être avons-nous dérangé l'assassin?

Le souffle manquait à Sophia.

— Nous aurions dû aller à la police, dit-elle d'une voix heurtée.

— Mais enfin, tu ne comprends donc pas? cria Teresa. Si nous avons dérangé l'assassin, il était peut-être encore là. Il se pourrait qu'il nous ait vues embarquer les papiers.

L'autre était à bout de nerfs.

— Arrête de hurler. Tu tiens à réveiller *mamma*? (Mais elle s'était brusquement figée, le regard vague.) Quelque chose ne va pas? s'enquit Sophia tandis que sa belle-sœur tournait lentement sur elle-même pour parcourir la pièce des yeux. Teresa, qu'est-ce qu'il y a?

— Mon sac à main, où est-il?

— Quoi?

— Où est mon sac à main? Est-ce que tu l'as rapporté?

— De là-bas, tu veux dire? Je ne l'ai même pas vu. Est-ce que tu l'avais emmené?

— Oh! Seigneur! Ne me dis pas que je l'ai laissé.

Elles allèrent vérifier dans la voiture, puis revinrent chercher dans le bureau. Teresa était gagnée par la panique. Lorsque Sophia tenta de la calmer, elle éclata.

— Mais enfin, tu ne comprends pas? C'est de la mauvaise volonté, ou quoi? Si celui qui a tué Dante était encore là et a trouvé mon sac, non seulement il nous a vues, mais il sait maintenant qui nous sommes.

— Ne t'en prends pas à moi, rétorqua l'autre. C'est *ton* sac. C'est toi qui l'as oublié là-bas, ce n'est pas moi.

— D'accord, d'accord, excuse-moi... N'empêche qu'il va falloir qu'on y retourne. Passe-moi celui-là, je vais en profiter pour le remettre là-bas.

— Pourquoi ne pas appeler la police? Teresa, je t'en conjure.

Tandis qu'elles roulaient vers l'*Armadillo Club*, Sophia tenta encore de la persuader d'avertir la police, mais elle ne voulait pas en entendre parler. Elles garèrent la voiture à quelque distance de la discothèque et éteignirent les phares.

— Nous allons surveiller la boîte pendant un moment. Si tout est calme, j'y vais. Toi, tu restes ici. Si tu vois entrer quelqu'un, tu donnes trois coups de Klaxon.

Luka Carolla était dans de sales draps. Il avait réussi à regagner sa chambre mais ne parvenait pas à étancher son sang. Il avait déchiré un drap pour se faire un bandage, mais ce pansement de fortune était déjà complètement imbibé de sang.

Il fallait extraire la balle et nettoyer la blessure; pour autant, il n'était pas question d'aller se faire soigner dans un hôpital. Par ailleurs, l'arme dont il s'était servi pour tuer son père se trouvait dans le sac que les deux femmes avaient emporté avec elles. Il avait en revanche en sa possession le sac à main de Teresa Luciano, dont le contenu était présentement étalé sur le lit.

Sophia regarda sa belle-sœur traverser la chaussée à grands pas et disparaître dans le passage qui flanquait la discothèque. Elle alluma la radio pour l'éteindre quelques minutes plus tard. L'attente s'éternisait...

Soudain, le tumulte éclata. Une voiture de police, sirène hurlante, arriva dans la rue, suivie d'une ambulance. Les deux véhicules ralentirent juste devant l'*Armadillo Club*. Sophia appuya une fois, deux fois, trois fois sur l'avertisseur. *Seigneur, pourvu qu'elle ait entendu.*

La voiture de police s'engagea dans l'étroit passage. L'ambulance étant trop large pour s'y glisser, ses deux occupants en descendirent et continuèrent à pied. Des enfants se mirent à courir un peu partout, les uns débouchant de la ruelle, les autres s'y engouffrant, attirés par le gyrophare de la police. Elle klaxonna à nouveau, une fois, deux fois, puis elle mit le moteur en marche et donna un troisième coup d'avertisseur.

C'est alors que Teresa sortit en courant par l'entrée de devant. Elle tenait un sac. C'était tout ce qu'attendait Sophia. Elle engagea une vitesse tandis que l'autre s'engouffrait dans la voiture.

— Tu n'as donc pas entendu mes coups de Klaxon? Tu n'as pas vu que la police était arrivée?

— Fonce, fonce! Fichons le camp d'ici.

— Alors, tu l'as trouvé?

— Non. Accélère, mais accélère donc!

— Tu tiens à ce qu'on se fasse arrêter pour excès de vitesse? Ce sac, pourquoi l'as-tu gardé?

Teresa tenait serré contre elle le fourre-tout en cuir, le sac de Luka.

— Il est couvert de mes empreintes. J'ai pensé qu'il valait mieux que la police ne le trouve pas. Je prie le Ciel de m'être trompée. Je ne l'avais peut-être pas pris, en définitive. On aurait dû aller jeter un coup d'œil dans la chambre.

— Ah, bravo! Enfin, puisses-tu dire vrai...

Mais Teresa savait parfaitement qu'il n'était pas à la villa. Elle se tut, cherchant à se remémorer son contenu. Peut-être le mieux serait-il d'appeler la police, comme le suggérait Sophia; non pas au sujet du meurtre, mais pour signaler le vol d'un sac à main.

Lorsqu'elles entrèrent, Rosa accourut au-devant d'elles. Elle montrait la salle à manger tout en leur faisant signe de se taire. Pensant que cela avait à voir avec Graziella, Teresa ne lui prêta aucune attention. Elle gagna le bureau et referma la porte.

L'autre agrippa le poignet de sa tante.

— Il y a un homme, là, dans la salle à manger. Je ne savais pas comment réagir. Il est bizarre. Il dit que maman est au courant.

Teresa ressortit du bureau et en ferma la porte à clef. Elle était blême.

— Va te coucher, Rosa. Tu remontes *immédiatement*!

— Mais enfin, maman, qui est-ce? Il est entré dès que je lui ai ouvert.

— Qu'est-ce que tu racontes?

Sophia recouvra l'usage de la parole.

— Il y a un homme dans la salle à manger. Il a dit à ta fille que tu étais au courant.

Teresa hurla presque.

— Rosa, fais ce que je te dis! Remonte tout de suite te coucher! (Elle suivit sa fille des yeux jusqu'à ce qu'elle ait disparu en haut de l'escalier, puis murmura :) Bon, eh bien allons voir ce qu'il veut.

Luka était installé dans le fauteuil de don Roberto, un ballon de cognac posé devant lui. Il était très pâle, et du sang sourdait toujours à travers son pansement de fortune. Sa main droite, qui tenait le pistolet de Dante, était posée sur la blessure. Près de lui, sur la table, il y avait le sac à main de Teresa.

Il se leva à demi lorsqu'elles entrèrent, mais un élancement le fit se rasseoir aussitôt.

— Je me présente : Johnny Moreno. Laquelle d'entre vous est Teresa Luciano?

— C'est moi.

— Ceci vous appartient, je crois.

— Qu'est-ce que vous voulez? fit-elle sans cesser de le regarder fixement.

— J'ai une balle dans l'épaule gauche. J'ai besoin d'être soigné. Inutile de préciser que je ne peux aller dans un hôpital. Il va falloir que vous vous occupiez de moi.

— Qu'est-ce qui vous fait penser que nous allons accepter? demanda-t-elle.

— Le fait que vous êtes passées à l'*Armadillo Club*. On va conclure un arrangement. Dès que je serai remis, je prendrai l'argent que vous avez volé et vous n'entendrez plus parler de moi. Vous pouvez garder les papiers. Ils ne m'intéressent pas.

— Et qu'est-ce qui m'empêche d'appeler immédiatement la police?

— Si vous vouliez la mêler à ça, vous l'auriez déjà fait.

— C'est vous qui l'avez tué?

— En légitime défense. (Luka la regarda droit dans les yeux.) Cet argent que vous avez pris, Dante me le devait, mais il n'était pas disposé à me le donner. Il me semble que cet arrangement est tout ce qu'il y a de simple. Est-ce que vous acceptez?

Sophia secoua la tête.

— Nous n'avions pas l'intention d'emporter cet argent. Prenez-le. Mais vous ne pouvez rester ici.

Luka interrogea Teresa du regard. Elle parut balancer, puis alla entrouvrir la porte pour voir si la voie était libre.

— Conduis-le à la petite chambre tout en haut. Je ne veux pas que *mamma* sache qu'il est ici. Je vais chercher de l'eau chaude et du désinfectant.

— Alors tu es d'accord? fit Sophia avec humeur.

— Pourquoi pas? Il semble que nous ayons besoin les uns des autres, à moins que tu ne souhaites discuter avec la police de ce qui s'est passé ce soir. Je ne pense pas que les flics se montreraient vraiment compréhensifs, surtout après ce qui est arrivé ce matin au tribunal... Non, il prend l'argent, nous gardons les documents... Affaire conclue, *signor*...?

— Moreno, Johnny Moreno.

Luka se détendit, certain d'avoir choisi la bonne option.

La police découvrit un cadavre sur le parking situé derrière l'*Armadillo Club*. Le corps fut identifié comme étant celui de Dario Biaze, ancien boxeur, employé par Enrico Dante comme videur et garde du corps. Des empreintes de pas ensanglantées conduisaient à l'entrée de service de la discothèque. Les deux battants étaient ouverts.

Il apparaissait clairement que Dario s'était fait trancher la gorge à proximité de l'issue de secours et, saignant abondamment, avait réussi à gagner l'aire de stationnement.

Compte tenu du désordre régnant à l'intérieur, il fut conclu que le vol était le mobile essentiel. Ce double meurtre ayant eu lieu sur son secteur, l'infortuné Mincelli fut tiré de son lit au milieu de la nuit.

Le commissaire Pirelli venait de boire une bière avec son adjoint à moins de trois rues de là. Leur itinéraire les fit passer devant le lieu du crime, mais ils n'avaient aucune intention de s'y arrêter. Pourtant, sur une inspiration subite, Ancora se gara devant la discothèque.

— Je viens de me rappeler que Carolla avait une participation dans cette boîte.

Sans un mot de plus, les deux hommes descendirent de voiture, traversèrent la rue et entrèrent. Des voitures de patrouille étaient stationnées le long du trottoir. Une ambulance était garée à proximité.

Mincelli appela Pirelli pour qu'il vienne voir le cadavre de Dante, puis lui hurla de contourner les endroits marqués par les bandes en plastique. Il lui passa un bras autour des épaules.

— Si je me trompe pas, vous cherchez à mettre la main sur le fils Carolla? Eh bien, pour vous, je vais faire un gros sacrifice. Je sais que c'est mon secteur, seulement ce type bossait pour Carolla, et l'autre macchabée dans le parking était son garde du corps. Pourrait y avoir un lien.

Il souleva le sourcil droit en guise de pitrerie. Il n'avait pas plus envie que son collègue de se charger de cette nouvelle affaire.

Pirelli le regarda.

— Merci pour le tuyau. Je vais y penser. Je ferais peut-être un tour par votre bureau dans la matinée pour voir ce que vous avez. Mais je suis dans vos pattes. On dirait que vous en avez pour la nuit.

Il adressa un clin d'œil à Ancora en le rejoignant. Il lui demanda à voix basse de traîner un moment dans le coin pour voir s'il y avait des éléments intéressant leur propre affaire.

Dans son meublé, le commissaire Pirelli se demanda s'il pouvait effectivement y avoir un lien, mais il n'arrivait pas à établir sa nature. Il creusa son oreiller d'un coup de poing et s'allongea. Afin de ne plus gamberger, il évoqua l'image mentale du visage de Sophia Luciano. Il la revit hésitant sur le seuil de son bureau. Il se retourna sur le dos. Il se sentait comme un collégien amoureux, et cette pensée le fit rire tout haut. Il songea qu'il avait intérêt à boucler rapidement l'affaire pour retourner à Milan et rejoindre sa femme, au moins le temps d'un week-end.

13

Luka fut conduit dans la petite chambre de bonne installée sous les combles. L'endroit était meublé d'un lit à
une place, d'une commode et d'un placard à vêtements.
Un petit tapis fait main tenait lieu de descente de lit.

Sophia récupéra un pyjama pour lui dans la chambre
de Michael. Elle mit quelque temps avant de
comprendre, à le voir attendre, qu'il désirait être seul
pour se déshabiller. Elle alla donc chercher des draps
propres à la lingerie, tandis qu'en bas Teresa attendait
que son eau bouille.

Luka retira ses chaussures et ôta son pantalon. La douleur était si intense qu'il dut s'asseoir sur le lit pour enlever sa chemise. La manche gauche était cimentée au
bandage par du sang coagulé. Grinçant des dents, il
décolla lentement les deux tissus.

Sophia le trouva étendu en travers du lit, mais le pistolet toujours à la main.

— Est-ce que vous pouvez vous lever? Il faut que je
fasse le lit.

Il la regarda faire, adossé à la penderie. Teresa entra
avec une bassine d'eau bouillie et des pansements.

— Je crois qu'il va falloir plus d'eau, dit-elle.

Sophia descendit sans un mot.

Teresa fit signe à Luka de s'allonger sur le lit. Elle
trempa un linge dans l'eau chaude.

293

— Enlevez donc cette chaîne, il va falloir que je désinfecte toute l'épaule.

Il détacha la chaînette au petit cœur en or et la glissa sous son oreiller, sans quitter des yeux cette femme qui s'affairait avec de la gaze. Elle examina le bandage.

— Je vais devoir détremper tout ça pour que la bande se décolle. Je ne tiens pas à vous arracher l'épaule.

Sophia montait l'escalier à pas de loup, une bouteille de cognac et un verre à la main.

— C'est bien ça que ta mère a demandé? murmura-t-elle à l'adresse de Rosa.

— Oui, souffla la jeune fille. Elle dit qu'il a glissé le pistolet sous son oreiller. S'il en boit suffisamment, il s'endormira et nous pourrons le lui prendre.

Elle lui donna le tout.

— Je ne veux rien avoir à faire avec ça. Je suis toujours d'avis de prévenir la police.

Elle se tut en entendant Luka gémir. Teresa se pencha par-dessus la balustrade.

— J'ai besoin d'aide. La balle n'est pas ressortie, et je ne sais pas si je fais bien ou mal. Il a perdu beaucoup de sang et il souffre le martyre.

— Pourquoi ne pas arrêter cette absurdité et appeler un médecin? chuchota Sophia d'un ton pressant. Si l'hémorragie ne s'arrête pas, il se peut qu'il meure. Et alors là, qu'est-ce qu'on fera?

— Il ne va pas mourir, rétorqua Teresa. Mon seul souci est de le remettre sur pied pour qu'il s'en aille le plus tôt possible. Alors, est-ce que tu acceptes de m'aider? Il nous faut une pince longue et fine pour extraire la balle.

Luka était allongé sur le dos. Il avait les yeux fermés. Du sang s'écoulait toujours de sa blessure. L'atmosphère était lourde de l'odeur de l'antiseptique et de la vapeur qui montait des cuvettes posées sur la commode.

Sophia, pince à la main, vint se placer à côté de sa belle-sœur. Elle se pencha au-dessus du lit.

— *Signor* Moreno? On vous a monté du cognac. Il serait peut-être bon que vous en buviez un peu. Cela va vous faire très mal, et nous n'avons rien contre la douleur.

Il secoua la tête. Teresa alluma la lampe col-de-cygne, dirigeant la lumière vers la plaie béante.

— Tu la vois?

Sophia hocha la tête. Autour de la blessure, les chairs étaient rouge vif et enflaient rapidement. La balle était profondément enfoncée. Elle se pencha vers Luka.

— Ça va aller?

Il esquissa un petit hochement de tête. Il grinçait des dents. Sophia lui versa l'antiseptique sur l'épaule, puis regarda Teresa.

— Bon, je me lance.

Sa belle-sœur détourna la tête tandis qu'elle engageait la paire de pinces dans la plaie. Luka grimaçait et des larmes roulaient sur ses joues.

Sophia ne parvenait pas à saisir la balle. L'écartement était insuffisant. Elle renonça après deux tentatives. Le garçon laissa échapper un long soupir frémissant.

Elle rinça l'instrument et en tordit autant qu'elle put les branches vers l'extérieur.

— J'essaie encore une fois. Ce coup-ci, au moins, il ne va rien sentir : il est tombé dans les pommes.

Luka ne réagit pas lorsqu'elle glissa la main sous l'oreiller pour prendre le pistolet.

— Bon, on y va.

Elle s'affaira une quinzaine de minutes et parvint finalement à ressortir le projectile, qu'elle laissa tomber dans une cuvette. Teresa s'appliqua à étancher le sang qui coulait de plus belle. Puis elle posa deux doigts sur le cou du blessé pour prendre son pouls.

— Jésus, Marie, sainte Mère de Dieu! s'affola-t-elle, je ne sens rien... Je n'arrive pas à trouver son pouls... Sophia, il n'a plus de pouls.

Cette dernière posa la main sur le cou du jeune homme. Elle parvint à déceler une palpitation, mais extrêmement faible. Du sang sourdait toujours de la blessure.

— Cela ne se refermera jamais tout seul. Il faut recoudre. Va chercher une aiguille et du fil, ce que tu trouveras. Dépêche-toi.

Une heure plus tard, l'hémorragie était endiguée. Sophia avait refermé la plaie à l'aide de fil de coton blanc. Elle déversa de l'antiseptique sur la suture, la recouvrit d'épaisses compresses de gaze et entoura l'épaule du jeune homme d'une bande. Pour finir, elle lui ramena l'avant-bras contre la poitrine et le mit en écharpe pour qu'il ne puisse rouvrir la suture par quelque mouvement accidentel.

Elle releva les cheveux collés à son visage livide mouillé de transpiration.

— Je crois que la fièvre s'installe. Nous allons nous succéder à son chevet. Je prends le premier tour de garde. Va dormir quelques heures. Ensuite, tu me remplaceras. Où est Rosa?

— Je l'ai envoyée se coucher. Je la réveillerai quand ce sera son tour. (Teresa ouvrit tout doucement la porte et se retourna pour murmurer :) Si nous arrivons à lui faire avaler quelque chose, il sera possible de le maintenir en état de léthargie. Il me reste quelques somnifères. Nous pourrions les réduire en poudre et les mélanger à ses aliments.

Lorsqu'elle fut sortie, Sophia descendit chercher une nouvelle cuvette d'eau chaude et des glaçons. Elle s'assit auprès de Luka, alternant sur son front compresses chaudes et glacées. Il faisait parfois entendre de faibles gémissements, mais ne reprenait pas conscience.

Trois heures s'écoulèrent. La fièvre montait, et le pouls faiblissait encore. Quand sa belle-sœur vint la remplacer, Sophia éprouva de la répugnance à s'en aller, mais elle était si fatiguée qu'il lui fallait prendre un peu de repos.

— Quelle heure est-il?

Teresa regarda sa montre.

— Pas loin de 5 heures.

Sophia soupira.

— Si son état se détériore, tu viens me réveiller.

L'esprit en ébullition, elle ne trouvait pas le sommeil. Elle avait utilisé presque toute sa provision de Valium, aussi gagna-t-elle à pas de loup la chambre de Graziella. Elle chercha parmi les objets posés sur la coiffeuse.

— Sophia, c'est vous?

— Oui, *mamma*. Rendormez-vous, je suis à la recherche de ces pilules que vous m'aviez données, vous vous souvenez? Est-ce qu'il vous en reste? Je n'arrive pas à dormir.

Elle regagna sa chambre avec des flacons à peine entamés de Valium et de Seconal. Elle avala plusieurs petits comprimés jaunes, ainsi qu'un somnifère, pour faire bonne mesure.

Elle était tellement droguée que Teresa dut la secouer pour l'éveiller. Le jeune homme, lui expliqua-t-elle, était agité de frissons. Il semblait grelotter et, l'instant d'après, suait à grosses gouttes. Il avait l'air vraiment mal, et elle avait peur.

Sophia se dépêcha de monter au dernier étage. Luka était brûlant de fièvre et cependant mouillé de sueurs froides. Elle redescendit chercher sa couette et l'en enveloppa. Les frissons finirent par s'arrêter. Il était maintenant plus calme. Elle approcha une chaise et s'assit à côté de lui.

— Père... Père... Père...

Il balbutiait des paroles décousues, si bas qu'elles en étaient presque inintelligibles. Sophia lui essuyait le visage à l'aide d'un gant de toilette. Il grimaçait de douleur. Tout à coup, il ouvrit grands les yeux. Il ne la reconnut pas et chercha à repousser sa main. Il avait l'impression d'être enseveli dans une masse de nuages très doux. Puis la douleur vrilla tout son être, et les nuages le firent suffoquer. Il ne pouvait plus respirer... Il repoussa la couette. Il mourait de chaleur.

Sophia rinça le gant dans l'eau glacée et le lui passa doucement sur le cou, la poitrine, l'épaule droite. Le pansement était propre : l'hémorragie avait cessé. Son corps se détendit enfin et il s'endormit.

Rosa se glissa dans la chambre.

297

— Maman m'a demandé de venir te remplacer. Comment est-il?

— Je crois que ça va aller. La fièvre est retombée. Il dort, à présent. Dès qu'il se réveillera, il faudra refaire son pansement pour s'assurer que la plaie est bien nette. Il faut la maintenir propre. Elle présentait déjà de légers signes d'infection. Il nous faudrait des antibiotiques.

La jeune fille alla jusqu'au lit pour contempler Luka.

— Il est très beau, tu ne trouves pas?

— Pardon?

Elle enroulait les bandes usagées. On allait les laver pour qu'elles puissent resservir.

— Quel âge crois-tu qu'il a, tante Sophia?

— Je n'en sais rien, et si tu veux mon avis, moins on en saura sur lui, mieux ce sera.

— Comment s'appelle-t-il? Il est américain, non?

Sophia traversa la chambre pour prendre les vêtements de Luka.

— Johnny Moreno. Ça fait romance populaire, tu ne trouves pas? (Elle regarda dans les poches de la veste couverte de sang et du pantalon, mais elles étaient vides.) Il a de belles fringues, que des trucs américains, des choses de marque. À l'entendre, il semble américain. Peut-être l'est-il.

— Ses chaussures sont italiennes, constata Rosa en soulevant un mocassin Gucci, et ce n'est pas de la camelote.

Sa tante saisit la montre en or de même marque et la reposa. Il n'était que 8 heures et demie du matin.

— Appelle-moi si la température remonte. Je vais prendre un bain.

Bien qu'il ait à peine fermé l'œil de la nuit, Pirelli arriva au bureau à 8 heures. Il ne laissa même pas à Ancora le temps d'enlever son manteau.

— Tu ne vas pas en croire tes oreilles quand je vais te dire qui est notre principal suspect pour le meurtre de Carolla... On a interrogé tout le public, il ne reste plus que quelques personnes à entendre. (Il parcourut une liste de quelques noms, puis brandit le papier en souriant.) Voilà, c'est — écoute bien ça — un certain frère Guido. Or la dernière adresse connue de notre client était bien un monastère, si je ne me trompe!

Son adjoint leva les bras au ciel.

— Qu'est-ce qu'on attend?

— Et ce n'est pas tout. L'homme qui était placé devant lui a été entendu hier soir. On a retrouvé des traces de bourre sur son manteau, qu'il avait posé sur son dossier, donc juste devant le moine.

Les deux policiers mirent à profit le trajet en train pour passer en revue les éléments dont ils disposaient. Il ne faisait aucun doute que Paul Carolla avait emmené son fils aux États-Unis — clandestinement, puisqu'on n'avait conservé là-bas aucune trace de son séjour dans le pays. Le garçon avait par la suite abandonné son nom de Giorgio pour celui de Luka. Il était non seulement le principal suspect du meurtre du petit Paluso, mais également, puisque la même arme avait été utilisée dans les deux cas, du double meurtre des enfants Luciano. Sa dernière adresse connue était celle du monastère d'Erice. Par ailleurs, un moine, frère Guido, était le principal suspect du meurtre de Paul Carolla.

La longue ascension, commencée sitôt la gare, éprouva rudement Ancora, qui était affligé d'un excès de poids. Pirelli dut s'arrêter à plusieurs reprises pour attendre son adjoint en nage et cramoisi.

On les fit entrer dans une pièce faisant office d'antichambre. L'endroit était meublé d'un banc en bois, d'une table et d'une bibliothèque. Des cloches sonnaient; leur écho résonnait dans la petite pièce nue.

Pirelli avait la bouche sèche. Ancora haletait toujours, sa chemise était trempée de sueur. Ils attendirent plus d'un quart d'heure avant qu'un moine entre. Il se présenta comme étant frère Guido et leur fit signe de s'asseoir sur le banc. Il prit une chaise et s'installa derrière la table.

Ils lui montrèrent leur carte de police et lui demandèrent s'il était allé à Palerme au cours des derniers jours. Il répondit par la négative. Il triturait son chapelet et paraissait tendu. Il rougit violemment lorsqu'on lui demanda s'il était possible de vérifier ses déclarations. Il dit que ce serait facile puisqu'il n'avait pas quitté le monastère et que de nombreux frères pouvaient en témoigner.

En scrutant attentivement ses réactions, Pirelli lui annonça qu'il recherchait Luka Carolla. Guido rougit jusqu'aux oreilles. Le commissaire poursuivit en disant que Paul Carolla, le père de Luka, venait de se faire assassiner.

Les mains tremblantes, Guido balbutia qu'il était au courant de la mort de Carolla. Il dit que Luka Carolla avait séjourné au monastère d'où il était parti une semaine avant l'assassinat. Mais il ignorait tout de l'endroit où il se trouvait présentement.

— Avez-vous entendu quelqu'un l'évoquer sous le nom de Giorgio, ou bien l'appelait-on toujours Luka ?

— Toujours. Je n'ai entendu personne l'appeler Giorgio.

— Y aurait-il ici quelqu'un qui en sache plus à son sujet ?

Guido acquiesça. Toutefois, il n'était pas possible de voir le père Angelo pour l'instant car il était en train d'administrer les derniers sacrements à un mourant, frère Luigi. Tout ce qu'il pouvait leur dire était que Luka avait été élevé au monastère avant de partir en Amérique avec son père. Il était revenu tout récemment à l'ermitage et y avait séjourné près de six mois. Il fit une description détaillée du garçon, ajoutant qu'il était très robuste physiquement et qu'il avait beaucoup travaillé au jardin.

Pirelli s'enquit du meilleur moment pour rencontrer le père Angelo et s'entendit répondre que cela était entre les mains du Seigneur. Devant l'insistance du policier, le religieux finit par dire que c'était peut-être une question de deux ou trois jours. La seule autre personne qui pouvait se révéler utile était frère Tommaso, mais celui-ci n'était pas non plus disponible pour le moment.

Le commissaire demanda s'il lui serait possible d'emprunter une robe de moine qu'il rapporterait lors de sa prochaine visite.

Au moment de partir, il demanda encore si Luka avait beaucoup de bagages en arrivant. Le moine parla d'abord du fourre-tout en cuir. Puis il hésita un instant avant d'ajouter :

— Le jour de son arrivée, il avait aussi une mallette en cuir, une petite mallette plutôt plate. Je m'en rappelle parce que je lui ai proposé de la porter dans sa cellule et qu'il a refusé.

— Quelles étaient ses dimensions ?

Guido délimita dans l'espace un objet d'environ vingt-cinq centimètres de long.

— Est-ce que vous l'avez vu partir ?

L'autre s'empourpra une nouvelle fois. Il secoua la tête.

— Je crains que non. Je peux vous emmener voir sa cellule, si vous le désirez.

Ils se rendirent dans la petite pièce nue. Pirelli demanda si elle avait été nettoyée récemment. Guido répondit qu'il y avait passé le balai et la serpillière sitôt le départ de Luka. Il conduisit les policiers au potager, où les plantations étaient en train de lever.

— Il a tout retourné seul. Je n'ai jamais vu personne mettre autant de cœur à l'ouvrage. C'est au sujet du meurtre de son père, que vous désirez le voir ? Peut-être n'est-il pas au courant ?

Le commissaire répondit qu'il en doutait car tous les journaux s'en étaient largement fait l'écho. Il regarda alentour. L'endroit était désert, pas une âme en vue.

— Il faudra que je voie le père... Angelo, dites-vous ? C'est de la plus haute importance. Et s'il vous plaît, dites aux autres que je reviens dans deux jours, pour le cas où ils pourraient m'être de quelque secours. (Il marqua un silence, puis :) Je suppose que vous n'avez pas de photo de lui ?

Guido secoua la tête et s'excusa. Non, à sa connaissance, il n'y en avait pas au monastère.

Les deux hommes n'échangèrent pas un mot dans le train qui les ramenait à Palerme.

— Je crois qu'il ne nous a pas tout dit, commenta Pirelli. Mais tant que nous n'aurons pas rencontré le prieur, quelqu'un qui en sache plus sur son compte, ce n'est pas la peine de...

Lorsqu'on lui montra la robe de moine, le gardien affirma catégoriquement que le suspect en portait une absolument identique. Il ajouta que l'homme était chaussé de sandales en cuir.

On en savait maintenant un peu plus sur l'arme ayant servi à tuer Carolla. L'homme qui avait fouillé Luka décrivit la canne du mieux qu'il put. Il se souvenait vaguement que la poignée, en laiton, représentait une tête d'animal.

Pirelli ruminait la possibilité que cet objet soit une arme personnalisée, construite à un seul exemplaire. Grâce au témoignage de Guido, il savait que Luka Carolla avait avec lui ce qui devait être le coffret d'une arme de poing. Il demanda à Ancora de faire le tour de tous les armuriers. Luka se trouvait à Erice peu de temps avant le meurtre ; il était possible qu'il ait acheté l'arme dans cette région.

Il rendit visite à Mincelli pour voir s'il avait du nouveau. Il fut accueilli par un torrent d'imprécations.

— Si vous voulez travailler avec moi sur ce coup, il faudrait me le dire. C'est que moi, j'ai envoyé trois de mes gars au monastère pour peau de balle ! Puisque vous y avez déjà fait un tour, vous saviez qu'un des leurs est en train de calancher et qu'ils ne reçoivent personne... Vous m'avez fait perdre mon temps, Pirelli, et figurez-vous qu'en ce moment, je n'en ai pas à revendre.

— Et moi donc ! Écoutez, tout ce que je veux, c'est foutre le camp d'ici et rentrer à Milan.

Mincelli soupira.

— Ça ne va pas être aussi simple que ça, vous le savez bien, surtout si nous avons le même suspect. Qu'est-ce que vous en pensez, vous ? Vous croyez que ce Carolla est notre client ?

— Je ne sais pas. Cela se pourrait.

— Il y a une autre possibilité : que les femmes Luciano l'aient recruté pour ce boulot. Elles auraient toutes les relations nécessaires pour ce genre de chose.

— Vous parlez sérieusement? fit Pirelli, incrédule.

— Ils sont tous pareils. Ils ferment les yeux, ils ne voient que ce qu'ils veulent voir. Et ensuite, quand l'un des leurs se fait descendre, ils se mettent à crier comme des putois.

— Là, c'est toute la famille qui y est passée.

Mincelli haussa les épaules.

— Lisez les journaux, Joe. Le vieux, là, don Roberto, a dû en son temps rayer de la carte pas mal de gens. Bien, alors moi, j'essaie de retrouver l'arme et d'y voir plus clair dans la tuerie de l'*Armadillo Club*...

— Entendu. Je fais faire la tournée des armuriers. Si nous avons quelque chose, je vous le communique. Et je vous épargne un déplacement : je vais passer chez les Luciano.

Il inclina la tête sur le côté.

— Bonne idée. La vieille pourrait savoir des choses au sujet du fils Carolla. Le vieux don Roberto et son père se sont plus ou moins côtoyés, pendant une quarantaine d'années...

Dès que Pirelli fut parti, il se précipita chez le patron pour lui suggérer de confier l'ensemble de l'affaire Luciano au commissaire milanais, puisqu'ils partageaient le même suspect. Alors ne lui incomberaient plus que le meurtre de Carolla et l'enquête sur les deux cadavres de la discothèque.

Le chef appela Milan pour demander s'il pouvait garder Pirelli aussi longtemps que nécessaire. Mincelli en fut grandement soulagé. La chasse à Luka Carolla était lancée, et il ne doutait pas, ainsi libéré des autres problèmes, d'être le premier à lui mettre la main dessus. Ensuite, il laisserait l'autre se débrouiller du reste et irait passer quelques jours aux sports d'hiver.

Il était près de 8 heures et demie du matin. Teresa se trouvait dans le bureau. Sophia, douchée et changée, passa la tête dans l'entrebâillement de la porte.

— Est-ce que tu as pris ton petit déjeuner?

On entendit la sonnette de la porte d'entrée. Teresa alla écarter les lames du store. Elle les laissa se remettre en place avec un bruit sec.

— Ce sont les carabiniers.

Elles entendirent Adina ouvrir au commissaire Pirelli. Teresa s'employa à calmer sa belle-sœur.

— C'est sans doute au sujet de *mamma*. Va le voir, offre-lui du café, ce que tu voudras, mais occupe-le le temps que j'aille prévenir Rosa. Sophia, tu ne lui dis rien à propos d'hier soir, promets-le-moi.

La jeune femme fit signe à Pirelli de la suivre dans la salle à manger. S'excusant de la pénombre qui régnait dans la pièce, elle entrouvrit les persiennes. Un flot de lumière l'environna. Éblouie, elle porta la main à ses yeux.

— Est-ce qu'il fait froid?

— Un peu frais, mais c'est très plaisant. J'ai toujours aimé ces journées de septembre, fraîches et ensoleillées.

Elle le regarda comme si elle n'avait pas saisi ce qu'il disait.

— Comment va la *signora* Luciano?

Sophia s'assit à l'extrémité de la table, aussi loin de lui que possible.

— Elle va bien, mais elle est très fatiguée. C'est une chance que nous ayons toutes été là.

Elle portait une robe de cachemire brun foncé et n'avait aucun bijou. Il remarqua que cette fois-ci ses ongles n'étaient pas vernis et qu'ils étaient très pâles.

Sophia espérait que les autres ne tarderaient pas à arriver. Elle détestait cette façon qu'il avait de la fixer.

— Très joli tableau.

Elle se retourna pour considérer une huile de grandes dimensions accrochée au mur.

— Vous aimez? fit-elle, interdite.

Il regarda mieux et vit que la toile représentait un groupe d'hommes en train de tuer un porc.

— Non, en fait, je ne sais pas pourquoi j'ai dit cela.

— C'est l'abattage d'un cochon.

— Oui, j'avais mal regardé.

Il se leva lorsque Teresa entra, suivie de Rosa. Il leur serra la main.

Les trois femmes étaient assises telles des écolières, les mains sagement jointes devant elles sur la grande table en bois ciré. Afin de les mettre à l'aise, Pirelli leur dit en souriant qu'il ne venait pas arrêter la *signora* Luciano, mais elles restèrent silencieuses. Il refusa un café, demanda la permission de fumer. Sophia accepta la cigarette qu'il lui offrit. Lorsqu'il se pencha par-dessus la table pour lui donner du feu, Teresa et Rosa virent que la main de leur parente tremblait. Il y eut entre elles trois un échange de regards anxieux.

— Seriez-vous à court de ces cigarettes turques que vous fumez habituellement? s'enquit Pirelli.

Sophia aspira une bouffée.

— Oui, il faut que je m'approvisionne.

— Je connais un bureau de tabac bien équipé. Je vous en ferai livrer.

— Ne vous donnez pas cette peine.

Il ouvrit sa mallette pour en sortir un calepin, puis il tira de sa poche un stylo à plume.

— Je vous prie de m'excuser pour cette irruption de si bonne heure, mais je me demandais si vous accepteriez de répondre à quelques questions.

Il hésita, regardant autour de lui. Teresa plaça devant lui un lourd cendrier en cristal. Il la remercia et reprit.

— Je ne vais pas vous importuner bien longtemps. Laissez-moi d'abord vous annoncer quelques bonnes nouvelles.

Il leur apprit que le juge avait rejeté la demande de la défense concernant la lecture devant la cour de l'ensemble des dépositions, et que les sentences seraient rendues la semaine suivante.

— Ainsi Paul Carolla n'aurait pas été relâché? demanda Teresa.

— Et non... En fait, ma visite n'est pas étrangère à sa

personne : nous essayons de retrouver un individu que nous désirons entendre. Il se nomme Luka Carolla.

Il les regarda tour à tour, mais ne releva aucune réaction.

— En avez-vous entendu parler? Peut-être l'une de vous l'aurait-elle rencontré? C'est le fils de Paul Carolla.

Sophia secoua la tête et regarda Teresa comme pour lui demander la permission de prendre la parole.

— Je ne l'ai jamais vu. Cet homme... Luka, dites-vous? Est-ce qu'il est soupçonné du meurtre de mes enfants?

Pirelli adopta un regard grave et choisit ses mots avec soin.

— Je crains que cette enquête ne soit pas l'objet de ma venue. Il s'agit d'une tout autre question. Pour l'instant, nous souhaitons simplement entendre Luka Carolla. Jusqu'à présent, nous n'avons pu le retrouver.

Il se tut. Les trois femmes le regardaient, attendant la suite.

— Il semble qu'il ait séjourné dans un monastère. Les avocats ne lui connaissent pas d'autre adresse. Malheureusement, il n'y est plus.

Les trois femmes se raidirent en voyant Graziella entrer. Le commissaire se leva. Il lui fit un baisemain et lui tint une chaise voisine de la sienne.

— Êtes-vous venu m'arrêter?

— Non, non, *signora*, il s'agit d'une simple visite de routine. Il se trouve que nous recherchons un suspect pour le meurtre du petit Paluso.

Il lui parla de Luka Carolla et lui demanda si elle l'avait jamais rencontré, si elle avait une idée de l'endroit où il pouvait se trouver. Elle répondit qu'elle n'avait même jamais su que Paul Carolla avait un fils.

Pirelli précisa que la police n'avait elle-même découvert son existence que le jour où le détenu avait demandé que l'on entende son fils.

Teresa se pencha en avant.

— Voulez-vous dire que Carolla a mis en cause son propre enfant?

Pirelli hocha la tête. Il tapotait le bord de son carnet avec le bout de son stylo.

— Je crois que dans les derniers temps, Carolla aurait mis en cause jusqu'à sa propre mère, si elle avait encore été de ce monde. Son affaire allait de mal en pis. L'horrible assassinat d'une partie de votre famille, le meurtre du petit Paluso, les accusations de plus en plus virulentes portées par la presse, tout cela contribuait à faire peser sur lui une pression considérable même au sein de la prison.

La cendre de Sophia tomba sur la table. Elle la balaya d'un revers de main. Graziella demanda au policier s'il connaissait l'identité de l'assassin.

— Ce n'est pas moi qui suis chargé de cette affaire, *signora*, mais je crois que l'enquête avance.

— Ainsi, les recherches concernant le meurtrier de Carolla progressent. En revanche, je n'ai pas l'impression que l'enquête qui nous intéresse avance beaucoup. Comment se fait-il qu'on ne soit pas venu nous voir plus tôt, qu'on ne nous tienne pas au courant de ce qui se passe?

— Comme je vous l'ai dit, *signora*, ce n'est pas moi qui...

— Oui, oui, ce n'est pas vous... Mais qui, alors? Mon idée est que les carabiniers n'ont pas avancé d'un pas. Le procès va s'achever et les assassins ne seront pas inquiétés, comme cela a toujours été le cas...

Pirelli lut de la haine dans les yeux bleu délavé de Graziella Luciano, des yeux qui étaient comme des éclats de glace. Il regarda tour à tour le visage immobile des trois autres femmes, puis baissa la tête.

— Je pense que celui qui a tué Carolla est un professionnel. Selon le rapport balistique, l'arme utilisée serait une carabine à un coup, une arme personnalisée, probablement dissimulée sous l'apparence d'une canne de marche. Le tueur a ainsi pu l'introduire à l'intérieur du tribunal. Peut-être a-t-il été recruté par une des familles qui s'imaginait que Carolla était en train de craquer. On a même dit que la famille Luciano...

— Ah! nous y voilà. Vous n'êtes pas venu pour nous interroger dans le cadre de l'affaire Paluso. Non, vous pensez que nous avons quelque chose à voir avec l'homme qui a assassiné Carolla.

Graziella repoussa sa chaise et se leva. Elle tremblait de tous ses membres. Les trois autres femmes se levèrent à leur tour. Teresa passa un bras protecteur autour des épaules de sa belle-mère.

La vieille femme suffoquait, mais elle repoussa son bras et se tourna vers Pirelli, qui lentement se redressait.

— Mes filles ignoraient mon projet de tuer Paul Carolla. Je l'ai dit dans ma déposition. Personne ne m'a aidée, personne n'était au courant de mes intentions, et je jure devant Dieu et la Sainte Vierge que c'est le seul acte criminel que j'ai commis de ma vie...

Le policier l'interrompit.

— Je vous en prie, *signora* Luciano, je n'avais aucunement l'intention de...

Teresa ne put se contenir. Elle le regardait avec mépris.

— L'intention de quoi, commissaire ? Pourquoi ne pas nous demander carrément si nous avons recruté quelqu'un pour tuer Carolla ? Pensez-vous alors que nous aurions laissé *mamma* se rendre ce jour-là au tribunal ? Pour qui nous prenez-vous donc ? Quelle sorte de gens croyez-vous que nous sommes ?

Pirelli la regarda durement, puis ramassa son imperméable.

— Soyez certaines que ces questions vous seront forcément posées. Celui qui a tué Carolla a pu s'échapper grâce à la scène d'hystérie collective déclenchée par le geste de la *signora* Luciano. Je n'avais aucunement l'intention de vous manquer de respect, et si vous vous êtes senties insultées, veuillez m'en excuser. Pour ma part, j'enquête sur la mort d'un enfant de 9 ans.

À ces mots, Sophia s'avança.

— Et mes garçons ? Ils sont le cadet de vos soucis, n'est-ce pas ?

Il se retourna vers les quatre femmes.

— Je mène cette enquête du mieux que je peux... Je vous remercie de votre attention.

Il tendit la main à Graziella, mais elle se détourna et partit vers la porte.

— Mes belles-filles vont vous raccompagner, commissaire.

Teresa saisit son carnet. Il y avait machinalement dessiné une canne de marche. Elle le referma et le lui tendit.

— Il y a encore une chose que je voulais vous demander, dit-il.

Debout côte à côte, elles attendirent. Il rouvrit son calepin, le feuilleta, puis le referma d'un coup sec et demanda :

— Enrico Dante ?

Teresa posa la main au creux des reins de Sophia.

— Il s'agissait d'un des associés de Paul Carolla, continua Pirelli. Est-ce que son nom vous dit quelque chose ?

Teresa secoua la tête.

— Jamais entendu parler.

Il les regarda tour à tour, puis gagna le hall. Teresa lui ouvrit la porte d'entrée, il sortit sans ajouter un mot.

Il descendit lentement les marches du perron, s'arrêta un instant et repartit sur le gravier de l'allée. Il avait laissé sa voiture à l'entrée de la propriété. Il se retourna subitement pour considérer la grande demeure, les jardins, les bosquets... Le capot bleu foncé d'un véhicule — une Fiat semblable à la sienne et dans le même piteux état — dépassait d'un massif de buissons. Mais il n'y prêta guère attention. Son esprit était ailleurs. Ce que Sophia Luciano avait dit n'était que trop vrai, il le savait. Rien ne distinguait à ses yeux l'assassinat des Luciano des dizaines de meurtres commis par la Mafia dans des actions de vendetta. Au moins ces pratiques avaient-elles le mérite de décimer la crapule.

De retour au siège de la police, Pirelli ouvrit le fichier pour en extraire la chemise contenant la photo des enfants de Sophia. Après avoir ôté tous les papiers qui encombraient son tableau d'affichage, il y punaisa le cliché.

— Alors c'est vrai, tu reprends l'affaire Luciano?

Il regarda Ancora sans comprendre.

— Comment le sais-tu? Je n'ai encore fait que l'envisager.

L'autre haussa les épaules.

— Le bruit court que l'affaire a été retirée à Mincelli, qu'on te l'a collée. Milan a donné son feu vert pour que tu restes ici. Je croyais que ce n'était qu'un bruit. Je veux dire, je sais que tu veux rentrer chez toi.

Pirelli secoua la tête en souriant.

— Ce petit fumier a dû faire un sacré numéro de lèche au patron. Je vais te dire un truc : il va regretter amèrement de m'avoir fait ce coup en douce.

Ancora posa deux rapports sur le bureau.

— Le petit Bruno a fait du bon boulot. Nous pensons, quoique nous n'en soyons pas encore certains, que l'arme était une canne-fusil, fabriquée au début du XVIIIe siècle. La poignée représente une tête de cheval. Elle se démonte en trois morceaux.

Pirelli s'empara du compte rendu.

— De quoi est-ce que tu parles?

— De l'arme qui a servi à tuer Carolla.

— On l'a retrouvée?

Son adjoint secoua la tête.

— Non, mais on a reçu quelque chose sur un casse à la villa Palagonia. La seule chose qui a été dérobée est cette vieille pétoire.

Pirelli prit connaissance du rapport concernant le vol.

— Elle n'avait pas servi depuis soixante, soixante-dix ans. Si c'est effectivement cette arme qui a été utilisée, il a fallu que quelqu'un se défonce pour la rendre opérationnelle.

— Oui. Elle a été volée la veille du meurtre. Bruno fait le tour de tous les armuriers capables d'effectuer ce type de travail.

Pirelli se dirigea précipitamment vers la porte. Il se retourna sur le seuil.

— Confie ça aux gars de Mincelli, refile-leur le boulot ingrat. Toi, tu vas aller faire un tour à la villa Palagonia.

Emmène le portrait-robot de Luka Carolla et vois s'il a rôdé dans le secteur. (Il réfléchit un instant, puis ajouta :) Prends également avec toi la photo des deux morts de l'*Armadillo Club*. Ils ont peut-être été aperçus dans le quartier... Ah! Commence aussi la tournée des garages et des loueurs de voitures. Il se peut que notre client en ait loué une.

Ancora laissa échapper un soupir. Il se demandait de quoi Pirelli allait s'occuper de son côté.

Il envoya un télex aux services de police américains pour leur demander de faire des recherches dans les collèges et universités environnant le dernier domicile connu de Paul Carolla. Peut-être pourrait-on s'y procurer une photo récente de son fils.

Graziella, en habits de deuil, trouva Sophia allongée sur son lit. Visiblement, celle-ci avait pleuré, et sa belle-mère l'embrassa tendrement.

— Je vais au cimetière. Voulez-vous m'accompagner?

Elle secoua la tête.

— Non, *mamma*, j'ai mal à la tête. Peut-être Rosa sera-t-elle disposée à aller avec vous.

— J'aimerais que ce soit vous qui m'accompagniez.

Des larmes roulèrent sur les joues de la jeune femme. Elle pleurait silencieusement. Graziella alla entrouvrir les persiennes. Éblouie, elle se cacha le visage dans les mains.

— Ils ne se soucient pas de vos enfants, Sophia, dit-elle d'une voix ferme. Ce Pirelli ne s'intéresse qu'à Carolla. Ma foi, je rends grâce au Ciel qui lui a envoyé un tueur. Dieu me pardonne, mais au moins cet homme a-t-il fait justice. J'aimerais que vous veniez, je vous attends en bas.

Graziella s'arrêta près de la table de chevet, le temps de considérer le petit flacon. Il était ouvert, et plusieurs pilules jaunes se trouvaient sur le dessus de marbre. Elle ne fit pas de commentaire.

Les deux femmes se tenaient devant le portillon du mausolée. Sur les murs on avait écrit à la peinture rouge : Ainsi crèvent les mafieux... Salauds...

Elles allèrent remplir des arrosoirs pour tenter d'effacer les inscriptions. Sophia ramassa une pierre, la trempa dans l'eau et se mit à gratter la peinture. Elle frottait si durement que le bout de ses doigts fut bientôt à vif, mais elle continua à travailler fiévreusement.

Pour qu'elle s'arrête enfin, il fallut que Graziella l'appelle à plusieurs reprises.

— Voyez, ma chérie, c'est fini, tout est nettoyé. Allez, venez, entrons à l'intérieur.

Mais Sophia se débattit. Elle cherchait à échapper à sa belle-mère, qui la tenait par le bras.

— Non, *mamma*, non, ne me forcez pas à entrer là-dedans, je vous en prie...

Interloquée par la virulence de cette réaction, Graziella la lâcha et entra seule. L'autre, accrochée à la rampe, avait la bouche sèche et n'arrivait pas à déglutir. Elle fouilla fébrilement dans ses poches. Elle avait besoin de quelque chose pour se calmer, elle avait besoin d'un...

Un vieil homme arriva avec un seau et une brosse en chiendent.

— Ah! *Signora* Luciano, je ne voulais pas que vous voyiez ça. Je ne sais pas quand cela a été fait. Je m'occupe de ces tombes comme si elles étaient ma propre famille.

Sophia ne put répondre. Elle se retourna vers le portillon au moment où Graziella reparaissait. Le vieillard, lui aussi au bord des larmes, se mit à embrasser la main de cette dernière. Elle rabattit son voile devant son visage, remercia le gardien du cimetière, puis tendit la main à sa belle-fille. L'homme s'inclina, s'excusa à nouveau et promit de veiller sur cette sépulture comme sur la prunelle de ses yeux.

Il s'excusait encore tandis que les deux femmes repartaient lentement sur le sentier de gravier blanc, s'éloignaient entre les tombes et regagnaient l'allée centrale.

Sophia passa la main au creux du bras de son aînée.

— *Mamma*, il y a une chose que je voudrais vous dire. Michael...

Graziella lui serra fortement la main.

— Vous savez ce que Rosa m'a dit, l'autre soir? « Grand-mère, pour toi ce n'est pas pareil parce que tu es vieille. » Eh bien, il faut que vous sachiez, Sophia, que j'éprouve autant de chagrin à présent pour la disparition de Michael que pour celle de vos deux petits. Je pense: *Mais quel terrible gâchis.* Mes fils, mon mari, mes petits-enfants ne sont plus, et moi je suis toujours là. Tout ce que j'ai produit est mort, et ma peine est tout ce qu'il me reste pour me rappeler qu'ils ont vécu. Ma peine ne me fait plus pleurer, elle témoigne seulement de ce que j'ai eu et perdu : ma famille. (Elle essuya ses yeux secs puis soupira.) Cette petite est tout ce qu'il nous reste.

Pirelli frotta ses yeux, rougis d'avoir lu les différents dossiers Luciano. Il répondit au téléphone à l'instant où Bruno lui apportait une feuille dactylographiée qu'il prit tandis que son correspondant lui annonçait qu'aucun Luka Carolla n'avait, au cours des trois derniers mois, quitté le territoire italien, que ce soit par Rome ou directement depuis la Sicile.

— Qu'est-ce que c'est? demanda-t-il après avoir raccroché.

— Ça vient de la boîte de Dante, on a trouvé ça par terre dans son bureau. Celui qui a fait le coup a pris tout ce qu'il y avait dans le coffre, sauf cette feuille qu'il aura laissée tomber, intentionnellement ou non. On dirait une liste de propriétés. Celles qui sont soulignées appartiennent à la famille Luciano. Or Enrico Dante travaillait pour Carolla. On a aussi trouvé ceci, elle était tombée derrière le bar.

Pirelli prit la cartouche pour l'examiner. Il passa le doigt sur la pointe de la balle.

— On dirait bien qu'elle a été fraisée.

— Oui, et elle correspond aux fragments trouvés dans le crâne de Carolla.

— Du nouveau quant aux empreintes relevées sur le verre?

— On n'a rien de ce type dans le fichier. C'était sans doute celui d'un client, bien que le jus d'orange qu'il contenait ait été renversé sur le sol... Ah, il y a aussi autre chose, je ne sais pas si c'est d'un quelconque intérêt. Dans la mare de sang derrière le bar, on a relevé l'empreinte très nette d'un talon haut.

Pirelli manipulait la cartouche, passant le doigt sur les filets concentriques fraisés dans la balle. Il se leva brusquement.

— Ramène ça au labo. Qu'ils la comparent avec les éclats trouvés dans le crâne des enfants Luciano, qu'ils voient si les rainures correspondent. Je veux savoir si la même fraise a été utilisée.

Le jeune inspecteur marqua un temps.

— Bon sang, tu penses que c'est le même type?

— C'est une possibilité. Il semble que nous ayons affaire à un tueur qui travaille au contrat et aime laisser sa carte de visite.

— Cette liste, qu'est-ce que j'en fais?

— Je la garde. Ah, au fait! trouve-moi les horaires des trains. Je vais retourner au monastère pour voir si je peux en apprendre un peu plus sur le dénommé Luka.

— Tu crois que c'est lui?

— Je n'en sais rien, mais je tiens à le trouver.

Luka considérait d'un œil éteint Sophia qui lui faisait manger sa soupe. Il ne put avaler que trois cuillerées avant de se laisser retomber sur l'oreiller.

Teresa ouvrit la porte et chuchota :

— Viens dans le bureau. Il y a quelque chose que je voudrais te montrer. Viens tout de suite.

Elle porta un doigt à ses lèvres pour indiquer qu'il dormait. Elle sortit et Teresa ferma la porte à clef.

Luka attendit quelques secondes avant de se redresser lentement. Le mouvement réveilla la douleur. Avec des gestes mesurés, il écarta la literie et pivota pour poser les pieds par terre. Mais il ne put se mettre debout et se laissa bientôt retomber contre son oreiller.

— Ferme la porte.

Sophia s'exécuta d'un coup de talon dans le battant.

— Il n'a pris que deux ou trois cuillerées, dit-elle. Rosa a broyé deux Seconal et les a saupoudrés dessus... Dis, tu m'entends?

Teresa ouvrit le tiroir du bureau.

— Oui, oui, je t'entends... J'ai trouvé ça dans le sac, le sac de Moreno. Celui dont nous nous sommes servies pour rapporter les papiers. Regarde bien. (Elle prit la partie supérieure de la canne, celle terminée par une tête de cheval, puis y engagea le second morceau et le verrouilla.) Tu vois, c'est une arme à un coup. C'est ici que tu engages la cartouche. Le cran de sûreté est l'oreille du cheval, et tu fais feu en tirant la tête en arrière. Moreno est le tueur, Sophia, c'est forcément lui. Cette arme correspond presque exactement à la description qu'en a faite le commissaire Pirelli.

Sa belle-sœur éprouva le besoin de s'asseoir.

— Qu'est-ce qu'on va faire?

— On la garde. Dès qu'il est sur pied, on lui donne l'argent et il s'en va. Comme convenu.

— Tu es folle ou quoi? Si cette arme est effectivement à lui, cela signifie qu'il a tué deux hommes. Il faut appeler Pirelli, Teresa. Et si tu ne le fais pas, c'est moi qui vais m'en charger.

— Tu n'y penses pas.

— Teresa, est-ce que tu te rends compte que nous abritons un meurtrier? Nous allons au-devant des pires ennuis.

— La mort de Carolla et de Dante nous rend service à toutes. Dès qu'il est remis, nous le payons et il s'en va.

— Et avec quoi pouvons-nous le payer? Avec les quelques centaines de dollars qui étaient dans le sac? Tu crois qu'il va se contenter de ça? Je ne vois pas ce qui pourrait l'empêcher de nous faire chanter. Pense à l'emprise qu'il a sur nous! Si nous le gardons ici, nous sommes aussi coupables que lui. Non, il faut appeler la police.

— D'accord, tu veux prévenir Pirelli? Vas-y, explique-lui pourquoi tu ne lui as pas parlé de Moreno quand il

315

est venu ici. Tu es passée à la boîte ; tu savais donc que c'était forcément lui qui avait abattu Dante. S'il a également tué Carolla, plutôt que de le livrer à la police, c'est une putain de médaille, que nous devrions lui décerner ! Allez, appelle Pirelli. Et fais-moi arrêter, tant que tu y es.

Le regard de la jeune femme faisait froid dans le dos. Sophia sentit qu'il y avait autre chose derrière ses bravades.

— Teresa, qu'as-tu fait ?

Elle était au bord des larmes.

— Ce que j'ai fait, je l'ai fait pour nous toutes. (Elle ôta ses lunettes et se prit la tête entre les mains.) Pour nous toutes.

— Mais enfin, qu'as-tu fait ?

Elle manœuvra le cadran du coffre, ouvrit la lourde porte. L'intérieur était plein de billets de banque, d'épaisses liasses de dollars et de lires.

— Quand j'y suis retournée pour chercher mon sac à main, j'ai pris tout l'argent que contenait le coffre de Dante. C'est pour cela que j'ai ramené le sac. Ce ne sont que des billets usagés ; aucun risque de ce côté-là.

Trop stupéfaite pour parler, Sophia regardait tour à tour sa belle-sœur et l'argent.

— Nous n'avions plus rien, Sophia. Nous avons besoin de cet argent. D'ailleurs, qui pourrait dire qu'il n'est pas à nous ? Il ne peut pas nous faire chanter, parce que nous le ferions aussitôt arrêter.

— Combien y a-t-il ?

Au moins, elle ne poussait pas de hauts cris. Teresa reprit de l'assurance.

— Suffisamment pour remettre en ordre les docks et les entrepôts. Suffisamment pour permettre à l'ensemble d'être vendu. Dans l'état d'abandon où tout se trouve, nous ne pourrions en obtenir un bon prix. Cet argent va nous servir à remettre en ordre les bureaux, à payer des gens pour qu'ils enlèvent les marchandises avariées, tout ce qui traîne. J'ai dressé la liste de ce qui doit être fait, j'ai préparé des estimations de ce que cela va coûter, j'ai...

Sophia l'interrompit.

— Il est hors de question que je trempe là-dedans, Teresa. J'ai du mal à croire que tu aies pu faire une chose pareille... Comment crois-tu que vont réagir *mamma* et Rosa, en apprenant cela?

— À quoi bon les mettre au courant? Surtout *mamma*. Elle va devoir passer en justice. Elle a besoin de nous toutes autour d'elle. Elle a besoin de toi.

Sophia secoua la tête.

— Laisse tomber ce genre de tactique, Teresa. C'est toi qui as volé cet argent, toi et personne d'autre.

— Entendu. J'assume. Je vais faire en sorte que chacune reçoive son dû, c'est tout ce qui compte à mes yeux, Sophia. Je veille aux intérêts de la famille.

L'autre se pencha au-dessus du bureau pour cracher :

— La famille, Teresa, elle est au cimetière. Ne me mêle surtout pas à tout ça. Et débarrasse-toi de ce type, là-haut, sinon, Dieu m'est témoin, j'appelle la police.

Il était minuit passé. Rosa lisait, assise au chevet de Luka. Elle regarda l'heure, puis lui posa la main sur le front et fut soulagée de constater que sa température avait baissé.

Son signet glissa à terre, et elle s'agenouilla pour le ramasser. En se relevant, elle aperçut quelque chose qui brillait sous le lit.

Le petit cœur en or et sa chaînette étaient couverts de poussière. Elle souffla dessus, puis les laissa tomber dans une petite coupe en verre posée sur la commode.

14

Luka était à la villa Rivera depuis deux jours, mangeant peu et dormant la plupart du temps. Le troisième jour, il se sentit suffisamment robuste pour vouloir prendre un bain.

Teresa fut surprise et un peu effrayée en découvrant la chambre vide.

— Où est-il passé ? murmura-t-elle à Rosa.

La jeune fille avait changé le lit et empilé les draps sales sur le sol.

— Il prend un bain.

— Va lui dire d'en sortir et de remonter en vitesse. Ta grand-mère pense que c'est toi qui occupes la salle de bains. Dépêche-toi. Je me charge de remettre les couvertures.

Rosa attrapa le petit pendentif et sa chaînette sur la commode.

— J'ai trouvé ça sous le lit. J'ignore si c'est à lui ou si une bonne l'a oublié ici. Tu as vu, c'est un petit cœur...

Sa mère lui prit l'objet des mains.

— Allez, va. Je l'aiderai à se recoucher.

Luka ouvrit la porte de la salle de bains. Il portait un peignoir en tissu éponge ayant appartenu à Roberto Luciano. Ce vêtement ample soulignait sa sveltesse et lui donnait l'air plus juvénile que jamais. Le bain et l'effort

319

fourni pour s'essuyer l'avaient affaibli, et il dut se raccrocher au dormant de la porte.

Lorsqu'elle arriva sur le palier, Rosa rencontra sa mère, les bras pleins de linge sale.

— Tiens, Rosa, fit celle-ci à voix basse, descends-moi ça. Mets-le toi-même dans la machine. Il ne faut pas qu'Adina le voie.

Luka progressait lentement, précautionneusement, en s'appuyant d'une main sur le mur. Lorsqu'il atteignit la porte de la chambre, il était épuisé.

Teresa voulut l'aider, mais il eut un mouvement de recul, et elle s'effaça pour le laisser entrer dans la petite pièce. Elle avait ouvert une fenêtre. Il s'assit sur le lit. Il souleva son oreiller.

— C'est moi qui ai le pistolet, *signor* Moreno.

Il se retourna avec un air égaré.

— Ma chaîne, ma chaîne en or... dit-il en portant la main à son cou.

— Vous voulez parler de ceci? Rosa l'a trouvée par terre. Elle a pensé qu'une bonne l'avait peut-être oubliée ici.

— Non, c'est à moi.

Elle le regarda manipuler la chaînette.

— Comment vous sentez-vous?

— Beaucoup mieux. Mon épaule ne me fait plus aussi mal.

— Combien de temps pensez-vous devoir rester ici?

— Jusqu'à ce que je sois assez solide pour m'en aller.

— Le commissaire Pirelli est passé nous poser des questions... Lui ne sait rien, mais nous savons, nous, que vous avez tué Dante. Est-ce également vous qui avez tiré sur Paul Carolla?

— Qui ça?

— Paul Carolla. Il a été abattu en plein tribunal.

Luka se laissa aller sur le dos et ferma les yeux. Il sentait qu'elle le regardait. Celle-ci n'était pas comme les deux autres. Elle avait un regard froid, et il ne l'aimait pas.

Teresa se rapprocha du lit.

— La police pense que ces deux assassinats sont liés. Si c'est effectivement vous qui avez abattu Carolla, ne craignez rien, nous ne vous dénoncerons pas. Il se pourrait même que nous vous félicitions.

Il rouvrit les yeux, tourna la tête vers elle et dit d'une voix douce :

— Je n'ai pas tué cet homme. Je n'en avais jamais entendu parler.

Elle eut un petit rictus.

— Je suis certaine du contraire. J'ai non seulement le pistolet que j'ai pris sous votre oreiller, mais également l'arme qui ressemble à une canne. Elle se trouvait au fond du sac que nous avons rapporté de la discothèque...

Elle fut saisie par l'expression qui passa dans ses étranges yeux bleus.

— Quel sac? Vous devez faire erreur, je n'avais pas de sac.

Teresa haussa les sourcils et sourit.

— Ah non? Avec nous, ce n'est pas la peine de mentir, *signor* Moreno.

Elle sortit et referma la porte.

Lorsqu'il entendit la clef jouer dans la serrure, son corps se recroquevilla en position fœtale. La chaînette en or lui enserrait si étroitement le poing qu'elle lui entailla la peau.

— S'il vous plaît, ne m'enfermez pas... je vous en supplie...

Debout sur le palier, la clef à la main, Teresa prêta un instant l'oreille aux sanglots assourdis. Puis elle s'engagea lentement dans l'escalier. Se pouvait-il qu'elle se trompe au sujet de ce garçon? Elle secoua la tête.

Elle frappa doucement à la porte de la chambre de Sophia. Celle-ci lui dit d'entrer. Elle était allongée sur son lit. La pièce était plongée dans l'obscurité.

— Je voudrais que tu descendes, murmura-t-elle. J'ai à vous parler, à toi et à Rosa.

Sophia ne répondit pas. Dressée sur un coude, elle tendait l'oreille.

— Qu'est-ce que c'est? Tu entends? Est-ce que ce serait Moreno?

— Oui, c'est lui, fit Teresa, toujours à voix basse. Oh! mon Dieu... tu crois que *mamma* pourrait l'entendre?

Elle ressortit sur le palier pour écouter, le visage levé vers le deuxième étage. Ces sanglots assourdis étaient comme ceux d'un enfant. Elle allait remonter lorsque les pleurs cessèrent. Elle tendit l'oreille encore un instant, puis rejoignit Sophia.

— Ça va, il s'est arrêté. Tu sais, je crois que je me suis trompée sur son compte. Il est possible qu'il ait tué Dante pour se défendre, mais je ne lui vois pas le cran nécessaire pour descendre Carolla. Il m'a tout l'air d'une lopette... Et je crois que c'est le sac de Dante que nous avons embarqué. Il m'a dit que ce n'était pas le sien. Si c'est vrai, cela devrait atténuer tes scrupules à donner asile à quelqu'un qui pratique l'assassinat en masse. Sophia? Tu as entendu ce que j'ai dit?

Cette dernière soupira et hocha la tête.

— Je fais ma toilette et je te rejoins en bas.

Dans le silence, elles entendirent à nouveau, ténus mais distincts, d'étranges pleurs, pareils à ceux d'un enfant.

Teresa était assise, une pile d'affiches imprimées posée devant elle. Rosa avait placé sa chaise tout près du bureau. Assise légèrement de biais, Sophia parcourait une affiche rédigée à la main.

— On va les placarder partout : sur les docks, dans les entrepôts, dans les rues, disait Teresa. Je veux que tous ceux qui ont un jour ou l'autre travaillé pour don Roberto en prennent connaissance. Je vais tout mettre en œuvre pour que ces gens reviennent travailler pour nous. Il faut que nous participions toutes et que nous utilisions toutes les tactiques possibles. Il faut titiller leur sentiment de culpabilité à tel point qu'ils nous donneront au moins...

Elle fut interrompue par Graziella, qui venait d'entrer doucement dans la pièce avec un vase garni de fleurs fraîchement coupées. L'ayant posé sur le bureau, elle prit une affiche et la lut très lentement, puis elle eut une moue.

— Tous ces hommes travaillent pour d'autres familles; cela va créer des problèmes. Non seulement pour eux, mais pour vous, pour vous toutes. N'avons-nous pas eu suffisamment de malheurs? Est-il besoin d'en provoquer de nouveaux?

Ce langage agaçait sa belle-fille.

— Ils nous doivent bien cela, *mamma*, pour toutes les années pendant lesquelles don Roberto leur a assuré un emploi.

Graziella les surprit alors par la dureté de sa voix.

— Il est mort, Teresa. Vous n'êtes pas le chef de cette famille. C'est moi qui le suis, et je m'oppose à cette comédie.

— Nous en avons besoin et nous aimerions que vous soyez avec nous, *mamma*. Vous avez tout à fait le droit de nous refuser votre concours, mais sachez que nous allons continuer, que cela vous plaise ou non.

Il flottait comme une odeur d'égout dans les entrepôts. Des cargaisons entières d'oranges avaient pourri dans leurs caisses. Des rats couraient dans tous les sens sur le sol humide. Dehors, des cargos en cale sèche étaient abandonnés à la rouille. Les camions alignés sur le parking avaient les pneus tailladés, la bâche déchirée, la peinture écaillée par le soleil. Des moteurs avaient été volés ainsi que presque toutes les pièces démontables. C'était un spectacle à fendre l'âme.

La tuilerie, jadis florissante, était fermée depuis des mois. Une épaisse couche de poussière rouge s'était déposée jusque dans les bureaux. Les vitres étaient brisées, et l'endroit avait été si souvent visité qu'il ne restait pratiquement plus une seule pièce intacte.

Les quatre femmes ne disaient rien. Leur tournée de visites n'était pas terminée. Elles reprirent la voiture pour gagner la monumentale conserverie, qui dominait de sa masse la désolation environnante. Puis elles poussèrent

323

jusqu'aux vergers. Elles découvrirent des hectares et des hectares d'orangers, de citronniers et d'oliviers laissés à l'abandon, et la puanteur dégagée par leurs fruits pourrissants infestés de moustiques. Les appareils d'arrosage avaient rouillé, les canaux d'irrigation étaient également encombrés de fruits en décomposition, et des nuages de mouches vrombissaient au-dessus des arbres. On pouvait lire des graffitis, tracés dans la poussière ou peints sur les murs : Crèvent les mafieux... Luciano salauds...

Le visage fermé, figé par la détermination, Teresa allait d'une scène de cauchemar à l'autre, prenant des notes et se parlant à voix basse. Graziella la suivait sans rien dire.

Lorsqu'elles eurent regagné la villa Rivera, Rosa s'éclipsa pour monter vérifier les pansements de Luka. Les autres, silencieuses et déprimées, allèrent s'enfermer dans le bureau. Teresa ouvrit son agenda.

— Dans un premier temps, nous allons avoir besoin de main-d'œuvre pour nettoyer, déblayer les ordures, passer les camions en revue afin de voir ce qui est utilisable.

Sophia épousseta sa robe.

— Il ne s'agit pas d'une maison où il faudrait faire le ménage. Il ne suffit pas d'y amener une équipe avec des seaux et des serpillières.

Sa belle-sœur fit comme si elle n'avait rien entendu.

— Les arbres devront être émondés, taillés presque à la racine. Il va falloir remettre l'arrosage en route. Il n'y aura pas de récolte pendant au moins deux saisons.

L'autre leva les bras au ciel.

— Deux saisons, dis-tu? Et d'ici là, qu'est-ce qui se passe? Quand nous aurons nettoyé les docks, les magasins, les cargos, que ferons-nous? Nous n'aurons aucune production. Je suis d'accord avec *mamma*, c'est de la folie. Jamais nous n'arriverons à redémarrer.

— Il n'en a jamais été question! s'emporta Teresa. Nous prenons simplement des dispositions pour vendre. J'ai la liste de toutes les boîtes d'import-export de Palerme. Nous les contacterons. Ensuite, selon ce qu'on nous offrira, nous déciderons soit de vendre, soit de louer des emplacements. Nous possédons des licences d'exportation. À New York, nous avons les entrepôts que dirigeait Filippo pour recevoir des marchandises, nous avons une agence de transports et de livraisons. Enfin nous avons un nom, celui de Luciano. Tout cela vaut beaucoup plus que ce qu'on nous a offert jusqu'à présent. Alors, est-ce que ça vous paraît raisonnable? J'essaie de faire en sorte que nous puissions opérer la meilleure transaction possible, que ceux qui nous ont déjà fait des offres les revoient à la hausse. En d'autres termes, je fais exactement ce que je ferais si je cherchais à vendre un appartement au meilleur prix.

Il n'y eut ni objection ni commentaires.

— Tout ce que vous avez à faire est d'exécuter à la lettre ce que j'ai prévu, reprit Teresa d'un air satisfait. J'ai à côté quelqu'un qui va se charger de placarder ces affiches.

Vous avez été des centaines à accompagner jusqu'à sa dernière demeure celui qu'à juste titre vous appeliez Il Papa, *et vous avez partagé le chagrin des femmes de sa famille, prié pour ses fils et ses petits-fils. Pour tous ces hommes auxquels il a fourni un emploi, pour toutes ces femmes dont il a assuré la subsistance dans les moments difficiles, pour tous ces enfants qui ont grandi en sécurité sous sa protection, la* signora *Luciano demande à ceux qui ont connu don Roberto Luciano de lui rendre une dernière fois hommage.*
Signé :
Graziella Luciano, Sophia Luciano, Teresa Luciano et Rosa Luciano

À la date fixée, Teresa se mit au volant de la Rolls-Royce blanche. La réunion était prévue pour 2 heures de l'après-midi. Comme convenu, toutes étaient en habits de deuil, même si Graziella était la seule à porter une mantille noire sur ses cheveux gris. Cette automobile d'un blanc éclatant et les quatre femmes en noir composaient un tableau saisissant.

Elles s'alignèrent sur une petite estrade face à la foule. Elles arboraient ce même air très calme qu'elles avaient déjà le jour des funérailles. Nul ne pouvait rester insensible à ce spectacle bouleversant.

Lorsque Teresa s'avança pour prendre la parole, un grand silence se fit. Elle remercia chacun d'être venu et prononça une courte action de grâce. Puis elle éleva la voix.

— Vous vous trouvez dans l'entrepôt Luciano. Inutile de vous faire remarquer l'état d'abandon des lieux, de même que je n'ai pas besoin de vous expliquer la triste situation des sociétés de mon beau-père, désertes et improductives. Vous avez tous, à un moment ou à un autre, bénéficié de la générosité de don Roberto, de sa bonté, de son amour et de sa compréhension. Il vous a donné du travail. Il vous a offert sa protection. Des années durant, il s'est dépensé sans compter pour vous. Sa porte n'était jamais fermée à ceux qui avaient besoin d'aide.

Elle marqua un silence afin de laisser ses paroles pénétrer les esprits. Des flashes crépitaient. La presse était venue en force.

— Aujourd'hui, reprit-elle, nous avons besoin de votre aide. Nous ne vous demandons pas la charité, nous n'en voulons pas à votre argent, si chèrement gagné. Non, nous vous demandons un peu de votre temps, nous demandons à chacun d'entre vous de nous donner quelques heures de son temps...

Elle expliqua qu'elles étaient en attente de bras pour nettoyer et balayer, de mécaniciens pour réparer les camions, de vitriers pour remettre des carreaux. Elle précisa que pour obtenir un juste prix de ces installations, il fallait qu'elles soient en état de fonctionner. Elle leur apprit la perte de la fortune de Roberto Luciano et leur avoua qu'elles étaient sans ressources.

Elle dit enfin que la tuilerie serait leur quartier général, et que ceux qui voulaient bien donner de leur temps et de leur savoir-faire devaient, en sortant, glisser dans l'urne qui se trouvait près de la porte un papier portant leurs nom et profession.

Les journaux publièrent le discours de Teresa et certains en profitèrent pour infirmer les bruits concernant une participation de don Roberto Luciano au procès en tant que témoin de l'accusation. Mais beaucoup firent paraître des articles erronés et diffamatoires sur le passé de Luciano et ses rapports avec la Mafia.

Pirelli était seul dans ce compartiment du petit train qui le ramenait à Erice. Il ouvrit sa mallette et se mit à parcourir les rapports de son adjoint.

L'armurier soupçonné d'avoir remis en état de marche l'arme ancienne avait été retrouvé mort, étouffé sous les bottes de foin, qui, dans son atelier, servaient aux essais de tir. On avait découvert là toutes sortes de fraises destinées à la personnalisation des munitions. On disposait de nouveaux éléments quant à l'arme elle-même. Le guide chargé des visites de la villa Palagonia avait reconnu les défunts Dario Biaze et Enrico Dante comme les personnes auxquelles il avait parlé le jour du vol de la canne-fusil. Il n'avait toutefois pas identifié le troisième homme, qui, ce jour-là, était resté dissimulé à l'arrière de la voiture.

Pirelli ouvrit son carnet pour revoir les notes qu'il y avait griffonnées suite à l'interrogatoire du gardien du tribunal. Celui-ci avait déclaré que le moine — assassin présumé de Paul Carolla — avait une épaisse chevelure roux foncé. Mais il ne lui avait pas reconnu de ressemblance catégorique avec le portrait-robot de Luka Carolla.

Le compte rendu d'Ancora s'achevait avec le rapport des experts concernant les empreintes digitales relevées à l'*Armadillo Club* sur la cartouche et le verre de jus d'orange. On avait la trace d'un pouce, mais on n'avait jusqu'à présent rien trouvé de correspondant dans les fichiers.

Pirelli referma la chemise, ramassa par terre un vieux journal, le lança sur la banquette opposée et y posa les pieds. Son talon droit recouvrait une photo en noir et blanc, mais son regard fut accroché par le gros titre de la une. Il y était question des femmes Luciano. Il le déplia et fut surpris d'apprendre que les veuves avaient pratiquement demandé la charité. Le train arriva à Erice avant qu'il ait terminé la lecture de l'article.

Les draps du lit de Luka étaient toujours dans le sèche-linge. Sophia les en sortit. Elle remarqua des auréoles sur une taie d'oreiller qu'elle était en train de plier. Elle la jeta dans le panier à linge sale, supposant qu'il s'agissait de taches de sang. Ce n'est que ce soir-là, en passant le voir endormi, qu'elle remarqua que ses cheveux étaient beaucoup moins foncés que précédemment. Elle se penchait pour y regarder de plus près lorsque Rosa entra.

La jeune fille eut un air suspicieux.

— Qu'est-ce que tu fabriques?

Sophia porta un doigt à ses lèvres. Luka dormait toujours.

— Viens voir... Regarde ses cheveux. Ils sont teints. Regarde, en fait il est blond.

Rosa se pencha, puis acquiesça.

— Pourquoi a-t-il fait ça? murmura-t-elle.

Sa tante ne répondit pas. Elles sortirent en silence et refermèrent la porte à clef. Luka ouvrit les yeux. Il était maintenant capable de se lever sans peine. Il se mit à arpenter la chambre. Ayant entendu ce qu'elles disaient, il alla se regarder dans le miroir. Il jura entre ses dents : ses cheveux avaient poussé et les racines étaient beaucoup plus pâles. Il ne fallait pas qu'il s'attarde ici. Il fit jouer les doigts de sa main gauche. La douleur était toujours présente, mais diffuse et moins forte. Il enleva lentement ses bandages et commença à faire quelques exercices...

Malgré le vent froid qui soufflait, au terme de sa longue montée jusqu'à l'ermitage, Pirelli était en nage. Frère Guido lui ouvrit et le fit entrer dans la petite pièce proche du portail. Le moine indiqua que le père Angelo ne tarderait pas et que le frère Tommaso viendrait également lui parler.

La petite bibliothèque surmontée d'un crucifix attira

son regard. Pour tuer le temps, il en tira un livre de prières et passa le doigt sur la croix en or repoussé qui ornait le cuir de la reliure. Il allait replacer le volume lorsqu'un autre livre tomba à terre. Il l'ouvrit à la première page et y vit l'inscription : GIORGIO CAROLLA, 1973...

Frère Tommaso entra avec une grande enveloppe beige toute cornée et marquée de plis.

— Je me demandais quand vous reviendriez, commissaire. Je n'ai pas pu vous voir lors de votre précédent passage. Je vous en prie, asseyons-nous. Je suis le frère Tommaso. Vous désirez que nous parlions de Luka? De Luka Carolla?

Pirelli s'assit. Il émanait de la robe du vieillard une forte odeur de moisi, et lui-même semblait avoir besoin d'un bon bain. Il avait les ongles noirs, et ses pieds chaussés de sandales étaient crasseux. Mais il avait très envie de parler. Il sortit des papiers de l'enveloppe pour les placer en tas devant lui, puis il posa les mains dessus et, se balançant d'avant en arrière, arbora un petit sourire matois.

Ses yeux faisaient penser à deux petits pois, minuscules et d'un vert trouble, des yeux sournois. Tout dans son attitude était furtif : il ne cessait de jeter des coups d'œil en direction de la porte, pourtant fermée, parlait sur le ton de la confidence et respirait en faisant siffler l'air entre ses gencives édentées.

— J'étais sûr qu'il était mauvais, que c'était un menteur. Un jour, vous savez, il a volé une cuisse de poulet...

Pirelli écouta patiemment le vieillard lui conter par le menu le larcin qu'avait commis Luka à l'orphelinat. Lorsqu'ils entendirent des pas approcher lentement, Tommaso lui mit entre les mains l'enveloppe usagée et son contenu en lui recommandant de ne pas y faire allusion devant le prieur.

Le père Angelo se déplaçait avec une douloureuse lenteur. Guido l'aida à s'asseoir. L'inutilité de sa visite apparaissait de plus en plus nettement à Pirelli. Frère Tommaso s'était révélé complètement incohérent, et il ne faisait pas de doute que cet autre vieillard ne vaudrait pas mieux.

— Tu peux nous laisser, Guido.

Le commissaire se rassit. Malgré sa voix tremblante, le prieur s'exprimait de façon directe et précise. Ses yeux étaient limpides et brillants. Tandis que la lourde porte de chêne se refermait sur Guido, le vieil homme croisa les mains.

— Bien. Vous souhaitez des renseignements sur notre fils Luka. Est-ce exact?

— Oui, mon père, c'est de la plus extrême importance.

Le père Angelo hocha la tête en levant légèrement une main.

— Peut-être serait-il bon que je commence par le commencement? Par son premier séjour parmi nous?

— Si cela ne vous dérange pas. Plus j'en saurai sur lui, mieux ce sera.

Le prieur sourit en dodelinant de la tête.

— Je ne crois pas que quiconque ait vraiment connu Luka. Du moins pas totalement. Il y a toujours eu chez lui une zone d'ombre, un côté sombre et douloureux que je n'ai jamais pu mettre au jour, en dépit des nombreuses années qu'il a passées ici. Je l'ai récupéré à l'hôpital Jésus-de-Nazareth, où le juge pour enfants l'avait envoyé. C'était en 1968, au mois de juillet.

— Mon père, excusez-moi de vous interrompre, mais n'est-ce pas plutôt Paul Carolla qui vous l'a amené?

— Non, non, ce n'est que plus tard, bien des années après, que j'ai reçu une lettre du *signor* Carolla. Son fils, Giorgio, allait mourir, et le *signor* Carolla nous suppliait de lui donner asile. Il s'agissait d'un enfant très intelligent, mais incapable de marcher à cause d'une malformation congénitale. Il souffrait également d'un problème cardiaque et avait passé toute sa vie cloué au lit.

— Ainsi, Luka n'était pas le fils de Carolla?

Le père Angelo secoua la tête.

— Non, non, c'étaient deux garçons très différents l'un de l'autre, commissaire, mais tous deux avaient beaucoup souffert. Luka n'est arrivé ici qu'à l'âge de 5 ans ou peut-être 6. Il avait été arrêté en même temps qu'une bande de gosses des rues qui essayaient de cambrioler un entrepôt. Il était orphelin, et comme il était trop jeune pour être pris en charge par une institution, les autorités m'ont demandé de l'accueillir ici. Il venait de faire un long séjour à l'hôpital. Pour un enfant aussi jeune, il avait d'épouvantables blessures, des blessures dont on m'a dit qu'elles lui avaient été infligées durant plusieurs années. Son dos était marqué de profondes lacérations; il avait eu le bras cassé et le coccyx fêlé; il avait même eu une fracture du crâne. Il était... (Le vieillard choisissait ses mots avec soin.)... une tragédie.

» Je ne suis jamais parvenu à savoir exactement quel enfer ce petit avait traversé, mais une telle détresse m'avait fendu l'âme. J'ai tenu à ce que nous fassions notre possible pour lui faire recouvrer la paix de l'esprit. Cela n'est pas allé sans difficultés. Il était voleur, menteur, et se mettait la plupart des autres enfants à dos. Il passait son temps à se battre avec ses camarades, et cependant il avait un visage d'ange... Nous avons fini par douter de pouvoir un jour le réformer. Mais les voies du Seigneur sont impénétrables. Luka a trouvé le salut avec l'arrivée d'un garçon si souffrant, si mal formé que les autres le traitaient de gargouille, de diable incarné. Cet enfant était Giorgio, le fils de Paul Carolla.

Immobile, Pirelli écoutait avec grande attention.

Le prieur poursuivit de sa voix douce.

— Suite à quelque méfait, Luka avait été condamné à faire le ménage des cellules. L'une d'entre elles était celle du pauvre Giorgio. Ce qui s'est alors passé, commissaire, n'est rien de moins qu'un miracle. Luka s'est attaché à l'invalide, s'occupant de lui comme une mère de son enfant. Ils sont devenus inséparables. Ce pauvre garçon qui n'avait jamais marché, qui ne s'était jamais joint aux occupations les plus simples des autres enfants, a fait des progrès que l'on ne peut qualifier que de miraculeux. Luka le lavait, lui donnait à manger, l'habillait. Il lui a fabriqué une espèce de fauteuil roulant dans l'atelier de menuiserie, afin qu'il puisse sortir.

» Deux ans après son arrivée parmi nous, Giorgio était

suffisamment fortifié pour assister à la classe. Son intelligence était bien supérieure à celle des autres enfants, et il constituait un véritable stimulant pour eux... Nous n'avions plus de problèmes avec Luka. Il s'était trouvé une famille. Le petit malade représentait tout pour lui.

Le père prieur sortit un mouchoir de lin et s'en tamponna les yeux. Pirelli restait silencieux.

— Mais Giorgio n'allait mieux qu'en apparence. Ce surcroît d'activité lui fatiguait le cœur. Nous savions qu'il ne vivrait pas très longtemps.

Le vieillard voulut se verser un verre d'eau, mais ses mains tremblaient trop. Pirelli se leva pour le lui emplir.

— En janvier 1974, les médecins ont décidé qu'il devait subir d'urgence une opération du cœur. Il a contacté son père pour lui dire qu'il n'accepterait d'aller se faire opérer à Rome que si Luka pouvait l'accompagner. Il était peu probable que l'opération réussisse, mais y renoncer supprimait tout espoir. Tout a été préparé pour le voyage, et le médecin de Giorgio est venu organiser son transport depuis le monastère. Cela a demandé quelques jours, peut-être une semaine; entre-temps, l'état de santé de Giorgio s'était rapidement détérioré. Il ne fallait plus songer à l'opération. Paul Carolla est arrivé non pour emmener son fils à Rome, mais pour attendre sa mort inévitable.

Le père Angelo croisa les mains et baissa la tête.

— Pendant son séjour ici, au cours de toutes ces journées passées presque exclusivement avec Luka, Giorgio avait radicalement changé. Je pense qu'il avait pour la première fois envie de vivre, quelqu'un pour qui vivre. Et Luka, ah! ce que Luka avait changé! Je ne saurais dire la bonté qui émanait de ce garçon, naguère le plus rebelle de nos petits pensionnaires. Il était né avec un visage angélique; sa métamorphose — car je ne peux appeler cela autrement — a fait de lui un ange. Il aimait follement son pauvre camarade, et je crois bien qu'il aurait donné sa vie pour lui. Nous savions que les jours de Giorgio étaient comptés. Le jour où son père est arrivé, il paraissait aller un peu mieux. Il a accepté la nouvelle qu'il n'y aurait pas d'opération; je crois même qu'il a plaisanté. Il avait tellement d'humour. Comprenez bien que si l'un d'entre nous avait réalisé combien il était près de mourir, jamais nous ne l'aurions laissé seul.

Le père Angelo fixait le mur nu en silence. Il avait revécu ce terrible matin d'hiver bien des fois, entendu à nouveau la plainte se répercuter dans le cloître. Il ne put refouler ses larmes.

— Il était défendu... (Il déglutit et ne put poursuivre avant d'avoir pris une gorgée d'eau.) Il était défendu aux enfants de quitter leur dortoir après 9 heures, mais Luka avait réussi, je ne sais comment, à tromper la surveillance du frère de garde. C'est dans ses bras que Giorgio a rendu l'âme, commissaire. Il m'est arrivé souvent de devoir consoler des personnes ayant perdu un être cher, mais jamais, jamais je n'avais vu chagrin aussi profond. Luka s'accrochait au rebord de la fenêtre de Giorgio. Son corps était rigide, le devant de sa chemise était trempé de larmes. Sur la buée de la vitre, il avait griffonné...

La voix du vieillard n'était qu'un souffle lorsqu'il expliqua à Pirelli que la chambre était chauffée en permanence par des radiateurs à bain d'huile que son père avait achetés. Dans la condensation, Luka avait écrit des dizaines de fois le nom de son ami, comme si cela devait le ramener à la vie.

— J'ai tenté d'arracher ses mains glacées du rebord de la fenêtre. Les jointures de ses doigts étaient blanchies par l'effort. Il crachait et donnait des coups de pied à quiconque tentait de le déloger. Il ne laissait personne le toucher ou le tenir. Tout contact lui faisait horreur. Le *signor* Carolla a été profondément touché par sa réaction. Il a demandé à lui parler. Lorsqu'il est ressorti de la cellule de Giorgio, Luka lui donnait la main. Le *signor* Carolla l'a adopté peu de temps après et l'a emmené vivre avec lui en Amérique.

Le vieillard ne parla pas de son propre chagrin devant le comportement de Luka à son égard après la mort de Giorgio. Sa physionomie, l'éclat haineux de son regard étaient redevenus les mêmes que le jour où il l'avait ramené de l'hôpital, comme si toutes ces années de soins et d'amour n'avaient compté pour rien, n'avaient jamais vraiment existé.

Pirelli attendait, le regard posé sur la tête basse du prieur.

— Je vous en prie, mon père, poursuivez.

— J'ai reçu quelques lettres. Je les ai apportées pour le cas où vous voudriez les lire. J'ai signé les papiers d'adoption, par lesquels je me déchargeais de ce petit. Je pensais que tout était pour le mieux. Je pensais qu'il avait beaucoup de chance. (Le vieux visage ridé ruisselait de larmes.) Je ne l'avais pas revu jusqu'à son retour, il y a quelques mois. (Il prit le verre et but à petits traits.) Pouvez-vous me dire pourquoi vous vous intéressez à mon petit Luka? Croyez-vous qu'il ait fait quelque chose de mal?

Pirelli toussa et se passa la langue sur les lèvres.

— Oui, mon père, je le crois.

— Alors c'est ma faute. Je n'aurais jamais dû le laisser partir. À l'époque, j'ignorais qui était Paul Carolla... ce qu'il allait devenir. Je pensais que tout était pour le mieux. Écoutez, excusez-moi, mais je...

Les sanglots secouaient le corps frêle du vieil homme. Pirelli ne savait que faire pour le réconforter. Il se leva, ne souhaitant pas apprendre à cet estimable vieillard ce que Luka Carolla était devenu.

— J'ai entendu tout ce que je voulais savoir. Je ne voudrais pas vous éprouver plus longtemps.

— Il est revenu vers moi, il est revenu ici pour qu'on l'aide. Je ne le sais que depuis aujourd'hui. Voyez-vous, lorsqu'il était enfant, chaque fois qu'il avait mal agi, il cherchait à s'amender par le travail. Il faisait des travaux de peinture, de terrassement, ce qu'il trouvait... Il est arrivé ici et a travaillé très dur pendant six mois, et je me doutais, oui, je me doutais que quelque chose n'allait pas.

Pirelli fit tinter la cloche qui se trouvait près de la porte afin que l'on vienne chercher le père Angelo, mais celui-ci n'en avait pas terminé.

— Il y a encore une chose qu'il faut que je vous dise. Cette zone d'ombre en lui... Il avait subi des violences sexuelles lorsqu'il était tout petit. Est-ce que vous comprenez?

En entrant, Guido entendit les dernières paroles du prieur. Celui-ci s'aperçut de sa présence, mais n'en continua pas moins.

— Il en avait gardé une terreur des lieux exigus, il ne supportait pas d'être enfermé. Il faisait des crises de nerfs, il pouvait même être violent. Pendant ses premières années ici, il n'était pas question de le faire entrer dans la chapelle. Il avait cet endroit en horreur et était pris de nausées chaque fois que nous essayions de l'y emmener pour prier... Cette phobie s'est peu à peu apaisée, et il lui arrivait, quoique assez rarement, d'assister à la messe. Quel que soit le péché qui a été commis à l'encontre de Luka, je crois que cela a eu lieu à l'intérieur d'un lieu saint. Oui, Dieu me pardonne, c'est ce que je crois.

Rouge jusqu'aux oreilles, Guido évitait de croiser le regard de Pirelli.

— Mon père, demanda celui-ci, avez-vous parlé à Luka avant son départ?

Le vieillard secoua la tête.

— Non... Non, je ne lui ai pas parlé. Frère Guido a été le dernier à le voir. Ce pauvre frère Luigi, aujourd'hui défunt, était très agité. Il s'est un jour imaginé qu'un cirque était installé dans la cour, et plus récemment, que le Christ avait ressuscité dans la chapelle. Il est mort peu de temps après. Peut-être a-t-il réellement vu Notre Seigneur. (Il partit vers la porte, puis s'arrêta et, sans se retourner :) Luka n'est même pas venu me dire au revoir... Je vous souhaite un bon retour, commissaire.

— Frère Guido... Pourriez-vous m'accorder quelques instants après que vous aurez raccompagné le père Angelo?

Pirelli attendit le retour du religieux. Il avait froid et se sentait comme vidé. L'humidité de la pièce, l'accablante tristesse du père prieur, tout cela lui donnait fortement envie d'aspirer à pleins poumons l'air frais du dehors — l'air frais ou la fumée d'une cigarette ! Mais il entendit frère Guido qui revenait.

La nervosité du jeune moine sautait aux yeux. Pirelli remarqua la façon dont il ne cessait de tripoter la bure de sa robe, comme pour la lisser ou la rajuster.

— Vous avez été le dernier à voir Luka. Pourquoi ne me l'avez-vous pas dit l'autre fois ?

— Je ne pensais pas que c'était important.

— Cela pourrait l'être. Frère Guido, je pense que Luka Carolla est quelqu'un de très dangereux. Je suis certain qu'il a tué au moins un enfant, et il est possible qu'il ait assassiné son père, Paul Carolla.

L'autre eut un hoquet de surprise. Il battit rapidement des paupières, puis se laissa tomber sur la chaise et se plaqua les mains sur le visage.

— Le soir où Luka est parti, je me trouvais dans la chapelle, non loin de la crypte. J'étais agenouillé, je priais, et il ne m'a pas vu.

Pirelli posa la main sur l'épaule du moine pour l'encourager à poursuivre.

— Je l'ai vu entrer et poser son sac à terre, ce petit sac en cuir dont je vous ai parlé. Il s'est avancé vers le chœur. J'étais sur le point de l'appeler, de dire quelque chose afin de manifester ma présence...

— Mais vous n'en avez rien fait ?

Guido secoua la tête.

— Il se tenait tellement immobile, face à la croix, et... son profil, j'avais l'impression de regarder une statue. Jamais je n'ai vu pareille fixité, pareille...

Ses épaules étaient agitées de tressaillements. Pirelli le sentit à travers l'épais tissu.

— Il était d'une incroyable beauté, murmura le moine. Son visage semblait un marbre, il ressemblait au Christ.

Il se signa précipitamment.

Le commissaire s'éloigna de quelques pas.

— Que s'est-il passé ensuite ? (Il dut répéter sa question avec plus d'insistance.) Que s'est-il passé ?

— Je me suis relevé, révélant ma présence, et il a eu une réaction de bête fauve. Il a fait entendre une sorte de sifflement... oui, un peu comme un feulement, et il a reculé dans le noir, jusqu'à ce que je ne le voie plus. Il a alors prononcé une parole blasphématoire. Je vous en prie, ne me demandez pas de vous la répéter. Puis j'ai entendu les portes s'ouvrir, et il était parti.

— En emportant le sac? Vous n'avez pas vu la mallette dont vous m'avez parlé l'autre jour?

— Non, fit Guido d'une voix étranglée.

Pirelli se signa avant de le suivre sur les marches en pierre de la crypte. Il contourna lentement la grande croix en bois et leva les yeux. D'abord il ne vit rien, puis le moine alluma sa lampe torche.

Le commissaire se rendit au laboratoire de balistique pour y déposer l'arme trouvée au monastère.

— Je veux que vous vous mettiez là-dessus immédiatement, je veux que vous compariez ce pistolet aux balles qui ont servi à tuer les petits Luciano et Paluso, et je veux que ce soit fait pour ce soir.

Le technicien émit un grognement mais emporta le coffret jusqu'à une table à tréteaux autour de laquelle travaillaient trois hommes. Pirelli le suivit.

— Avez-vous trouvé quelque chose d'intéressant chez l'armurier?

— Le rapport est chez l'inspecteur Mincelli.

— Faites-m'en un résumé.

Le technicien sortit une fiche d'un tiroir à glissières.

— La cartouche inutilisée découverte à l'*Armadillo Club* est du même type que celle qui a servi à descendre Carolla. Les fragments retrouvés dans son crâne présentent les mêmes cannelures, et nous avons pu vérifier qu'elles avaient été pratiquées avec une fraise appartenant à l'armurier. Des cannelures similaires, faites à l'aide du même type de fraise, mais pas la même, ont été trouvées sur les éclats extraits lors de l'autopsie des enfants Luciano et Paluso.

— Avez-vous une idée du type d'arme utilisée pour le

meurtre des gosses? Pourrait-il s'agir d'un 44 Magnum? C'est ce que je viens de vous apporter. Il reste deux cartouches dans le chargeur.

Le technicien referma bruyamment le tiroir.

— Écoutez, mon vieux, on n'arrête pas de faire des heures supplémentaires, ici. On nage dans les morceaux de plomb. Penchez-vous, je suis sûr qu'il en traîne sous les meubles. Nous allons plancher sur ce flingue. Si c'est le bon, je vous le ferai savoir. Nous ne sommes pas payés pour faire des suppositions.

Pirelli lui lança un regard dénué d'aménité et tourna les talons.

— Et les empreintes? lui demanda le technicien du labo. Vous voulez qu'on recherche les empreintes qu'il y a dessus?

Le commissaire hésita, puis fit un signe de tête crispé. Il avait été si pressé d'apporter sa trouvaille qu'il n'avait pas pensé à ce détail.

— Ouais, allez-y, personne ne l'a touché.

— À part vous, pas vrai? Pour voir s'il était chargé, vous avez été forcé de le manipuler...

Pirelli rougit.

— Exact... Vous avez mes empreintes, vous n'aurez qu'à les éliminer... Je voulais vous dire... vous faites un boulot de première.

Tandis qu'il passait la porte, le technicien murmura une obscénité.

Pirelli fut agacé de trouver une nouvelle fois Ancora attablé devant sa machine à écrire.

— Tu as un bureau à toi, que je sache.

— C'est fini, ce temps-là, fit le jeune inspecteur avec un grand sourire. Maintenant, j'ai droit à une boîte à chaussures au bout du couloir. Alors, la journée a été bonne?

— Ouais, et elle n'est pas finie. Jette un coup d'œil là-dessus... C'est un vieux moine qui m'a donné ça au monastère, en douce. Il y a une photo de Luka à 12 ou 13 ans. Tu vas en demander un agrandissement, ça peut servir. Il a bien les cheveux blonds, presque albinos, les yeux bleus, et il doit faire dans les 1,80 mètre. D'après frère Guido, il est assez costaud.

Ancora regarda la photo et fit la grimace.

— Bon sang, c'est un gosse, là, dans le fauteuil roulant?

— Ouais, c'est Giorgio, le fils de Paul Carolla.

Il en resta bouche bée. Et Pirelli expliqua.

— Luka a été adopté par Carolla alors qu'il avait 12 ou 13 ans. Personne ne connaît son âge exact, il n'existe pas de certificat de naissance. Mais il l'a adopté et l'a emmené en Amérique après la mort de cette pauvre créature que tu vois là. (Pris d'une inspiration subite, il décrocha le téléphone intérieur et composa le numéro des archives.) Salut, c'est Pirelli. Pensez-vous pouvoir me donner quelque chose sur l'arrestation d'un petit gosse en juillet 1968?

Son correspondant éclata de rire et lui dit d'aller se faire voir chez les Grecs.

— Non, je suis sérieux. Tout ce que je sais, c'est qu'il était blond et qu'il se prénommait Luka. Pas de surnom, mais il filait un mauvais coton et a été ramassé avec une bande de gamins qui traînaient sur le front de mer. Il a aussitôt été hospitalisé. Il devait avoir dans les 5 ou 6 ans.

— Vous connaissez le nom du fonctionnaire qui l'a arrêté?

— Eh non, mais je sais que l'hôpital était le Nazareth.

— Ho! Pirelli, il a brûlé il y a dix ans.

— Je sais, mais voyez quand même ce que vous pouvez faire.

Le commissaire raccrocha et fit pivoter son fauteuil. Il remarqua alors les papiers qui occupaient son casier. Il s'en saisit, les lut attentivement, puis se renversa sur le dossier de sa chaise en fermant les yeux.

— Bon sang de bonsoir...

Ancora se tordit le cou pour parcourir la première page.

— C'est arrivé ce matin. Ça fait partie du dossier Luciano. Ça a sans doute été ajouté après coup.

Pirelli secoua la tête.

— C'est pas croyable ! Le chef du *San Lorenzo*, le restaurant où les Luciano ont été empoisonnés, a été abattu. Selon le rapport balistique, avec un Heckler & Koch. Quant à l'autre... Mais ça remonte à quand, ça ? Quand ce rapport a-t-il été bouclé ?

Son adjoint haussa les épaules.

— Il y a des mois. Je dirais... quoi ? huit, neuf mois.

Il tourna la première page.

— Le deuxième serveur a été abattu d'une balle derrière la tête. L'arme était un 44 Magnum.

— On a retrouvé le garde du corps au fond d'un puits, mais il avait préalablement eu le crâne fracassé. Aucune trace de l'extra chargé de la plonge, mais on pense qu'il s'agissait d'un complice chargé de les faire entrer. D'après les marques de pas relevées autour du puits, ils étaient trois, peut-être quatre. Joe ? Joe, tu m'écoutes ?

Il se tenait immobile, la bouche ouverte.

— Tu ne vas pas me croire : j'ai rapporté un calibre du monastère, il appartient à Luka Carolla, et c'est un 44 Magnum.

Ce fut au tour d'Ancora de béer.

— Tu me fais marcher ?

— J'ai jamais été aussi sérieux... Rappelle les gars du labo. Ce rapport ne dit rien sur les balles elles-mêmes. Demande-leur si elles étaient trafiquées. Tu sais, comme les autres.

Il décrocha le téléphone pendant que Pirelli arpentait le bureau. Il transpirait abondamment. Le petit Paluso, les deux enfants Luciano, Paul Carolla, le personnel du restaurant... Le meurtrier avait-il chaque fois laissé sa carte de visite, ces cannelures révélatrices sur les projectiles ? Se pouvait-il que le même homme soit également l'artisan de l'empoisonnement de Roberto Luciano et de ses fils ?

— Hé, doucement... Reste calme, tout ça ne tient pas debout, se dit-il à haute voix.

— Tu parles tout seul, c'est le premier symptôme, fit Ancora.

Le labo ne répondait pas. Il refit le numéro.

Son collègue indiqua le panneau d'affichage.

— Je veux qu'on m'accroche ici la photo de tous les Luciano et de tous ceux qui ont été descendus au restaurant. Je veux aussi y voir la tronche de Paul Carolla... Je veux les voir tous alignés sur ce mur. Parce que je pense qu'ils ont tous, je dis bien tous, été tués par le même homme.

— T'es dingue ou quoi?

— Non, je ne suis pas dingue. En revanche, je crois bien que leur meurtrier l'est, dingue.

Il se posta devant le cliché des enfants de Sophia.

— Regarde comment il a positionné ces deux mômes. Il leur a logé une balle dans la tête, puis il les a placés face à face, dans les bras l'un de l'autre, pour leur donner l'apparence du sommeil.

Les deux hommes considérèrent la photo de Carlo et Nunzio, embrassés dans la mort. Puis ils regardèrent celle du petit Paluso, couché dans le caniveau près de sa bicyclette, le visage transformé en une bouillie sanguinolente, l'arrière du crâne arraché. Son cornet de glace avait fondu et s'était mêlé à son sang répandu sur le trottoir.

Le commissaire se mordillait les lèvres.

— À quelle heure les enfants Luciano ont-ils été tués? 21 heures, 21 heures quinze, c'est pas ça?

— Je crois que leurs corps n'ont pas été retrouvés avant 23 heures. Attends que je vérifie...

Pirelli se passait machinalement la main dans les cheveux. Il fut bientôt complètement ébouriffé.

— Les quatre Luciano n'ont pas été découverts avant 23 heures passées, mais ils étaient encore chauds...

— Le cuistot, le personnel, t'as une heure pour eux?

Ancora survolait les rapports, ouvrait un tiroir, puis un autre. Il sortit une chemise et en feuilleta le contenu. Agacé, Pirelli voulut la lui prendre des mains et fit tomber le tout. Les papiers s'éparpillèrent sur le sol. Il jura, se mit à genoux et, au bout d'un moment, brandit d'un air de triomphe la page qu'il cherchait.

— Voyons voir... (Il se releva et leva les bras au ciel.) Et voilà! Aucune indication sur l'heure probable de la mort. Ce rapport n'est qu'à moitié terminé. Les cons, mais qu'est-ce qu'ils ont fabriqué? Appelle-moi Mincelli... Non, laisse, je monte le voir.

Au moment de claquer la porte, il s'immobilisa.

— T'as lu la presse au sujet des femmes Luciano? Qu'est-ce qui se passe, d'après toi?

Ancora haussa les épaules.

— Les docks fourmillent de bonshommes en train de faire le grand ménage. Elles doivent avoir un gros bonnet derrière elles. Ça ne me dit rien qui vaille.

L'autre hocha la tête.

— Ouais, c'est exactement l'effet que ça me fait.

— C'est le problème avec cette ville : on voit les problèmes arriver, mais on est tous trop occupés pour y faire quoi que ce soit. Là, quelque chose se prépare, et ces bonnes femmes feraient bien de faire gaffe... Tu veux un petit conseil? T'en occupes pas. On en a assez comme ça sur les bras. Si tu commences à...

Mais Pirelli n'était plus là. Il poussa un soupir, se retourna vers le tableau d'affichage, puis regarda les papiers qui jonchaient la moquette. Le commissaire avait le chic pour ramener des indices, mais c'était toujours à lui, Ancora, de tout vérifier. N'empêche, il fallait reconnaître qu'à eux deux, ils faisaient avancer l'enquête au triple galop. Il avait toutefois la désagréable impression que le cheval était en train de prendre le mors aux dents.

15

Le travail se poursuivit jour et nuit huit semaines durant. La conserverie fut nettoyée et balayée, les machines remises en état de marche. Bientôt, la tuilerie, les bureaux et les entrepôts furent prêts à fonctionner. Les camions de livraison et même les machines à écrire furent réparés.

Teresa travaillait jusqu'à l'épuisement, conduisant un lourd camion d'un lieu à l'autre, surveillant les travaux, distribuant les salaires — toujours en argent liquide. Et c'était aussi elle qui commandait les matériaux, qui organisait le travail des peintres et des vitriers.

Rosa et Sophia fonctionnaient harmonieusement en équipe. Elles supervisaient les vingt femmes de ménage et l'armée d'hommes chargés des déblaiements, les transportant d'un endroit à l'autre. S'occuper des femmes requérait du doigté car elles ne cessaient de se crêper le chignon, de se chamailler pour savoir qui ferait quoi, et de se plaindre quand elles estimaient accomplir un travail d'homme.

Vêtue d'un bleu et d'une casquette de toile, Rosa prenait plaisir à conduire un petit camion, pendant que Sophia louait des appareils de nettoyage industriel ainsi que des pelles mécaniques, car en plus du nettoyage proprement dit, il fallait aussi déraciner les arbres morts et enlever des tonnes de fruits pourris. Le système d'arrosage des vergers fut réparé en prévision de la saison suivante.

Les trois femmes travaillaient de 5 heures du matin jusqu'à la dernière lueur du jour. Il arriva même, lorsque les générateurs furent en état de marche, qu'elles s'attardent jusqu'après 22 heures. Elles rentraient à des moments différents, prenaient un bain, dînaient, puis se mettaient au lit, trop épuisées pour se livrer à aucune discussion. Elles avaient institué un système de rotation pour les soins à dispenser à leur hôte forcé. Elles lui avaient recommandé de ne jamais s'aventurer hors de sa chambre, de crainte que Graziella ne découvre sa présence.

Cette dernière faisait les courses et la cuisine, lavait les vêtements de travail et, chaque midi, apportait leur déjeuner aux trois femmes. Elle aimait ce sentiment de travailler à la cause commune mais se gardait d'intervenir, sachant que Teresa avait un caractère tout aussi entier que le sien et que cela aurait fait des étincelles. Plutôt que de provoquer des différends, elle s'activait donc aux tâches ménagères.

Un après-midi, elle rentra plus tôt qu'à l'accoutumée. Adina était partie au marché et la maison était déserte, du moins le supposait-elle. Elle allait s'allonger pour une courte sieste quand elle entendit un craquement. Quelque peu inquiète, elle prêta un moment l'oreille, puis gagna à pas de loup la porte de sa chambre. Là-haut, au dernier étage, quelqu'un descendait lentement l'escalier. Elle entrebâilla la porte.

Luka n'avait pas entendu Graziella rentrer. Après être descendu du second, il passa la tête à l'intérieur de chaque pièce afin de se familiariser avec le plan de la maison. Il découvrit la chambre de Rosa, puis celle de Teresa avec ses deux lits jumeaux. Les rideaux étaient tirés dans celle de Sophia. Il remarqua le lit défait et des flacons de calmants sur la table de chevet.

C'est en traversant le palier qu'il manqua se faire surprendre. Graziella entrait dans sa chambre. Il s'engouffra rapidement dans la pièce la plus proche, grimaçant lorsque la porte grinça sur ses gonds. Visiblement, cette pièce était inutilisée. Il laissa la porte entrebâillée afin de glisser un œil à l'extérieur. Tout était silencieux. Il reporta alors son attention sur la petite chambre parfaitement rangée. Il vit des affaires de sport, une guitare aux cordes détendues et, sur les murs, des affiches jaunies.

Il allait ressortir lorsqu'il entendit Graziella appeler la servante. Il la vit franchir le palier pour se pencher par-dessus la balustrade.

— Adina? Vous êtes rentrée?

Elle se tourna alors dans sa direction et considéra la porte entrouverte avec perplexité. Il ignorait l'insolite de la chose : qu'il se trouvait dans la chambre de Michael et que cette pièce était fermée en permanence.

Lentement, elle traversa le palier et poussa la porte... Aucune cachette possible. Il était pris, piégé au beau milieu de la chambre. Pourtant, le cri auquel il s'attendait ne vint pas. Au lieu de cela, elle continua d'avancer en le regardant avec de grands yeux.

— Qui êtes-vous? murmura-t-elle. Qui êtes-vous?

— N'ayez pas peur, bredouilla-t-il. Je ne vous ferai aucun mal. Elles savent que je suis ici, je travaille pour elles... Elles ont dit que je pouvais rester, que ça ne posait aucun problème. Est-ce que vous saisissez?

Il avait parlé en anglais; peut-être n'avait-elle rien compris.

— C'est Teresa? Elle vous a dit que vous pouviez occuper cette chambre?

— Non, non... Je suis en haut. J'ai fait une chute. Vous voyez, je me suis blessé à l'épaule.

— Vous êtes américain?

— Elles ne vous ont pas parlé de moi?

Elle ne le quittait pas des yeux et continuait à s'approcher.

— Non, personne ne m'a rien dit. Comment êtes-vous entré?

— Elles m'ont donné une clef.

— Elles auraient dû me mettre au courant. Vous m'avez fait peur. Comment vous appelez-vous?

— Johnny.

— Vous êtes ici dans la chambre de mon fils.

Elle s'approcha encore, le fixant droit dans les yeux. Puis elle regarda son épaule.

— Vous vous êtes cassé la clavicule?

Il posa la main sur sa poitrine.

— Je suppose. Cassée ou foulée. Je suis tombé en plein sur une pointe rouillée.

— Vous voulez que j'y jette un œil?

— Non, elles s'en sont occupées... En revanche, je crève de faim.

Elle hocha la tête et lui fit signe de sortir.

— De quel coin d'Amérique êtes-vous? demanda-t-elle en refermant la porte.

— De New York.

Lorsqu'elle entra dans la cuisine à son retour du marché, Adina eut la surprise de découvrir Graziella attablée devant un grand plat de pâtes en compagnie d'un singulier jeune homme.

En revanche, quand Teresa rentra, plusieurs heures plus tard, ce fut une tout autre femme qu'elle trouva en train de l'attendre.

— Teresa, j'aurais deux mots à vous dire, commença-t-elle sans lui laisser le temps d'ôter son manteau. Peu m'importe que vous utilisiez le bureau de mon mari comme si c'était le vôtre. En revanche, quand vous désirez héberger quelqu'un sous ce toit, je vous demanderais de m'en parler avant. On ne reçoit aucun étranger ici sans ma permission, c'est compris? Vous ignorez d'où il sort et qui il est. Et surtout, surtout, je vous interdis de confier la clef de cette maison à qui que ce soit.

La jeune femme était tellement abasourdie qu'elle avait du mal à comprendre ce que lui disait sa belle-mère.

— Attendez, *mamma*, de quoi parlez-vous?

346

— Vous le savez parfaitement, ma petite. Du grand jeune homme, de l'étudiant américain. Je l'ai trouvé dans la chambre de Michael. Je ne veux voir personne dans cette pièce ; personne.

— Merde, souffla Teresa. Où est-il en ce moment ?

— À la cuisine, il aide Adina à faire la vaisselle. Je tenais avant tout à mettre les choses bien au point avec vous. J'attends des excuses.

— Je... euh... je suis désolée, *mamma*. Je vais aller lui parler.

— C'est ça, allez lui parler. Si vous estimez qu'il doit rester ici jusqu'à ce qu'il aille mieux, nous en rediscuterons. Mais je ne veux pas qu'on lui confie la clef de cette maison.

Ce soir-là, Teresa annonça devant l'ensemble de la maisonnée que Johnny Moreno, étudiant américain, avait fait une chute à la tuilerie et séjournerait à la villa Rivera tant qu'il ne serait pas remis.

Sophia attendit de se retrouver seule avec sa belle-sœur pour lui demander combien de temps exactement ce Johnny Moreno comptait rester ici.

— Jusqu'à ce qu'il soit suffisamment solide pour s'en aller.

— Il m'a l'air suffisamment solide comme cela. Je n'aime pas qu'il reste seul avec *mamma* dans la journée.

— Dis plutôt que tu ne l'aimes pas.

— Ah ! parce que tu l'apprécies, toi ? Teresa, pour l'amour du Ciel, fiche-le dehors. Il me fait froid dans le dos. Donne-lui son fric, et qu'il parte.

— Il a encore besoin de quelques jours, d'accord ?

Sophia considéra sa belle-sœur sans aménité. Elle écrasa sa cigarette.

— Entendu, Teresa, quelques jours, mais pas plus.

La foule des travailleurs applaudit lorsqu'on hissa la nouvelle enseigne LUCIANO EXPORT. On avait peine à reconnaître les entrepôts, qui avaient été repeints. Les huisseries avaient été réparées, tout était déblayé, nettoyé.

Une Alfa Romeo bleu marine stationnait non loin du bâtiment principal, de l'autre côté d'une délimitation marquée à la peinture blanche. Ses deux occupants suivaient toute cette activité avec autant d'intérêt que Sophia elle-même. L'un d'eux tenait un appareil photo muni d'un zoom. Quand la jeune femme se retourna, levant sa main en pare-soleil, l'appareil cliqueta rapidement, son visage se rapprochant de plus en plus dans le viseur.

Dans l'après-midi, les deux hommes prirent également des photos des oliveraies, des vignobles et de la tuilerie, puis ils regagnèrent le quartier général de la famille Corleone, dans la montagne, où les tirages encore humides furent exposés au mur afin d'illustrer le retour aux affaires de la famille Luciano. La question était de savoir qui injectait les fonds nécessaires à la remise en route des infrastructures.

Luka portait un peignoir par-dessus la chemise que lui avait apportée Rosa. Il regardait Graziella, qui, tout sourire, entrait lentement, un plateau entre les mains.

— Je viens de faire du pain. Vous sentez l'odeur ?

Elle le posa et approcha une chaise du lit. Elle lui fit signe de le goûter.

— À présent, vous êtes *mon* invité. Alors mangez, refaites-vous des forces.

Luka trouva d'abord un peu déconcertant de se nourrir en présence de cette femme qui observait chaque bouchée qu'il prenait, mais sa chaleur et son sourire firent qu'il se sentit bientôt tout à fait détendu.

— Teresa m'a dit qu'elle s'occupait de vos repas, mais elles sont sorties toutes les trois, aujourd'hui. (Elle désigna la tarte aux pommes.) C'était ce que mon fils aimait par-dessus tout.

— Elle est très bonne, vraiment délicieuse, dit-il en sicilien.

— Vous êtes Sicilien, non ?

— Non, américain, mais j'ai souvent séjourné en Sicile.

— Vous parlez bien la langue. Dans quelle branche êtes-vous?

— J'étudie pour être ingénieur. J'étais venu faire un petit tour en Europe.

— C'est une chemise de mon fils que vous avez sur le dos.

— Cela vous ennuie?

— Non, bien au contraire... Il y a quelque chose que j'aimerais que vous m'expliquiez...

— Allez-y, je vous écoute.

— Voilà, Teresa a l'intention de vendre de l'espace, vous savez, dans nos entrepôts, sur nos quais de déchargement. Pensez-vous que cela peut être rentable?

— Tout dépend du marché. S'il y a déjà suffisamment de place sur le port pour le stockage des marchandises, vous aurez du mal à vendre quoi que ce soit. Mais dans le cas contraire, les gens vont se jeter dessus. La loi de l'offre et de la demande, c'est le grand principe de toute transaction.

Elle se pencha pour lui tapoter le genou.

— On croirait entendre mon mari... Allez, mangez, mangez...

Comme elle ouvrait la porte d'entrée, Teresa entendit sa belle-mère dans l'escalier. Aussitôt inquiète, elle appela.

— *Mamma*? Tout va bien?

La vieille femme adressa un sourire espiègle à Luka et se hâta de descendre.

— Voilà, j'arrive. J'ai fait un somme. Alors, comment cela s'est-il passé?

Teresa jeta son manteau sur une chaise de l'entrée.

— La pancarte est en place. Elle est superbe.

Rosa entra en trombe et la prit entre ses bras.

— Tu serais tellement fière de voir ça, grand-mère. Luciano Export en lettres d'or sur fond rouge.

Durant tout le dîner, Teresa parla avec Sophia de la façon dont elles devraient s'habiller pour la vente aux enchères. Elle désirait que les femmes Luciano y apparaissent vêtues de leurs plus coûteuses et de leurs plus élégantes toilettes. Sophia était certaine de pouvoir leur trouver des robes dans son stock, et puis une petite escapade à Rome leur ferait du bien.

Teresa fit la moue.

— Je ne crois pas que nous puissions toutes y aller, mais tu pourrais prendre nos mesures et nous rapporter ce qu'il faut. Je m'en remets à ton bon goût.

— Oh, maman, protesta Rosa, pourquoi ne pas y faire un saut pour la journée? Ce serait rigolo.

Sophia promenait les pointes de sa fourchette sur la nappe, y imprimant quatre traits en creux. Elle avait à peine touché à ses aliments.

— Et les accessoires? Les souliers, les sacs à main... Est-ce que nous avons de quoi acheter tout ça? Où allons-nous trouver l'argent nécessaire, Teresa?

— Écoute, ne viens pas nous raconter que tu es fauchée. Tu ne peux pas demander à certaines de tes relations de nous fournir tout cela à l'œil?

— Teresa, je suis à découvert d'environ vingt mille dollars. Mon compte commercial est dans le rouge de près de trois mille dollars. Certes, je peux bien plonger encore de quelques milliers supplémentaires pour vous habiller. Pourquoi pas, au point où j'en suis? Non, je me demandais simplement si nous n'avions pas du liquide ici. Peut-être en as-tu un peu que nous pourrions utiliser.

Furieuse, elle désigna Graziella du menton pour intimer à sa belle-sœur de se taire. La vieille femme était en train de desservir. Elle emporta les assiettes à la cuisine. Dès qu'elle eut quitté la pièce, l'ambiance, déjà tendue, devint glaciale.

Teresa recula sa chaise et jeta sa serviette sur la table.

— À l'avenir, fais attention à ce que tu dis devant elle, et pour l'amour du Ciel, cesse de jouer avec cette satanée fourchette. Ça me tape sur les nerfs.

Sophia la reposa précautionneusement. Rosa jeta un coup d'œil à sa mère, puis demanda :

— Et l'argent pour payer tout le monde, d'où est-ce qu'il vient?

— Nous n'avons pas eu à donner la moindre lire à qui que ce soit, lâcha-t-elle sèchement. Ces gens nous aident à titre gracieux.

— Teresa, intervint à son tour Sophia, pourquoi ne pas dire clairement d'où il vient? Nous ne sommes pas idiotes, nous avons bien vu tout ce que tu as distribué, et cela fait un gros paquet. Alors, dis-le donc, ça assainira l'atmosphère.

Sa belle-sœur la fusilla du regard et lui dit qu'elle savait foutrement bien d'où provenait cet argent.

— C'est vrai, je le sais. Mais éclaire donc ta fille là-dessus.

Teresa haussa les épaules.

— D'accord... J'ai pris cet argent dans le coffre de la discothèque. J'en avais besoin pour tout redémarrer.

Elle regardait sa mère sans comprendre.

— Quel argent? Mais de quoi parles-tu?

Comme elle ne répondait pas, Sophia insista.

— Mais dis-lui! Entendu, c'est moi qui vais le faire. Cet argent, Rosa, vient du coffre d'Enrico Dante. Le soir où nous sommes allées chercher les contrats, nous l'avons trouvé grand ouvert, et il était bourré de liquide.

Elle regarda tour à tour sa mère puis sa tante.

— Combien?

Teresa soupira.

— Disons simplement qu'il y en avait beaucoup. Tu sais où il est allé. Ce n'est pas comme si je l'avais pris pour moi. C'est pour nous toutes que j'ai fait ça.

— C'est entendu, dit Sophia, seulement nous donnons son argent à Moreno ce soir et nous le mettons dehors. D'accord? Est-ce que tu es d'accord?

— Je n'ai pas l'intention de donner quoi que ce soit au *signor* Moreno. Qu'il s'estime heureux que nous lui ayons sauvé la vie.

Sophia reprit sa fourchette.

— Et que comptes-tu faire de lui?

— Nul ne sait qu'il est ici, et il a commis un meurtre, aussi je le vois mal appeler la police, tu ne crois pas?

Sophia abattit violemment sa fourchette à plat sur la table.

— Teresa, pour l'amour du Ciel, mets donc Rosa au courant pour l'arme!

— Quelle arme ? demanda la jeune fille. Tu veux parler du pistolet qu'il avait glissé sous son oreiller ?

— Non, l'autre arme. Dis-lui, Teresa, et cesse de la traiter comme une gamine.

— C'est pourtant ce qu'elle est.

— Maman, à quel jeu jouez-vous, toutes les deux ?

Sophia semblait près d'exploser.

— Teresa, Rosa a le droit de savoir ! Elle en fait autant que nous, elle est partie prenante dans toute cette affaire. Si tu ne lui expliques, c'est moi qui vais m'en charger.

— Maman ?

Tandis que Rosa fixait sa mère d'un air interrogatif, Sophia se leva et sortit en claquant la porte derrière elle. Teresa laissa échapper un soupir, puis, sans regarder sa fille, lâcha rapidement :

— Dans le sac que j'ai rapporté de chez Dante, le sac de Moreno, il y avait une autre arme, une carabine à un coup, dissimulée sous l'apparence d'une canne de marche.

À cet instant, Sophia reparut et plaça les trois parties de la canne sur la table.

— Selon Pirelli, il est probable que Paul Carolla a été tué à l'aide d'une arme spéciale, sans doute camouflée sous la forme d'une canne. Or ça, c'est quoi, selon toi ?

— Ben merde, alors ! (Le commentaire de Rosa fit grimacer sa mère.) Pourquoi ne m'en as-tu pas parlé plus tôt ?

Sa tante engagea la tête de cheval dans la partie centrale.

— Parce que ta mère ne le voulait pas. Maintenant que Moreno est sur pied, j'exige qu'il soit payé et qu'il s'en aille.

— Cela ne va pas être possible. J'ai dépensé aujourd'hui ce qu'il restait de liquide.

Sophia était en nage. Elle se passa les mains dans les cheveux.

— Eh bien dans ce cas, nous n'avons pas le choix. Il prétend que cette arme n'est pas à lui et qu'il était en état de légitime défense lorsqu'il a tué Dante. Nous n'avons que sa parole. Si nous allions trouver Pirelli et que nous lui expliquions les circonstances exactes de...

— Écoute, l'interrompit Teresa, je me charge de Moreno. Toi, tu vas à Rome.

Sa belle-sœur se dirigea vers la porte.

— C'est d'accord, je pars. Mais ne t'attends pas à me voir revenir.

Elle plissa les paupières.

— Alors c'est ça, hein? Tu laisses tomber. Ma foi, tu es libre. Tu agis exactement comme tu veux, à condition que nous puissions te faire confiance. Est-ce que nous pouvons te faire confiance, Sophia?

Elle avait un début de nausée. D'une voix à peine audible, elle dit :

— Oui, Teresa. Et j'espère pour toi que tu peux également faire confiance à Moreno.

Sophia sortie, Teresa se retourna et vit que sa fille la regardait fixement. Elle lui prit la main et la serra fortement.

— Tout ce que je fais, Rosa, c'est pour toi.

— Vraiment, maman? Ce n'est pas l'impression que j'en ai.

— Comment cela?

— Tu as beaucoup changé.

— Va te coucher, Rosa. Cela t'évitera de dire des choses que tu pourrais ensuite regretter. J'aimais ton père, et il me manque cruellement. Seulement la vie continue et j'ai l'intention de lui donner la meilleure orientation possible.

— Et peu t'importent les moyens, n'est-ce pas?

— Si tu penses comme ta tante, alors autant mettre tout de suite les choses au point. Qu'est-ce que tu souhaites exactement, Rosa? Aller trouver la police?

— Je n'en sais rien... Bonne nuit, maman.

Lorsqu'elle fut seule, Teresa demeura encore un moment assise dans le fauteuil de don Roberto. Elle caressait la tête de lion sculptée à l'extrémité de chaque accoudoir. Enfin elle se leva et gagna lentement le hall carrelé de marbre.

Graziella y passait avec une boisson chaude qu'elle venait de se préparer.

— Pourrais-je vous parler, *mamma*?

Les deux femmes se rendirent dans le bureau. Teresa choisit soigneusement ses mots.

— Vous avez dit qu'en cas de besoin nous pourrions disposer de vos bijoux. Ma foi, je crains que nous n'en soyons là. Nous sommes presque prêtes à vendre, mais il nous manque des liquidités. Or je souhaite faire les choses comme il convient et...

Graziella ouvrit le coffre et en sortit une grande boîte tendue de cuir qu'elle ouvrit à l'aide d'une petite clef. Ensemble, elles examinèrent les somptueux bijoux de la famille, l'épingle de cravate sertie de diamants de don Roberto, les broches, les bagues... Teresa jeta son dévolu sur un long collier de perles irréprochables. Graziella referma posément le coffret et le remit à sa place.

— Il vous suffit de demander, tout ce qui est à moi est à vous — enfin, à Rosa. Le moment est sans doute mal choisi, mais nous devons envisager l'avenir de cette petite. Il faut que nous lui trouvions un parti convenable. Elle est très jolie, et...

— Comme vous dites, *mamma*. Est-ce que ce sont des vraies? Combien peuvent-elles valoir, selon vous?

Teresa tenait le collier sous la lampe du bureau. Les perles étaient de belle taille et semblaient parfaitement identiques. Graziella en eut le rouge aux joues. Elle n'aimait guère qu'on examine son collier de la sorte.

— Mon mari l'a payé vingt-cinq mille dollars en 1950. Il doit valoir beaucoup plus, à l'heure qu'il est.

La jeune femme perçut ce que le ton de sa belle-mère contenait d'acerbe, et elle eut le bon goût de rougir.

— Merci, *mamma*, on en fera bon usage. Je suis désolée d'avoir dû vous demander cela.

— C'est sans importance. Je n'aurais sans doute jamais eu l'occasion de les porter à nouveau, sauf peut-être au mariage de Rosa. Il faut à la famille un héritier, un homme.

Teresa eut droit à un léger baiser. Toutefois, elle

354

n'arrivait pas à se départir de son sentiment de toujours : elle n'était pas et n'avait jamais été assez bien pour les Luciano.

Elle frappa doucement et attendit. Luka ouvrit la porte et s'effaça.

Sans trop savoir comment elle allait aborder la chose, elle s'assit sur la chaise qu'il lui offrit. Elle se jeta à l'eau.

— Demain, nous faisons un saut à Rome. Nous serons de retour dans la soirée. J'aimerais que vous soyez parti lorsque nous rentrerons. Vingt-quatre heures plus tard, nous remettrons les deux armes au commissaire Pirelli.

Cette femme était celle qu'il n'aimait pas. Il lui semblait toujours que ses petits yeux durs arrivaient à lire ses pensées.

— Et mon argent ? Nous avions passé un marché.

— Sophia pense que vous avez tué Paul Carolla. Elle veut que nous vous livrions aux carabiniers.

— Je n'ai jamais vu ce Paul Carolla. Vous dites avoir mon sac, vous me parlez de je ne sais quelle arme, mais c'est ma parole contre la vôtre. Je suis passé à la boîte de Dante, il a essayé de me tuer et je me suis défendu, c'est comme ça que je l'ai descendu.

Elle balança un instant, puis dit :

— Vous parlez couramment sicilien, et à en juger par vos vêtements, vous n'êtes pas étudiant. Est-ce qu'on vous a recruté pour abattre Dante ? (Elle prit la bible qui se trouvait dans le tiroir de la table de nuit et la lui présenta.) Jurez sur la sainte Bible que ce que vous me dites est la vérité.

Il posa la main sur la croix dorée de la couverture en cuir noir.

— Je le jure. Je devais livrer à Dante un colis d'héroïne. Il devait me remettre trois millions. Il a reçu l'héroïne, mais quand est venu le moment de me payer, il a tenté de me tuer.

Teresa reposa la bible et tira de sa poche un mince coffret en cuir.

— Ce collier vaut plus que ce que je vous dois ou que

ce que j'ai pris dans le coffre. Soit vous le prenez maintenant et vous partez dans le courant de la matinée, soit vous attendez que je rentre de Rome avec du liquide. Tenez, regardez-le... Il appartient à ma belle-mère.

Luka prit dans ses mains la double rangée de perles. Il n'avait pas la moindre idée de ce qu'elles pouvaient valoir. Il les rendit à Teresa.

— Je préfère du liquide.

— Après que vous aurez quitté cette maison, je ne veux plus jamais entendre parler de vous, est-ce bien clair ? Vous aurez votre argent demain soir.

Sophia ne trouvait pas le sommeil. Après s'être longuement tournée et retournée dans son lit, elle se leva pour prendre un somnifère. Le flacon était vide. Elle le jeta à travers la chambre et ouvrit le tiroir de la table de chevet en quête de Valium. Il n'en restait que fort peu. Il lui vint des sueurs froides. Plus elle y pensait, plus sa situation l'angoissait.

Elle se rhabilla et descendit sans bruit. L'horloge du palier sonna la demie de 10 heures. Elle ne parvenait pas à penser à autre chose qu'aux longues heures de veille qui l'attendaient. Elle gagna le bureau et demeura un moment à pianoter sur la table du bout des doigts, se demandant s'il était trop tard pour appeler. Puis, d'un geste brusque, elle décrocha et demanda à l'opératrice de lui donner le numéro du médecin de don Roberto. Elle était certaine qu'il accepterait de la recevoir.

Sophia n'alluma ses phares qu'après avoir passé les grilles de la villa Rivera. Teresa fut la seule à entendre la voiture démarrer, mais le temps qu'elle bondisse hors de son lit et coure jusqu'à la porte d'entrée, l'autre était déjà loin. Paniquée, elle se rendit dans le bureau, résolue à travailler jusqu'à ce qu'elle revienne, si jamais elle revenait. Elle se servit un alcool fort. Elle n'était tout de même pas partie alerter la police ?

Ce fut le médecin lui-même qui vint ouvrir. Il était en peignoir. Une telle inquiétude se lisait sur son visage que Sophia s'empressa de dire :

— Je suis confuse de vous déranger à une heure pareille. J'aurais dû attendre demain...

— Êtes-vous souffrante ?

— Non, non, c'est pour ma belle-mère. Elle a toujours beaucoup de mal à trouver le sommeil et, ce soir, elle semble plus agitée que jamais. Je me demandais si vous pourriez lui donner quelque chose qui la ferait dormir ; je vais passer à la pharmacie de garde. Peut-être du Seconal ? Je crois que vous lui en avez déjà prescrit...

Il commença à rédiger une ordonnance, puis s'interrompit pour la regarder.

— Et vous, comment allez-vous ?

— Oh ! ça peut aller... pourriez-vous aussi me marquer du Valium, pour ma belle-sœur ? Elle est très tendue. Vous avez appris ce qui s'est passé au tribunal ? Je crois l'avoir entendue dire qu'elle le prenait dosé à dix milligrammes... Elle devait en apporter de New York et puis elle a oublié.

Il opina du chef, parut sur le point de dire quelque chose, puis se remit à écrire. Sophia eut l'impression que cela durait une éternité. Enfin, il arracha la feuille du bloc et la lui tendit.

— Dites-lui bien de ne pas en faire un usage régulier. Il y a toujours un risque d'accoutumance. Mais je comprends bien à quel genre de tension vous devez toutes être sujettes, surtout après ce qui...

Elle était pressée de prendre congé.

— Oui, cela a été... une période difficile pour chacune de nous, et je tiens à vous remercier encore pour vos soins et votre compréhension, ce soir-là. Graziella vous envoie son bonjour.

Sophia prit deux Valium et referma le flacon. Elle se laissa aller contre son siège et ferma les yeux. Le seul fait de savoir qu'elle en avait l'apaisait. Un léger coup donné contre la vitre, et elle crut que son cœur allait cesser de battre.

— *Signora* ? C'est moi. Désolé de vous avoir fait peur. J'étais dans un bar de l'autre côté de la rue.

Elle appuya sur un bouton, et la vitre s'abaissa.

— Commissaire Pirelli, comment allez-vous? Désolée, je ne vous avais pas reconnu... Ma belle-mère m'a demandé d'aller lui chercher quelque chose à la pharmacie.

— Que diriez-vous d'aller prendre un verre?

— Merci, non, il faut que je lui rapporte son médicament.

— Je vous en prie, rien qu'un petit verre, ou bien un café? Nous avons quelques éléments nouveaux, et j'aimerais vous en tenir informée. Je comptais d'ailleurs passer vous voir demain.

Sophia hésita. Le jour suivant elle était à Rome, et elle ne tenait pas à ce qu'il trouve Graziella seule à la maison en compagnie de Moreno.

Pirelli souriait.

— Cela ne va pas prendre plus de quelques minutes, et puis j'ai horreur de boire seul.

Le bar était sinistre, aussi suggéra-t-il de pousser jusqu'au suivant, à deux rues de là. Elle s'arrêta à mi-chemin devant une terrasse.

— Pourquoi ne pas nous asseoir en plein air? J'ai envie d'un café.

— N'aurez-vous pas un peu froid?

Sophia secoua la tête : elle portait son manteau de vison. Il lui présenta une chaise et fit signe au garçon.

— Une pâtisserie?

Elle sourit et secoua à nouveau la tête. Le serveur vint prendre commande de deux cafés, plus un cognac pour Pirelli. La nuit était un peu fraîche à son goût.

La jeune femme sortit son étui à cigarettes.

— Ah! dit-il en souriant, je vois que vous avez refait votre stock.

Elle parut ne pas comprendre.

— Vos cigarettes turques.

Elle se souvint et pencha la tête en arrière, tandis qu'il craquait une allumette. Il la garda allumée le temps de sortir une Marlboro et se brûla les doigts. Elle émit un petit rire mat en lui présentant la flamme de son briquet.

Il lui répondit d'un sourire juvénile et posa le coude dans une mare de café répandue sur le guéridon. Il s'essuya à l'aide d'une serviette en papier.

— Je vous prie de m'excuser. Vous ne devez pas être habituée à ce genre d'endroit.

À nouveau ce rire délicieux.

— Le bar dont je vous parlais est plus agréable. Si vous voulez, nous pouvons...

— Cet endroit convient parfaitement, commissaire, je vous assure.

Le garçon apporta les cafés en frissonnant. La nuit allait être froide. Sophia se pelotonnait dans son vison. Elle commençait à se sentir la tête légère... Elle leva la main et rappela le serveur.

— J'ai changé d'avis. Je vais prendre un cognac.

Pirelli lui tendit le sien et elle y trempa les lèvres. Elle sentit l'alcool la réchauffer. Il lui offrit le sucrier, elle secoua la tête. Il versa deux cuillerées de sucre dans son café.

— Vous disiez que votre enquête avait progressé, commissaire?

— Je vous en prie, appelez-moi Joe... (Il toussota et porta nerveusement la main à sa cravate.) En effet... Nous avons de nouveaux éléments qui regardent votre affaire, et plus spécifiquement le meurtre de vos enfants.

Il voulut lui prendre la main quand il vit le chagrin lui décomposer les traits. Elle détourna la tête. Son profil parfait était immobile.

— Je pense que nous avons retrouvé l'arme. Aujourd'hui même.

— Savez-vous à qui elle appartient?

— Pas encore, mais cela ne devrait pas tarder. Il s'agit d'un 44 Magnum, et nous sommes sur la piste du meurtrier. Nous pensons que cet homme a également tué Paul Carolla. (Il en avait dit plus qu'il ne le souhaitait mais poursuivit néanmoins.) Nous pensons qu'il s'agit de Luka Carolla, le fils de Paul Carolla. Nous comptons l'arrêter d'un jour à l'autre.

Sophia se tourna vers lui. Cela signifiait donc que le

jeune Américain qu'elles cachaient ne pouvait être le meurtrier de Carolla. Finalement, Moreno leur avait bien dit la vérité... Elle se détendit un peu et trempa les lèvres dans son cognac.

— Ainsi, vous avez découvert où il se cachait? Quand vous êtes passé à la maison, vous n'en étiez pas là.

Pirelli fit la moue. Il se rappela à la prudence.

— Nous sommes capables de retrouver la trace de n'importe qui, surtout maintenant, avec les traitements informatiques. L'information se transmet facilement d'un pays à l'autre, d'une ville à l'autre. Grâce au fax, on vous envoie des empreintes digitales en l'espace de quelques secondes.

Il avait changé de sujet à dessein, pour voir si elle allait revenir sur Luka Carolla. Mais elle demanda :

— Vous voulez dire, par exemple, que vous pouvez retrouver un enfant dont on serait sans nouvelles depuis des années? Est-ce que toute cette informatisation peut aussi servir à cela?

Il réfléchit quelques instants, puis hocha la tête.

— Je suppose que oui... Ce qui se passe, en fait, c'est qu'un plus grand nombre de gens ont accès à l'information. Ce ne sont pas les ordinateurs eux-mêmes qui font les recherches, mais ils permettent d'emprunter des raccourcis. Vous introduisez les données — tout ce que vous savez, par exemple, sur cet enfant —, vous les envoyez à Rome, et cela peut être ventilé dans l'ensemble de l'Italie, au besoin dans le monde entier. Autrefois, cela aurait pris des années. Aujourd'hui, en l'espace de quelques heures...

— Et est-ce que tout le monde a accès à ces ordinateurs?

— Non. Mais si, pour reprendre l'exemple de cet enfant, cela devient une enquête de police, alors bien sûr, nous pouvons utiliser toutes les facilités qui sont à notre disposition...

Sophia hocha la tête, puis elle le regarda.

— Vous avez du café sur la lèvre supérieure.

Il se tamponna la bouche.

— C'est parti?

Elle fit signe que oui tout en écrasant sa cigarette. Elle paraissait très préoccupée. Pirelli chercha à l'égayer. Il se mit à rire.

— C'est moins grave que d'avoir de l'épinard coincé entre les dents. Vous savez ce qu'on éprouve quand on rentre chez soi et qu'on s'aperçoit qu'on a du vert entre les dents? Ce qui m'a toujours étonné, c'est que les gens ne vous disent rien... Car enfin, chacun l'a forcément remarqué, et pourtant personne ne vous a prévenu...

Sophia fit entendre un petit gloussement. Il se pencha vers elle.

— Vous avez le rire le plus merveilleux, le plus communicatif... Voulez-vous reprendre un verre?

Elle accepta, ajoutant qu'il fallait vraiment qu'elle parte aussitôt après.

Justement, le garçon leur apportait leur addition. Ils commandèrent deux nouveaux cognacs. Pirelli faisait travailler son imagination pour essayer de trouver quelque chose d'original et de spirituel à dire. Sophia ressentait les effets conjugués du Valium et de l'alcool. Elle goûtait ce sentiment d'insouciance.

Elle réalisa soudain qu'il venait de lui poser une question.

— Excusez-moi, vous avez dit quelque chose?

— Rien qui vaille d'être répété. Vous étiez à des kilomètres d'ici.

Elle inclina la tête — c'était un de ses tics — et ses yeux pétillèrent. Elle se pencha en avant pour poser un coude sur le guéridon.

— Vous savez, quand j'avais une quinzaine d'années, je travaillais dans un café comme celui-ci, je lavais les tables, je faisais la plonge.

— Vraiment?

Elle se mit à rire, laissant son manteau s'entrouvrir, comme insensible à la fraîcheur de la nuit. Ses joues avaient pris quelque couleur. Pirelli n'imaginait pas femme plus belle. D'un geste de l'index, elle lui fit signe d'approcher, et il sentit son parfum, senteur légère de fleurs fraîches.

— Parmi mes tout premiers souvenirs, il y a la fois où ma mère... Savez-vous ce qu'était une permanente Toni ? C'est un terme qui est apparu après la guerre.

Il opina du chef, bien qu'il n'eût aucune idée de ce dont elle parlait. Il était grisé par le son voilé de sa voix, par le fait qu'elle lui avait fait signe de s'approcher. Accoudé sur le guéridon, il était suffisamment près pour détailler son épiderme sans défauts, ses dents parfaites. Son esprit était tout occupé à se demander comment parvenir à l'embrasser. De sa vie entière, jamais il n'avait autant désiré tenir une femme entre ses bras.

— Maman, disait-elle, désirait plus que tout se faire faire une telle permanente. Elle avait de longs cheveux noirs, exactement comme les miens.

— Quelle longueur ont vos cheveux ?

— Oh...

Elle porta la main à hauteur de sa hanche et continua à parler. Mais lui l'imaginait nue, sa longue chevelure déployée sur un oreiller... Elle se coiffait en arrière de façon à dégager entièrement son visage. Il trouvait cela quelque peu sévère, mais il aimait. Il soupira : tout en cette femme lui plaisait. Mais il réalisa qu'elle lui parlait toujours.

— Ils ont fini par tomber d'accord, et elle y est restée des heures entières. Elle en est ressortie toute bouclée, vraiment ravissante, et l'air tellement heureuse. Mais ensuite, il a fallu qu'elle s'affuble de deux panneaux, un devant et un derrière. Vous savez, comme les hommes-sandwiches. C'était de la réclame pour le salon de coiffure. Et moi, je distribuais les prospectus pendant qu'elle allait et venait sur le trottoir...

Il sourit.

— Il fallait qu'elle l'ait rudement désirée, cette permanente.

Son cœur se mit à cogner dans sa poitrine lorsqu'il vit deux larmes, deux larmes absolument parfaites rouler sur ses joues.

— Oui, elle en avait très envie. Je ne crois pas qu'elle ait éprouvé une quelconque humiliation. Moi si. J'étais très jeune, mais j'en étais mortifiée. J'avais honte pour elle, vous comprenez? (Pirelli hocha la tête et elle poursuivit.) Chaque fois que je croisais une poubelle, j'y jetais un petit paquet de mes prospectus. Sans cesse, je voyais des hommes la regarder en ricanant, des femmes la montrer du doigt en gloussant. « Maman, je lui ai fait, je t'en prie, enlève ça. Regarde, les gens se moquent de toi. » Elle m'a répondu : « Oui, je sais, seulement j'ai eu pour rien la plus belle permanente de toute la Sicile. » Elle se trompait. Elle comme moi, nous étions en train de la payer, cette permanente.

Elle se recula contre son dossier et détourna le visage.

— Je ne sais pas pourquoi je vous raconte cela. Peut-être pour que vous sachiez que je n'ai pas toujours vécu dans l'opulence, ni mangé dans les meilleurs restaurants. Nous étions très pauvres. Ma mère n'avait rien, pas même un mari...

— Et vous étiez serveuse dans un café?

— Oui... un café en bordure de route. (Elle prit une profonde inspiration, fixa un moment la nuit, avant de reporter son regard sur Pirelli.) Je dois vous ennuyer avec mes histoires. D'ailleurs, il faut que je parte.

Pirelli bondit de sa chaise et entra dans le café pour payer. Elle l'attendit à l'extérieur; il la voyait de dos, vivement éclairée par les néons de la salle. Pris d'une impulsion irréfléchie, il montra le bouquet qui se trouvait sur le comptoir et sortit son portefeuille.

— Combien, ces fleurs?

Très intimidé, il les offrit à Sophia, s'apercevant au même instant qu'elles étaient artificielles.

— Et voilà, j'ai réussi à me conduire comme un parfait crétin.

Elle prit le bouquet en souriant.

— Non, je suis très touchée. Elles ne faneront jamais... Merci beaucoup.

Il la raccompagna jusqu'à sa voiture.

— Accepteriez-vous de dîner avec moi, Sophia? Je peux vous appeler Sophia?

— Je pars pour Rome...

— Définitivement?

— Non, mais j'ignore combien de temps je vais être absente.

— Y serez-vous encore pour Noël?

Elle était tout près de lui et se penchait pour monter en voiture.

— Noël? répéta-t-elle en se redressant.

Ses paupières descendirent sur ses grands yeux noirs. Il vit combien ses cils étaient longs et fournis.

Elle ne se maquille pas, se dit-il.

Puis il l'entendit murmurer :

— Seigneur Jésus, voici Noël qui approche...

Le chagrin redescendit sur elle. Il lui trouva un regard d'enfant apeuré, mais ne saisit pas tout de suite la nature de son désarroi.

— Mes chéris... mes pauvres petits chéris, fit-elle dans une plainte.

Il comprit soudain. Noël, avec ses décorations et sa liesse, serait pour elle un véritable cauchemar. Cette fête était celle des enfants, et ceux de Sophia n'étaient plus là. C'est à peine s'il réalisa qu'il l'avait prise dans ses bras. Il la serrait très fort, lui répétant sans relâche que cela irait, qu'il était là... Elle se raccrochait à lui, et la fourrure si douce était comme de la soie contre sa joue.

Il ne comprit jamais comment cela était arrivé, mais il se retrouva soudain en train de l'embrasser. Ses lèvres avaient trouvé les siennes... Puis elle tourna la tête pour enfouir le visage dans le col de son blouson. Pirelli n'avait jamais éprouvé autant de passion, autant de tendresse pour une femme. Son corps était en feu. Sophia demeura une éternité dans ses bras, puis il la sentit s'écarter de lui lentement.

Il l'aida à monter en voiture, rabattant à l'intérieur le pan de son vison.

— Voulez-vous que nous dînions ensemble, un soir?

Elle cherchait ses clefs, sans répondre.

— Je viendrai à Rome, en Turquie, où vous voudrez.

Elle engagea la clef de contact et lança le moteur. Lorsqu'elle le regarda, ce fut avec les yeux d'une étrangère. Il ne songeait qu'à la retenir quelques instants de plus.

— J'ai lu aujourd'hui que vous et votre belle-sœur vous relanciez dans les affaires. Promettez-moi de faire attention, très attention. Et si jamais vous avez besoin de moi... Attendez, je vais vous donner ma carte. Ça, c'est ma ligne directe. Vous pouvez me joindre à n'importe quelle heure du jour ou de la nuit. Et ceci est mon numéro personnel.

Il parlait vite tout en griffonnant son numéro de téléphone. Il la lui passa par la fenêtre. La main de Sophia était glacée. Elle glissa la carte dans sa poche sans même la regarder.

— Vous avez été adorable, mais je pense qu'il vaut mieux oublier ce qui vient de se passer. Bonne nuit.

Elle démarra en trombe. Il demeura sur le trottoir, complètement abattu, telle une âme en peine. À ses pieds, le sol était jonché de fleurs artificielles.

Sophia entra silencieusement. Elle était parvenue au pied de l'escalier lorsque Teresa sortit du bureau.

— Mais où étais-tu passée?

— Je suis allée faire un tour. J'avais envie de prendre l'air.

— Tu es partie pendant des heures. Il est 2 heures et demie du matin.

Elle s'arrêta sur la troisième marche et se retourna vers sa belle-sœur, demeurée en bas.

— Tu n'es pas chargée de me surveiller. Je ne vais pas venir te demander la permission chaque fois que j'ai envie de prendre l'air.

— Si, justement.

— Pardon?

— À partir de maintenant, tu me dis où tu vas. C'est bien compris?

Sophia continua à parler à voix basse, mais ses yeux fulminaient.

— À qui crois-tu avoir affaire ? Qu'est-ce qui t'autorise à me parler comme à une gamine ?

— En ce moment, tout m'y autorise. Où étais-tu ?

— Je suis allée faire un tour en voiture et — alors ça, tu vas aimer — j'ai bu un... non, deux cognacs en compagnie du commissaire Pirelli. Alors, qu'est-ce que tu en penses ?

— Tu lui as dit quelque chose ?

Sophia retira son manteau.

— J'étais assise dans ma voiture, et il est venu me demander si je voulais prendre un verre avec lui parce qu'il avait des renseignements à me communiquer. Il avait l'intention de passer ici demain, alors plutôt que de le voir arriver ici avec ton cher Moreno dans la maison, j'ai accepté d'aller boire ce verre. Ils ont retrouvé l'arme qui a servi à tuer mes enfants. Ils pensent que celui qui les a tués a également descendu Carolla. C'est le même homme, celui au sujet duquel il nous a posé des questions la première fois qu'il est venu ici. Le fils de Paul Carolla, Luka... Et ils ne vont pas tarder à lui mettre la main dessus, ce qui blanchit ton protégé, là-haut.

Teresa laissa échapper un soupir de soulagement.

— Tu penses qu'il t'a dit la vérité ?

— Pourquoi aurait-il menti ? Tiens, il m'a donné sa carte, tu n'as qu'à l'appeler, si ça te chante. Nous allons toutes à Rome demain, et grâce à ce qu'il m'a dit, je serai pour ma part plus tranquille à l'idée de laisser *mamma* en compagnie de Moreno.

— Et tu n'as pas parlé de lui, de Moreno ?

— Pas un mot, et pas un mot sur la canne, je n'ai pas parlé de tout cela... Et maintenant, est-ce que je peux aller me coucher ? La journée a été longue, je suis fatiguée.

— Je vais à Rome avec toi.

Sophia avait repris son ascension. Elle ne tourna même pas la tête.

— Parfait. Que faut-il que je fasse, que j'applaudisse ? Bonne nuit.

Teresa monta se coucher quelques minutes plus tard. Rosa dormait à poings fermés, sur le ventre, les bras en croix. Elle se glissa dans l'autre lit et ramena la couette sur elle. Mais elle ne s'endormit pas tout de suite. Tous ces désaccords et ces affrontements devenaient de plus en plus difficiles à gérer. Peut-être ce petit voyage à Rome leur permettrait-il de repartir sur un meilleur pied. On allait pouvoir se débarrasser de Moreno sans trop de peine. Sitôt les perles vendues, elle lui donnerait son argent. Encore quelques jours, et l'on serait prêt à tout vendre ; oui, encore quelques jours et tout serait terminé.

16

Pirelli avait déclenché un tir croisé contre le très surmené inspecteur Giulio Mincelli. On parlait à son sujet
de rapports incomplets et de négligence dans le relevé
des indices. Les sourcils de Pirelli, connus pour refléter
ses humeurs, dessinaient en permanence un trait
continu qui signifiait « danger ».

L'heure exacte du décès des Luciano n'ayant pas été
vérifiée, il ne pouvait établir si le tueur avait matériellement pu opérer successivement à la villa Rivera et au
restaurant *San Lorenzo*. Mais le principal et le plus frus-
trant de ses problèmes était que l'on ne trouvait toujours
aucune trace du seul suspect à ce jour, Luka Carolla.

Le pistolet laissé au monastère était bien l'arme ayant
servi à tuer les enfants Luciano et le petit Paluso, mais
rien ne permettait d'affirmer qu'elle avait été utilisée au
restaurant. Toutefois, les preuves s'amassant contre lui,
il fallait intensifier les recherches.

Le journal du matin publiait un nouvel article
accusant la police de ne rien faire pour retrouver le
meurtrier de l'enfant de l'employé de la prison. Le divisionnaire arriva à l'improviste et sans frapper.

— Vous avez jeté un œil là-dessus? (Il lança le journal
sur le bureau, sortit de leur boîte des lunettes en écaille
et regarda les nombreuses photos punaisées.) Voilà
donc ce mur de la mort dont tout le monde parle?

Pirelli haussa les épaules et attendit que son supérieur explique ce qui l'amenait.

— Ce Luka Carolla, c'est du sérieux? Vous pensez vraiment qu'il a pu commettre tous ces meurtres?

L'autre hocha la tête.

— Il s'agit d'un dangereux psychotique, il tue sans faire de détail. Nous savons qu'il n'a pas agi seul au *San Lorenzo*, mais je suis certain qu'il y était. Et nous avons l'arme, son arme, le Magnum.

Le divisionnaire restait campé devant le tableau d'affichage.

— Certains de mes bonshommes en ont plein le cul que vous accapariez les gars du labo vingt-quatre heures sur vingt-quatre. Il y a pas mal de boulot qui s'accumule... Vous avez Ancora, le jeune... comment s'appelle-t-il, déjà?... Bruno di Mazzo, plus Mincelli et tous ses gars. Ça fait plus de dix personnes qui travaillent avec vous. Vous en avez encore pour combien de temps? Si vous connaissez votre suspect, arrêtez-le.

— Je fais tout pour ça, vous pouvez me croire. Seulement pas moyen de retrouver sa trace.

— C'est ce que j'avais cru comprendre. C'est pourquoi j'ai convoqué la presse pour cet après-midi. Il va falloir leur donner quelque chose, et je voudrais que vous ayez suffisamment de...

— Le mandat est là, mais pas moyen de mettre la main sur ce salopard.

— Il faut m'arrêter ce garçon au plus vite. Nous allons mettre le plus de monde possible sur le coup, afin de l'obliger à sortir de son trou.

Pirelli commençait à s'énerver.

— Chaque flic en tenue a sur lui un portrait-robot. Chaque hôtel, chaque hôpital est prévenu. Nous avons des hommes dans tous les...

— Je sais, Joe, je sais, et cependant vous n'avez pas le moindre début de piste. C'est pourquoi nous allons mettre le paquet. Et cela inclut les prisons. Voyez s'il n'y aurait pas des renseignements à glaner de ce côté-là; nous sommes prêts à accorder des remises de peine.

Cette ville est un égout, Joe, et cet égout est en train de s'engorger. Il ne vous reste plus beaucoup de temps. Je suis désolé, mais il va falloir que je récupère mes gars.

— Vous avez annulé tous les départs en congé?

— Oui, et il y a eu pas mal de tirage. Vous comptiez rentrer à Milan pour le week-end? Dites à votre femme de venir ici.

— Entendu. Mais pour ce qui est des journalistes, je ne vois pas quel os je vais pouvoir leur jeter.

— Vous ne savez même pas s'il est toujours en Sicile, pas vrai, Joe?

— Il y a de ça, oui. Si vous vouliez m'aider, vous mettriez la pression du côté des États-Unis. Il a passé plus de dix ans là-bas; il doit bien se trouver quelqu'un qui possède une photo récente de lui.

— Je vais voir ce que je peux faire. Écoutez, Joe, n'allez surtout pas imaginer que je vous lâche. Loin de là. Vous faites de l'excellent boulot, et j'aimerais bien vous avoir ici en permanence. Si j'ai pu vous faire venir, c'est uniquement parce que nous n'avons pas assez de monde. Or, depuis que vous êtes là, nos effectifs sont encore plus justes. La sécurité du procès, qui, au cas où vous ne le sauriez pas, bat toujours son plein, accapare tous les hommes qui m'ont été détachés. Je sais que l'affaire Paluso est liée aux autres, et je sais que vous avez besoin de tout le monde, mais comme je le disais tout à l'heure, les égouts débordent. Nous devons traiter les affaires courantes.

Pirelli était en train de prendre des notes en vue de la conférence de presse lorsque Bruno fit irruption dans le bureau.

— J'ai trouvé ça sur le bureau de Mincelli, c'est arrivé il y a trois jours. Je ne sais pas ce qui se passe, avec lui. Ça vient de l'hôpital Saint-Sébastien, c'est le dossier médical de Giorgio Carolla. Dès que je l'ai eu, je suis allé au fichier central. Il y a une demande de passeport à ce nom, datée du 25 janvier 1974, ainsi qu'une copie de son certificat de naissance. J'ai vérifié : quand la demande a été faite, Giorgio Carolla était déjà mort. Mais nous tenons maintenant un numéro de passeport; les recherches devraient pouvoir avancer aux États-Unis. Si nous n'avons rien sur Luka Carolla, c'est parce que son nom n'a jamais été enregistré nulle part. De plus, il y a plusieurs années de décalage : Giorgio était plus âgé que lui. Il était de 1959, Luka est né en 1962 ou 1963. Lorsqu'il a adopté Luka — à propos, nous n'avons encore aucune trace officielle là-dessus —, Carolla s'est contenté d'utiliser les papiers de son fils décédé.

Pirelli affichait un grand sourire. Le signal lumineux du téléphone intérieur clignotait, mais il ne s'en apercevait pas.

— Bien, reprenons tout depuis le début. Tu vas rappeler New York pour leur dire qu'on se plantait de trois ou quatre ans. À présent, ils devraient pouvoir nous donner quelque chose. À commencer par les établissements scolaires. Bon sang, ce gosse allait quand même bien à l'école, non? Qu'ils passent en revue tous les bahuts entourant les différentes adresses connues de Carolla. Il faut dénicher quelqu'un qui l'a connu, et peut-être obtenir une photo récente.

Il finit par aviser le témoin de l'Interphone et décrocha pour entendre à nouveau une bonne nouvelle. Après des semaines de recherches, on était parvenu à retrouver une radiologue de l'hôpital Jésus-de-Nazareth qui se rappelait avoir vu dans son service un enfant correspondant à la description de celui qu'on appelait maintenant Luka Carolla.

Pirelli quitta son bureau de bonne heure pour se rendre chez cette femme.

Tandis qu'il attendait la *signora* Brunelli dans son petit appartement douillet, il se demanda s'il n'était pas en train de perdre son temps. Quoi qu'il apprenne de nouveau, à quoi cela lui servirait-il au point où en étaient les choses? Il alluma une cigarette et chercha des yeux un cendrier, pour finalement laisser tomber son allumette dans une coupe en forme de dauphin.

La *signora* Brunelli entra d'un pas douloureusement lent. Lorsqu'il l'eut aidée à s'asseoir, elle lui demanda pourquoi il s'intéressait tant à un patient qu'elle avait vu plus de quinze ans auparavant. Il lui répondit en toute honnêteté qu'il ne le savait pas, mais que tout ce qu'il pourrait apprendre sur le jeune homme qu'il essayait de retrouver se révélerait peut-être, au bout du compte, utile à son enquête.

Elle regarda la photo fanée que le frère Tommaso avait remise au commissaire. Elle se munit d'une loupe et, les mains secouées de tremblements, considéra tour à tour le visage de chacun des orphelins.

— Celui qui est entouré en rouge, le petit blond... je suis certaine que c'est lui que j'ai radiographié.

Pirelli récupéra la photo.

— Cela remonte, comme vous dites, à fort long-temps. Vous avez dû voir passer des centaines, sinon des milliers de patients. Est-ce que vous vous les rappelez tous?

— Non, non, bien sûr que non, mais il arrive que certains enfants vous marquent plus que d'autres, surtout ceux qui sont dans l'état de ce jeune garçon. Et puis, si je m'en souviens, c'est peut-être aussi parce qu'il avait avalé une... (Elle fit la moue, fouillant dans ses souvenirs, puis hocha la tête.)... oui, c'est cela, une sorte de pendentif. On avait essayé de le lui confisquer, et il l'avait avalé. L'objet était parfaitement visible aux rayons X. Nous redoutions une occlusion intestinale, mais finalement, l'opération n'a pas été nécessaire.

— Dans quel état était-il?

Elle grimaça à nouveau.

— Ce n'est pas d'hier... Je lui ai fait plusieurs séances... Le crâne, il avait une fracture du crâne, le type de blessure occasionnée par... (Elle fit un geste évoquant un coup de karaté.) Je me rappelle aussi son épaule, il avait l'épaule gauche démise, et une fracture de l'humérus. L'ossification se fait très bien chez les enfants, mais il était sujet à des complications du fait que ses blessures étaient restées longtemps sans soins.

— *Signora*, vous avez une mémoire exceptionnelle.

— Merci. Mais il faut dire que ce garçon était si pitoyable. En plus, il avait subi des violences sexuelles et toutes sortes de mauvais traitements. C'était horrible à voir. Il ne devait pas avoir plus de 5 ans, son corps était d'une maigreur squelettique et couvert de bleus et de cicatrices.

Elle secoua la tête. Même après tant d'années, ce souvenir la révoltait.

Après un moment de silence, il lui demanda si elle avait parlé avec son jeune patient. Elle le regarda d'un air surpris.

— Ma foi non, commissaire. Ce petit ne desserrait pas les dents. Bien sûr, je peux me tromper, mais je suis convaincue qu'il était muet.

Ce fut une coïncidence incroyable. Comme Pirelli reprenait la direction du centre de Palerme, le moteur de sa Fiat commença à faire entendre des bruits étranges. Il continua à rouler, mais emprunta des rues peu passantes pour le cas où il tomberait en panne. Le moteur donnait des signes d'essoufflement et ne tarda pas à émettre une abondante fumée.

Il se gara et ouvrit le capot avant d'aviser un petit garage à moins de vingt mètres de là. Il se dirigea vers un mécanicien couché sous une vieille Fiat au fond de l'atelier. Montrant sa carte, il lui demanda s'il pouvait, toutes affaires cessantes, lui réparer sa voiture. L'homme se présenta comme le patron. Tout en sortant de dessous la voiture, il demanda au commissaire si l'on avait des nouvelles de la sienne.

Pirelli le regarda, interloqué.

— Oui, insista l'autre, ça fait maintenant cinq jours. Vous ne l'avez pas encore retrouvée?

Le policier secoua la tête.

— Je ne suis pas à la circulation. Quel est le problème? On vous l'a volée?

— Ouais, je l'ai louée à un Amerloque. Il devait me la rapporter il y a cinq jours. J'ai signalé la chose, mais j'ai pas eu de nouvelles depuis. Le gars n'habite pas à l'adresse indiquée.

Dans l'espoir de voir sa voiture rapidement réparée, Pirelli promit de contacter le service concerné pour accélérer les choses. Jetant un coup d'œil au formulaire de location, il se figea brusquement.

Les papiers étaient noircis d'une écriture soignée et précise ; le véhicule avait été loué par Luka Carolla.

Postée à la fenêtre, Adina vit la voiture s'immobiliser à nouveau. À trois reprises déjà, elle était passée à faible allure devant les grilles de la propriété. Cette fois, elle s'engagea dans l'allée.

Un jeune homme, en costume bleu marine et lunettes de soleil, descendit de l'Alfa Romeo, gravit d'un air dégagé les marches du perron et sonna. Puis il colla le visage contre le vitrail de la porte afin d'essayer de voir à l'intérieur.

— Qui cela peut-il être, Adina ?

Graziella descendait lentement la dernière volée de marches.

— Est-ce que je vais ouvrir, *signora* ?

— Oui, oui, dépêchez-vous.

La vieille femme se retourna pour lever les yeux vers les étages. Elle vit le visage de Luka, penché par-dessus la balustrade du premier.

L'homme s'appuya à l'encadrement de la porte. Il souriait.

— *Signora* Luciano, permettez-moi de me présenter. Je m'appelle Giuseppe Rocco. Mon père était un grand ami de don Roberto. Puis-je entrer ? Merci, merci beaucoup...

Graziella n'avait aucun souvenir d'un dénommé Rocco qui aurait été l'ami de son mari. Elle fit néanmoins signe au visiteur de la suivre au salon. Elle lui proposa une liqueur, du café ou du thé, mais il refusa. Il s'assit au centre du canapé et posa sa mallette en cuir sur le tapis, non loin de ses souliers noirs au lustre impeccable. Il continuait à sourire, mais derrière les verres fumés, ses yeux examinaient la pièce.

— Malheureusement, mon père est décédé il y a deux ans. Je travaille maintenant pour la famille Corleone. Je m'occupe de leurs transactions immobilières. Tenez, *signora* Luciano, voici ma carte.

Elle jeta un coup d'œil au bristol, puis s'en tapota la main.

— Si vous venez parler affaires, alors c'est à ma belle-fille qu'il faut vous adresser. Songeriez-vous à louer la fabrique? Est-ce la raison de votre démarche?

— Je vous demande pardon?

Graziella rougit. Incertaine des projets précis de Teresa, elle préféra changer de sujet.

— Êtes-vous bien sûr de ne pas vouloir du thé? Ou peut-être un verre de limonade? Je la fais moi-même.

— Eh bien, va pour une limonade.

Resté seul, Rocco se mit à fureter dans toute la pièce, manipulant différents objets, feuilletant des papiers. Puis il passa dans le hall.

Des marches craquèrent. Luka fit la grimace et se glissa dans la pièce la plus proche. Le visiteur avait manqué le surprendre. Conscient d'une présence à l'étage supérieur, il s'immobilisa momentanément pour tendre l'oreille. Puis il se dirigea rapidement vers le bureau et eut l'audace de tourner la poignée, mais la porte était fermée à clef. Il fit à nouveau halte au pied de l'escalier, puis il gagna la cuisine.

Graziella fut saisie par sa subite apparition.

— Vous avez fait la connaissance d'Adina, ma femme de chambre, *signor*?

Elle lui tendit son verre, incapable de se rappeler son nom.

— Giuseppe Rocco. (Souriant toujours, il but une gorgée de limonade.) Très agréable, très rafraîchissant. (Il regarda Adina, puis reporta son attention sur la maîtresse de maison.) Votre belle-fille est-elle ici?

— Teresa se trouve présentement à la tuilerie. Si vous désirez lui laisser un message, je veillerai à lui en faire part.

Rocco sourit et posa son verre à demi plein sur la table.

— À quelle heure doit-elle rentrer?

— Je dirais 5 heures, peut-être plus tard. Elle est très occupée.

— Dans ce cas, peut-être pourriez-vous lui dire que je suis passé et que je souhaiterais lui parler le plus tôt possible. Mes clients sont les acheteurs de cette propriété, et ils désireraient s'y installer au plus tôt. Merci de votre accueil, et merci pour cette délicieuse limonade.

Il enleva ses lunettes. Il avait un regard étrangement vague, avec des cernes rouges autour des orbites. Il replaça rapidement ses lunettes et, après s'être légèrement incliné en claquant tout aussi légèrement les talons, il s'en fut.

Après avoir regardé Rocco s'éloigner lentement à bord de sa voiture, Luka se détourna de la fenêtre et avisa l'imposant lit à baldaquin, recouvert d'un grand drap contre la poussière. Il reconnut cette chambre pour celle où les deux petits garçons avaient perdu la vie. Cela lui valut une décharge d'adrénaline; tous ses muscles se tendirent, et il devint aussi vif et leste qu'un chat. Il remonta rapidement et silencieusement jusqu'à sa chambre.

Il déboutonna sa chemise et défit son bandage. La croûte était plus étendue que le trou de la balle, mais l'épaule avait bien désenflé et ne présentait plus qu'une large ecchymose brunâtre. Il fit jouer ses muscles et sentit une raideur dans ses doigts. Son épaule s'était toujours ressentie d'une fracture qu'il avait eue enfant. Il avait l'impression que des petits grains de sable étaient enfermés entre les cartilages. Néanmoins, la blessure avait suffisamment guéri pour qu'il se passe de bandage.

Après quelques recherches, il finit par trouver une paire de ciseaux et, regardant son épaule dans le miroir, il commença à couper tant bien que mal les fils de suture. Soudain, il se retourna, pointant les ciseaux en un réflexe de protection. Mais ce n'était que Graziella. Elle transportait une brassée de vêtements.

— Excusez-moi, je ne voulais pas vous faire peur. Je vous apporte des vêtements. Ils appartenaient à Michael.

Elle les déposa sur le lit puis se retourna vers lui. Un filet de sang lui coulait le long du bras à partir de l'endroit où il avait coupé le premier fil. Elle se précipita vers lui avec une inquiétude toute maternelle.

Luka était maintenant assis à la table de la cuisine, regardant Graziella et Adina préparer de l'eau bouillie et de l'antiseptique. La servante trancha les points de suture à l'aide d'un couteau de cuisine très affilé, puis enleva les fils en se servant d'une pince à épiler. Il serrait les dents chaque fois qu'elle en tirait un, et ses yeux étaient noyés de larmes. Enfin, il sentit sur sa blessure la fraîcheur d'un tampon de pommade désinfectante, qu'Adina fixait avec des bandes de sparadrap.

Quand son épaule eut été rebandée, Graziella lui prit le visage entre les mains et baisa doucement son front.

— Voilà ce que j'appelle un garçon courageux. Ça y est, c'est terminé.

Luka leva lentement les bras pour l'enlacer et posa la tête sur sa poitrine. Elle se mit à lui caresser lentement les cheveux, tandis qu'il la serrait un peu plus fort. De toute sa vie, jamais il n'avait éprouvé pareil sentiment de sécurité.

La main de la vieille femme descendit le long de son dos nu. Elle s'immobilisa en passant sur des reliefs de cicatrices. Aussitôt, elle se libéra de son étreinte pour y regarder de plus près.

— Seigneur! Mais qu'est-il arrivé à votre dos? Adina, vous avez vu ces cicatrices... Sainte Mère de Dieu, Johnny, mais qui vous a fait cela?

Luka recula. Il attrapa sa chemise.

— Oh, ça? Ce n'est rien du tout.

— Comment ça, rien du tout? Je n'ai jamais rien vu de tel. Qu'est-il arrivé? Comment vous êtes-vous fait cela?

Il essayait de remettre sa chemise, mais il n'y parvint pas tout seul.

Elle l'embrassa une nouvelle fois.

— Vous n'aimez pas y repenser, c'est cela, n'est-ce pas?

Elle l'aidait à reboutonner sa chemise.

Il répondit d'un hochement de tête. Puis, se sentant plus sûr de lui avec sa chemise sur le dos, il mentit.

— C'est un accident de ski nautique. Je suis tombé et me suis fait prendre dans l'hélice du hors-bord.

— Oh! le malheureux garçon. Je suppose que vous avez eu de la chance de vous en tirer?

— Oui... oui, j'ai eu beaucoup de chance.

Elle hocha la tête d'un air compatissant, puis elle sourit.

— Vous savez que votre coiffure me fait penser à... Avez-vous remarqué la coupe de Rosa? Elle se l'est faite elle-même.

Il sourit à son tour, et Graziella prit un air désapprobateur.

— Vous autres, jeunes gens, ce que Dieu vous a donné, vous faites tout pour le gâcher. Allez, rasseyez-vous. Adina va vous couper les cheveux.

Luka se passa la main sur le crâne et fit entendre un rire juvénile. La servante sortit d'un tiroir une paire de ciseaux et une vieille nappe. Sa patronne avança une chaise.

— Allez, installez-vous ici, nous allons vous faire une beauté. Mais d'abord, il faut enlever tout ce qui reste de cette affreuse teinture.

Luka se tourna vers Adina.

— Vous savez faire?

— Ça oui, *signor* Johnny. J'ai une sœur qui est coiffeuse, et c'est moi qui lui ai appris tout ce qu'elle sait. Asseyez-vous... Regardez, c'est moi qui me les suis arrangés.

Les cheveux d'Adina étaient coupés au bol.

Graziella adressa un clin d'œil au jeune homme.

— Je veillerai à ce qu'elle fasse du bon travail en lui disant comment procéder. Attendez, je vais chercher la tondeuse de don Roberto.

Elle ne s'était pas absentée plus de quelques minutes, mais lorsqu'elle revint, elle manqua s'étrangler : la servante avait tailladé ses cheveux, ne lui laissant que de petits toupets blonds dressés çà et là.

— Adina, qu'avez-vous fait?

— J'ai enlevé tout ce qui était teint, comme vous aviez dit.

Luka leva la tête. Son visage et ses épaules étaient couverts de cheveux.

— Ça, il faut reconnaître qu'elle est rapide.

Tandis que les deux vieilles femmes s'affairaient tout en se chicanant, il attendit passivement. Il n'émit même aucune plainte lorsque Adina le coupa en lui rasant la nuque. Enfin, elles firent un pas en arrière pour contempler leur œuvre.

Graziella lui souffla sur les yeux pour en chasser les petits morceaux de cheveux.

— Je ne pense pas que vous allez trouver cela à votre goût, mais vous verrez, dès que cela aura un peu repoussé, vous ne...

Tous trois gagnèrent le hall, et Luka se posta devant la grande glace. Il ne restait plus aucune trace de teinture; d'ailleurs, c'était à peine s'il restait un quelconque souvenir de chevelure : Adina lui avait fait une coupe rase, très rase et légèrement asymétrique.

— Vous n'aimez pas, n'est-ce pas?

Il inclina la tête, puis un beau sourire vint lentement illuminer son visage. Ses yeux bleu pâle pétillaient.

— On croirait que je sors de prison.

Graziella porta les mains à ses joues. Elle avait l'air tellement émue qu'il se pencha pour l'embrasser. Elle lui passa la main sur le crâne.

— Mon fils Michael était du même blond. Pendant un instant, vous lui avez tellement ressemblé! Vous ne trouvez pas, Adina?

Mais celle-ci était tout occupée de ses propres cheveux, dont elle égalisait les mèches. Elle se retourna, ciseaux en main.

— Je vous les rafraîchis un peu, *signora*?

La vieille femme s'enfuit dans la cuisine en piaillant comme une enfant.

— Dieu m'en préserve! Nous avons assez d'un prisonnier!

La servante prit Luka par le bras, le temps de lui glisser :

— Si jamais la *signora* vous propose d'aller faire un tour en voiture, surtout refusez. Vous ne pouvez pas imaginer ce que c'est... Elle n'a même pas le permis.

Elle hocha résolument la tête et suivit Graziella à la cuisine.

Il émit un petit rire, se regarda une dernière fois, puis s'élança à leur suite, soucieux de rester auprès d'elles, de sentir leur chaleur et leur affection.

Depuis le seuil, en souriant, il les regarda se chamailler pour décider laquelle lui préparerait son repas. Il arriva derrière Graziella et l'entoura de ses bras.

— Et si nous allions nous asseoir un moment dehors ? proposa-t-elle.

La servante courut chercher un vieux manteau pour sa maîtresse et un autre pour Luka.

— Il fait froid. N'allez pas m'attraper un rhume...

Il enfila le vêtement et emboîta le pas à Graziella. À la porte, il se retourna pour lancer :

— J'aime bien mes cheveux comme ça, Adina. C'est vraiment une coiffure de professionnel. Ils sont coupés court, c'est vrai, mais avec style.

Emmitouflés dans leurs manteaux, ils allèrent s'asseoir côte à côte sur la balancelle du jardin. Le sol était couvert de gelée blanche. L'employée ouvrit la fenêtre de sa cuisine et put ainsi les entendre converser.

— J'étais en train de me dire qu'on est bientôt à Noël, soupira Graziella.

— Vous aimez Noël ?

Ses yeux s'emplirent de larmes.

— J'aimais cette période du temps où j'avais toute ma famille autour de moi. À présent... cela va être quelques journées atrocement vides. Sans mes fils, mes petits-enfants... Vous voyez cet arbre, là-bas ? (Elle montrait un grand orme.) Nous y suspendions des guirlandes électriques, et quand les garçons étaient petits, mon mari allait discrètement y accrocher leurs bas. Au matin de Noël, il fallait les entendre sortir en piaillant et nous crier par la fenêtre que le Père Noël était passé... Et ensuite est venu le tour de mes petits-enfants... Cette année, il n'y aura personne pour attendre le Père Noël.

Luka lui prit doucement la main et la porta à ses lèvres.

— Ne pleurez pas, je vous en supplie, ne pleurez pas.

De son observatoire, Adina vit son geste et sourit.

Les trois femmes s'étaient fixé pour priorité en arrivant à Rome d'aller trier le tas de courrier qui attendait Sophia. Il n'en fallut pas plus à Teresa pour réaliser que la situation financière de sa belle-sœur était encore plus désastreuse qu'elle ne l'avait dit.

Elles firent ensuite la tournée des ateliers, aussi déserts que les entrepôts Luciano à Palerme. Des rouleaux de tissu étaient toujours à l'endroit où le livreur les avait déposés. Les machines étaient grises de poussière.

Teresa, qui transportait avec elle les documents concernant la vente de l'atelier, interrogea sa belle-sœur sur les autres activités citées par Domino. Cette dernière parut hésiter, puis haussa les épaules : pourquoi ne pas tout lui montrer? Elle ouvrit un tiroir dans le bureau d'accueil et revint avec des clefs.

— Suis-moi. J'ignorais complètement l'existence de cet endroit jusqu'à ce que mon prétendu associé m'y conduise. Apparemment, c'était une activité très rentable, ce qui prouve quelle piètre femme d'affaires j'ai dû être.

Elles franchirent la cour en direction d'une porte étroite. Rosa montra un groupe d'hommes qui les regardaient d'un bâtiment voisin. Ils se mirent à les siffler, et elle leur fit la grimace. Teresa se retourna vivement, regarda sa fille, puis les hommes.

— Rosa, cesse de les provoquer.

— Elle est jeune, dit Sophia en souriant. Et puis elle est très jolie.

— Oui, et elle est aussi en deuil. Rosa, arrête de les regarder.

La jeune fille adressa un clin d'œil à sa tante et baissa modestement la tête.

Celle-ci essaya plusieurs clefs avant de trouver la bonne. Pour un peu, elle aurait senti sur sa nuque l'haleine de Teresa.

— Alors ceci n'avait rien à voir avec tes deux boutiques?

— Eh bien si, en un sens. Je leur servais de couverture. Il s'agissait d'une minable affaire de vente par correspondance... Tu comprendras quand je t'aurai montré le stock.

— Et tu ne t'es jamais doutée de rien?

Elle soupira.

— Non, Teresa, je viens de te le dire.

— Ça me dépasse.

Sophia s'arrêta dans l'escalier et regarda avec agacement sa belle-sœur, debout deux marches plus bas.

— Ils ne voulaient pas que je sois au courant. Je croyais voler de mes propres ailes, gagner mon argent sans rien avoir à faire avec les Luciano, alors qu'en fait je n'étais qu'un pantin. J'étais financée par don Roberto *via* Constantino. Cela se passait le plus simplement du monde. J'utilisais leurs comptables, leurs directeurs commerciaux. Mes deux boutiques étaient une façade. Elles perdaient de l'argent. Mais ils s'en servaient, tout comme ils se servaient de moi.

— Et tu n'as jamais rien soupçonné?

Sophia ouvrit la porte qui donnait sur l'atelier clandestin.

— Non, jamais.

Elle fut très surprise lorsque Teresa passa un bras autour de ses épaules.

— Tu parles d'une bande de salopards, quand même. Tu as dû en être malade.

— J'ai surtout eu un sentiment de trahison. Mon mari se servait de moi. Son père en faisait autant. Quelle importance, à présent? J'ai sans doute échoué quelque part. Ils me traitaient comme si j'étais une gamine, et les boutiques étaient mes jouets.

Elles arrivaient dans une immense salle complètement vide. Toutes les machines avaient disparu. Sophia eut un rire sans joie.

— Il y avait une trentaine de filles qui cousaient ici. Comme tu peux voir, quand je les ai licenciées, elles ont embarqué tout ce qui traînait. À moins que ce ne soit leur écœurant patron.

— Ton prétendu associé y est sûrement pour quelque chose, dit Teresa. Ces machines devaient valoir une fortune.

L'autre acquiesça.

— Il a dû faire exactement ce qu'il voulait. Il n'y avait plus personne pour l'en empêcher.

Il restait encore quelques articles déclassés, dont certains débordaient de leurs cartons. Rosa sortit une culotte toute froncée.

— Oh! j'adore ce truc, et admirez cette nuisette! Sophia, ces vêtements sont splendides.

Sa tante lança un regard à Teresa et éclata de rire.

— Ça ne vaut rien, c'est de la camelote. Regarde-moi ces couleurs, et rien que du Nylon. Enfin, prends quand même ce qui te plaît.

— C'est vrai, je peux? Oh merci!

Tandis que les deux femmes faisaient le tour du propriétaire, elle fouilla les cartons avec délice.

Selon Teresa, avant toute chose, il fallait vendre le somptueux appartement. L'argent ainsi récupéré servirait à relancer les activités de la société de Sophia.

Parmi les diverses lettres et les nombreuses factures figuraient plusieurs commandes, dont deux émanant d'importantes chaînes de magasins qui désiraient se réassortir et demandaient des renseignements quant au prochain défilé de chez S&N. Même si elles n'étaient pas suffisamment importantes en elles-mêmes pour renflouer l'affaire, ces commandes redonnèrent confiance à Sophia, comme le fit l'enthousiasme de sa belle-sœur, nourri par celui de Rosa.

Elle assurait sa tante de son bon goût, et lui répétait que sa ligne était « sympa » parce que les femmes de tous âges pouvaient y trouver leur bonheur. Sophia riait. Rosa et sa mère étaient si ignorantes des réalités de la mode.

Et qu'elles pensent que c'était elle la créatrice de tout ce qu'elles voyaient sur les râteliers ne laissait pas de l'amuser. Elles n'avaient pas remarqué la griffe du créateur, peut-être parce que les prix figurant sur les étiquettes dépassaient leur entendement. Et encore, il s'agissait de prix de gros !

Elles mirent le stock à sac, passant en revue des centaines de vêtements, riant comme des enfants lâchés dans un magasin de jouets. Ces articles, comme tout le reste, disparaîtraient dans la liquidation, aussi Rosa et Teresa prirent-elles, avec la bénédiction de Sophia, tout ce qu'elles pouvaient emporter. Elles regagnèrent l'appartement pour se livrer à un défilé de mode en tout petit comité.

Teresa avait surpris sa belle-sœur par ses choix : ce n'étaient que soies ruchées et velours de brocart, dans des tons voyants et rehaussés de paillettes. Elle se montra encore plus pathétiquement puérile lorsqu'elle tenta de se glisser dans du 38, elle qui faisait un bon 40. Rosa avait fait main basse sur des toilettes bien trop sophistiquées, elles aussi garnies de perles et somptueusement brodées. Très diplomate, Sophia ponctuait ses louanges de quelques conseils, mais lorsqu'elle soumit à Teresa une robe en velours noir uni signée Valentino, elle s'attira une réaction de mépris.

— Seigneur, quelle horreur ! Ça conviendrait pour une vieille peau ! Peut-être qu'elle ferait bien sur Graziella. Non, moi, je pensais à quelque chose de plus... de plus cossu, si tu vois ce que je veux dire, peut-être avec du strass...

Elle hocha la tête, puis affecta de regarder sa belle-sœur avec un œil tout professionnel et lui sortit une robe de Gianfranco Ferre.

— Voilà qui convient peut-être mieux. C'est une commande de la princesse Loredana, mais elle n'en a jamais pris livraison. Un article comme celui-ci doit aller chercher dans les cinq mille dollars.

— Cinq mille dollars !

Plus séduite par le prix que par la robe elle-même, Teresa voulut la passer sans attendre.

— La princesse doit faire à peu près la même taille que moi.

— Oui, elle est très mince, et puis cette robe taille grand...

— Je vois ce que tu veux dire. Hé! Rosa, que dis-tu de ça? À New York, cette robe vaudrait cinq mille dollars.

La jeune fille évoluait dans une robe de taffetas moiré vert avec jupe à cerceau et manches à gigot, le tout rehaussé de rubans en velours vert foncé. Elle faisait penser à *Autant en emporte le vent*.

— Oh! Rosa, ce truc est à se pâmer! Sophia, de combien cette robe nous ferait-elle plonger si nous devions l'acheter?

Cette dernière haussa les épaules.

— C'était pour une collection anglaise de prêt-à-porter. Oh, un prix très raisonnable, je pense, peut-être quelques centaines de...

— Seulement! Dans ce cas, *enlève-moi ça tout de suite!* glapit Teresa.

Sa fille, qui s'était un instant imaginée en Scarlett O'Hara, se renfrogna.

Sophia sortit une robe en velours. De minces rubans pour les bretelles et une jupe très ample. Mais les volants du jupon étaient bordés de paillettes qui scintillaient à chaque oscillement.

— Tiens, Rosa, je ne sais pas si tu vas aimer, mais c'est moi qui l'ai dessinée. Figure-toi que je ne l'ai jamais vu portée. Veux-tu la passer, juste pour que je la voie?

Teresa se mirait dans la glace.

— Oh! elle ne va pas porter ça, elle déteste tout ce qui est volants. À ton avis, Sophia, qu'est-ce que je devrais faire, au sujet de mes cheveux? Et pour les siens, tu as une idée? (Elle se retourna à l'instant où sa fille achevait de passer la robe en velours noir.) Alors ça, Rosa! fit-elle, impressionnée. Vraiment, elle est... Est-ce qu'elle coûte cher, Sophia?

Celle-ci hocha la tête. Elle arrangea la jupe pour qu'elle tombe parfaitement. Cette robe allait comme un gant à sa nièce. Debout derrière elle pendant qu'elle se regardait dans le miroir, la jeune femme laissa échapper un soupir.

— Ah! Il faut être jeune, pour ce genre de fines bretelles. Et puis tu as de si belles épaules...

— Ouais, elle est pas mal, lâcha seulement Rosa, mais elle ne put résister à l'envie de tournoyer sur elle-même.

Sophia les contempla l'une et l'autre, certaine qu'après quelques menues retouches, elles seraient deux publicités ambulantes à la gloire de ses créations. Elle décrocha le téléphone.

— Et que diriez-vous d'aller chez le coiffeur? Ensuite, on irait se faire faire un masque, le grand jeu, quoi. Oui? Je prends rendez-vous?

Teresa voûta plus que jamais les épaules. Rosa, elle, hocha la tête, puis se pencha brusquement pour embrasser sa tante. Cet impulsif témoignage d'affection lui fit monter les larmes aux yeux.

Puis elles investirent le salon de beauté. Le temps passait trop vite, et elles décidèrent de rester à Rome un jour de plus. Tandis que la plus jeune faisait des emplettes, les deux autres passèrent le restant de l'après-midi avec les comptables et les avocats. Il fut finalement décidé que Sophia déposerait le bilan, puis reprendrait ses activités sous un autre nom.

Elles mirent l'appartement en vente avec tout ce qu'il contenait, et lorsqu'elles retrouvèrent Rosa, elles étaient toutes joyeuses de la facilité avec laquelle ces diverses entrevues s'étaient déroulées. Comme elle possédait encore tous les dessins de Nino, Sophia ne serait pas obligée, tout au moins au début, de faire les frais d'un nouveau styliste pour Luciano, sa nouvelle griffe.

Il était 18 heures passées. Teresa, la tête couverte de bigoudis, leva les yeux de l'album de sa belle-sœur. Il était rempli de coupures de journaux, de comptes rendus sur ses défilés, d'articles de sa main dans lesquels elle exposait ses idées en matière de mode féminine, d'interviews de Nino Fabio accompagnées de croquis et de photographies les montrant ensemble à diverses réceptions. Toutes ces coupures avaient été soigneusement collées et légendées.

— Je ne savais pas que tu étais aussi productive, Sophia. Une vraie célébrité. Est-ce que c'est une boîte de relations publiques qui s'occupait de tes rapports avec les médias ?

— Oui, Nino s'en chargeait. Oh, tu sais, il faut rétablir la vérité : je ne faisais pas tant de choses. J'étais très décorative. J'adorais avoir accès à toutes ces belles fringues. J'employais des gens de talent, surtout Nino. C'est lui qui abattait le plus gros du travail, tout ce qui était création. Je me contentais de faire des suggestions.

— Ah oui ? Écoute, Sophia, ne joue pas la modeste. Rosa et moi avons mesuré la qualité de tes suggestions... Tiens, cette robe par exemple, elle ne lui aurait pas jeté un regard. Mais maintenant qu'elle l'a sur le dos !... On voit tout de suite que ça ne devait pas être donné. Elle est superbe. C'est une bonne chose que tu aies gardé ses dessins. J'aime ce qu'il fait. Tu penses, vu le prix, et vu ce que ça a dû te coûter, à toi aussi !

— Teresa, je peux te demander quelque chose ? fit-elle en évitant de poser un regard trop insistant sur sa belle-sœur. Pourquoi portes-tu des bigoudis, alors que tu sors de chez le coiffeur ?

— J'ai les cheveux raides. Rosa a trouvé que ça faisait un peu raplapla, c'est elle qui me les a mis. Tu crois que je n'aurais pas dû ?

Sophia haussa les épaules.

— Et la couleur, tu aimes ? Jamais je n'aurais osé un blond pareil, mais Rosa a dit que cela m'allait bien. Qu'est-ce que tu en penses, toi ?

— Je trouve que ça te rajeunit, dit-elle avec sincérité.

C'est alors que la jeune fille leur lança :

— Vous êtes prêtes ? Vous vous souvenez de ce que j'ai récupéré dans les cartons ? Attention, je fais mon entrée...

Elle apparut sur le seuil, d'abord un peu intimidée, puis, avançant dans la pièce comme un mannequin sur sa passerelle, elle laissa son peignoir glisser à terre. Ses jeunes seins débordaient d'un soutien-gorge à demi-bonnets en dentelle de Nylon noire. Un string du plus mauvais goût laissait la rondeur de ses fesses roses dénudée.

Teresa en resta bouche bée, comme en état de choc. Sa fille fit une moue lascive, puis s'étendit de tout son long sur le canapé et se mit à sucer son pouce.

— Rosa! Rosa, *enlève-moi ça immédiatement!*

Fredonnant *L'effeuilleuse*, elle fit lentement glisser un bas le long de sa jambe.

L'autre bondit sur ses pieds.

— Que dirait ton père, s'il te voyait?

— Il adorait ce genre de trucs, maman. Tous les hommes en raffolent! Ça les excite, c'est pas vrai, tante Sophia?

Elle accrocha le bas sur son gros orteil et l'envoya atterrir aux pieds de sa mère.

— Rosa, ça suffit!

La jeune fille ramassa son peignoir en riant.

— Tu es tellement collet monté, maman. Tu ne sais donc pas que les femmes adorent porter ce genre de trucs sous un chemisier et un tailleur bon chic bon genre?

Teresa vint se camper devant elle, les mains sur les hanches.

— C'est faux! Pour rien au monde une honnête femme n'accepterait d'enfiler une telle culotte. Sais-tu qui utilise ces cochonneries? Sophia, dis-lui qui porte ces choses. Les traînées, les prostituées... Dis-le-lui, Sophia.

Cette dernière se mordait les lèvres pour ne pas rire. D'un geste impérieux, Teresa montra la porte à sa fille. Celle-ci sortit en roulant ostensiblement des fesses... Sophia fut surprise de constater qu'en fait, sa belle-sœur n'était nullement en colère. Un grand sourire éclairait son visage lorsqu'elle se retourna.

— Que va-t-on faire de cette enfant, je te demande un peu? Je t'assure qu'il faut se dépêcher de lui trouver un mari. Elle en sait trop, et cela ne lui vaut rien. Quand j'avais son âge...

Elle marqua un temps d'hésitation, puis ébaucha un haussement d'épaules.

— Je vais te dire, Sophia, quand j'avais son âge, non seulement je n'étais pas une beauté, mais en plus j'étais plutôt effacée. Parfois, je la regarde et je me demande comment j'ai réussi à mettre au monde une fille pareille. Mais son père était bel homme, le plus Luciano des trois, même s'il n'avait pas grand-chose d'autre pour lui. Elle a eu de la chance de lui ressembler. Chaque soir, je dis un Je vous salue Marie rien que pour ça.

» J'ai toujours regardé à tout, fait des économies de bouts de chandelle. Mes parents m'habillaient chez le fripier, et j'avais fini par penser que tous les vêtements sentaient la naphtaline, je croyais que c'était un de leurs composants. Jamais je n'ai été jeune, Sophia. J'ai toujours paru l'âge que j'ai aujourd'hui. Un jour, ma mère a dit : « Je suis vieille, j'ai 50 ans », et mon père lui a répondu : « Non, tu n'es pas vieille ; 50 ans, c'est encore jeune. » Alors elle a fait : « Ça s'appelle être entre deux âges, Lenny. Tu connais beaucoup de gens qui vivent jusqu'à 100 ans ? »

Sans un mot, Sophia se leva pour gagner sa chambre. Elle en revint avec un grand carton et appela Rosa.

— Ce sont les échantillons d'une ligne que j'envisageais de lancer, mais cela s'est révélé trop coûteux. C'est de la soie, et entièrement brodée à la main. De la dentelle de Provence... Choisis ce qui te plaît, il y a toutes les tailles. Même si personne ne voit ce linge, tu le sens sur toi, et c'est rudement agréable. Vas-y, sers-toi.

Elle s'arrêta sur le seuil, prenant plaisir à les entendre pousser des « oh ! » et des « ah ! » en repensant à la première fois où Constantino lui avait offert des dessous en soie. Depuis, elle s'y était si bien accoutumée qu'elle en avait oublié son émotion initiale. La réaction des deux femmes la plongeait dans ses souvenirs.

Teresa tenait à bout de bras un slip de mousseline en soie. Une rougeur lui était venue aux joues.

— Est-ce que je peux prendre celui-ci ? demanda-t-elle dans un souffle.

— Bien sûr, dit Sophia en souriant, choisis ce qui te plaît. Moi, je vais me faire couler un bain.

Comme elle sortait, elle entendit encore sa belle-sœur pousser un soupir de contentement. Rosa regarda sa mère et confia d'une voix douce :

— Je commence à me sentir mieux, maman, comme si tout n'était plus aussi sombre... Maman, je te parle...

— Tu sais, Rosa, ta tante a raison. Quand on porte ce genre de dessous, on se sent une dame, on se sent comme dans un écrin.

Un peu plus tard ce soir-là, les trois femmes se rassemblèrent pour s'admirer dans leurs nouveaux atours, prêtes à finir la soirée par un somptueux dîner au restaurant *Sans-Souci*.

Le chauffeur en livrée de leur Mercedes de location haussa les sourcils d'un air admiratif et, leur tenant la portière, s'inclina devant chacune d'elles. Rosa avait mis sa nouvelle robe, dont elle disait qu'elle était un tourbillon de petites étoiles. Teresa, elle, portait celle, merveilleusement satinée, de chez Ferre. Quant à Sophia, elle avait revêtu une robe de taffetas signée Nino Fabio et un grand châle à volants assorti. Quoique de styles différents, ces toilettes avaient en commun leur couleur noire.

Le *Sans-Souci* se trouvait à deux pas de la via Veneto. Le petit bar, malgré son éclairage parcimonieux, chatoyait par l'effet de grands miroirs et de somptueuses tentures. Le maître d'hôtel accourut à leur rencontre. Il se pencha pour baiser la main de Sophia.

— *Signora* Luciano, vous nous avez terriblement manqué. Votre place habituelle vous attend.

Il les conduisit à la table centrale avec les marques de la plus grande déférence. Des garçons se précipitèrent pour tenir leurs chaises. Les autres dîneurs se retournaient pour les regarder. Peu à peu, le bruit se répandit qu'il s'agissait des veuves Luciano.

Même les femmes durent reconnaître la beauté de Sophia. Elle ôta son châle en soie noire, révélant de graciles épaules qui contrastaient avec le noir de ses yeux et le jais de sa lourde tresse lovée sur sa nuque tel un serpent.

Affectant de prendre connaissance du menu, elle parcourut la salle du regard. Elle avait habillé beaucoup des femmes qui se trouvaient là, et cependant aucune ne semblait la reconnaître.

L'arrivée d'une joyeuse compagnie fit un moment diversion. Puis les gorges chaudes reprirent de plus belle.

Sophia se pencha à l'oreille de Teresa.

— Tu vois le groupe qui vient d'entrer? Le plus petit, celui qui marche devant, c'est Nino, tu sais, mon styliste. Ne te retourne pas...

Nino Fabio regarda son ancienne associée mais choisit de l'ignorer, même lorsqu'il passa tout près d'elle pour gagner une table située contre le mur. Lorsqu'il fut installé, il ne put toutefois s'empêcher de la regarder à nouveau. Il savait qu'elle était en faillite; dans les milieux de la mode et de la haute couture, tout le monde était au courant. Il avait cru qu'elle avait cessé toute activité mais redoutait toujours, suite à sa trahison, il ne savait quelles représailles de la part de Sophia.

Un de ses convives lui toucha la main pour obtenir son attention et voulut savoir qui étaient donc les occupantes de la table centrale.

Alors Nino leur fit carrément face et agita sa serviette à leur intention.

— C'est Sophia Luciano... Je ne sais pas qui sont les deux autres... peut-être une institutrice et une pucelle.

L'hilarité qui s'ensuivit avait à l'évidence les trois femmes pour objet, mais celles-ci conservèrent une attitude altière et apparemment indifférente. Elles commencèrent à manger en conversant paisiblement, même si chacune d'entre elles avait conscience d'être le point de mire général. Vint le moment où Sophia ne put supporter plus longtemps cet état de fait. Elle se leva. Teresa tendit la main pour la retenir, mais il était trop tard.

Elle se faufila entre les tables telle une somnambule.

Elle se campa devant Nino Fabio qui, quelque peu désarçonné, la présenta à ses amis. Elle se pencha légèrement vers lui, lui mettant la main autour du cou comme pour lui prendre le pouls.

Il se redressa contre son dossier. Il avait brusquement blêmi. Il porta la main à sa gorge, là où étaient posés les doigts glacés de Sophia. Ce qu'elle lui murmura alors devait lui résonner longtemps dans la tête.

— Nino, je vois que tu es toujours vivant...

Tandis qu'elle regagnait sa table, il la suivit des yeux. Une expression de terreur crispait son visage, et sa main resta posée au niveau de sa carotide.

Rosa se pencha pour demander à sa tante ce qu'elle avait bien pu dire à Nino, mais Sophia se contenta de sourire. Elle leva sa coupe de champagne.

— À notre avenir.

Le lendemain matin, *Il Giornale* publiait une photo des trois élégantes, accompagnée de cette légende : Bella Mafia, ou ce qu'il reste de la naguère puissante famille Luciano.

Ce cliché, d'abord accueilli avec amusement, leur laissa un goût amer. L'article revenait sur le sujet, maintes fois rebattu, des assassinats et des activités de la famille. Pour finir, Teresa déchira le journal et le jeta à la poubelle. Il lui restait encore à trouver un acheteur pour les perles de Graziella, aussi, sous prétexte d'aller voir ce qu'il en était de certaines filiales Luciano, elle laissa les deux autres.

Sophia chargea un agent immobilier de vendre l'appartement avec tout ce qu'il contenait, puis entreprit de trier ses affaires personnelles. Rosa l'aida un moment mais finit par se lasser et sortit faire quelques emplettes supplémentaires.

Teresa rentra à midi, après avoir vendu les perles. Elle était prête à partir pour Palerme mais dut attendre le retour de sa fille pendant trois heures. Rosa revint avec plusieurs valises qui devaient lui permettre de rapporter les merveilles de sa nouvelle garde-robe à la villa Rivera.

Elles passèrent encore deux heures à fouiller dans le stock de Sophia afin d'y prélever de nouvelles robes du soir et des vêtements à porter dans la journée. Elles dénichèrent également des accessoires pour défilés de mode.

L'après-midi tirait à sa fin lorsqu'elles décidèrent que le moment était venu de partir, mais Sophia reçut un coup de téléphone de l'agence qui désirait faire visiter l'appartement. Elle décida donc de ne partir que le lendemain. Elle en profiterait pour aller voir Nino Fabio.

Il était tard quand les deux femmes arrivèrent à la villa Rivera. Graziella était déjà couchée. Teresa monta voir Luka. La clef n'était plus sur la porte. Elle le considéra un moment : il était allongé sur son lit, les yeux fermés, apparemment endormi. Elle parcourut la chambre des yeux, regarda à nouveau en direction du lit, mais renonça à le réveiller lorsqu'elle entendit Rosa qui parlait à sa grand-mère.

Dès que le porte se fût refermée, il rejeta ses couvertures et se leva. Il avait recouvré ses forces et savait que son séjour ici ne se justifiait plus. Elle allait lui donner de l'argent, et il n'aurait plus qu'à partir.

Le lendemain matin, Teresa prit sa douche, s'habilla et monta directement chez Luka. La porte était entrebâillée, la chambre vide. Elle descendit précipitamment les deux étages et, à sa grande stupéfaction, trouva le jeune homme attablé devant son petit déjeuner.

Il lui adressa un petit sourire et continua à beurrer sa tartine grillée. Il portait une chemise à col ouvert et avait les cheveux tout courts. Un bloc posé devant lui, il expliquait à Graziella son plan d'un jardin potager. Cette dernière souhaita la bienvenue à Teresa, demanda à Adina de refaire du café, puis reporta son attention sur le croquis.

Rosa était attablée devant un bol de céréales.

— Bonjour, maman, dit-elle avec un grand sourire. Tu as bien dormi? As-tu mis la chemise de nuit en soie que t'a donnée tante Sophia?

Teresa lui désigna Luka du regard, et sa fille eut une expression signifiant qu'elle ignorait la raison de sa présence en bas.

Tout à coup, Graziella désigna la tête de sa belle-fille.

— Vos cheveux, qu'avez-vous fait à vos cheveux?

— Une teinture, *mamma*, répondit Teresa d'un ton glacial.

Elle allait adresser la parole à Luka, mais sa belle-mère l'interrompit.

— Ça, je le vois bien. Je ne comprends pas pourquoi vous ne les laissez pas naturels, surtout à votre âge.

— C'est que nous n'avons pas toutes votre beauté naturelle, *mamma*. Certaines d'entre nous ont besoin d'un petit coup de pouce, et moi plus que d'autres.

Luka inclina la tête sur le côté et sourit.

— Ça vous va bien.

Teresa remarqua avec quelle familiarité il tapotait la main de Graziella.

— Enfin, cela vous regarde, dit celle-ci. En tout cas, moi, je trouve que Rosa était mille fois mieux avant cette teinture. Vous avez vu la nouvelle coupe de Johnny? C'est l'œuvre d'Adina.

Teresa hocha la tête.

— Oui, j'avais remarqué.

La vieille dame échangea un regard de connivence avec le garçon.

— Et Sophia? demanda-t-elle. Est-ce qu'elle s'est fait teindre, elle aussi?

— Non, *mamma*, Sophia a toujours les cheveux noirs. Elle rentre dès qu'elle se sera occupée de la vente de son appartement. Elle doit aussi voir des gens à propos de la liquidation de son atelier et de la réouverture de ses boutiques.

— Oh, à propos! Nous avons eu une visite. On a laissé ceci pour vous. (Graziella tendit à sa bru la carte de visite de Rocco.) Cet homme désirait parler affaires avec vous. Je lui ai dit que vous étiez à la tuilerie. Je n'avais pas envie qu'il sache que vous étiez absente. Jamais mon mari ne mettait aucun étranger au courant de nos déplacements — question de sécurité. D'ailleurs, cet homme ne me disait rien qui vaille. Et à Adina non plus. Peut-être devrions-nous engager un concierge, afin que les visiteurs aient d'abord à s'annoncer. Qu'est-ce que vous en pensez?

Teresa murmura son assentiment. Elle examinait le bristol.

— Cela doit être au sujet de la vente de la propriété. Je vous ai dit que Domino avait commencé à s'en occuper. Je doute que nous puissions éviter de vendre, à moins que vous ne teniez particulièrement à rester ici. Cette maison est trop grande pour vous, à présent.

Graziella battit des paupières et regarda le fond de son bol. L'idée de rester toute seule dans cette vaste demeure lui serrait le cœur bien plus qu'elle ne s'y serait attendue.

Teresa se dirigea vers la porte et, sans un regard pour Luka, lui demanda de la suivre au bureau.

Rosa se mit à débarrasser et emporta tout à la cuisine. Graziella resta assise à table. La jeune fille parut à nouveau pour enlever la nappe.

— Rosa, est-ce que Sophia va revenir?

— Oui, bien sûr. Il y a tant de choses à faire, tu sais. N'empêche que moi, j'ai hâte de rentrer à la maison.

— Tu vas me manquer.

— Mais qu'est-ce que tu racontes? Tu viens avec nous. Nous avons besoin de toi. Et puis, ne sommes-nous pas ta seule famille? Quand tout sera réglé, nous aurons beaucoup d'argent et nous achèterons un grand appartement. Je sais que tu n'apprécies pas trop que maman s'occupe de tout ça, mais elle agit au mieux pour notre avenir. C'est pour nous toutes qu'elle le fait, tu le sais bien, au fond. Tout ce que je te demande, c'est de lui dire qu'elle est bien en blonde! D'accord?

Graziella ouvrit grands les bras, et Rosa vint s'y nicher.

— Je t'aime, grand-mère. Ne crains rien, nous n'allons pas te laisser toute seule.

— Voici votre argent, *signor* Moreno. Vous voulez recompter?

Teresa jeta l'enveloppe sur le bureau. Luka la glissa

dans sa poche revolver. Il parut hésiter, puis déclara d'une voix égale :

— Rocco travaille pour la famille Corleone.

— Merci du renseignement, *signor* Moreno. À quelle heure comptez-vous partir?

La voix du garçon se fit douce, persuasive.

— *Signora* Luciano, je vous demande de faire très attention. Un kilo d'héroïne rapporte un million de dollars. Ceux qui veulent s'approprier vos structures, votre nom, sont des trafiquants de drogue, et quand ils vont apprendre que vous comptez mettre le tout aux enchères pour en obtenir le meilleur prix, le seul contrat valable sera celui qui vous permettra de rester en vie. Les Corleone vous ont envoyé leur représentant, Giuseppe Rocco. Cette propriété est déjà pratiquement à eux, car personne n'ose leur tenir tête. Ils vont vous offrir le prix qui leur chante, *signora* Luciano, et vous ferez bien de l'accepter.

Qu'il ait une telle connaissance de ses plans déconcerta Teresa.

— Auriez-vous épluché tous les papiers qui se trouvent dans ce bureau, *signor* Moreno?

Il leva la tête pour la fixer du regard. Si pâles un instant auparavant, ses yeux étaient maintenant d'un bleu intense, mais totalement dépourvus d'expression. Puis un petit sourire angélique, provocant, se dessina sur ses lèvres.

La sonnerie de la porte d'entrée les interrompit. Teresa partit à grands pas vers la fenêtre, mais Luka l'avait devancée. Il écarta deux lames du store, puis les laissa se remettre en place.

Tandis que l'on faisait entrer Giuseppe Rocco dans le bureau, le jeune homme traversa la cuisine et gagna le jardin. De l'endroit où il se trouvait, il pouvait voir la voiture du visiteur et son garde du corps qui se curait les ongles, négligemment adossé à un des montants de la véranda.

Rosa le rejoignit. Elle vit qu'il avait bien nettoyé la friche qui gagnait le potager. Elle lui sourit.

— Vous avez vraiment beaucoup travaillé, pendant que nous étions à Rome.

Il fourra les mains dans les poches de son pantalon et s'attacha à rester à bonne distance de la jeune fille. Elle s'approcha néanmoins.

— Quand partez-vous?

— Aujourd'hui, peut-être cet après-midi.

Un instant, elle eut l'air déçue. Puis elle étendit les bras à la manière d'un funambule et se mit à marcher sur le rebord d'un petit fossé qu'il avait creusé en prévision de semis. Mais l'attention de Luka était ailleurs : il venait de repérer, dépassant des buissons, l'avant de la voiture qu'il y avait dissimulée. Il avait complètement oublié ce détail. Il se maudit d'une telle négligence.

Il fallait qu'il s'en débarrasse au plus vite. Il était si profondément absorbé par ces considérations que, lorsque Rosa porta très innocemment la main au cœur en or pendu à son cou, il réagit instinctivement et la repoussa avec violence. La tête de la jeune fille alla taper rudement contre la barrière. Elle le regarda, la peur dans les yeux.

Luka s'en voulut d'une telle réaction, mais elle lui souriait déjà. Il prit la main qu'elle avait portée à sa joue légèrement éraflée. Son inquiétude fit place à de l'émerveillement devant la fraîcheur, le satiné de sa peau. Rosa lui passa les bras autour de la taille et l'attira à elle. Il ne chercha pas à se dégager. Il baissa la tête et l'embrassa. Ce fut un baiser léger, enfantin, dénué de passion.

Graziella apparut sur le seuil de la cuisine, revêtue d'un vieux ciré, un sarcloir à la main. Luka lui adressa un signe de la main, et l'on aurait dit que le baiser n'avait jamais eu lieu. Il reporta son attention sur Rosa.

— Je vais continuer à arracher les mauvaises herbes.

Le soleil hivernal lui fit cligner les yeux, et il porta la main à son front.

La jeune fille fut frappée par leur couleur.

— Je n'avais jamais vu des yeux aussi bleus, dit-elle en souriant.

Il se détourna. Il entendait la voix de son cher Giorgio : « Tu as des yeux d'un bleu incroyable, Luka. Fais voir... Non, ne tourne pas la tête. Laisse-moi les regarder... »

Rosa vit une étrange tristesse gagner son visage tandis qu'il murmurait :

— Tes yeux sont comme ces fleurs bleu pâle...

Elle se mit à rire.

— Les miens? Non, ils sont noisette. À quelle fleur ressemblent-ils?

Elle ne pouvait savoir qu'il citait Giorgio.

— ... les myosotis, les ne-m'oubliez-pas.

— Je ne connais pas ces fleurs-là.

Jamais auparavant il n'avait pratiqué ce genre de badinage. Il s'approcha, levant la main pour effleurer la joue de la jeune fille, exactement comme son ami le lui avait fait.

— Savez-vous, Rosa, pourquoi on les appelle les ne-m'oubliez-pas?

Elle secoua la tête, et il s'approcha encore.

— Un jour, il y a très longtemps, un jeune homme était amoureux d'une très belle dame. Sur la berge d'un fleuve, elle avisa plusieurs de ces petites fleurs bleues. La chose était dangereuse, mais parce qu'elle en raffolait et qu'elles étaient assorties à la couleur de ses yeux, il descendit lui en cueillir quelques-unes. Plus il approchait de l'eau, plus la berge était pentue. Il tendit le bras comme ceci... (Il mimait le geste, jambes fléchies, tendant le bras à la limite de la perte d'équilibre.) Il cueillit une unique fleur. Puis il glissa et tomba dans les eaux tumultueuses. Emporté par le courant, il leva la main, celle qui tenait la petite fleur, et il cria : « Ne m'oubliez pas ! »

Luka manqua tomber en avant, il se rattrapa, puis se retourna vers Rosa et lui sourit.

— Est-ce que cette histoire est vraie?

Il hocha la tête.

— Et qu'est-il advenu de lui? interrogea-t-elle.

— Il a été emporté par le courant. Il s'est noyé.

— Vous me faites marcher.

Il s'esclaffa.

— Non, c'est une histoire vraie. C'est Giorgio qui me l'a racontée.

Il s'écarta brusquement d'elle : il savait qu'il venait de commettre une erreur.

— Giorgio? Qui est-ce?

Luka s'éloignait à reculons, et la jeune fille sentait son chagrin, elle l'entendit dans la réponse qu'il balbutia :

— Mon frère.

Il tourna les talons et partit en direction de la cuisine.

Teresa le vit se diriger vers la porte. Elle allait l'appeler lorsqu'elle remarqua sa fille, qui l'avait suivi.

— Rosa, tu vas emmener ta grand-mère faire les courses. Moi, j'ai de la paperasse à terminer, et puis il faut que j'appelle Sophia. Cet après-midi, nous passerons à la fabrique.

Rosa aida Graziella à descendre les marches du perron. Dès qu'elles furent parties, Teresa fit signe à Luka de la suivre dans le bureau. Quand elle parla, ce fut d'une voix altérée et tendue.

— Rocco a ri de ma proposition. Les Corleone veulent que nous signions la vente. Ils paieront nos dettes et nous verseront ce qu'ils jugent un montant substantiel susceptible de permettre aux femmes Luciano de vivre dans le confort — le confort, pas le luxe. Mais ce qu'ils offrent est un véritable camouflet. J'ai jusqu'à ce soir, jusqu'au retour de Rocco, pour prendre ma décision. Tant que je n'accepte pas leurs conditions, le montant diminue chaque jour.

Elle se mit à faire tourner son alliance autour de son doigt. Puis elle regarda Luka droit dans les yeux.

— Il a dit qu'aucune autre famille ne s'opposera à eux, que je n'ai pas d'autre choix que d'accepter leur offre. Je ne suis pas disposée à me laisser faire, *signor* Moreno. Au besoin, j'en référerai aux autorités.

— Ils *sont* les autorités. Prenez ce qu'ils vous offrent.

Au bord des larmes, elle alla se verser d'une main tremblante un verre de cognac. Mais lorsqu'elle fit à nouveau face au jeune homme, la peur avait quitté son visage.

— Avant de mourir, Mario Domino a reçu une offre d'un certain Michele Barzini. Elle est dix fois supérieure à celle des Corleone. Savez-vous qui est ce Barzini ?

Les yeux de Luka s'étrécirent.

— Oui, c'est un intermédiaire, un négociateur. Il est basé à New York, mais j'ignore pour quelle famille il travaille.

Teresa se mit à marcher de long en large.

— Cependant, si nous partions toutes pour New York, pensez-vous que nous pourrions entrer en contact avec lui ? Et au besoin, lui demander protection ? S'il accepte de faire affaire avec nous, qui que soient ses commanditaires, ceux-ci pourraient alors prendre la situation en main. Je ne demande rien d'autre que ce qui nous revient de plein droit. Nous n'avons pas accompli toutes ces démarches pour nous faire détrousser comme au coin d'un bois.

Luka demeurait impassible. Teresa poursuivit en se tordant les mains.

— Nous allons avoir besoin de quelqu'un pour nous protéger, quelqu'un en qui nous puissions avoir confiance. Vous savez tout ce qu'il y a à savoir de notre situation, et j'en sais suffisamment sur votre compte pour vous faire inculper de meurtre. Considérez l'argent des perles comme une avance. Ensuite, à New York et une fois l'affaire conclue, nous vous verserons en plus 5 % de ce qui nous reviendra. Puis vous serez libre.

Luka ne répondait pas. Elle ouvrit un tiroir, en sortit le pistolet qu'il avait rapporté de la discothèque de Dante et le posa sur le bureau.

— Est-ce que le marché vous convient, *signor* Moreno ?

Elle attendit, le corps tendu comme un arc, le regard étincelant.

Elle fut surprise par sa douceur et plus encore par le baiser léger, enfantin, qu'il déposa sur sa joue.

— Ça me convient, *signora* Luciano. Vous n'aurez pas à le regretter, je vous en donne ma parole. Je ferai mon possible pour me montrer à la hauteur des gentillesses que vous m'avez toutes prodiguées. Vous pouvez compter sur moi...

C'est en fredonnant que Luka remonta dans sa chambre. Il s'allongea sur le lit pour se rasseoir presque aussitôt, venant de repenser au journal du matin, sur lequel il avait fait main basse avant que Graziella soit levée. Il le sortit de sous le matelas.

L'article était à la une : LUKA CAROLLA : LA POLICE INTENSIFIE LA CHASSE À L'HOMME. Il revenait sur les meurtres du petit Paluso, des Luciano et de Paul Carolla.

Survolant l'article, il n'y trouva rien indiquant, même vaguement, que la police avait la moindre idée de l'endroit où il pouvait se trouver. En revanche, la photo et la description qui était donnée de lui l'inquiétaient. Il tint la reproduction à côté de son visage et lui compara son reflet dans le miroir, bientôt convaincu qu'avec sa nouvelle coupe de cheveux, nul ne pourrait le reconnaître. L'homme de la photo avait de longs cheveux blonds. La description, elle, était exacte, et jusqu'à sa taille. L'indication de son âge était fausse : on lui donnait plusieurs années en trop. L'article précisait qu'on pouvait le prendre pour un Américain, ce qu'il ne goûta guère.

Il déchira le journal en mille morceaux, tout en se demandant s'il était tellement en sécurité dans cette maison. Les autres pouvaient-elles avoir lu cet article ? Il se mit à arpenter la chambre en repensant à la voiture. Elle n'était pas assez bien cachée. Il fallait s'en débarrasser. Si, comme Graziella l'avait suggéré, on engageait un gardien, celui-ci aurait tôt fait de la découvrir. Il ouvrit la fenêtre et enjamba l'appui.

17

Le commissaire Pirelli disposait maintenant de la description de la voiture de Luka Carolla et de tous les détails concernant son permis de conduire, que l'on avait transmis par fax aux États-Unis. Depuis la parution des dernières éditions, le standard de la police ne cessait de recevoir des appels de personnes prétendant avoir vu le suspect.

La conférence de presse avait été plus payante qu'on ne s'y attendait : un de ces appels venait du patron de l'hôtel où Luka avait séjourné.

Les locaux de la police bourdonnaient d'activité. Les techniciens avaient rendu leurs résultats : les empreintes relevées sur le verre de jus d'orange et la cartouche inutilisée découverts à l'*Armadillo Club* correspondaient à celles de l'arme trouvée au monastère.

Ancora allait de stupéfaction en ébahissement.

— Bon sang, où est-ce que ça va nous emmener ? Si ça continue, nous allons boucler toutes les affaires de meurtre irrésolues de ces dix dernières années. Cela signifie que ce satané Luka Carolla se trouvait à la boîte de Dante, ce fameux soir. C'est même peut-être lui qui l'a refroidi.

Pirelli était sur le point de sortir lorsque le téléphone sonna. Ancora décrocha, puis fit signe à son supérieur d'attendre.

— D'accord, on envoie quelqu'un... Ouais, ne laissez

403

personne y toucher. (Il reposa le combiné.) On a retrouvé la bagnole qu'il a louée. Elle est dans un champ, à la sortie de Palerme. Le gars est certain qu'elle ne se s'y trouvait pas hier soir. Elle a donc été amenée là au cours des toutes dernières heures. Notre homme est toujours dans le coin.

Pirelli se mit à boxer un adversaire imaginaire.

— La situation se débloque! Fais-moi remorquer cette voiture le plus vite possible. Je serai à l'hôtel.

Lorsqu'il arriva avec ses hommes, des spécialistes étaient déjà en train de passer la chambre où avait logé Luka Carolla au peigne fin. Le moindre objet serait emporté au laboratoire. Le travail n'était pas facile, car depuis le passage du suspect la pièce avait eu trois autres occupants.

Le patron de l'établissement, suant à grosses gouttes, fut conduit au siège de la police pour y subir un interrogatoire de plus de trois heures. Il n'avait que peu de chose à dire, n'ayant vu Luka qu'à deux reprises : une fois lorsqu'il avait rempli le registre, et une seconde lorsqu'ils s'étaient croisés dans le couloir. Mais Pirelli avait récolté un élément précieux : la signature de Luka sur le registre sous le nom de J. Moreno.

Cependant, une autre information semblait aller à contresens : le patron de l'hôtel affirmait que Luka alias Moreno était brun, et non blond.

Le commissaire soupira.

— Vous êtes sûr?

L'homme hocha la tête.

— Il avait les cheveux foncés. Quand il a signé le registre, j'ai pas trop bien vu son visage parce qu'il avait un chapeau de paille et des lunettes de soleil.

— Décrivez-les.

— Eh bien, le chapeau était genre marron, avec des...

— Non, je parle des lunettes. À quoi ressemblaient-elles?

L'autre haussa les épaules.

— C'était le genre qui fait miroir, vous savez, celles qu'on se voit dedans.

— Bon, passons à la seconde fois où vous l'avez vu...
L'homme se concentra un instant puis déclara :

— C'était le jour où l'autre s'est fait buter en plein tribunal. J'étais en train de monter l'escalier, il devait être 7 heures et demie du matin, peut-être un peu plus. Il est passé à ça de moi. (Il écarta les mains d'une trentaine de centimètres.) Là, je l'ai bien vu. Il n'avait pas ses lunettes ni son chapeau. Il avait un genre de paquet sous le bras et il n'a pas répondu quand je lui ai dit bonjour. Il a continué à descendre, et je me suis arrêté pour le regarder sortir. Même que j'ai pensé : *Ce gars-là est un malotru...* Il avait les cheveux très foncés, presque noirs.

Pirelli hocha la tête, puis se pencha par-dessus son bureau.

— Cependant vous avez vu le portrait-robot. Tenez, jetez-y encore un coup d'œil. À l'évidence, ce type est extrêmement blond. Alors pourquoi nous avez-vous appelés ?

L'homme secoua la tête et haussa les épaules.

— C'est à cause de son visage... de ses yeux, surtout. Je me souviens de ses yeux. Vous savez, des yeux bleus, d'un bleu très pâle...

D'un œil distrait, le commissaire regarda Bruno raccompagner l'homme jusqu'à la porte. Il n'y avait plus qu'à attendre les résultats du labo en ce qui concernait la chambre d'hôtel.

Ancora fit irruption dans le bureau.

— Tu veux voir la Fiat ? Les gars sont en train de l'éplucher. Elle a été incendiée, mais par chance, le feu s'est cantonné au moteur et aux banquettes. Il y a comme des taches de sang sur la portière côté chauffeur. Faut voir ce que c'est exactement.

Un télex arriva des États-Unis : le permis de conduire de Luka Carolla était faux. Disposant d'un peu de temps devant lui, Pirelli partit en quête de Mincelli et le trouva debout dans son bureau en train de s'engueuler avec quelqu'un au téléphone. Avisant son collègue, il raccrocha violemment.

— On peut dire que vous me foutez dans la merde. C'était l'autre connard du troisième. Ils ont un gros casse sur les bras, et nous accaparons à peu près tous les gars du labo.

L'autre s'assit et commença à prélever un à un tous les stylos qui traînaient sur le bureau.

— Alors, avez-vous vérifié l'heure de décès des Luciano? Était-il matériellement possible à un même individu de se trouver successivement sur les deux lieux du crime?

— Tout à fait. Les gosses ont été tués à 21 heures trente, et les hommes pas avant 22 heures trente. Si votre client était motorisé, cela ne lui aura posé aucun problème... Tenez, voilà qui va embellir votre journée.

Le dernier rapport de la balistique affirmait que le Magnum avait servi à tuer le serveur du restaurant. L'autre victime, le cuisinier, avait été abattue à l'aide d'une arme de calibre différent.

Le commissaire laissa échapper un sifflement.

— Ma parole, ce type a refroidi plus de gens que Jack l'Éventreur. Incroyable.

Ancora et Pirelli descendirent le large escalier en pierre et gagnèrent l'arrière-cour de l'immeuble. Les garages où l'on remisait les véhicules suspects se trouvaient de l'autre côté. Ils franchirent le cordon de techniciens entourant la Fiat.

— Ils ont trouvé des empreintes du côté de la boîte à gants, annonça Ancora, des empreintes de pouce et d'index. Selon eux, tout le reste a été effacé par l'incendie. Le sang est du groupe O, rhésus négatif. C'est un groupe très répandu, mais comme il y en a pas mal, je leur ai demandé s'il était probable que notre homme ait été grièvement blessé. D'après eux, c'est possible. Tu sais comment ils sont : ils ne prennent pas de risques.

Le commissaire fit le tour de la voiture.

— Montons au labo voir si ces empreintes figurent déjà au dossier.

Pirelli était penché au-dessus du technicien occupé à disposer les empreintes digitales sur une plaque de verre. L'homme mit en place celle qu'on lui apportait sous l'objectif du microscope. Il l'étudia quelques secondes puis, relevant la tête, déclara :

— Ce sont les mêmes que celles découvertes sur le verre et la cartouche. Tenez, regardez.

Pirelli colla son œil à la lunette.

— Il ne nous manque plus qu'une chose, dit-il en ôtant la plaque, leur propriétaire.

Sophia Luciano arriva plus tôt que prévu à la villa Rivera et se mit en quête de sa belle-sœur. Elle la trouva dans le bureau en compagnie de Luka.

Debout sur le seuil, elle s'adressa d'abord au jeune homme.

— Voulez-vous nous laisser ? Je dois parler à Teresa.

Luka sortit, lui décochant au passage un sourire qui la laissa de glace. Au dernier moment, toutefois, elle l'attrapa par le bras.

— Qu'est-il arrivé à vos cheveux ?

Il se passa le plat de la main sur le crâne.

— Graziella et Adina me les ont coupés... Je vous plais, comme ça ?

Sophia haussa les sourcils.

— Graziella ? (Elle se tourna vers sa belle-sœur.) On dirait que ce monsieur en prend de plus en plus à son aise, ici. (Puis, se retournant vers Luka :) Ayez l'obligeance de fermer la porte en sortant.

Elle alla s'asseoir.

— Alors, quoi de neuf ?

Teresa était un peu tendue.

— Beaucoup de choses... Tout s'est bien passé, à Rome ? Je ne t'attendais pas de si bonne heure.

— Ça saute aux yeux.

— Comment faut-il entendre ça ?

— Je croyais que nous étions d'accord pour lui donner son argent et ensuite le mettre dehors. Mais je vous trouve en train de bavarder comme deux vieilles

407

connaissances et j'apprends que Graziella lui a coupé les cheveux. Encore quelque temps et il prendra ses repas en famille. Il ne vaut rien. Tu dois te débarrasser de lui. Tu as promis de le faire.

— Nous pouvons avoir besoin de lui.

— Besoin de lui? Non mais tu délires, ou quoi?

— As-tu réglé la question de ton appartement?

— Oui, voilà au moins une chose qui n'a pas posé de problème. Il est en vente. En revanche, Nino Fabio a refusé de me voir. Une heure plus tard, j'ai reçu un courrier de son avocat. Il veut que je lui restitue tous ceux de ses dessins que j'ai encore en ma possession.

Teresa lut la lettre de l'avocat.

— Il tire sur l'ambulance, hein? Non content d'avoir vécu sur ton dos pendant des années, il cherche à t'empêcher de redémarrer quelque chose. As-tu pu vérifier si c'est bien lui qui a volé les machines?

— Comment l'aurais-je fait? Il n'a même pas voulu me rencontrer. Ça, jamais il n'aurait osé se conduire ainsi du vivant de Constantino.

Teresa rajusta la position de ses lunettes.

— Bon, écoute, nous avons à parler de questions plus importantes. Il semble que nous ayons déjà déclenché pas mal d'ondes de choc au sein des différentes familles. Ils pensent que nous avons quelqu'un derrière nous, quelqu'un qui s'occupe des réfections, de tout le travail, et qui finance même peut-être le tout. Ils...

Elle se mordit la lèvre, cherchant comment aborder la chose avec le plus de ménagements possible.

— Vas-y, Teresa, dis-moi ce qui se passe.

Elle se leva pour aller se poster près des persiennes.

— La seule chose que Domino avait pratiquement menée à son terme est la vente de la propriété et des vergers. On nous en a offert un bon prix, Graziella a signé la promesse de vente, et Domino a encaissé la caution. Où diable cet argent a pu passer, je n'en sais fichtre rien. Je n'arrive pas à en retrouver la trace, de même qu'il y a d'énormes quantités de liquide dont je n'arrive pas à retrouver la trace... Tout cela aurait soi-disant été déposé sur un compte en Suisse, mais jusqu'à présent je n'ai rien trouvé.

Elle revint s'asseoir au bureau et lui tendit un bristol.

— C'est la carte d'un dénommé Giuseppe Rocco. On y lit qu'il est agent immobilier, mais c'est de la foutaise. En fait, il représente la famille Corleone, et ce sont les Corleone, Sophia, qui ont acheté la villa Rivera.

L'autre étudiait la carte de visite.

— Et alors? Est-ce que cela importe que nous vendions à tel ou tel parti? Tu as toi-même dit que leur offre était raisonnable. Cela, ajouté au produit de la vente des autres sociétés... Allons-nous tout réunir sous un seul et même contrat? Il s'agit de biens tellement différents par leur nature : les entrepôts, les fabriques, les docks, les navires... Est-ce que nous vendrons en un seul lot?

Teresa ôta ses lunettes.

— Oui, c'était mon intention. De même qu'il est dans la leur de tout nous racheter. Mais ce chiffre que tu vois ici, Sophia, représente leur offre globale. Ils ont bien précisé que ce qu'ils donnent pour la villa Rivera inclut tout le reste : les entrepôts, les docks, enfin tout ce que tu as énuméré. Et leur offre baisse un peu plus à chaque fois. Ils entendent entrer en possession de tout cela dans cinq jours au plus tard.

La jeune femme quitta son siège.

— Ce n'est pas possible.

— Oh que si, Sophia! Et pour bien assurer leur coup, ils veillent à ce qu'aucun autre acheteur potentiel ne vienne leur mettre des bâtons dans les roues. Si nous refusons, nous serons bientôt sans le sou et notre patrimoine va à nouveau se dégrader. (Sa belle-sœur posait un regard inexpressif sur elle.) En d'autres termes, cela signifie que tout a été une perte de temps : l'argent que nous avons pris chez Dante, notre travail...

— Non, ce n'est pas possible. Écoute, pourquoi n'appellerais-je pas Pirelli pour lui demander de nous aider?

— Tu tiens à mettre *mamma* en danger? Rosa? Non,

nous avons besoin de la protection de quelqu'un qui sait comment fonctionnent les familles. C'est pourquoi j'ai engagé Johnny...

— Ça non, pas question...

— Écoute-moi! Nous pouvons avoir confiance en lui parce qu'il est obligé de nous faire confiance. Un coup de fil à ton cher Pirelli, et il est arrêté pour le meurtre de Dante. Et puis il a accepté.

Sophia croisa les bras.

— Alors comme ça, tu as déjà pris ta décision, que cela me plaise ou non.

— Rien ne t'oblige à rester avec nous. Écoute, j'ai une solution. Je n'en ai pas encore vraiment parlé aux autres, parce qu'elle comporte des risques réels.

— Ah oui? Est-ce aussi risqué que de rejeter leur offre?

— Pas si tout se combine comme il faut. Quand notre manœuvre sera découverte, il faudrait que nous ayons déjà quitté le pays.

— C'est Moreno qui t'a mis ça dans la tête?

— Non, l'idée est de moi, mais je la lui ai soumise pour voir ce qu'il en pensait. Pour que ça marche, il faut que nous les fassions patienter quelques jours, le temps d'être en mesure de quitter Palerme. Nous filons avec tous les contrats, tous les actes de propriété qui sont encore en notre possession. Nous allons à New York et nous faisons affaire avec un dénommé Michele Barzini, qui a déjà proposé à Mario Domino un prix tout ce qu'il y a de raisonnable. De cette façon, nous mettons un océan entre nous et la Sicile. Les Corleone ne prendront pas le risque d'un affrontement avec les Américains; quand bien même ils le feraient, nous n'y serions pas impliquées.

Sophia était blême.

— Dieu du Ciel, Teresa, tu ne penses pas qu'ils pourraient nous envoyer quelqu'un là-bas, aux États-Unis? Où que nous soyons, ils nous retrouveraient...

— Je le sais, et j'y ai réfléchi aussi. Nous n'acceptons de vendre que s'ils nous accordent leur protection. Au besoin, nous raconterons aux Corleone que nous n'avions pas le choix, que Barzini nous a forcé la main en nous menaçant. À nous de jouer les veuves innocentes, incapables de se colleter avec la situation. C'est la vision qu'ils ont de nous, il faut jouer ce rôle à fond. Selon Johnny, si nous voulons réussir, nous devons faire en sorte que les Corleone pensent que nous sommes entièrement seules, que nous agissons un peu à l'aveuglette et qu'il n'y a personne derrière nous.

— Mais enfin, Teresa, nous *sommes* seules.

— Tu oublies Johnny. Il veillera sur nous jusqu'à ce que nous mettions les voiles.

Sophia lança un rire narquois.

— Un gamin pour nous protéger toutes les quatre?

— Et alors? s'emporta l'autre. Est-ce que tu as une meilleure idée à proposer? Mais peut-être préférerais-tu que nous acceptions l'offre des Corleone? Est-ce que tu n'as pas été suffisamment grugée comme ça? Suffisamment manipulée et trahie? Moi si, et je n'ai pas l'intention d'en supporter plus. Rosa non plus...

— Il faut compter avec Graziella.

— Bien sûr, nous n'allons pas agir sans elle. Alors, on les met au courant?

Sophia hocha la tête.

— Je suppose que oui...

— Je vais les chercher.

Elle se tenait toujours près des persiennes lorsque Rosa et Graziella entrèrent. Teresa referma la porte et, non sans quelque hésitation, retourna s'asseoir dans le fauteuil de don Roberto. Elle était vaguement agacée par l'attitude de sa belle-sœur, cette façon qu'elle avait de ne pas faire bloc avec les autres.

Pareilles à des écolières, les deux nouvelles venues s'assirent sur les chaises qui faisaient face au bureau.

— Vous vous êtes disputées? s'enquit Rosa.

— Vas-y, annonce-leur la couleur, fit Sophia, qui, bras croisés, se tenait maintenant au centre de la pièce.

Luka n'avait pas été invité à participer à l'entretien, mais il écoutait derrière la porte. Après un long silence,

Teresa prit la parole. Elle parlait d'une voix sourde, et le jeune homme dut coller l'oreille au panneau pour entendre quelque chose.

— On nous a fait une offre pour le rachat global de tout le patrimoine Luciano. Elle provient d'un Américain, quelqu'un qui, à ce qu'on m'a dit, agit comme intermédiaire pour le compte de plusieurs familles, là-bas. Il s'appelle Michele Barzini. Le connaissez-vous, *mamma*? Avez-vous déjà entendu prononcer ce nom?

Graziella secoua la tête.

— Peut-être l'ai-je rencontré du temps de Roberto, mais il m'a présenté tellement de gens avec qui il était en affaires. À une époque, nous étions...

— Pas maintenant, *mamma*. Nous avons à parler de choses importantes. Donc, cet homme nous a fait une offre correcte, une offre acceptable, même si elle n'est pas à la hauteur de ce que nous espérions. Elle est vingt fois supérieure à celle des Corleone. Car voyez-vous, la proposition de ces derniers, dont je croyais qu'elle ne concernait que la villa Rivera, porte en fait sur l'ensemble des biens; ils tiennent à tout racheter d'un coup. Le contrat de vente de cette propriété, pour un prix que l'on s'accordait à trouver honnête, a été signé; seulement, il n'y est nulle part précisé que cela inclut l'ensemble de notre patrimoine. Ils nous ont lancé un ultimatum : nous leur cédons tout, ou leur prix baisse chaque jour. Je suis persuadée qu'ils comptent empêcher toute autre famille ou tout autre groupe financier de faire affaire avec nous.

— En sont-ils vraiment capables? Je sais que nous avons accepté de vendre la propriété. Mario Domino s'en est occupé, et je sais que...

— *Mamma*, qu'ils en soient ou non capables n'a aucune importance. Ils nous forcent la main, et nous ne pouvons rien contre eux. Si nous leur opposions un refus, ils feraient en sorte qu'aucune autre offre ne nous soit faite. Personne en Sicile ne se risquera à les contre-carrer. Notre seule chance se trouve aux États-Unis, il faut que nous vendions aux Américains, à ce Barzini.

412

Sophia se rapprocha du bureau.

— Si nous faisons cela, nous sommes toutes en danger.

Teresa la regarda sans aménité.

— Laisse-moi parler. À moins que tu ne préfères t'en charger?

— Non, continue, mais pour l'amour du Ciel, cesse de tourner autour du pot.

— J'en arrive à l'essentiel, mais *mamma* et Rosa ont le droit d'être pleinement informées...

Graziella se pencha en avant.

— Si finalement nous décidons de ne pas vendre la villa Rivera, nous rendons aux Corleone ce qu'ils ont déjà versé?

— Nous ne pouvons pas revenir en arrière, *mamma*. L'affaire est conclue. Nous leur vendons la propriété, comme convenu, mais ensuite, nous les faisons suffisamment lanterner pour avoir le temps de quitter l'Italie et nous rendre à New York. Nous disposons de cinq jours. Il faut que nous arrivions à partir sans qu'ils se doutent le moins du monde de nos intentions. Nous quittons le pays, et nous allons tout droit trouver Barzini. Nous demandons sa protection et vendons aux Américains.

— Est-ce qu'on peut lui faire confiance? interrogea Graziella.

— Son offre est correcte, et je l'ai appelé pour savoir si elle tenait toujours. Il a accepté de me rencontrer. Aussi, *mamma*, je suppose que oui, nous pouvons lui faire confiance.

— Et combien ce Barzini se propose-t-il de nous donner?

Teresa prit une profonde inspiration.

— Mon idée est de demander vingt millions, et d'accepter une transaction à dix-huit, peut-être un peu moins.

— Dollars ou lires? interrogea sa fille.

— Dollars, Rosa, ne sois pas idiote.

Elle commençait à s'impatienter. Elle se tourna vers Sophia, mais celle-ci s'était à nouveau postée près de la fenêtre.

413

Graziella prit la parole. Elle paraissait très calme.

— Ne nous pressez pas, Teresa. Tout ceci demande réflexion, et comme le disait Sophia...

— Nous ne disposons pas de beaucoup de temps, *mamma*. Nous devons réserver des billets d'avion, quitter cette maison, nous rendre à Rome... Nous avons beaucoup de choses à mettre au point, et seulement cinq jours devant nous.

— Je sais. À combien s'élevait la première offre de Barzini ?

Teresa soupira et balaya le bureau du regard.

— Elle a été faite juste après les assassinats. Il semble que Mario Domino l'ait jugée insuffisante. Il avait noté quelque chose à ce sujet. Attendez que je vous retrouve ça...

— Combien ? répéta-t-elle.

— Vingt-quatre millions de dollars.

— Dans ce cas, pourquoi demander moins ? Nous ne devons en aucun cas paraître aux abois. Le cas échéant, nous négocierons une fois arrivées à New York.

Sophia se retourna lentement pour considérer sa belle-mère. Elle avait du mal à en croire ses oreilles. Réalisant subitement que celle-ci n'était pas opposée à son plan d'action, Teresa emballa le mouvement.

— Bon, est-ce que nous mettons cela aux voix ? Plus nous passons de temps en atermoiements, moins il nous en reste pour agir. Aussi, si nous sommes toutes d'accord...

Graziella leva la main.

— Non, non, un petit instant. Rosa, as-tu tout bien saisi ?

— Mais oui, *mamma*. N'est-ce pas, ma chérie, que tu as tout bien suivi ?

— Non. Qu'est-ce que nous toucherions exactement si nous faisions affaire avec les Corleone ?

Teresa soupira.

— Si nous leur vendons tout — la maison et le reste — nous touchons à peu près un million de dollars. Ensuite, pour ce qui est des affaires plus modestes, celles qui ne les intéressent pas, c'est-à-dire l'atelier de confection de Sophia, un magasin de chaussures, une station-service et quelques confiseries...

— Combien? insista la vieille femme.

— Nous arriverions à deux millions, peut-être deux millions et demi.

Rosa regarda sa grand-mère, puis sa mère.

— Moi, je suis d'accord pour la solution que propose maman.

Graziella alla ouvrir le coffre-fort.

— Moi aussi. Et je crois avoir quelque chose qui nous sera utile. Plus la date et les modalités de notre départ resteront secrètes, mieux ce sera. (Elle récupéra une enveloppe en papier kraft.) Ce sont des passeports. Tous à des noms différents. Roberto et moi les utilisions pour aller en Amérique.

Teresa les prit en souriant.

— Grand merci, *mamma*!

Une roseur lui monta aux joues.

— Nous sommes ensemble, et c'est tout ce qui importe.

Sophia fit entendre un soupir.

— Oui, *mamma*, nous sommes ensemble, mais ce n'est pas un jeu. Ou alors un jeu très dangereux : nous nous opposons à une famille extrêmement puissante...

— J'en connais les dangers, fit la vieille femme dont les yeux fulminaient. C'est un climat dans lequel j'ai baigné toute ma vie. Je n'y ai jamais pris aucune part; je ne le voulais pas. J'étais en retrait et j'observais, mais cela s'arrêtait là. On nous a bernées, on nous a menti, et voici qu'on voudrait nous forcer à gober des miettes qui nous sont jetées comme à des filles des rues. On ne nous juge pas dignes de respect. Aucun de ces hommes, aucune de ces soi-disant puissantes familles n'est venu nous rendre justice. Si aujourd'hui, nous allions devant les tribunaux pour demander de l'aide, rien ne nous serait accordé.

» Ils ont détruit le nom de Luciano. Don Roberto n'a pas obtenu réparation pour le meurtre de Michael; nul n'a cherché à nous rendre justice. On nous traite comme si nous étions coupables, alors que nous n'avons commis aucun crime, sinon celui d'aimer. Mes fils, mes petits-fils, vos maris, le fiancé de Rosa sont morts. Pourquoi? Sommes-nous si négligeables qu'on puisse nous dénier tous les droits? Pourquoi ne pas prendre ce qui nous revient, nous battre pour ce que j'ai bien failli perdre pour vous? Et s'il y a du danger, nous nous protégerons les unes les autres!

Sophia s'adressa à sa belle-sœur.

— Appelle Giuseppe Rocco. Gagne du temps. Dis-lui que nous avons beaucoup de choses à empaqueter à la dernière minute.

Teresa acquiesça d'un hochement de tête.

— Et demande-lui de se déplacer jusqu'ici. Dis-lui qu'ils doivent à Graziella Luciano la courtoisie d'une visite. C'est à eux de venir jusqu'à nous!

Rosa sursauta.

— Maman, pourquoi ne pas leur dire que nous avons besoin de quelques jours pour trouver un nouveau logement à Palerme, un petit appartement? Cela n'éveillera pas leurs soupçons.

— D'accord, d'accord, accepta-t-elle en souriant, mais calme-toi. Il faut d'abord voir ce qu'ils vont répondre.

Rocco rappela presque immédiatement Teresa. Don Camilla, de la famille Corleone, acceptait de rencontrer les veuves, accompagné de ses conseillers, trois jours plus tard à la villa Rivera.

Les femmes disposaient donc de ce délai pour mettre leur fuite au point. À présent, elles étaient parfaitement soudées : plus aucune dispute, plus aucune querelle. Elles emballèrent tout ce que Graziella souhaitait conserver et décidèrent de charger de vieux employés de la tuilerie — tous des hommes de confiance — d'emporter les caisses. Les soirées étaient consacrées à passer tous les détails en revue en compagnie de Luka Carolla.

Comme aucun journal n'avait mentionné son pseudonyme, il avait résolu d'utiliser le passeport au nom de

Johnny Moreno que lui avait fourni Enrico Dante. Il pensait ne courir aucun risque en voyageant avec les femmes. Il ignorait que la police de chaque aéroport de Sicile et du continent connaissait son identité d'emprunt. Les ordinateurs avaient ventilé sa description et chaque homme portait sur lui son portrait-robot. Même si les femmes Luciano parvenaient à quitter le pays, Luka avait toutes les chances de se faire arrêter.

Un contretemps de taille se produisit au dernier moment. Graziella reçut un avis à comparaître devant la cour pour répondre de sa tentative de meurtre sur la personne de Paul Carolla. D'après son avocat, il ne lui était pas possible de s'y soustraire. Il lui faudrait s'y rendre, ce qui la contraindrait à revenir en Sicile. Au terme d'une discussion précipitée, il fut décidé, par précaution, qu'elles quitteraient la villa Rivera toutes ensemble, mais que Graziella et Sophia resteraient à Rome. Plutôt que d'échanger leurs billets, elles se rendraient à l'aéroport pour les donner à qui en voudrait.

Pour le cas où il y aurait un problème, Teresa suggéra à Luka de rester avec les deux femmes. Plus soucieux de quitter le pays qu'elles ne pouvaient l'imaginer, il hésita, puis finit par accepter. Graziella retournerait à Palerme pour l'audience, puis, en compagnie de Sophia et Luka, prendrait un vol direct pour New York.

Lorsqu'elle fut seule avec sa belle-sœur, Teresa lui suggéra de solliciter la protection de son ami Pirelli jusqu'à ce qu'elles aient quitté la Sicile.

Lisa Pirelli passa de pièce en pièce, se lamentant sur la poussière et l'odeur de moisi qui régnaient dans le petit meublé de Palerme. Puis, alors qu'il ouvrait le puzzle de son fils, elle passa les bras autour du cou de son mari.

— Est-ce que tu es content de nous voir ?

Il l'embrassa tendrement.

— Tu verras ça ce soir...

Elle émit un petit gloussement suggestif.

— Est-ce que tu seras toujours ici pour Noël, Joe ?

— J'espère que non. Nous devrions avoir bouclé l'affaire avant.

— J'ai lu les journaux au sujet du fils Carolla.

Il soupira.

— Oui, et des milliers de gens avec toi, mais cela n'empêche : nous n'arrivons pas à le coincer. Il doit avoir de bons contacts, des protections.

Lisa fit la grimace.

— Considérant ce qu'il a fait, cela paraît surprenant.

Il esquissa un sourire maussade.

— Va comprendre les gens, ma chérie. Surtout ici, à Palerme. Cette ville est un cloaque.

Son fils faisait de la bicyclette dans le salon.

— Tu vois, papa, il me faut un plus grand vélo... et d'ici Noël, je vais encore grandir.

Pirelli lui adressa un clin d'œil.

— On verra combien de centimètres tu peux prendre en trois semaines. Mais je ne t'ai rien promis.

Il revit Sophia en train de balbutier : « Mes chéris, mes pauvres petits chéris... » Il prit son fils et le serra très fort dans ses bras.

Depuis la cuisine, Lisa cria que tout était d'un autre âge, que jamais elle n'avait vu gazinière aussi antique. Il entendit une petite détonation et courut voir si tout allait bien. Elle se retourna, la boîte d'allumettes à la main.

— Ça va?

— Oui, à part que j'y ai laissé un sourcil. As-tu préparé à manger sur ce machin, depuis que tu es ici?

— Non.

— C'est bien ce que je me disais. Ça ne fait rien, je vais m'arranger.

Il l'enlaça et lui déposa un baiser sur la joue.

— J'en suis certain. Écoute, je suis désolé pour ces vacances-ci. À Noël, nous pourrions peut-être aller skier.

Ils demeuraient enlacés. Elle le regarda dans les yeux.

— Tu as l'air fatigué. Pourquoi ne vas-tu pas t'allonger? Je te rejoins dans un moment, histoire de t'épuiser un peu plus.

Il rit tout en desserrant sa cravate.

À l'instant où ils arrivaient auprès du vieux lit en fer, le téléphone sonna. Il fit la grimace.

— Laisse, ne réponds pas.

Elle le tirait vers le lit, mais il décrocha.

C'était Ancora ; il s'excusait de le déranger, il avait ferré un indicateur. Il s'agissait d'un malfrat multi-récidiviste, condamné à perpétuité, qui connaissait Luka Carolla et désirait passer un arrangement.

Pirelli soupira.

— Est-ce que tu peux t'en charger ?

— Sûr que je peux, mais j'ai pensé que tu aimerais être sur le coup. Le type s'appelle Tony Sidona, il bossait pour Carolla. Il s'est fait serrer pour avoir participé au meurtre de Lenny Cavataio.

Lisa embrassait son mari dans le cou, lui déboutonnait sa chemise.

— Attends-moi, j'arrive.

Aussitôt, elle s'écarta en levant les bras au ciel.

— C'est pas croyable ! Je viens pour le week-end, ça fait deux minutes que je suis là, et il s'en va !

Il l'embrassa en grimaçant un sourire.

— C'est comme si j'étais déjà de retour. (Il se retourna sur le seuil de la chambre.) Je t'aime. À tout de suite.

Tony Sidona n'accepta de parier que lorsqu'il eût été convenu que l'on reconsidérerait son dossier, et il insista pour que cela soit consigné par écrit en présence de son avocat. Fatigué, désireux d'aller retrouver sa femme, Pirelli satisfit à toutes ses exigences.

— Bon, allez, raconte-nous ce que tu sais, et fais vite.

— Vous n'allez pas revenir sur vos engagements ?

— On a accepté de reprendre ton dossier à zéro. Tu sais ce que ça signifie : tu bénéficieras de la conditionnelle. Allez, accouche.

— Rien de ce que je vais dire ne sera utilisé contre moi ?

— Non, gronda Pirelli.

Ancora vit ses sourcils se rejoindre et se demanda ce qui avait pu le mettre d'aussi mauvaise humeur. Puis il se souvint que Lisa venait d'arriver.

Sur un discret hochement de tête de son avocat, Sidona commença.

— Bon, alors voilà. Carolla est venu ici avec moi et un autre type. On bossait tous les deux pour lui à New York. Son fils, ce Luka que vous recherchez, personne pouvait l'empaqueter. Un type vraiment bizarre, doublé d'un emmerdeur de première. Il était toujours à traîner dans l'appartement, on l'avait sans cesse dans les pattes, un vrai crampon.

Le commissaire lui offrit une cigarette. Il l'accepta mais se la coinça sur l'oreille.

— Arrivait-il à Carolla de maltraiter son fils?

— Vous voulez rire? Il n'arrêtait pas de l'arroser de fric, sans jamais s'inquiéter de savoir à quoi le môme pouvait le dépenser. Juste avant que nous partions de là-bas, il lui a payé une Porsche, une bagnole à deux cent cinquante mille dollars.

— Est-ce que tu te rappelles le numéro d'immatriculation?

Sidona secoua la tête.

— Carolla faisait tout pour l'éloigner, lui trouver un boulot. Question cervelle, c'était pas Einstein, ce gosse. Il se faisait virer de toutes les écoles.

Il passa dix minutes à essayer de se rappeler le nom des établissements qu'avait fréquentés Luka, jusqu'à ce que Pirelli finisse par en obtenir un qu'il pouvait vérifier. Il lui manquait toujours une photo récente du jeune homme.

— Il a essayé de le faire bosser dans une pizzeria, poursuivit Sidona. Ça a été un vrai désastre. Il l'a placé dans différentes boîtes de jeu, vous savez, à faire le croupier. Là aussi, ça a merdé. (Il se passa la main dans les cheveux.) Une fois, je l'ai vu passer un vrai savon à son gosse. Il venait de découvrir que le placard de sa piaule était bourré d'armes de toutes sortes. Il y avait un vrai arsenal, là-dedans. Carolla a vu rouge : toutes ces armes étaient enregistrées. Ce connard les avait achetées en douce, allez savoir à qui. A fallu qu'on aille les balancer dans la flotte.

Pirelli écrasa sa cigarette et en alluma une autre.

— Est-ce qu'il avait des fraises, des forets, genre matériel de dentiste?

— J'en sais rien, mais Carolla lui a flanqué une sacrée rouste. Après ça, le petit a acheté un poignard d'arts martiaux, un couteau de lancer ou je ne sais quoi. Et chaque fois que vous posiez les yeux sur lui, il était en train de le manipuler, de l'ouvrir et de le refermer. Il s'était fabriqué une espèce de harnais qu'il s'accrochait au bras. Je pensais pas que ce truc pouvait fonctionner, c'était plutôt du cinéma qu'il se faisait dans sa tête. Il l'ouvrait, le refermait, le faisait glisser le long de son bras jusque dans sa main. La lame de ce truc coupait comme un putain de rasoir. Il avait tous les doigts entourés de sparadrap.

Sidona demanda un verre d'eau et prit une seconde cigarette qu'il se coinça sur l'autre oreille.

— Carolla ne pouvait pas faire autrement que de foutre le camp de New York : il avait le FBI sur le dos; ils lui posaient des micros dans sa bagnole, dans son appart. Quelques familles lui cherchaient des poux rapport à un magot qui aurait dû être partagé et réinvesti dans je ne sais plus quelle affaire. Ça sentait très mauvais pour lui. En plus de tout ça, en plus du FBI qui cherchait à le faire plonger pour racket et trafic de stupéfiants, une organisation qui se fait appeler « brigade d'intervention du crime organisé » surveillait de près ses activités à Brooklyn. Bref, d'un côté comme de l'autre, il était dans la merde jusqu'au cou. Donc il n'avait plus qu'une solution : foutre le camp et trouver une bonne planque.

» Moi et l'autre type, on accepte de partir avec lui, mais voilà qu'il emmène aussi son fils. Nous, on a rien dit, remarquez bien. Et le Luka qui se met à se comporter comme si c'était vraiment le pied de fuir d'un pays à l'autre. Pour lui, ça avait l'air d'un jeu, un de ces feuilletons télévisés devant lesquels il était toujours scotché. Ça s'arrangeait pas dans sa tête, il se faisait tout le cinéma du grand banditisme. Mais Paulie, ça avait pas l'air de le déranger ; je dirai même que ça le bottait, cette façon que le gosse avait de toujours chercher à le protéger.

Pirelli l'interrompit pour demander :

— Tu penses que Luka aimait bien son père?

— Ouais, ça ne fait pas de doute. Ou plutôt, je dirais qu'il cherchait à lui prouver quelque chose. Vous savez, Paulie c'était pas le genre expansif. Une vraie tête de lard. Bon, on va à Londres, à Amsterdam, ensuite on arrive en Sicile, et là, y'a des flics partout et nous au milieu. Lenny Cavataio était en train de balancer comme un fou et lui mettait sur le dos un macchab remontant à plus de dix ans en arrière. J'ai jamais vu Carolla avoir les foies, mais je peux vous dire qu'il appréciait vraiment pas. Il était comme fou, il arrêtait pas de nous rebattre les oreilles sur ce qu'il allait faire subir à Lenny. Seulement il ne pouvait rien tenter. Les mandats pleuvaient comme des confettis, et il se terrait dans une grange en pleine montagne.

Sidona se pencha pour déposer une tape sur l'avantbras du commissaire.

— Je me suis aperçu par la suite que le macchabée en question avait quelque chose à voir avec don Roberto Luciano. Vous savez qui c'était? Vous voyez le genre de personnage?

Pirelli répondit d'un hochement de tête, et l'autre se cala contre le dossier de sa chaise.

— On ne rigole pas avec les anciens, si vous voyez ce que je veux dire. Ces gars-là, pour un mot de travers, ils vous démarrent une vendetta qui va durer des siècles. À travers Lenny, c'était Luciano qui voulait la peau de Carolla. C'était quand même du fils du don qu'il s'agissait. Et ce qui est certain, c'est que si les Luciano s'étaient pas fait buter, ils l'auraient eu d'une manière ou d'une autre. Vous êtes pas de mon avis? (Sidona vida son verre d'eau et s'essuya la bouche d'un revers de la main.) Il y avait pas mal de familles qui nous aidaient.

Carolla déboursait des millions pour quitter le pays. Il voulait passer au Brésil.

— Est-ce qu'il a obtenu des billets pour cette destination? Des passeports?

— Non, il attendait qu'on nous les fournisse. Pendant ce temps-là, de nouveaux témoins à charge n'arrêtaient pas de sortir de derrière les fagots, et Carolla était recherché par Dieu sait combien de flics. Le voilà qui décide de faire taire Lenny avant de partir pour le Brésil. Il nous charge, moi et le collègue, de redescendre dans la vallée et de prendre le train pour Palerme. Et il se met en tête d'envoyer le gosse avec nous, on en croyait pas nos oreilles.

» D'après lui, le petit pouvait nous être utile parce qu'il avait l'air d'un Américain et qu'il parlait parfaitement la langue. Moi, j'ai vécu vingt-cinq ans à New York, mais j'ai toujours mon putain d'accent sicilien, si vous voyez ce que je veux dire. Mais le gosse, lui, il avait pas une ombre d'accent. En plus, ses cheveux blond pâle lui faisaient une vraie tête de dingue. Je sais pas à quoi ressemblait sa mère, mais ce qui est sûr, c'est qu'il avait vraiment rien de Paulie Carolla.

Pirelli regarda sa montre et fit signe à Sidona de continuer.

— Donc nous voilà avec Luka collé à nos basques, et vous pouvez me croire, c'était un sacré emmerdeur, ce môme. Des questions, toujours des questions... il arrêtait pas de parler. Nous découvrons que Lenny est planqué dans un hôtel, avec deux gardes pour assurer sa protection de jour comme de nuit. Pas moyen d'arriver jusqu'à lui, même en fonçant dans le tas. Il y a un gars dans la chambre, un autre devant la porte, et encore un en bas à la réception. (Il regarda son avocat.) Vous êtes bien certain que je m'enfonce pas, en racontant tout ça?

— Nous avons passé un marché, dit Pirelli. Poursuivez.

— Donc, pas moyen de s'introduire dans la piaule. Il aurait suffi qu'on me voie pour éveiller aussitôt les soupçons. Pareil pour mon collègue.

— Ce collègue, il a un nom?

Sidona resta un moment silencieux.

— Je le connais pas, comprenez-moi.

— Bon, vas-y, continue. Ça ne coûtait rien d'essayer.

— Eh bien, le gosse y est allé franco. Il a pris son air de brave con yankee, il a dit qu'il était étudiant et il a reservé une chambre. Au premier étage avec balcon. C'est par là que nous sommes montés. Restait plus qu'à passer au-dessus pour trouver Cavataio. Voilà que ce sacré môme refait le coup du brave type. Il sort de l'ascenseur. On monte avec lui et on met la cabine sur arrêt. Il va voir le garde en faisant tinter ses clefs et lui demande s'il est bien au quatrième. Le collègue fait son affaire au type, enfonce la porte. On est maintenant à trois contre un, vous voyez le tableau? L'autre connard s'est si vite déballonné qu'il a pas fait un geste pour protéger Cavataio. Il a laissé tomber son calibre dès qu'il a compris qu'on plaisantait pas. Il glapissait qu'il avait deux gosses et un putain de lapin blanc, vous voyez le genre. Le collègue lui a fait son affaire, puis il a descendu Cavataio. Une balle, ici...

Il montra son oreille droite, puis sa voix se fit plus sourde.

— Il avait son compte. On n'avait plus qu'à se tirer. Mais voilà que Luka lui baisse son pantalon. « Qu'est-ce que tu fous? » je lui demande. « C'est pour rapporter un petit quelque chose à mon père », qu'il me répond comme ça. Et il lui a coupé les couilles, c'est pas des blagues, il les lui a tranchées d'un coup avec sa saloperie de couteau.

Sidona secouait la tête.

Pirelli écrasa sa cigarette.

— Et ensuite?

— Ça lui a pas suffi : il fallait encore qu'il montre à celui qui découvrirait le corps qu'il faisait mauvais de balancer son vieux... Il a coupé la langue de Cavataio. Il y avait du sang partout. Moi et mon collègue, on voulait s'arracher de ce putain d'hôtel, mais le Luka prenait son temps, il était comme fou... Il a des yeux pas communs :

très pâles, des yeux de dingue. Alors nous, on l'a planté là. Arrivés à l'ascenseur, on tombe nez à nez avec les deux types qui venaient prendre la relève. J'ai réussi à sortir, et c'est dans une rue à deux pas de là que je me suis fait serrer. J'étais assis dans la voiture des flics quand je l'ai aperçu. Il avait dû dénicher des fringues propres, peut-être des trucs à Lenny, j'en sais rien. Il était au milieu de la foule de curieux massés devant l'entrée de l'hôtel, il regardait comme n'importe quel badaud.

— Et par la suite, as-tu entendu à nouveau parler de lui?

— Non. J'ai appris que Carolla s'était fait arrêter trois jours plus tard, mais que son fils n'était pas avec lui. C'est pas que ça m'ait fait de la peine, remarquez bien. Sans lui, je serais pas en train de moisir dans cette taule de merde.

— Donc t'étais déjà au trou quand on y a amené Carolla?

— Exact. Il était déjà fou furieux que Cavataio l'ait balancé, mais alors faut voir le foin qu'il a fait quand il a entendu dire que don Roberto se présentait comme témoin.

— À ton avis, c'est lui qui a décidé la mort des Luciano?

Sidona fit la moue.

— Non, je crois pas. Carolla s'était fait une place au soleil, il avait beaucoup de contacts, mais c'était pas quelqu'un de si important que ça. Un coup pareil, c'est tout en haut de la pyramide que ça s'est décidé.

— D'après toi, qui a organisé le truc?

L'autre commençait à s'agiter. Il se glissa les mains sous les fesses.

— J'en sais rien...

— Deux petits mômes refroidis, une famille entière supprimée.

— Écoutez, on a passé un marché. Je veux bien parler de Luka Carolla, mais c'est tout.

Pirelli demeurait silencieux, fixant le bout éraflé de

ses souliers. Sidona se tortillait sur sa chaise. Il jeta un coup d'œil à son avocat, puis reporta son regard sur le policier.

— Je n'ai pas de noms à vous donner, seulement, comprenez bien que si on laissait don Roberto témoigner à la barre, c'était tout le système qui volait en éclats. Il était vieux, respecté, très puissant... Je dirais que les Américains ont peut-être à voir là-dedans. Personne pouvait se permettre de le laisser parler : il en savait trop sur tout le monde. Beaucoup de gens auraient pu y laisser des plumes, c'est pourquoi ils ont décidé de faire un exemple pour éviter que ça se reproduise.

— D'après toi, quelle famille américaine a pu jouer un rôle dans ce coup?

— Merde, à la fin. Puisque je vous dis que je sais rien. Je jure sur la tête de ma mère que je sais rien.

— Est-ce que Luka connaît ces Américains? Est-ce qu'il se pourrait qu'il ait joué un rôle dans tout cela?

Sidona se passa la main dans les cheveux.

— Il voyait beaucoup de monde, quand il était aux States. C'est sûr qu'il avait tous les contacts nécessaires. Et puis, il était le fils de Carolla.

Pirelli se pencha et referma la main sur son genou. Il parla d'une voix sourde, à peine audible pour Ancora et l'avocat.

— Un nom, donne-moi un nom. Le nom de quelqu'un dont tu penses qu'il pourrait savoir quelque chose sur le meurtre des Luciano.

L'autre suait la peur par tous les pores de sa peau. Il se pencha en avant, comme pour répondre, puis se redressa. Pirelli lui serra le genou un peu plus et se pencha encore. Sidona se passa la langue sur les lèvres, puis, collant presque la bouche à l'oreille du commissaire, il murmura :

— Peut-être Michele Barzini.

Le visage du policier s'éclaira d'un sourire. Il lui tapota le genou et lui fit un petit clin d'œil. Il ignorait tout de ce Barzini, mais il allait se renseigner.

Souriant toujours, il alluma une nouvelle cigarette et demanda à Sidona de tout reprendre depuis le début.

L'autre soupira, regarda sa montre et se dit qu'il n'en avait pas encore fini avec ce Pirelli.

Le commissaire ne quitta la prison que sur le coup de 3 heures du matin. Il fit un crochet par son bureau pour envoyer un fax aux États-Unis, dans lequel il demandait que l'on contacte les établissements scolaires cités par Sidona. Il répéta plusieurs fois qu'il lui fallait d'urgence une photographie récente. Il demanda également des renseignements sur Michele Barzini.

Ancora bâilla pour la dixième fois.

— Est-ce qu'on met les pouces pour aujourd'hui? Je ne sais pas toi, mais moi, je dors debout.

Pirelli passa un bras autour des épaules de son adjoint, et ils prirent ensemble la direction du parking.

— À présent, on tient suffisamment de preuves pour le mettre à l'ombre jusqu'à la fin de ses jours.

Ancora opina du chef et ouvrit la portière de sa voiture.

— Ce qui est moche, c'est que quand on le tiendra, le premier avocat venu va plaider la démence. Après ce qu'il a fait, on ne peut pas parler de justice. Dans le temps, ça ne se passait pas comme ça : c'était la roue, la corde ou le billot. En l'occurrence, je m'en chargerais volontiers personnellement.

Le commissaire claqua la portière.

— Ouais, mais il faudrait d'abord que tu le trouves.

L'autre lança son moteur et abaissa sa vitre.

— Tu ferais bien de rentrer. Allez, salut, à demain matin.

Pirelli gagna sa propre voiture. Il était vanné. Peut-être était-ce pour cela qu'il se sentait si déprimé.

En arrivant sur la place, il vit des employés municipaux déjà occupés à mettre en place un sapin de Noël de six mètres de haut. Noël? Il entendait encore la voix douce et suppliante. « Mes chéris... mes pauvres petits chéris... »

18

Luka et Teresa attendaient l'arrivée de la délégation des Corleone. Le garçon s'était muni d'une paire de jumelles, dans l'espoir de les identifier à distance.

Les veuves étaient sur le point de traiter avec les conseillers de don Luciano Leggio, *capo di tutti capi*, l'homme le plus craint de Sicile. Il s'était propulsé à la tête de la famille Corleone dans un bain de sang que l'île n'était pas près d'oublier. Avant même d'avoir atteint l'âge de 23 ans, il avait déjà rempli son cimetière privé d'innombrables squelettes, dans le maquis de Rocca Busambra.

Sous le règne de ce personnage, la ville de Palerme avait, en l'espace de quatre années, délivré plus de quatre mille permis de construire. Quatre sur cinq avaient pour titulaire un prête-nom — ouvrier maçon, marchand de charbon de bois, ou encore vigile de chantier. Ces hommes, tous illettrés, se voyaient autorisés à construire à peu près n'importe quoi n'importe où pour le compte de « parties non citées », les Corleone.

Et à présent que don Roberto Luciano était mort, ces gens ne voyaient plus de bornes à leur mainmise sur le pays.

À 14 heures précises, une Mercedes-Benz noire, suivie d'une Jaguar, s'engagea dans l'allée. Teresa courut à la porte et annonça aux autres femmes que leurs visiteurs arrivaient.

Luka braquait ses jumelles sur les occupants des deux voitures.

— Je vois un des conseillers, je ne connais pas celui qui est à côté. Ils ont deux gardes du corps. Ils sont armés de... Ah oui, très joli! Ils ont le nouveau 22. L'un d'eux en porte un à la ceinture. C'est l'arme de l'assassin par excellence : avec le silencieux, ça ne fait pratiquement aucun bruit.

Teresa était déjà fort tendue.

— Ce conseiller, qui est-ce? Vous le connaissez?

— Vous n'êtes pas assez importantes pour voir directement les gros bonnets, ni même le bras droit de Leggio. Ce type a plutôt un rôle de juriste, c'est lui qui s'occupe des contrats.

— Peut-on lui faire confiance?

— Oui, il est juste chargé de mener les transactions. Il s'appelle Carmine quelque chose. Ces types-là ne se déplacent jamais sans porte-flingue... Dans la Jag, c'est Rocco. Il est seul. Je monte sur le toit pour voir s'ils ont placé des hommes dans le parc.

Teresa était une boule de nerfs. Ainsi que Luka le leur avait dit, elles s'avançaient sur un terrain plus dangereux qu'elles ne pouvaient l'imaginer.

Les deux voitures s'immobilisèrent devant la maison. Les occupants de la Mercedes attendirent que Rocco vienne leur ouvrir la portière. Le *consigliere* et son compagnon — chevelure blanche, chemise plus blanc que blanc, costume et cravate sombres — avaient l'air de banquiers respectables.

Luka ouvrit doucement la fenêtre de la chambre qui se trouvait à l'aplomb de la véranda et rampa à plat ventre vers l'arête du toit.

— Que je reste auprès des voitures? fit, en bas, une voix teintée d'incrédulité.

Il vit Rocco tourner les talons, les mains sur les hanches.

— Que je reste avec les bagnoles? Moi?

— Ouais, toi...

— Et combien de temps je vais poireauter? C'est que j'ai à faire, moi. Une vente à conclure. Si vous voulez vous faire véhiculer, demandez à un des gars.

Personne ne lui répondit. Les quatre hommes disparurent sous l'avancée de la véranda. Rocco les regardait, les traits crispés par la colère.

— Je peux pas attendre longtemps. Je tiens pas à rater cette affaire.

Puis Luka entendit la sonnette et recula, de crainte qu'il ne le repère.

Adina conduisit les hommes au salon. Les deux gardes du corps restèrent dans le hall, debout, les bras croisés, de part et d'autre de la porte. Elle alla frapper à la porte du bureau.

— *Signora*, vos visiteurs sont arrivés.

Puis elle regagna sa cuisine, la tête baissée de crainte de seulement voir les deux hommes en faction.

Les quatre femmes entrèrent, menées par Graziella qui prit en bout de table la place attitrée de feu son mari. Elle seule portait un voile. Les autres, endiamantées et sophistiquées à l'extrême, formèrent une ligne à côté d'elle afin de sacrifier au rituel des présentations. Les mains tremblant un peu, elle cherchait à se remémorer ses instructions. D'un bref hochement de tête, Teresa lui signifia de commencer.

— Permettez-moi de vous présenter mes filles... Sophia Luciano, veuve de Constantino, maman de Nunzio et de Carlo... Teresa Luciano, veuve de Filippo. Sa fille Rosa, qui pleure Emilio Luciano, son fiancé. Je suis Graziella Rosanna di Carlo Luciano, veuve de don Roberto Luciano. (Et de poursuivre, de façon tout à fait inattendue :) Je regrette que don Camilla n'ait pu venir en personne. Il doit être souffrant. Vous voudrez bien lui transmettre nos vœux de prompt rétablissement. À qui ai-je l'honneur ?

Teresa était fort impressionnée : Graziella était superbe. Lorsque les deux hommes se présentèrent, elle se fit octroyer un baisemain par chacun. Puis Teresa proposa à tout le monde de s'asseoir autour de la table et prit le commandement des opérations. Elle parlait d'un ton déférent, la tête légèrement baissée.

— *Signore*, je vous remercie de votre visite. Je tiens à dire, en notre nom à toutes, combien nous sommes sensibles à la très généreuse proposition de don Camilla. Nous libérerons la maison à la fin du mois, en espérant que ces trois semaines de délai supplémentaire ne seront pas une gêne pour vous. Nous ne pouvons partir avant car l'appartement que nous avons acheté à Palerme est en cours de rénovation. Nos vœux accompagnent les Corleone. Puissent-ils vivre vieux et heureux à la villa Rivera.

— *Grazie, signora, grazie...*

Luka allait repasser par la fenêtre lorsque le téléphone de la voiture de Rocco sonna. Il regagna son poste d'observation.

L'autre donna sèchement ses instructions à son correspondant et ajouta avant de raccrocher qu'il arrivait dès que possible. Puis il se mit à déambuler en direction de la palissade du potager, regarda un moment alentour et regagna sa voiture. Il s'installa au volant, lança le moteur et, en marche arrière, s'engagea dans le sentier menant de l'autre côté de la maison.

Luka regagna l'intérieur et descendit rapidement jusqu'au palier du premier. Il s'immobilisa en avisant les deux hommes qui montaient la garde dans le vestibule. Le passage étant bloqué de ce côté, il remonta d'un étage et gagna la chambre de Teresa, dont la fenêtre donnait sur les garages. Rocco descendait de voiture. Le garçon ne savait que faire : si jamais l'autre poussait la porte, il verrait les caisses de déménagement ainsi que les bagages dont les voitures étaient déjà chargées, alors même que les quatre femmes étaient en train de prétendre désirer prolonger leur séjour de trois semaines.

C'est en souriant que Teresa tendit aux deux hommes l'acte de propriété de la villa Rivera. Ils lui souriaient en retour, convaincus qu'elle leur signifiait par là son accord sur la vente de l'ensemble du patrimoine Luciano. Leurs visages s'affaissèrent lorsqu'elle déclara :

— Nous saisissons cette occasion pour décliner l'offre de notre cher ami don Camilla en ce qui concerne nos différentes sociétés. Nous allons déposer tout ce qui concerne la vente de la maison et de son contenu chez nos avocats, qui nous ont si bien servies tout au long de cette tragique période. Si vous désirez leur en parler, ils attendent vos instructions.

— *Signora*, avez-vous bien saisi la teneur de la proposition de don Camilla?

— Oh, ça oui ! fit Teresa. Le *signor* Rocco nous a tout bien expliqué. Seulement, après avoir consulté nos avocats ainsi que don Scarpattio et don Goya, dont les familles possèdent le secteur nord des docks, et qui se sont par conséquent montrés très intéressés par nos longueurs d'appontement, nous avons reçu l'assurance de don Emilio Dario et de don Bartolli qu'ils seraient, eux aussi, disposés à se porter acquéreurs de certaines sections. Il n'est d'ailleurs pas exclu que ces quatre familles se groupent afin de reprendre l'ensemble.

» De cette façon, chacune aurait accès à nos quais ainsi qu'à nos cargos, présentement en cale sèche. Évidemment, les entrepôts et les unités de réfrigération seraient inclus dans la transaction. Les fabriques n'étant pas productives pour l'instant, elles fourniraient elles aussi des surfaces de stockage non négligeables. Quant aux vignes et aux vergers, même s'ils ont beaucoup souffert de la sécheresse et du manque de soins, on nous assure qu'ils pourraient redevenir productifs en l'espace de deux ans.

» Selon nos conseils, le contrat concernant la maison n'inclut pas ces biens. Nous sommes des femmes, et la complexité des affaires n'a pour nous aucun attrait, vous devez bien le comprendre. Aussi avons-nous tout mis entre les mains de nos avocats. Compte tenu de ces propositions qui nous arrivent d'Amérique, vous comprendrez sans peine notre embarras et accepterez nos excuses pour ces, disons... atermoiements. Tant que nos conseils ne nous auront pas dit d'accepter l'offre de don Camilla, nous regrettons de ne pouvoir, pour l'instant, signer quoi que ce soit.

» Merci encore, et veuillez lui transmettre nos très respectueuses salutations. Nous espérons qu'il nous rendra visite d'ici notre départ. Si jamais vous souhaitez reparler de tout ceci, vous savez où nous trouver. J'en profite également pour remercier votre collaborateur, Giuseppe Rocco, qui nous a fort obligeamment conseillé de contacter les autres familles. Comme je l'ai dit tout à l'heure, nous écoutons toutes les bonnes recommandations, n'ayant pour notre part aucune expérience des affaires, et nous avons apprécié à leur juste valeur toute l'aide et la gentillesse dont nous avons été l'objet.

Teresa se leva de table et tendit la main à Graziella pour l'aider à se mettre debout. Voyant les quatre femmes se diriger vers la porte, les deux hommes se levèrent en hâte et sortirent.

Intrigué, Rocco mit ses mains en œillères pour regarder à travers la vitre de la Rolls-Royce. Il se glissa le long des caisses pour gagner l'arrière de la voiture. Il ouvrit le coffre et vit toutes les valises qu'il contenait. Il lut ce qui était écrit sur l'étiquette de l'une d'elles. Laissant la malle ouverte, il gagna ensuite le fond du garage et se pencha sur les caisses. Il vit les étiquettes d'expédition, soigneusement remplies et datées.

Il se faufila à nouveau entre les caisses, soulevant les pans de son veston afin d'éviter d'y faire un accroc. Tout à coup, la lourde porte du garage, commandée par un moteur électrique, commença à se refermer.

— Hé! qu'est-ce qui se passe?

Il n'avait pas réellement de raisons de s'alarmer; il ne tenta même pas de franchir en courant les quelques mètres le séparant de la sortie. Ce n'est que lorsque la pesante couverture malodorante lui tomba dessus qu'il réagit. Cherchant frénétiquement à se libérer et à sortir son arme, il perdit l'équilibre, tomba contre une des caisses, roula sur le côté.

Le premier coup l'atteignit sur le côté de la tête et lui causa un étourdissement d'une fraction de seconde. Le deuxième lui entailla profondément le cuir chevelu.

Toujours conscient, il se laissa tomber à genoux en gémissant. Au troisième coup, le fer de la pelle le décapita presque.

Luka avait le souffle court. Son épaule était parcourue d'horribles élancements : il craignit que sa blessure se rouvre. Il posa la pelle pour se pencher au-dessus de l'homme, certain, sans même avoir à lui tâter le pouls, qu'il était mort.

Adina referma la porte d'entrée sur les envoyés de la famille Corleone. Les quatre hommes marquèrent un temps d'arrêt en découvrant que la voiture de Rocco n'était plus là. Puis ils s'en furent sans perdre de temps. Lorsqu'il reparaîtrait, il aurait à répondre de pas mal de choses, et surtout d'avoir conseillé à ces femmes de contacter d'autres acheteurs potentiels.

Les deux hommes assis à l'arrière étaient silencieux, parfaitement maîtres d'eux-mêmes. Cette complication était d'ordre mineur et serait aisément aplanie. Les veuves devraient accepter l'offre qui leur avait été faite et qui, désormais, ne serait plus négociable. Elle ne l'avait d'ailleurs jamais été : don Camilla avait simplement voulu se montrer courtois et témoigner son respect. À présent, elles allaient découvrir combien il était peu raisonnable d'abuser de son indulgence.

Quelque temps plus tard, les quatre femmes, prêtes à partir, faisaient le tour de la maison pour vérifier une dernière fois chaque pièce. Adina était au bord des larmes et avait beaucoup de mal à assimiler les consignes que ne cessait de lui seriner Graziella. Entre deux reniflements, elle bredouillait sa leçon : elle devrait entrer en contact avec le notaire et lui remettre la grosse enveloppe blanche qui se trouvait sur la table ; quant aux clefs, il faudrait les déposer à l'agence immobilière de Giuseppe Rocco.

Manœuvrant la commande de la porte du garage, Teresa remarqua la voiture de Rocco, stationnée non loin de là. Elle n'y accorda pas plus d'attention que ça et attendit que le battant soit entièrement relevé.

Elle fit un pas et se figea. Son hurlement fut si long à

se former que Luka eut le temps d'arriver jusqu'à elle. Il lui plaqua la main sur la bouche.

— Taisez-vous, Teresa, taisez-vous! Si j'enlève ma main, est-ce que vous allez rester tranquille?

Elle hocha la tête du mieux qu'elle put.

Il ôta sa main, et elle se mit à geindre. Elle voulut s'éloigner, mais il lui attrapa fermement le poignet. Saisie de l'impérieux désir de sortir du garage, elle essaya de lui donner des coups de pied. Il la repoussa rudement contre le mur et appuya sur le bouton qui commandait la fermeture de la porte.

Elle était si terrifiée qu'elle entendait ses dents claquer. Il la gifla violemment.

— Écoutez-moi une seconde. Il faut que vous la fermiez. Je ne tiens pas à effrayer Graziella.

Elle était maintenant adossée à la porte du garage.

— Laissez-moi sortir d'ici, je vous en prie, il faut que je sorte.

Luka était couvert de sang — ses mains, sa chemise, et jusqu'à ses souliers et son pantalon. Saisie de nausées, Teresa faisait son possible pour ne pas regarder le cadavre.

— Je n'avais pas le choix, lui expliqua-t-il. Il avait tout découvert, il savait que nous partions. Heureusement, les autres ne se doutent pas qu'il est venu fouiner par ici. Ils sont repartis...

— Que... qu'allez-vous faire de lui?

Il souleva une vieille couverture pleine de crasse, celle qu'il avait jetée sur Rocco.

— Je vais l'envelopper là-dedans. Aidez-moi, dépêchons-nous. Trouvez-moi une corde ou de la ficelle pour l'attacher aux deux bouts. (Ainsi saucissonné, le cadavre faisait penser à une momie.) On va le mettre dans le coffre de sa voiture. Quand vous serez parties, j'irai le balancer quelque part dans la nature.

Il demanda à Teresa de rouvrir le garage, puis ils transportèrent le corps jusqu'à la Jaguar.

— J'ai fait ce que je devais faire, répétait-il. Inutile de mettre les autres au courant. Surtout Graziella. Si Rocco était allé raconter ce qu'il a vu ici, vous n'auriez pas pu partir, et puis... en fait, ça ne va sans doute pas faire de vagues.

— Que voulez-vous dire ?

— Ils n'imagineront jamais que des femmes seules aient pu faire ça, vous ne croyez pas ?

Teresa était toujours sous le choc, mais elle acquiesça.

— Retournez avec les autres, murmura-t-il.

Elle partit à reculons sans le quitter des yeux un seul instant.

— Qu'est-ce que vous allez faire de lui ?

— C'est mon affaire. Retournez à l'intérieur. Dépêchez-vous.

Subitement, elle tourna les talons et courut en direction d'un muret. Là, voûtée, presque cassée en deux, elle vomit.

Luka s'approcha. Elle leva les mains d'un air suppliant.

— Non, je vous en prie... S'il vous plaît, ne venez pas.

Puis elle regagna la maison le plus vite qu'elle put. Elle ne dit rien de ce qui venait de se passer. Deux heures plus tard, elle quittait la villa Rivera en compagnie de Rosa, sans avoir revu le garçon.

Les fourgons de la compagnie de transports Luciano étaient venus enlever les caisses. Sophia, Graziella et Luka étaient toujours dans les temps. Ce dernier avait fait brûler ses vêtements dans le jardin en même temps que la couverture qui avait servi à envelopper le corps. Graziella n'y avait rien trouvé d'insolite, puisqu'elle l'avait chargé de brûler quantité de papiers — de la correspondance privée, des documents que contenait le bureau de son mari et les cartons de paperasses réunies par le cabinet d'avocats.

À 6 heures du soir, le feu produisait encore de grandes flammes. Sophia contemplait la scène depuis la fenêtre de sa chambre. Sans doute le jeune homme faisait-il quelque chose d'utile, du moins le supposait-elle ; cependant, on aurait déjà dû être en route. Elle descendit dans le jardin.

— Êtes-vous prêt à partir, Johnny? Il est plus de 6 heures.

Il dit en avoir encore pour une demi-heure; il lui restait en fait à se débarrasser, à l'insu des deux femmes, du cadavre de Rocco. Il attendit qu'elles aillent prendre un café à la cuisine. Maculé de suie, il adressa un grand sourire à Graziella.

— Bon, je monte juste prendre une douche et me changer. Est-ce que je peux piller la garde-robe une fois de plus?

Elle acquiesça.

— Prenez ce que vous voulez. De toute façon, tout va rester ici. Cela vaut également pour vous, Adina. Dès que nous serons partis, faites venir votre famille; qu'ils se servent.

La servante éclata en sanglots.

Luka sortit par une fenêtre à l'arrière de la maison, se laissa descendre le long de la gouttière et courut à la voiture de Rocco. Il fit grincer les vitesses et lâcha un juron. Pourvu qu'elles n'aient rien entendu... Il s'engagea dans l'allée à petite vitesse, tous feux éteints.

Il n'était pas question d'abandonner la voiture très loin de la propriété, car il lui fallait revenir à pied. Aussi, empruntant des rues secondaires, gagna-t-il un parking à étages des faubourgs de Palerme. À l'instant où il descendait de la voiture, le téléphone se mit à sonner. D'abord interloqué, il finit par sourire et décrocha.

La voix lui arrivait déformée à cause des parois en béton armé.

— Giuseppe, c'est toi?

— Ouais.

— Où étais-tu passé, bon Dieu? Allô! Je me demande pourquoi t'as choisi ce modèle, y'a jamais moyen d'avoir une bonne communication. Je t'avais dit d'en prendre un comme le mien. Rocco? T'es là?

— Oui... Dis donc, je vais m'absenter quelques jours.

— Tu déconnes, ou quoi?

Luka éclata de rire, puis se mit à chantonner.

— Tu l'as dit, bouffi, je déconne.

Il y eut un silence.

— Qui est à l'appareil? fit l'homme après un instant.

— On laisse les femmes Luciano tranquilles, passe la commission à tout le monde. Elles sont protégées, tu piges? Rocco est mort.

Après s'être dépouillé en hâte de ses vêtements, Luka venait d'entrer sous la douche lorsque Sophia frappa à la porte. Il ferma le robinet. Elle entra sans attendre qu'il l'y ait invitée.

— Vous savez l'heure qu'il est? Si nous ne partons pas immédiatement, nous allons rater le dernier ferry.

Il s'enveloppait dans une grande serviette.

— Vous avez raison, j'arrive tout de suite.

— Cela fait un bout de temps que vous êtes dans cette salle de bains.

— C'est qu'il me faut pas mal de temps pour m'habiller et me déshabiller. Mon épaule est toujours très douloureuse.

Le pansement venait d'être refait; néanmoins, la blessure s'était rouverte, et une gouttelette de sang perlait.

Elle ramassa la chemise.

— Je vais vous en chercher une propre.

Lorsqu'elle revint, Luka avait enfilé son pantalon. Elle lui présenta la chemise, et il y glissa le bras droit. En faisant ce geste, il se retourna à demi. Sophia recula d'un pas.

— Seigneur Dieu, votre dos! Je n'avais jamais remarqué ces cicatrices.

Il boutonnait sa chemise.

— Oui, je suis tombé dans une moissonneuse-batteuse quand j'étais gosse. Donnez-moi encore deux minutes et je suis prêt.

Elle était déjà dans le couloir.

— J'amène la voiture devant l'entrée.

Graziella s'était installée devant, à la place du passager, et sa belle-fille était impatiente de se mettre en route. Luka apparut enfin. Il embrassa Adina, la serra dans ses bras et lui promit de prendre soin de sa maîtresse.

— Si vous voulez bien monter en voiture? lui lança Sophia sans aménité.

— Vous préférez que je conduise?

— Non, je m'en charge. Vous me remplacerez sur le continent. Comment va votre épaule?

Graziella proposa de prendre le volant.

— Non, *mamma*, ce ne sera pas nécessaire, dit Sophia en s'installant promptement à la place du chauffeur.

Adina serrait dans ses mains un mouchoir mouillé de larmes. La générosité de la vieille femme la mettait à l'abri du besoin. Elle allait retourner à Mondello pour y finir sa vie en paix. Mais qu'adviendrait-il de sa maîtresse bien-aimée?

— Au revoir, *signora* Graziella, au revoir!

Elle se retourna pour lui faire un petit signe.

— Au revoir, Adina.

Sophia engagea lentement la voiture dans l'allée. La servante faisait de grands gestes d'adieu.

— Écrivez-moi et faites bien attention à vous... Que Dieu vous bénisse...

Assis à l'arrière, Luka se retourna, porta deux doigts à ses lèvres et lui envoya un baiser. Puis la voiture franchit les grilles de la propriété et s'engagea sur la route.

Adina repensait à la dernière fois qu'elle avait vu Michael Luciano vivant. C'était le jour où don Roberto avait emmené son fils dans la montagne. Tandis que la Mercedes s'éloignait dans l'allée, le jeune homme s'était retourné pour envoyer, par la lunette arrière, un baiser à sa mère. Aujourd'hui, vingt ans après, un garçon au visage d'ange, un garçon qui ressemblait tant à Michael qu'il aurait pu être son fantôme, venait de lancer un semblable baiser d'adieu. Adina avait la mort dans l'âme : c'était, elle en était certaine, un mauvais présage.

On n'était plus qu'à deux semaines de Noël, et toujours aucune trace de Luka Carolla. LE TUEUR COURT TOUJOURS, proclamaient maintenant les gros titres, même si le sujet ne faisait plus la une des journaux, parce qu'on entrait dans la période des fêtes, et également parce qu'un scandale impliquant deux personnalités de premier plan venait d'éclater.

Le commissaire Joseph Pirelli était maintenant en possession d'une photographie provenant des États-Unis. Elle avait été prise dans le dernier collège connu de Luka, lorsqu'il avait une quinzaine d'années. On y avait joint la liste de ses camarades de l'époque, un récapitulatif de ses résultats scolaires et un court billet du principal de l'établissement. Il avait été un élève médiocre, régulièrement noté en dessous de la moyenne. Ses absences étaient fréquentes. Solitaire et renfermé, il était enclin à de fréquentes crises de rage, ce qui lui avait valu de se faire renvoyer de plusieurs classes. Il n'avait pas reparu après les vacances du milieu de trimestre. Selon la direction du collège, il exerçait une influence néfaste sur les autres élèves et son cas relevait d'un traitement psychiatrique.

Souhaitant faire le point, Pirelli convoqua dans son bureau tous les hommes qui travaillaient sur l'affaire. Il se campa devant son désormais célèbre « mur de la mort », où étaient punaisées les photos des nombreuses victimes de Luka Carolla.

— Je suis convaincu, commença-t-il d'une voix égale, que tous ces meurtres ont été commis par un seul et même individu. Je serais prêt à jouer ma carrière là-dessus. Mon problème n'est pas de prouver que je suis dans le vrai, mais de mettre la main sur ce petit fumier. Vous savez tous les efforts qui ont été déployés. Jusqu'à présent, cela a été en pure perte. Mais dès que nous aurons trouvé Luka Carolla, cette enquête prendra fin.

Pirelli alluma une cigarette au mégot de la précédente et, d'une voix sourde, fatiguée, répéta ce que lui avait dit la *signora* Brunelli. Ses propos, ainsi que les conversations avec le psychologue de la police le confortaient dans l'idée que l'on était à la recherche d'un psychopathe qui n'éprouvait qu'indifférence pour ses victimes, quel que soit leur âge. Il ne cessait, tout en parlant, de montrer les photos des enfants.

Prenant une longue bouffée et laissant la fumée ressortir par son nez, il regarda tour à tour chacun des hommes présents.

— Il est très futé, et je suis d'avis qu'il opère seul. Sa signature, si je puis dire, est le marquage de ses balles. Vous connaissez tous les éléments que nous avons pu réunir. Cependant, ce qui m'échappe, ce sont ses motivations. Est-ce l'appât du gain ? La haine ? Ou simplement le goût de verser le sang ? Je l'ignore. Je ne sais même pas s'il travaille pour le compte d'une famille. Je suis convaincu qu'il a tué Paul Carolla, son père adoptif. Le moine, c'était lui. C'est donc un maître dans l'art du déguisement. Et à l'heure actuelle, il est possible qu'il ait plus d'un nom d'emprunt.

Pirelli se tut pendant quelques secondes, qu'il mit à profit pour tirer sur sa cigarette.

— J'ai interrogé un indicateur qui connaît bien les différentes familles. Pas moyen de lui faire dire si les assassinats Luciano émanent d'une décision prise au sommet de la pyramide. Je dispose d'un nom, qu'il a quand même cité bon gré mal gré. Il s'agit de Michele Barzini, important intermédiaire new-yorkais, qui sert de négociateur entre les différentes familles. Pour l'instant, nous n'avons trouvé aucun lien entre ce Barzini et Luka Carolla. Et quand j'ai parlé à mon informateur de la possibilité qu'il ait été payé par des Américains, il a répondu qu'il en doutait. Il n'empêche : Luka Carolla a vécu dans l'intimité de son père adoptif, aussi doit-il connaître beaucoup de monde. Peut-être quelqu'un aura-t-il passé contrat avec lui. Bien, ce sera tout. Merci d'être venus.

Pirelli venait de verser dans la corbeille le contenu de son cendrier lorsque le téléphone sonna. Il décrocha et son visage s'éclaira presque aussitôt. Souriant jusqu'aux oreilles, il se tourna vers Ancora.

— On tient quelque chose. À l'aéroport de Rome, un type vient de se faire arrêter : il avait un billet au nom de Moreno, Johnny Moreno.

L'avion de Teresa et Rosa était déjà en l'air. Elles ne savaient rien de l'arrestation de l'étudiant. La police était venue appréhender le jeune homme dans le hall des départs, et il avait aussitôt été conduit dans un bureau des douanes pour y attendre l'arrivée du commissaire Pirelli.

Les deux autres billets de première classe — ceux de Sophia et de Graziella — avaient été offerts à deux auto-stoppeuses, qui n'étaient pas encore revenues de leur bonne fortune. Elles les avaient échangés contre des places à destination de Los Angeles.

Arrivés sans encombre à Rome, Graziella, Luka et Sophia étaient, à la même heure, déjà installés dans l'appartement de cette dernière.

Il suffit à Pirelli d'un regard à l'étudiant suspect pour comprendre qu'il ne s'agissait pas plus de Luka Carolla que de Johnny Moreno. Il ressortit du bureau avec fracas, laissant le jeune homme si terrifié qu'il en éclata en sanglots. Il donna un grand coup de pied dans le mur, et traversa ce qui n'était qu'une mince cloison de séparation. Une violente quinte de toux l'obligea à s'asseoir, et il cracha dans son mouchoir.

Graziella se préparait pour la nuit lorsque Luka, sur le chemin de sa chambre — celle des enfants — passa devant sa porte. Il s'arrêta pour la regarder se brosser les cheveux. Elle les coiffait en longues tresses roulées en un chignon serré qu'elle venait de défaire. Elle replaça la brosse à dos d'argent sur la coiffeuse et ouvrit une vieille bible noire. Elle n'avait pas remarqué sa présence, et il repartit sans un bruit. Lorsqu'il eut terminé de se brosser les dents, Graziella avait éteint, mais sa porte était restée légèrement entrebâillée.

Sophia sursauta. Elle n'avait pas entendu Luka arriver dans la cuisine.

— Je n'arrive pas à dormir, dit-elle. Voulez-vous boire quelque chose ?

Il secoua la tête et s'assit en face d'elle. Sur la table, il y avait un verre de whisky et un petit flacon de pilules. Il se pencha pour lire l'étiquette, mais elle le prit et le glissa dans sa poche.

— Ça vous embête si je reste là? interrogea-t-il.

Elle secoua la tête et haussa légèrement les épaules. Le cendrier était plein de cigarettes à demi fumées. Elle le prit pour aller le vider.

— Rosa m'a dit que vous avez des ennuis avec un type, un styliste. C'est vrai?

Elle soupira, puis passa le cendrier sous le robinet. Sa chevelure, à présent dénouée, lui descendait presque jusqu'à la taille. C'était une crinière noire et soyeuse. Il aurait voulu y porter la main. Sophia essuya le cendrier à l'aide d'une serviette en papier et le reposa sur la table.

— Je vais peut-être réussir à dormir, à présent...

— Mais vous n'avez pas terminé votre verre.

Elle le regarda et, d'un même mouvement, le prit, le but et le porta à l'évier. Elle le fit tourner sous l'eau courante. Luka était fasciné par ses longs doigts graciles et leurs ongles presque laiteux.

Ayant soigneusement essuyé le verre, elle leva le bras vers le placard pour le ranger. La fente de sa robe en satin révéla la moitié d'une cuisse, et il vit qu'elle était nue en dessous. Lorsqu'elle lui fit face à nouveau, son corsage bâilla un peu, et il entrevit le pli de ses seins.

— Qu'est-ce que Rosa vous a raconté à propos de Nino?

Ses doigts jouaient avec une mèche de ses longs cheveux.

— Pas grand-chose, seulement qu'il vous avait, je crois qu'elle a dit « eue en beauté ».

Luka avait les jambes qui tremblaient; il serra les fesses lorsqu'il sentit monter l'érection. Son corps le brûlait, et il se rendit compte que ses joues rosissaient violemment.

— Oui, on pourrait dire ça. Je n'ai sans doute qu'à m'en prendre à moi-même. J'ai été idiote. Mon mari m'avait pourtant dit de me méfier de lui.

Il avait changé de position sur sa chaise inconfortable.

— Est-ce que... (Il serra sa verge entre ses mains.)... est-ce que vous voulez me raconter ça?

Elle se mordit la lèvre inférieure et, inconsciemment,

fit glisser ses mains le long de sa robe, tendant le satin sur ses seins. Toujours machinalement, elle resserra le cordon de sa ceinture. Sous l'action conjuguée du whisky et du Valium, elle se sentait légèrement grise et complètement détendue.

— Non, une autre fois. Je vais aller me recoucher. Vous voudrez bien éteindre les lumières? Je crois que tout est correctement fermé, mais j'imagine que vous vous en assurerez par vous-même.

Alors qu'elle passait la porte, il déchargea, trempant son pyjama. La fin de cette tension lui arracha un soupir, un discret gémissement de plaisir. Puis, non sans avoir d'abord pensé à éteindre les lumières, il se hâta vers sa chambre dans l'intention de se laver.

Dans la pénombre de la chambre des enfants, il voulut enlever au plus vite son bas de pyjama mouillé de semence. Il trébucha et tomba sur la mauvaise épaule. Il grimaça de douleur et, furieux de sa propre maladresse, envoya d'une ruade le pantalon voler contre le mur. Puis il ôta la veste afin d'inspecter sa blessure. Il décolla lentement le sparadrap qui maintenait la gaze en place. La plaie était propre. Il jeta le pansement dans la corbeille.

Le cœur en or luisait sur son torse. Il le prit délicatement pour le porter à ses lèvres et l'embrassa comme s'il s'agissait d'un crucifix.

Luka dormit longtemps. Il trouva Graziella en train de prendre son petit déjeuner toute seule. Avant qu'il ait eu le temps de demander où était Sophia, celle-ci entra, déjà habillée pour sortir. Afin qu'elle ne le voie pas rougir, il se pencha pour remplir son bol de café. Il humait les effluves de son parfum discret. Il lui demanda si elle avait pris son petit déjeuner.

— Oui.

Elle se baissa pour embrasser Graziella. Ses cheveux luisants, tirés en arrière et roulés en un chignon serré, lui donnaient l'air sévère. Elle portait un tailleur anthracite, très chic, et des bas gris foncé. Mais le col de son corsage en soie blanche était ouvert et il entrevit, lorsqu'elle se pencha, une infime portion de son soutien-gorge en dentelle blanche.

— Je vous confie *mamma*, *signor* Moreno. Je ne devrais pas être absente plus de deux heures. Avez-vous bien dormi?

Luka hocha la tête.

Sophia passa dans le salon pour déposer des papiers dans une fine mallette recouverte de cuir noir. Il repoussa sa chaise et la suivit. Il la vit refermer la sacoche, puis ouvrir un tiroir, y prendre une bouteille et en dévisser le bouchon.

— Voulez-vous que je vous serve de chauffeur?

Elle le regarda d'un air coupable. De surprise, elle avait laissé échapper trois petites pilules jaunes. Il se mit aussitôt à genoux pour les ramasser. Sa main était à portée de ses chevilles si fines, de ses escarpins en chevreau. Il avait envie de la toucher... Lorsqu'il se releva, elle était suffisamment proche pour qu'il sente la tiédeur de son corps, son doux parfum.

— J'ai mal à la tête, dit-elle, tentant de se justifier.

Sa confusion donnait de l'assurance au jeune homme.

— Je vais chercher la voiture. Je vous attends devant l'entrée de l'immeuble.

Il courut jusqu'à sa chambre, de sorte qu'elle ne put émettre aucune objection. À la hâte, il se donna un coup de peigne, changea de chemise et passa un des costumes trouvés à la villa Rivera, costume ayant appartenu à Filippo. Arrivé dans le hall de l'immeuble, il remarqua que la porte de la loge du gardien était ouverte. Une casquette d'uniforme grise était posée sur un bureau. Il la prit.

Sophia parut ne pas remarquer sa recherche vestimentaire. Elle ne sourit pas lorsque, se retournant vers elle, il se coiffa de la casquette. Elle était un peu grande. Il l'enleva et y tassa des mouchoirs en papier, puis la remit.

— Pourrions-nous nous mettre en route? Je n'aimerais pas la laisser seule trop longtemps.

446

Elle occupait l'extrémité de la banquette arrière, jambes croisées, yeux clos. Luka modifia légèrement l'orientation du rétroviseur dans l'espoir qu'elle entrouvre un peu les jambes. Elle avait le bras posé sur l'accoudoir, le front appuyé sur la main. Elle demeura dans cette position pendant la plus grande partie du trajet, ne déplaçant occasionnellement les doigts que pour lui indiquer la direction à suivre.

Elle passa plus de trois quarts d'heure dans le cabinet de son avocat. Lorsqu'elle en ressortit, elle était plus distante que jamais.

— Je dois aller à Milan. C'est là-bas que Nino Fabio travaille, à présent. Vous pouvez m'y conduire ou bien retourner à l'appartement. Dans ce cas, je me débrouillerai toute seule.

— Non, je vous y emmène.

Elle décrocha le téléphone de la Rolls et appela Graziella pour lui dire qu'elle serait absente plus longtemps que prévu. Sa belle-mère lui assura que cela ne posait aucun problème. Elle irait faire des courses au supermarché voisin.

Luka sortit de la ville et s'engagea sur l'autoroute. Sophia ouvrit le petit bar, but une gorgée de vodka et prit un autre de ses petits « cachets d'aspirine ». C'est alors qu'elle remarqua qu'il ne la quittait pas des yeux.

— J'aimerais que vous cessiez de me regarder. C'est très agaçant, à la fin. Vous n'êtes pas très discret, vous savez. Si on vous a chargé de m'espionner, cela n'en vaut vraiment pas la peine. Vous pourrez dire à Teresa que je prends à peu près quatre Valium par jour et, de temps à autre, un somnifère... Je suppose que c'est dans ce but que vous avez insisté pour m'accompagner à Rome ?

Il arrêta la voiture sur la bande d'urgence et, se retournant à demi, posa le bras sur le dossier de la banquette.

— Ce n'est pas exactement ça. Je veille sur vous et sur Graziella jusqu'à ce que nous soyons arrivés à New York.

Elle eut un rire sarcastique.

— Il fallait le dire plus tôt. Je me sens vraiment en sécurité, à présent... Cela vous ennuierait de redémarrer? Je ne tiens pas à être en retard.

Ils n'échangèrent aucune parole pendant le reste du trajet. Sophia ouvrit sa mallette et se mit à compulser des documents. Puis elle fit entendre un soupir, prit quelques notes et ferma les yeux pour se laisser aller contre la banquette.

À Milan, elle dirigea Luka dans des rues étroites, autrefois bordées d'entrepôts et d'ateliers désormais reconvertis en luxueux appartements ou, plus rarement, en bureaux. Ils se garèrent derrière un haut bâtiment, repeint de fraîche date.

Elle lui demanda de l'attendre là. Il s'agissait d'une arrière-cour jadis dévolue aux camions de livraison, maintenant divisée en places de stationnement privées à l'aide de plots et de chaînes peintes en blanc. L'endroit était décoré de grands bacs à fleurs.

Luka la regarda pénétrer dans le bâtiment. Il laissa passer une demi-heure, puis entra à son tour dans le hall et appela l'antique monte-charge. Il arrêta la plate-forme à hauteur du second étage et s'avança dans un immense espace entièrement blanc. Plusieurs portes s'offraient à lui, mais rien n'indiquait laquelle donnait sur les nouvelles installations de Nino Fabio. Seule la présence de plantes en pots révélait que cet endroit n'était plus un entrepôt de marchandises.

Se dirigeant vers un bruit de voix assourdi, il traversa une salle encombrée de mannequins. Franchissant une nouvelle porte, il déboucha dans un hall moquetté, meublé d'un bureau d'un noir luisant et d'une profusion de plantes en pots. Un écriteau en lettres d'or flamboyantes lui apprit qu'il était bien chez Nino Fabio.

De la gauche lui parvenait le bruit sourd de machines à coudre. Les voix, à présent plus fortes et distinctes, le conduisirent vers une partie du bâtiment divisée en bureaux et salons d'exposition, le tout décoré dans les tons pêche et jaune vif. Toutes les portes étaient vitrées et munies d'écriteaux tels que Service d'études, Service des ventes, Salon d'exposition. Luka s'immobilisa le temps de localiser la voix de Sophia. Elle se trouvait dans la pièce la plus éloignée, sur la porte de laquelle était inscrit le nom de son ancien associé.

Nino jeta les rouleaux de dessins à travers la pièce.

— Si je te laisse utiliser les collections 86 et 87, ma réputation va dégringoler ! Toutes ces fronces, ces étoffes froissées, surpiquées, c'est terminé ! Ces vieilles créations me sortent par les yeux. La réponse est non. Tu tiens à monter une affaire, très bien, vas-y, mais trouve-toi un autre styliste. En ce qui me concerne, ma chérie, c'est terminé. J'ai donné.

— Nino, tu sais très bien que je n'ai pas de quoi engager quelqu'un.

— J'en suis désolé pour toi, mais moi, j'ai à m'occuper de mon affaire. Je ne t'ai jamais rien demandé. J'ai bossé comme un malade pour toi. Je n'ai aucune espèce de responsabilité dans ce qui t'est arrivé. Aujourd'hui, la seule chose qui m'intéresse c'est ma carrière, mon avenir, mes chances. Tu as eu une vie de princesse. Va-t'en faire joujou ailleurs. Et je te préviens, si jamais tu utilises mes anciennes créations, je te poursuis en justice. Lâche-moi, Sophia, tu n'arriveras à rien. Et si tu veux un bon conseil, laisse tomber. D'ailleurs, sans moi, tu n'aurais jamais rien fait.

— S'il te plaît, laisse-m'en juste quelques-uns pour que je puisse redémarrer. Mon avocat a mis au point un arrangement très intéressant : tu toucheras un pourcentage.

— Sophia, sois gentille, nous nous sommes tout dit. Les autres vont remonter du resto. Je ne pense pas que tu tiennes à ce que tout ça s'étale dans les colonnes des chroniqueurs. Parce que c'est ce qui va se produire, si quelqu'un t'entend. Ici, les murs ont des oreilles.

Elle écrasa sa cigarette.

— Je n'ai aucun papier concernant la vente du matériel qui a été enlevé de mon atelier et de celui que tu utilisais pour ton affaire de lingerie. Cela t'échappe peut-être, mais tout m'appartenait. Où sont passées mes machines, Nino?

Il haussa les épaules.

— Je n'en ai pas la moindre idée. Je n'y suis pas retourné depuis le jour où nous nous y sommes vus. Peut-être que le directeur commercial — tu sais, Silvio — les a embarquées. Je n'en sais rien. Je ne peux rien pour toi.

— Je comprends. Donc tu ne vois aucun inconvénient à ce que je fasse le tour du propriétaire, histoire de regarder sur quel type de machines travaillent tes employées? Si j'en vois une — une seule, Nino — qui vient de ma boîte, je te poursuis pour vol de matériel.

— Tu peux fureter où ça te chante, fais comme chez toi. Je n'ai pas tes machines, Sophia. Je n'ai rien qui t'appartienne, et je n'en voudrais surtout pas, de même que je ne veux pas que tu essaies de remonter ton affaire sur mon dos. Sors une seule de mes créations, et c'est moi qui te poursuivrai pour vol. C'est bien compris?

Ils sursautèrent quand Luka fit irruption dans la pièce. Il vint tout droit vers elle et l'attrapa par le coude.

— *Signora* Luciano, votre voiture...

Ils prirent l'ascenseur. Sophia était muette, immobile, le visage fermé. Lorsque le jeune homme souleva la barre de sécurité, elle se baissa pour passer et, à grands pas, regagna le véhicule.

— Qui vous a demandé de vous mêler de mes affaires? explosa-t-elle tandis qu'il se mettait au volant. De quel droit êtes-vous intervenu?

— Vous alliez vous mettre à ramper devant lui. Vous devriez me remercier. (Il se retourna sur son siège et, les yeux pleins de colère, braqua un index sur elle.) Vous êtes une Luciano... Vous et votre belle-mère n'êtes pas n'importe qui. Si vous voulez que cette tête de nœud vous signe des papiers, il y a toujours moyen de l'y obliger. Mais surtout ne le suppliez pas, jamais, pas vous... Vous n'avez pas besoin de lui.

Elle ouvrit son sac pour y chercher fébrilement son Valium.

— Pas plus que vous n'avez besoin de cette saloperie.

— Occupez-vous de vos affaires! Personne n'a le droit de venir me dire comment mener ma vie, vous m'entendez?

Elle aperçut quelque chose derrière Luka, et son expression se transforma d'un coup. Elle se tassa sur la banquette. Elle venait de reconnaître, à une dizaine de mètres de la voiture, l'homme qui dirigeait l'atelier clandestin rattaché à sa société. Silvio était en grande conversation avec un petit personnage huileux en manteau de fourrure.

— Ne mettez pas le moteur en route. Vous apercevez ces deux types? Est-ce que vous voyez où ils se dirigent?

Il les suivit du regard jusqu'à l'entrée d'un bâtiment situé un peu plus loin, mais trop près des ateliers de Nino Fabio pour qu'il n'y ait aucun rapport. Les traits déformés par la colère, Sophia lui demanda d'aller garer la voiture en face de la porte par laquelle Silvio venait d'entrer.

Elle descendit, sans trop savoir ce qu'elle allait faire. C'est alors que Celeste Morvanno, la jeune femme qu'elle employait naguère comme hôtesse d'accueil, sortit de ce même immeuble. Elle portait une robe de grossesse bleue, en laine. Elle rougit violemment lorsqu'elle reconnut son ancienne patronne.

— *Signora* Luciano, que faites-vous par ici?

Sophia lui sourit et, aux yeux de Luka, demeuré dans la voiture, elles semblèrent avoir une conversation amicale. Celeste se pencha pour l'embrasser sur les deux joues, puis partit vers l'immeuble de Nino Fabio.

Lorsqu'elle remonta en voiture, la jeune femme tremblait de tous ses membres.

— Emmenez-moi loin d'ici. Vite.

— Ça ne va pas?

Elle était livide. À peine étaient-ils sortis du parking qu'elle dit :

— Arrêtez la voiture, je ne me sens pas bien.

Elle descendit difficilement, tituba jusqu'à un mur et, cassée en deux, se mit à vomir. Debout derrière elle, Luka attendit qu'elle ait terminé, puis il lui tendit son mouchoir.

— Excusez-moi, je suis désolée... Voulez-vous me soutenir jusqu'à la voiture?

Ses jambes la portaient à peine. Elle se cogna la tête en remontant dans la Rolls.

— Ça va mieux?

Elle hocha la tête.

— Je ne dois pas être belle à voir.

Il lui donna son sac à main puis se remit au volant. Il la regarda dans le rétroviseur se tamponner les yeux, s'essuyer la bouche et se remettre du rouge. Elle alluma une cigarette et, dans un soupir, lui demanda de rouler un moment les vitres baissées, car elle avait besoin d'air.

— Vous voulez savoir quel est mon sentiment? J'ai l'impression d'avoir été utilisée, qu'on s'est servi de moi. Et le pire, c'est que Nino sait parfaitement que je ne vais rien faire contre lui.

— Pourquoi pas?

— Que voulez-vous que je fasse? Je ne vais tout de même pas aller trouver la police. Déjà que ce commerce de lingerie n'avait aucune existence officielle. Ils ne payaient sûrement pas les filles au tarif syndical, sans parler des impôts...

— Votre affaire, ça comptait beaucoup pour vous?

Elle soupira et regarda dehors.

— Oui... cela comptait beaucoup.

— Et vous voudriez recommencer?

— Évidemment. Sinon pourquoi croyez-vous que je serais venue le voir? Seulement j'ai besoin de ses dessins. Je n'ai pas assez d'argent pour engager un autre styliste, un bon. Et puis à Milan, chacun est au courant de ce que fait le voisin; il est très difficile de s'imposer dans le milieu de la haute couture et d'y être pris au sérieux.

— Mais s'il les a créés pendant qu'il travaillait pour vous, alors ils vous appartiennent, non?

— Oui, peut-être... Oh, je ne sais plus!

Elle avait la tête renversée en arrière, les paupières closes. Un tel air d'abandon et de vulnérabilité se lisait sur son visage qu'il était douloureusement tenaillé par le désir de la prendre dans ses bras.

Joseph Pirelli déambulait le long de la via Brera. Il s'arrêta devant la Scala. Il avait décidé de rentrer à Palerme le soir même et tuait le temps en attendant l'heure de son vol. Il se demanda s'il lui serait possible de voir la moitié de la représentation. Il regarda sa montre et y renonça.

Debout au bord du trottoir, il était plongé dans ses pensées. À l'instar de nombreux passants, il avisa la Rolls-Royce. On n'en voyait pas souvent, et puis les rues étroites ne convenaient guère à une automobile aussi imposante.

Sophia l'aperçut et lui sourit. La circulation étant encombrée, la voiture roulait au pas, et Pirelli put sans peine marcher à sa hauteur.

— Bonjour, *signora* Luciano... Qu'est-ce qui vous amène dans le coin?

— Les affaires. J'avais un magasin ici.

— Avez-vous le temps de venir prendre un café?

— Non, merci. Je ne voudrais pas laisser ma belle-mère seule trop longtemps.

Le commissaire n'accorda aucune attention au chauffeur à large casquette grise.

— S'il vous plaît, juste un petit café. J'ai un vol pour Palerme à 19 heures.

Elle regarda sa montre.

— Non...

— Il y a un bistrot agréable qui fait le coin près de la piazza del Duomo... (La circulation se débloquait, et la voiture prenait de la vitesse.) J'y vais. Je vous y attends...

Il regarda la Rolls s'insinuer dans le flot des véhicules et bientôt disparaître.

Sophia réalisa qu'elle n'avait rien avalé depuis le petit déjeuner.

— Conduisez-moi à la piazza, demanda-t-elle à Luka.

— Non, il faut que nous rentrions. Il se fait tard.

— Faites ce que je vous dis. Vous en profiterez pour manger un morceau.

— Non.

Surprise, elle fit entendre un rire.

— Faites ce que je vous dis et ne discutez pas.

— Mais... et Graziella?

— Graziella se porte parfaitement bien. Si vous n'êtes pas tranquille, vous n'avez qu'à lui passer un coup de fil. D'ailleurs, pour vous, c'est *signora* Luciano.

Luka arrêta la Rolls le long d'une file de voitures en stationnement.

— Pas question que vous alliez le retrouver. Nous rentrons immédiatement.

Sophia actionna la poignée de la portière.

— Allez manger. Reprenez-moi ici dans une heure.

Elle descendit sans lui laisser le temps de discuter. Blême de fureur, il réintégra impulsivement le flot de la circulation, manquant se faire accrocher par un autre automobiliste. Les deux hommes s'invectivèrent violemment.

Pirelli attendait à l'intérieur du café. Lorsqu'elle entra, son visage se fendit d'un grand sourire.

Il lui présenta une chaise et la soulagea de son manteau. Il ignorait que c'était de la zibeline et le jeta sur une chaise inoccupée.

— Vous êtes très en beauté.

Elle le remercia et ouvrit la carte.

— Je n'avais pas réalisé combien j'étais affamée. Je n'ai rien avalé depuis ce matin. Cela fait une trotte, par la route.

— Vous avez parcouru tout ce chemin aujourd'hui?

— Oui. Enfin, c'est mon chauffeur qui conduisait. Il était furieux que je l'oblige à s'arrêter.

Pirelli rougit.

— Je suis content que vous l'ayez fait.

Ils passèrent commande, puis il lui dit qu'il avait dû se

rendre à Rome dans le cadre de son enquête, que cela s'était révélé inutile, et qu'il avait poussé jusqu'à Milan pour voir si tout allait bien du côté de son appartement. Il ne mentionna pas le fait que sa femme et son fils l'avaient rejoint à Palerme : elle le croyait célibataire.

— Combien de temps allez-vous rester à Palerme ? lui demanda-t-elle.

— À l'origine, je suis venu pour une affaire apparemment banale, mais elle a pris de l'importance. Qui sait si au bout du compte cela ne va pas durer des mois ?

Luka mangea à la hâte un sandwich arrosé d'un café, puis il retourna attendre dans la voiture. L'heure était presque écoulée lorsque le téléphone sonna. C'était Sophia qui appelait pour lui dire de rentrer à Rome sans elle : elle avait décidé de rester un peu plus longtemps. Elle avait déjà appelé Graziella pour la prévenir.

— Comment allez-vous rentrer ?

— L'avion, le train, je ne sais pas encore.

— Je vous attends.

— Non, faites ce que je vous dis, rentrez à Rome.

Luka était hors de lui.

— Je viens vous chercher au café.

— Inutile. Je n'y suis plus.

— Où êtes-vous ?

— À l'opéra. À ce soir.

Elle raccrocha. À l'opéra ? Il était abasourdi. Il serrait le volant à en faire blanchir les jointures de ses doigts. Pourquoi était-elle partie avec cet homme ? Qui était-ce ? Se pouvait-il qu'il soit son amant ?

Retournant tout cela dans sa tête, il se força au calme, un calme glacé. Il allait lui démontrer qu'il était l'être qui comptait le plus dans sa vie. Il fit marche arrière et reprit la direction de l'atelier de Nino Fabio.

Ancora cherchait à contacter Pirelli. Il composa d'abord le numéro de son appartement à Milan, puis appela l'hôtel de police de cette même ville. On ne l'y avait pas vu depuis qu'il était passé dans la matinée, et on le supposait en route pour Palerme.

Ancora raccrocha et se mit à taper un court rapport concernant un cadavre, à présent identifié comme étant celui de Giuseppe Rocco, mafieux notoire, retrouvé dans un parking. Cet homme était un membre de la famille Corleone.

Il avait été tué vingt-quatre heures plus tôt d'un coup porté à la tête. Il présentait également de profondes blessures au cou. Cette découverte était d'autant plus importante que l'on avait du même coup retrouvé l'arme que l'on recherchait, la canne-fusil dérobée à la villa Palagonia. Détail sordide, le mort avait le pantalon baissé et la canne enfoncée dans le fondement.

Ce soir-là, on donnait *Rigoletto*. Pirelli paraissait captivé par la représentation. Assise dans la pénombre, Sophia se demandait ce qui l'avait poussée à accompagner cet homme, et même à accepter de prendre un café avec lui. Plus elle y pensait, plus elle se sentait ridicule. En ce moment, Johnny devait se trouver à mi-chemin... Elle réfléchit à la meilleure façon de rentrer à Rome. Elle sentait poindre le mal de tête. Elle se pencha vers Pirelli.

Il la regarda et lui sourit. Elle se sentit étrangement réconfortée par le contact de son épaule.

— Il faut que je parte...

— Non, je vous en prie, restez.

Ils dérangèrent toute la rangée de spectateurs. Arrivé dans l'entrée, il lui demanda ce qui n'allait pas.

— Non, non, tout va bien, mais je dois rentrer. J'ai été stupide de rester. Je suis navrée. Retournez dans la salle, vous allez rater le finale.

L'air misérable, il lui prit le bras et ils sortirent. Il la tenait d'une main ferme, et ce contact eut une nouvelle fois le don de la réconforter. Elle se dégagea néanmoins, afin de mieux s'envelopper dans son manteau de fourrure.

— Il fait froid...

La gorge nouée, il répondit :

— Oui, plutôt... Euh!... mon appartement se trouve à

deux pas d'ici... (Elle lui lança un regard et se détourna. Il toussa.) Euh!... Nous pourrions peut-être y faire un saut. Je jetterais un œil sur les horaires de chemins de fer et je regarderais s'il y a un vol.

Avant qu'elle ait pu répondre, il avait fait signe à un taxi, et quelques secondes plus tard, ils roulaient vers une destination qui lui échappait. L'esprit davantage en proie à la confusion, elle s'était assise le plus loin possible de lui.

Pirelli ne disait mot et regardait les rues qui défilaient. Il craignait de la regarder, car un même tumulte l'agitait.

Ils gravirent trois volées de marches jusqu'à son appartement. Tandis qu'il jetait son manteau sur un meuble et se mettait à compulser les horaires de chemins de fer, elle s'immobilisa, toujours enveloppée dans sa zibeline, au milieu du séjour parfaitement ordonné. Puis elle finit par se poser sur le bord du canapé et alluma une cigarette.

— Avez-vous quelque chose à boire, quelque chose de fort?

Il lui apporta aussitôt un verre de cognac. Elle paraissait totalement se désintéresser de l'endroit où elle se trouvait : pas le moindre regard circulaire, pas le moindre commentaire sur l'agencement ou la décoration de la pièce. Simplement, elle était là...

Elle tenait son verre entre ses deux mains réunies en forme de coupe et, le regard dans le vague, sirotait son cognac. Il eut quelque peine à comprendre ce qu'elle disait.

— Je crois... je crois qu'il faudrait que j'appelle *mamma*.

Il la regarda traverser la pièce en direction du téléphone, poser son verre sur la table. Elle se retourna, et leurs regards se croisèrent. Elle lui sourit et acheva de composer le numéro. Pirelli alluma une cigarette et tira une longue bouffée. Il tremblait comme un collégien.

— *Mamma*? C'est Sophia... Non, *mamma*, je suis toujours à Milan. (Elle se retourna une nouvelle fois vers lui et parut chercher sur son visage la réponse à quelque question informulée.) Il y a eu du nouveau, c'est pourquoi j'ai dû rester plus longtemps que prévu... Ça se passe bien?... Non, je lui ai dit de rentrer, il ne devrait plus tarder... Non, non, absolument aucun problème... Oui, c'est ça.

Après un nouveau regard au commissaire, elle lui tourna le dos.

— Dans la matinée, *mamma*. Je serai rentrée à ce moment-là... Oui, tout notre temps.

Elle reposa lentement le combiné mais ne se retourna pas. Elle commença à enlever son manteau de fourrure.

Il vint le lui prendre. Comme la zibeline lui tombait sur les avant-bras, il baissa la tête et l'embrassa dans le cou. La seule réaction de Sophia fut d'incliner légèrement la sienne sur le côté, comme pour lui offrir une plus grande étendue de sa gorge nue. Le manteau glissa à terre. Il recula d'un pas, et elle se retourna vers lui.

Les mots lui manquaient. Lentement, il lui prit le visage entre les mains. Elle sentit combien il tremblait. Lorsqu'elle appuya la joue contre la sienne, tout ce qu'il put dire, comme dans un soupir, fut son prénom. Elle ouvrit sa veste de tailleur et porta la main de Pirelli à sa poitrine.

Il pouvait sentir les battements de son cœur, le soyeux de son corsage, le galbe de son sein. Il s'abîmait dans cette tiédeur... Lentement, précautionneusement, lui frôlant les épaules du bout des doigts, il ôta sa veste et son chemisier, puis manœuvra la fermeture Éclair de sa jupe, qui glissa à terre. Alors il referma les bras autour d'elle et la nicha tendrement au creux de son épaule.

— Je vous aime, Sophia, lui souffla-t-il dans l'oreille.

Il la sentit s'abandonner contre lui et la souleva pour la porter dans sa chambre. Il la déposa sur le lit, elle s'enfouit le visage dans l'oreiller. Il semblait à Sophia que son corps et son esprit étaient dissociés, que sa tête ne prenait aucune part dans le désir qu'elle avait de cet homme. Elle cherchait à éviter son regard.

Pirelli tira les rideaux. Il déboutonna sa chemise, se déchaussa sans dénouer ses lacets et ôta fébrilement ses chaussettes. Puis, sans avoir enlevé son pantalon, il s'assit silencieusement à côté d'elle.

— Jamais je n'aurais cru qu'il était possible d'éprouver cela pour quelqu'un. Dès l'instant où je vous ai vue...

Elle se retourna et lui toucha le torse, d'abord timidement, puis elle mêla ses doigts à l'épaisse toison noire qui lui recouvrait la poitrine et l'attira à elle. Elle lui mordit la lèvre. Il lui prit la tête à deux mains et l'embrassa avec plus de rudesse qu'il ne s'en serait cru capable... Il lui ôta son slip sans ménagements, lui arracha son soutien-gorge et resta bouche bée devant la beauté de ses seins lourds.

Elle détacha sa ceinture, et il sentit tout à coup ses mains sur sa verge gonflée. Elle se déplaça et la prit dans sa bouche.

Il la repoussa.

— Non... non, pas comme ça...

Elle se laissa retomber sur le dos.

— Qu'est-ce qui ne va pas, commissaire? N'avez-vous pas envie de moi? N'avez-vous pas envie de me sauter?

Il lui saisit les poignets.

— Regarde-moi! Tu crois donc que c'est ce que je veux? Tu crois que c'est ce que je veux avec toi?

Elle le toisa avec un petit sourire méprisant.

— Qu'est-ce qui vous chagrine? Vous n'aimez pas qu'une femme vous suce?

Il s'écarta pour ne pas la gifler. Il ne pouvait faire face au changement qui s'était opéré en elle. Au lieu de cette inaccessible créature qu'il s'était imaginé aimer, il venait de ramener chez lui une étrangère, une putain.

— Rhabillez-vous! fit-il. Je suis désolé. C'était une erreur.

Il l'entendit rire. Est-ce qu'elle se moquait de lui? De toute sa vie d'adulte, jamais il ne s'était senti aussi peu à la hauteur face à une situation. Le demi-sourire qu'elle arborait toujours lui donna envie de la blesser.

— Ce que vous m'offrez peut se monnayer au coin de la rue. Rhabillez-vous, Sophia.

Les yeux de la jeune femme lancèrent des éclairs.

— Je peux peut-être vous retourner le compliment. Combien voulez-vous, commissaire? Combien me prendriez-vous pour me la mettre, parce que c'est tout ce que j'attends de vous? Je pensais que c'était pour ça que vous m'aviez ramenée ici.

Elle le prit par le bras et l'attira à elle, mais il la repoussa si rudement qu'elle alla percuter la table de chevet. Il entendit le bruit de son crâne donnant contre l'angle du meuble, et cela accentua encore son malaise.

— Excusez-moi, Sophia, je ne voulais pas.

Elle fuyait son regard. Mépris et colère semblaient s'être dissipés. Elle paraissait complètement déprimée.

— Est-ce que je vous ai fait mal? demanda-t-il.

Ne sachant que dire, il se rassit sur le lit. Il la désirait de tout son être et cependant ne pouvait se résoudre à la toucher. Elle se retourna lentement vers lui.

L'inquiétude qu'elle lut sur son visage lui inspira le plus doux des sourires.

— Non, vous ne m'avez pas fait mal. J'avais envie de vous parce que je ne ressens plus rien. Je n'ai plus rien.

Il la regardait fixement, bouleversé par l'état d'isolement dans lequel elle vivait désormais. Il fut saisi du violent désir de combler le vide de son existence. Cette femme lui inspirait de surprenants élans de tendresse. Lentement, il s'approcha d'elle. Comme un père avec sa fille, il lui ouvrit les bras, l'invitant à venir à lui, à recevoir sans crainte ni arrière-pensée le réconfort qu'il lui offrait.

Lorsqu'elle s'approcha, lorsqu'il referma les bras autour d'elle et sentit contre sa peau la tiédeur de son corps nu, il fut saisi d'une émotion jamais éprouvée. Jamais il n'avait été confronté à autant de fragilité. Il affermit son étreinte en murmurant des paroles apaisantes.

C'était le premier réconfort physique que Sophia recevait depuis qu'elle avait découvert ses enfants assassinés, depuis qu'elle avait enterré ses morts. Elle avait pleuré sans désemparer ses êtres chers; à présent, c'était sur elle-même qu'elle pleurait. Elle était secouée d'irrépressibles sanglots, et Pirelli, la balançant doucement d'avant en arrière, l'encourageait à se laisser aller. Peu à peu, les hoquets s'espacèrent et, blottie contre lui, le cœur battant à l'unisson du sien, elle s'apaisa. Alors il la prit tendrement par le menton et l'embrassa.

Il l'allongea sur le lit et entreprit d'enlever les épingles de son chignon. Il lui souriait.

— Il y a longtemps que je rêve de te voir ainsi, avec ta somptueuse chevelure étalée autour de la tête. Je t'aime, Sophia, je t'aime.

Elle ferma les paupières, et il se mit à lui caresser doucement le ventre.

— Je vais t'aimer, je vais prendre soin de toi...

Sous ses doigts, sa peau était comme de la soie.

Ce fut elle qui lui plaça la main sur son sein, lui faisant toucher le mamelon dressé, comme pour lui montrer qu'elle avait encore envie de lui. Il entra en elle et jouit au bout de quelques secondes.

Il regarda son beau visage en souriant.

— Dieu merci, nous avons toute la nuit devant nous... toute la nuit.

Et toute la nuit ils firent l'amour.

Au petit matin, il prépara le petit déjeuner. Il l'apporta sur un plateau et ils mangèrent côte à côte dans le lit. Il lui fit couler un bain, la savonna et l'essuya. Puis il la prit une nouvelle fois dans ses bras.

— Que va-t-il advenir de moi, Sophia Luciano? Dès le premier instant, vous m'avez subjugué.

Elle regagna la chambre en souriant et ouvrit les rideaux. La pièce s'inonda de lumière. Elle s'habilla pendant qu'il prenait une douche. Elle passa son manteau de fourrure et s'assit pour l'attendre. Ses cigarettes turques embaumaient tout l'appartement. C'était comme si rien ne s'était passé depuis l'instant où ils étaient entrés.

— Nous retournons à Palerme pour l'audience. L'affaire de ma belle-mère passe cette semaine. Est-ce que tu y assisteras?

Il acquiesça, réalisant soudain qu'il n'avait pas contacté son bureau. Il consulta sa montre.

— J'appelle un taxi.

Elle écrasa sa cigarette.

— Est-ce que tu pourrais y être? *Mamma* a peur des journalistes, et nous n'avons que...

Elle était sur le point de prononcer « Johnny » mais par prudence, elle préféra dire qu'elles n'avaient que le chauffeur.

— J'y serai... Ensuite, rentreras-tu à Rome ou bien resteras-tu à Palerme?

— Je n'en sais rien. Cela dépendra de la décision du tribunal.

Tandis qu'il appelait un taxi, Sophia promena son regard à travers la pièce. Elle se leva pour s'approcher d'une photographie. Lui tournant le dos, il parlait à la standardiste tout en feuilletant les horaires des compagnies aériennes.

— Qui est-ce? interrogea-t-elle en lui montrant le sous-verre.

Il porta deux doigts à sa lèvre; elle était gonflée à l'endroit où Sophia l'avait mordue.

— Ma femme et mon fils.

Elle replaça précautionneusement le portrait.

— Quel âge a-t-il?

— Neuf ans... enfin, 8, mais il va sur ses 9 ans. Sophia?

Elle alla chercher son sac à main. Elle refusait de le regarder.

— Sophia, écoute, j'avais l'intention de te le dire...

— Oui, mais tu ne l'as pas fait.

Elle refusa de lui parler pendant tout le trajet jusqu'à l'aéroport. L'avion de Pirelli était le premier au départ. Lorsque son vol fut annoncé, il lui saisit le bras.

— Il faut que je te revoie. Je ne peux pas te quitter là-dessus. Je ne...

— Cela vaudrait pourtant mieux, sinon tu vas manquer l'avion.

— Je m'en fous! Je veux te revoir.

Elle haussa les épaules.

— D'accord, on se verra au tribunal.

— Je veux te revoir, être auprès de toi.

Elle sourit et lui prit le visage entre les mains. Mais son sourire était faux, et son regard sans chaleur.

— Pourquoi compliquer la situation, Joe? C'est vrai qu'il s'est passé quelque chose entre nous hier soir. C'était très bien, mais il vaut mieux l'oublier. Le rôle de la maîtresse de l'homme marié ne me tente absolument pas.

— Ne dis pas ça! Tu me prends pour un homme à maîtresses, c'est ça, hein? Ce que j'ai dit, je le pense, Sophia.

Elle s'écarta.

— On annonce à nouveau votre vol. Tu vas le manquer.

— Je ne veux pas te perdre.

— Tu es disposé à quitter ta femme? Ton fils? Cesse d'échafauder des rêves, Joe. Nous sommes trop vieux pour ça. Laissons tomber dès maintenant, avant que cela ne prenne des proportions plus importantes. Ce sera mieux pour nous deux.

Pirelli n'avait aucun argument à opposer. Il n'avait même pas songé à ce que cela impliquait vis-à-vis de sa femme. Alors il se dirigea vers le sas d'embarquement sans se retourner.

De retour à Rome, Sophia se trouva confrontée à un Luka fort agité qui exigeait de savoir ce qu'elle avait fait. Elle jeta son manteau sur la banquette et le regarda droit dans les yeux.

— Il faut que nous nous comprenions bien : vous travaillez pour nous, point. Vous n'avez pas à me donner d'ordres, ni à chercher à savoir ce que j'ai fait et où je suis allée, parce que cela ne vous regarde absolument pas.

— Je suis censé vous protéger, veiller sur vous. Si je ne sais pas où vous êtes, comment le pourrais-je? Qui était ce type?

Sans même prendre la peine de répondre, elle s'enferma dans la salle de bains. Tandis que l'eau coulait, elle se déshabilla et s'étudia un moment devant le miroir. Leurs étreintes n'avaient laissé aucune marque sur son corps, et cependant elle avait changé : elle se sentait plus calme, plus confiante.

Alanguie dans la baignoire, les paupières closes, elle pensait à Pirelli, refusant d'admettre la possibilité qu'elle était ou pouvait être éprise de cet homme... Elle empoigna éponge et savonnette et se lava énergiquement. En dépit de ses belles paroles, d'une certaine manière il l'avait trompée. Ne serait-ce qu'envisager une liaison avec cet homme était tout à fait insensé. En revanche, le cas échéant, elle l'utiliserait ; oui, ce type pouvait se révéler utile.

Pirelli n'échappa pas à la gentille mise en boîte d'Ancora. Devant sa lèvre enflée, personne ne le crut lorsqu'il prétendit s'être fait cela contre un portillon. Mais son adjoint pouvait bien penser ce qu'il voulait. Non, le commissaire était de mauvaise humeur parce qu'en dépit des nouvelles preuves qui affluaient régulièrement, lui et son équipe étaient toujours confrontés au même problème : coincer leur client. Voilà qu'on lui retirait des hommes, et toujours pas la moindre trace de Luka Carolla.

Il prit connaissance des rapports sur le meurtre de Rocco et examina la canne-fusil. Aucune empreinte : elle avait été soigneusement essuyée. Ne sachant que faire dans l'immédiat, il aurait pu rentrer chez lui. Au lieu de cela, il se mit à retourner le problème comme un chien son os, en quête de quelque chose, n'importe quoi susceptible de débloquer la situation.

Il retarda le plus possible le moment de retourner à son appartement de Palerme et de se retrouver face à sa femme. Il finit par être si fatigué qu'il dut pourtant s'y résoudre. Tenaillé par un sentiment de culpabilité, il acheta des fleurs et, le profil bas, rentra chez lui. Lisa regardait la télévision, les deux pieds posés sur une chaise.

— Salut, ça va?

— Ça peut aller. En revanche, toi, on pourrait se poser la question. Tu nous fais venir, moi et Gino, dans ce galetas. Ensuite, tu ne trouves rien de mieux que de partir pour Milan! (Comme il ne répondait pas, elle leva la tête vers lui.) Qu'est-ce qui est arrivé à ta lèvre?

— Oh, ça? Une petite altercation avec deux types à l'aéroport; trois fois rien. Il y a quelque chose à manger?

Elle quitta sa banquette pour se rendre à la cuisine.

— As-tu fait un saut à l'appartement?

— Je suis passé y jeter un œil. Rien à signaler.

— Parfait. Dis, et si on allait dîner dehors? Je n'ai pas très envie de me remettre aux fourneaux.

Il soupira et acquiesça sans grand enthousiasme. Il était si fatigué qu'il pouvait à peine tenir debout. Elle se mit sur la pointe des pieds pour l'embrasser. Il la serra brièvement dans ses bras.

— Deux jours sans se voir, et c'est tout ce à quoi j'ai droit? Tu ne me demandes même pas des nouvelles de ton fils.

— Pardonne-moi. C'est que je commence vraiment à saturer, en ce moment. Comment va Gino?

— Il va bien. Je vais demander à la jeune fille du dessus de venir le garder. Oh! à propos, il faudra que tu lui achètes un nouveau vélo, pour Noël. Il vient de se faire voler le sien.

Tout au long du dîner, Pirelli ne cessa de bâiller. Il s'efforçait de la chasser de son esprit, mais ses pensées le ramenaient invariablement à Sophia. Lorsque sa tête toucha enfin l'oreiller, il n'avait qu'une seule aspiration : dormir. Mais Lisa vint se blottir dans son dos et se mit à lui embrasser le cou. Il lui prit la main.

— Pas ce soir, chérie. J'ai terriblement mal à la tête.

Elle regagna sa moitié de lit.

— N'est-ce pas généralement la femme qui dit ça? Tu sais, si je suis ici, dans cet horrible appartement, c'est uniquement pour être avec toi. Et que se passe-t-il? Tu pars traîner tes guêtres à Milan. Quand vas-tu me consacrer un peu de ton temps? Joe? Joe!

Il dormait profondément, rêvant à Sophia et à sa chevelure de jais déployée sur l'oreiller...

Après neuf bonnes heures de sommeil, Pirelli se rendit au palais de Justice. Ce jour-là, Graziella Luciano était jugée pour sa tentative d'homicide sur la personne de Paul Carolla.

Luka, qui ne tenait guère à se montrer de ce côté-là, avait avancé divers prétextes pour rester dans la voiture. Mais Sophia n'avait rien voulu entendre.

— Vous êtes censé veiller sur nous, alors faites votre boulot !

Coiffé de sa casquette grise de chauffeur, il était présentement assis en compagnie de Graziella sur un banc de la salle des pas perdus. Il se tenait sur ses gardes, mais les nombreux quidams qui allaient et venaient d'un pas pressé ne faisaient pas attention à lui. Très tendue, la vieille femme ne cessait de tire-bouchonner son mouchoir. Elle redoutait moins la sentence qui serait prononcée contre elle que de se retrouver seule.

À la demande de Sophia, il partit lui chercher de l'eau. Il alla remplir un gobelet et, au retour, passa devant une chambre où l'on tenait audience. Sur un panneau étaient placardées la liste de celles du jour ainsi que des affichettes d'appels à témoin concernant diverses personnes recherchées — incendiaires, voleurs à la tire, petits malfrats et condamnés en rupture de conditionnelle. Et là, au vu de tout le monde, une photo de lui !

Le panonceau invitait quiconque croyait avoir vu Luka Carolla à contacter le commissariat le plus proche. Suivait une description succincte de sa personne : sa taille, ses yeux bleus, ses cheveux, qui pouvaient être soit blonds soit châtain clair.

Debout derrière lui, une femme prenait connaissance de ces avis par-dessus son épaule. Il s'excusa en passant devant elle et se remit en marche. Il lui semblait que sa vessie allait éclater. Ses mains étaient agitées de tremblements. Lorsqu'il eut rejoint les deux femmes, son visage avait la couleur de la cendre et ses doigts étaient comme gelés autour du gobelet en carton. On attendait toujours l'avocat de Graziella.

— Je suis allée me renseigner pour savoir combien de temps nous devons attendre. Il semble bien que cela puisse s'éterniser, dit Sophia à l'adresse de Luka, quoique toute son attention fût centrée sur Graziella.

— Pourquoi n'irais-je pas retenir une table dans un bon restaurant?

La jeune femme balança, regarda sa montre, puis haussa les épaules.

— Pourquoi pas? Il faudrait aussi demander s'il nous sera possible de sortir par-derrière. Je ne tiens pas à ce que *mamma* ait à affronter les journalistes.

Il s'était déjà éloigné de quelques pas.

— Entendu, je vous attends avec la voiture au niveau de l'entrée de derrière.

Et de partir à grands pas, croisant Pirelli qui arrivait dans l'autre sens, en grande conversation avec l'avocat de Graziella. Il n'eut pas un regard pour le jeune homme, car juste à cet instant, Sophia s'était avancée pour le saluer. Il lui serra la main, cherchant à capter son regard.

— *Mamma*, vous vous souvenez certainement du commissaire Pirelli?

— Oui... fit-elle en lui tendant la main.

— Vous passez devant un des juges les plus coulants, *signora* Luciano. Je lui ai parlé et je viens d'avoir une longue conversation avec votre avocat. Je ne pense pas qu'il doive y avoir de problèmes. Je ne vais pas pouvoir assister à l'audience, mais je passerai un peu plus tard. (Puis, s'adressant à Sophia :) Puis-je m'entretenir avec vous un moment?

Elle s'excusa et laissa sa belle-mère en compagnie de son avocat. Elle et Pirelli entrèrent dans une salle de réunions et refermèrent la porte derrière eux.

— Est-ce que je peux te voir après l'audience?

Elle fuyait son regard.

— Ce serait inutile...

— Mais enfin, qu'est-ce qu'il faut que je fasse?

Elle soupira.

— Ce n'est pas ma faute. Tu es marié; par conséquent, il est préférable que nous ne nous voyions pas.

— C'est ce que tu veux? C'est vraiment ce que tu veux? Écoute, je ne sais plus où j'en suis, moi.

— Moi non plus, Joe.

Il se passa la main dans les cheveux.

— Qu'attends-tu de moi? souffla-t-il avec un regard éperdu.

Elle s'approcha pour lui effleurer le visage du bout des doigts.

— Joe, je ne sais pas ce que j'éprouve pour toi... ni comment cela pourrait évoluer...

Il l'attira à lui et l'embrassa. Elle resta tout contre son torse, emprisonnée dans ses bras. Un immense sentiment de sécurité et de réconfort l'envahit.

— Il me serait si facile, Joe, de te dire oui, je veux te revoir. Mais cela nous mènerait vers un inextricable gâchis.

Il la prit par les bras.

— Je n'arrête pas de penser à toi. J'ai envie de toi jusqu'à l'obsession. En ce moment, j'ai envie de toi... Je t'aime, Sophia.

Elle ne répondit pas. Il la lâcha et s'adossa à la porte.

— Et si je quittais ma femme?

— Cela te regarde. Ne me demande pas de te dicter ce que tu dois faire. Si tu as l'intention de la quitter, alors...

— Dis-moi simplement ce que toi tu veux que je fasse.

— Non, Joe. Qu'arrivera-t-il si tu quittes ta femme et qu'ensuite nous ne... et qu'ensuite cela ne marche pas entre nous? Tu me ferais des reproches, tu en rejetterais toute la responsabilité sur moi. J'ai connu suffisamment de déchirements comme cela. N'ajoute pas à mes souffrances, Joe, je t'en supplie. Si je suis venue, c'est peut-être parce que j'avais besoin de toi à ce moment précis.

— Tu n'as plus besoin de moi, à présent?

Les yeux de Sophia s'emplirent de larmes.

— Je ressens un tel vide au fond de moi. Tu m'as comblée, tu m'as apporté beaucoup. Essaie de comprendre : je ne sais pas si ce que je ressens est de l'amour ou seulement le fait que tu as comblé ce manque. Je dois essayer de retrouver mon intégrité. Je suis comme une morte vivante.

Il dut déglutir pour s'empêcher de pleurer.

— Tu as raison. Pardonne-moi. Retourne auprès de la *signora* Luciano. Si jamais tu as besoin de moi, je suis là, libre ou pas libre. Je suis sincère. Tu m'appelles et j'arrive.

Elle lui déposa un baiser sur la joue, le remercia dans un souffle et sortit. Il demeura un moment seul, le temps de se ressaisir, envahi d'un immense sentiment de perte.

Luka était assis dans la voiture garée derrière le palais de Justice. Il savait à présent que Sophia avait vu le commissaire, ce type du nom de Pirelli. Que lui avait-elle dit ? Pour quelle raison s'étaient-ils isolés dans cette pièce ? Il était tellement plongé dans ces considérations qu'il sursauta lorsqu'on cogna à la vitre.

Un employé du palais se pencha à la portière.

— La *signora* Luciano va sortir. Vous prenez la première à gauche, vous suivez la ruelle, ensuite vous tournez à droite et vous êtes sur l'avenue.

Le moteur tournait déjà lorsque Sophia aida sa belle-mère à s'installer à l'arrière, puis vint s'asseoir à côté de Luka.

— L'entrée est noire de paparazzis, alors ne traînez pas.

La Rolls Corniche enfila la ruelle dans un crissement de pneus.

Ainsi que Pirelli l'avait prédit, elle avait été condamnée à une amende doublée d'une peine avec sursis. Ils regagnèrent Rome. L'après-midi touchait à sa fin lorsqu'ils se présentèrent à l'embarquement. Tout se déroula sans aucun problème ; la *signora* Gennaro, son fils et sa fille n'eurent même pas à répondre à la moindre question.

Le choix du passeport avait été laissé à Luka et Graziella. La photo d'Anthony Gennaro ne ressemblait pas vraiment au jeune homme, mais le fait qu'il s'agissait d'un passeport familial joua en leur faveur et leur permit de franchir sans encombre la douane et le dispositif policier.

L'atterrissage était prévu une dizaine de minutes plus tard à l'aéroport Kennedy. Cela avait été un vol sans histoires. Tous trois avaient dormi, Graziella la tête appuyée sur l'épaule de Sophia. Toujours tendue à l'idée de prendre l'avion, celle-ci avait bien agrippé la main de Luka au moment du décollage, mais en dépit de son estomac sens dessus dessous, elle avait ensuite éclaté de rire. Il raffolait de ce rire mat et profond.

Il pensait à la bonne surprise qu'il lui réservait, fruit de son passage, l'autre soir, à l'atelier de Nino Fabio : un document signé par lequel le styliste l'autorisait à utiliser toutes ses créations, dont plusieurs appartenant à la collection 1988. Son ancien associé lui avait cédé tous ses droits, lui permettant même de se servir de son nom.

L'appareil amorça sa descente, et tous trois se penchèrent pour regarder par le hublot. Graziella fit le signe de croix et se mit à prier pour un atterrissage sans problèmes. Une nouvelle fois, Sophia chercha la main de Luka. Le jeune homme arborait son angélique sourire, et une petite fossette se creusait sur sa joue.

Lorsque l'hôtesse d'accueil de Nino Fabio vint prendre son travail, elle remarqua la lumière dans le bureau de son patron ; elle supposa qu'il était arrivé de bonne heure, ainsi qu'il le faisait fréquemment.

Elle ouvrit le courrier et prépara du café avant d'aller frapper à sa porte. N'obtenant pas de réponse, elle ouvrit et regarda à l'intérieur.

La moquette blanche était couverte de traces de sang. Il s'agissait d'empreintes de pieds nus, d'empreintes ensanglantées qui s'arrêtaient sur le seuil, à la limite du revêtement noir du hall d'accueil.

Il y avait encore plus de sang dans le petit cabinet de toilette adjacent : sur le miroir, sur le lavabo, sur toute la surface du mur.

La chose prit un caractère irréel quand les ouvrières embauchèrent. La police arriva et, après avoir immédiatement consigné cette partie des locaux, se mit en quête du styliste.

Deux heures plus tard, une jeune assistante qui traversait la pièce où l'on stockait les mannequins poussa des cris hystériques.

Tétanisée, elle avait le bras tendu vers le corps de Nino, presque exsangue et juché sur un mannequin masculin. Il était aussi cireux et inanimé que la silhouette en plastique rose qu'il paraissait chevaucher.

19

Graziella fut atterrée en découvrant le logement exigu qu'occupaient Teresa et sa fille. N'ayant aucune idée du niveau astronomique des prix à New York, cet appartement de la 35ᵉ Rue Est était à ses yeux à peine plus qu'un taudis.

Les larmes aux yeux, elle passa de pièce en pièce en levant chaque fois les bras au ciel. Elle secoua tristement la tête en découvrant la petite cuisine. Pourquoi, ne cessait-elle de répéter, pourquoi ne lui avait-on rien dit, pourquoi Filippo n'avait-il jamais signalé à ses parents dans quel genre d'endroit lui et les siens étaient contraints de vivre ?

Elle appela Sophia pour lui demander de trouver quelque chose d'autre : il n'était pas envisageable que l'on s'entasse dans un logement aussi exigu. Appuyée contre l'encadrement de la porte d'entrée, essoufflée d'avoir monté ses deux valises, cette dernière ne put qu'acquiescer.

Les deux autres bagages que Luka apporta achevèrent de bloquer l'étroit couloir. Avec cet encombrement ajouté aux lamentations de Graziella, on se serait cru dans un asile d'aliénés.

La situation s'éclaircit peu à peu au fil des heures. En fin de soirée, les chambres avaient été attribuées, les meubles déplacés afin de gagner quelque espace. Rosa

473

céderait la sienne à sa grand-mère et partagerait celle de sa mère. Sophia en récupéra une, petite, pour elle toute seule.

Luka, qui s'était montré des plus obligeant, portant les bagages, remuant les meubles, refusa de dîner avec elles. Il désirait prendre une chambre en ville. Il passerait dans la matinée. Leur ayant souhaité à toutes une bonne nuit, il se faufila entres les valises qui encombraient le couloir et sortit.

Le repas fut très animé. Les quatre femmes parlaient toutes en même temps de la façon dont on allait s'organiser pour vivre dans ce petit logement. Graziella acheva d'irriter Teresa lorsqu'elle refusa de goûter à ce qu'elle avait préparé. S'il fallait s'entasser dans un taudis, on n'était en revanche nullement obligé de manger comme des *Americanos*.

— *Mamma*, je ne veux plus entendre un mot au sujet de cet appartement ou de ma cuisine. Si vous souhaitez vous mettre aux fourneaux, vous êtes la bienvenue. Simplement, je n'ai pas envie d'en parler ce soir.

— Quand je pense que j'ai une maison... que j'ai une...

— Non, *mamma*, la villa est vendue. Vous n'avez plus de maison, pas même un appartement.

— Si, j'ai une maison.

Furieuse, sa belle-fille abattit le poing sur la table.

— Croyez-vous que nous habiterions ici, si nous avions le choix? Nous n'avons que ça. Et nous allons nous en contenter en attendant que tout se mette en place, c'est compris? Est-ce que c'est bien compris?

Sophia chipotait devant un triste hamburger.

— Inutile de crier comme cela, Teresa. *Mamma* est un peu déphasée. Nous sommes allées à Palerme, nous sommes retournées à Rome... Au lieu de disputailler, tu pourrais peut-être lui demander comment ça s'est passé au tribunal. *Mamma* a écopé d'une amende.

— Je pensais que tout s'était bien déroulé, sinon vous ne seriez pas ici. Pourrait-on parler deux minutes de ce qui est vraiment important?

Graziella croisa les bras.

— Je vais vous dire une bonne chose, ma petite. Vous vous trompez souvent sur ce qui importe vraiment. Le plus important, c'est le foyer. C'est l'endroit où l'on vit, où l'on grandit, c'est l'endroit dont on se nourrit. La famille et le foyer, tout est là.

Sophia passa un bras autour de ses épaules.

— Vous avez tout à fait raison, *mamma*.

— Évidemment que j'ai raison. Et je n'aime pas du tout cet endroit. Mon lit est contre le mur ; qui a envie de voir un mur en ouvrant les yeux le matin ?

— Vous voulez ma chambre ? Eh bien allez-y, prenez-la.

— Ce n'est pas votre chambre que je veux, ma petite Teresa. Ce que je veux, c'est ficher le camp d'ici. On y étouffe. Demain, après avoir pris un peu de sommeil, nous nous mettrons en quête d'un autre logement.

Sophia aida sa belle-mère à se lever de table, mais celle-ci s'écarta.

— Et cessez de me traiter comme une vieille femme. Témoignez-moi un peu de respect. Je viens d'abandonner ma maison ; croyez-vous que cela ne me fait pas mal ? Ne voyez-vous pas ce que j'ai perdu, ce à quoi j'ai renoncé ?

— Vous n'aviez pas le choix, *mamma*, dit Teresa en prenant sur elle.

Graziella se pencha au-dessus de la table.

— Détrompez-vous, ma petite, j'avais le choix. Mais c'en est fini de cette maison ; qu'elle repose en paix.

Teresa leva les yeux au ciel.

— Qu'est-ce que vous attendez de nous, *mamma* ? Que nous nous lamentions sur la villa ?

— Simplement que vous gardiez présent à l'esprit le fait que je vous l'ai sacrifiée. (Elle se dirigea vers la porte, s'arrêta.) Où sont les toilettes ?

Sophia partit d'un grand rire. Elle guida Graziella dans le couloir semé d'embûches.

— Dis donc, fit la plus jeune à sa mère, tante Sophia est de meilleure humeur que la dernière fois que nous l'avons vue. Ça doit y aller, les petites pilules.

— Un peu de respect, Rosa, ou tu vas avoir affaire à moi.

Elle regarda sa mère et acheva de lui servir du vin. Emplissant son propre verre, elle dit :

— Johnny, c'est un peu comme s'il faisait partie de la famille, à présent. Lui et Sophia ont l'air de très bien s'entendre.

Occupée à ramasser les assiettes, Teresa ne répondit pas. Mais elle aborda le sujet dès que l'autre reparut.

— Alors, comment notre *signor* Moreno s'est-il comporté ?

La jeune femme accepta un verre de vin et adressa un sourire à Graziella. Teresa faisait encore des cauchemars, dans lesquels elle voyait Luka et le cadavre de Rocco. Elle se pencha vers sa belle-sœur.

— Alors, Sophia ? Avez-vous eu des problèmes avec Johnny ?

— Il s'est parfaitement bien comporté. Il a conduit la Rolls... Oh! à propos, nous l'avons laissée dans un garage longue durée. Nous pourrons la reprendre quand nous le voudrons, même si à mon avis cette voiture ne convient pas du tout dans une ville comme Rome, où les rues sont si étroites.

Teresa n'était pas satisfaite.

— En as-tu appris un peu plus sur son compte? Par exemple pour qui il travaillait?

— Non, mais il s'est bien occupé de nous. Bon, alors qu'est-ce qu'on fait, maintenant qu'on est toutes ici? Quelle est la prochaine étape?

— Je suis entrée en contact avec Barzini, expliqua Teresa. Il m'a paru très impatient de nous rencontrer. Je lui ai dit que nous irions le voir sitôt votre arrivée. Je vais le rappeler. Nous pourrions y aller dès demain matin. Plus tôt ce sera réglé, plus tôt nous serons en mesure de reprendre une vie normale.

Luka continuait à se comporter comme le chauffeur des *signore* Luciano. Il avait briqué la Lincoln de Filippo, garée devant le garage collectif qui occupait le sous-sol de l'immeuble. Il les regarda approcher et ouvrit la portière pour Graziella.

Teresa le regardait avec insistance. Lorsqu'il s'approcha pour l'aider à monter en voiture, elle eut un mouvement de recul.

Il rougit légèrement, redoutant que sa réaction n'ait été remarquée. Il demeura silencieux pendant tout le trajet, lui jetant un regard furtif dans le rétroviseur chaque fois qu'elle lui donnait une indication sur l'itinéraire à suivre.

Barzini occupait une suite à l'*hôtel Plaza*. Dès que la voiture s'immobilisa, un portier en uniforme s'avança. Mais Luka descendit rapidement pour se mettre en travers de son chemin et, avec beaucoup d'ostentation, remplir son office de chauffeur de maître.

Elles étaient toutes les quatre en noir, et Graziella portait sa voilette de deuil. Avec leurs toilettes, à l'évidence sorties de chez un bon couturier, elles faisaient vieille et riche famille. Des passants s'arrêtaient pour les regarder descendre une à une de la limousine et franchir la largeur du trottoir. Maintenant rompu à ce genre d'exercice, le petit groupe, Graziella en tête, entra dans le hall du *Plaza*. Passant sans s'arrêter devant la réception, elles se dirigèrent vers les ascenseurs et se firent déposer au quinzième étage.

Costume gris pâle, lunettes à monture dorée et verres teintés roses, un homme les attendait devant la suite numéro 6. Il vint au-devant de Graziella.

— Mes hommages, *signora* Luciano. Nous nous sommes rencontrés en 1979, mais je doute que vous vous souveniez de moi. Je me nomme Peter Salerno.

Elle hocha la tête et fit signe à ses compagnes de lui emboîter le pas. Il leur fit traverser une immense pièce inondée de soleil.

Les murs étaient tendus de soieries dans les tons roses. L'endroit était meublé d'une profusion de banquettes et de fauteuils gris perle. De grands bouquets de fleurs posés sur des sellettes en marbre blanc embaumaient l'atmosphère. De petites tables à café à dessus de verre étaient disposées çà et là dans la partie tenant lieu de living, et, au centre de la pièce, se trouvait une table basse garnie de plateaux de sucreries, de coupes en cristal et d'un seau à champagne contenant une bouteille.

Debout à proximité, un garçon en blanc attendait de faire le service.

L'homme qu'elles venaient voir, Michele Barzini, était au téléphone. Il approchait de la soixantaine et ne devait pas mesurer plus de 1,65 mètre. Cheveux blond cendré, visage pincé, il portait des verres teintés sans monture. Il avait un costume gris et ses chaussures noires étaient si lustrées que la lumière s'y réfléchissait. Un gros diamant brillait sur sa cravate rose.

Il ne tarda pas à mettre fin à la communication et se précipita, les bras grands ouverts, au-devant de ses visiteuses.

— Pardonnez-moi, pardonnez-moi... Mes hommages, *signora* Luciano.

Il baisa la main de Graziella et fit de même avec chacune des autres femmes au fur et à mesure qu'elles lui étaient présentées. Après leur avoir longuement tapoté le poignet en manière de condoléances, il les invita à s'asseoir. La vieille femme allait accepter une coupe de champagne quand Teresa la prit de vitesse.

— Non, merci.

Le serveur fut congédié, et nul ne parla avant qu'il ait refermé derrière lui les deux battants à traverses sculptées d'un passage en ogive. Peter Salerno choisit une chaise à haut dossier, tandis que Barzini se posait sur un siège profond en face de ces dames. Il s'adressa à l'aînée d'entre elles.

— Votre mari a été durant de nombreuses années un ami très cher. Si vous avez un problème, je suis très honoré que vous ayez pensé à moi.

Ses petits yeux attentifs passaient de l'une à l'autre. Il remarqua combien Rosa était jolie, et son regard s'attarda plusieurs fois sur Sophia. Avec ses cheveux de jais, ses hautes pommettes, sa tête légèrement inclinée, elle évoquait une madone, mais ses jambes gainées de noir étaient très excitantes.

Le téléphone blanc art déco sonna. Barzini se pencha vers Salerno pour lui demander de ne plus laisser passer les appels. Celui-ci quitta promptement la pièce pour revenir discrètement quelques instants plus tard.

L'autre afficha un grand sourire.

— Mesdames, je vous suis tout ouïe...

Teresa avait sorti d'une mallette un épais dossier. Elle avait les traits tirés, le visage décharné, et lorsqu'elle leva la tête, il fut surpris par l'expression résolue de son regard. Pourtant, quand elle parla, ce fut avec tous les accents de la soumission.

— Pour la liquidation de la succession, ma belle-mère a fait appel à un très vieil ami de la famille. Malheureusement, cet homme, très âgé, n'a pas été à la hauteur de la tâche...

Et de brosser pour Barzini un tableau détaillé et concis des malheurs qui les avaient frappées et de la précarité de leur situation financière. Elle apporta des estimations très précises sur la valeur de la société mère. Salerno notait tout ce qu'elle disait.

Sophia restait tête baissée, fixant l'épouvantable moquette rose. Elle trouvait ce décor du plus mauvais goût et ressentait une vive antipathie pour Barzini. Elle sentait ses yeux de taupe la déshabiller, et cela lui donnait la chair de poule.

Rosa, elle, était fascinée par la façon dont les yeux de cet homme se révulsaient. Elle aussi avait conscience de son regard concupiscent, mais elle finit par s'absorber complètement dans la contemplation de ses petites mains cruelles et de la manière dont il lissait le pli de son pantalon et tripotait le diamant de son épingle de cravate.

Graziella, pour sa part, était enfermée dans un monde intérieur. Elle cherchait présentement à se rappeler où elle avait bien pu rencontrer cet horrible nabot. Son mari ne lui en avait jamais parlé, elle en était certaine. Pourtant, il y avait chez lui un air familier.

Teresa lui expliquait comment les Corleone s'étaient comportés à leur endroit, avec leur offre rien de moins qu'insultante. Elle lui dit sa conviction que chaque famille de Palerme aurait désiré louer leurs installations portuaires si elle avait été libre de faire ce qu'elle avait projeté.

Le soulier noir se mit à tapoter le sol. Barzini lança un rapide regard vers Salerno. Puis il porta la main à ses lunettes.

— Avez-vous déjà participé à la gestion d'une société d'import-export... Teresa? J'espère que ma question ne vous heurte pas? Simplement, si vous êtes dénuée d'expérience en ce domaine, vous avez pu vous méprendre quant à la valeur du patrimoine Luciano...

La jeune femme lui adressa un regard d'une merveilleuse candeur, hésita, puis soupira.

— Les faits sont les faits. Au cours des vingt dernières années, beaucoup d'offres de rachat nous ont été faites, et jamais elles n'ont baissé. La société réalisait d'importants profits et elle n'a cessé de se développer jusqu'à la disparition de don Roberto. Cette entreprise était très prestigieuse et n'avait que des activités légales ; je suppose que ceux qui ont cherché à nous la racheter y voyaient une excellente couverture pour le trafic des stupéfiants...

Barzini se pencha en avant.

— Soyez-en sûre, loin de moi le désir de vous offenser. Dieu m'en garde. Mais Roberto Luciano allait témoigner pour la partie civile... Quelles que soient les raisons d'une vendetta entre frères, ce genre d'initiative est une pure folie.

Teresa en eut la mâchoire qui tomba. Elle abandonna un instant son grand numéro d'innocence.

— Croyez-moi, nous savons mieux que quiconque où a mené ce genre de folie. Cependant, parce que vous aimiez Roberto Luciano comme un frère, nous venons solliciter votre aide. Il a tenu tête à Paul Carolla, qui, pendant plus de vingt ans, a tenté de l'entraîner dans le trafic des stupéfiants. Carolla convoitait nos entrepôts, nos installations frigorifiques, nos fabriques...

Elle poursuivit son énumération. Salerno notait tout

avec application. Les deux hommes n'échangèrent pas même un regard. Le fait qu'il avait cessé de bouger les mains était le seul signe montrant que Barzini était vivement intéressé par ce que disait Teresa. Même s'il paraissait tout à fait détendu, elle était convaincue qu'il avait mordu à l'hameçon.

Maintenant attentive à tout ce qu'elle disait, Sophia s'était à demi tournée vers sa belle-sœur.

— Tout ce que nous demandons, poursuivait Teresa, c'est un juste prix, correspondant à la valeur de la société. Nous venons vous trouver, vous qui aviez l'affection de notre cher don Roberto, pour que vous nous aidiez à vendre.

Les mains de Barzini se remirent en mouvement quand il prit la parole.

— Je suis très touché, ma chère, que vous ayez choisi de vous adresser à moi. En souvenir de mon indéfectible amitié pour lui, j'essaierai de vous prêter mon concours. Je vais en parler à quelques-uns de mes amis, leur soumettre une proposition.

Là-dessus, il quitta brusquement son siège et, comme si c'était elle qui avait donné le signal du départ, il vint aider Graziella à se lever. Il baisa la main gantée de chacune des veuves, terminant par Teresa.

Les raccompagnant jusqu'à la porte, il lui demanda, l'air de rien, si elle avait apporté à New York tous les documents nécessaires à la vente. Elle sourit et répondit que oui, elle avait tout ce qu'il fallait, depuis les actes de propriété jusqu'aux baux à ferme. Ne manquaient plus que les signatures.

Elle lui remit le dossier. Il escorta les quatre femmes jusqu'à l'ascenseur, qu'il appela d'une main fébrile. Il agrippait le gros dossier d'un air de triomphe, et ce ne fut que lorsque les portes de la cabine étaient sur le point de se refermer que Teresa lui précisa qu'il ne s'agissait que de copies des documents originaux. Son visage disparut avant qu'elle ait pu voir sa réaction.

Barzini se retourna vers Salerno et sourit.

— Je crois que la mocheté vient de nous refiler une mine d'or.

Impatient de savoir comment s'était passée l'entre-vue, Luka les attendait devant l'entrée de l'hôtel. Il n'eut pas la possibilité de poser la moindre question : à peine étaient-elles à bord de la voiture que Sophia décocha avec humeur :

— Teresa, comment as-tu pu agir ainsi? Tu ne lui as pas mis les points sur les i, mais c'était bien assez clair. Si Barzini ne trempe pas encore dans les stupéfiants, cela ne saurait tarder. S'ils nous rachètent la société, ils vont l'utiliser pour une activité contre laquelle don Roberto a précisément lutté toute sa vie.

— Ça te dérange?

— Oui, ça me dérange. Tu peux peut-être t'en débrouiller, moi pas.

— Dis-moi un peu comment tu comptes te débrouil-ler d'une manière générale, parce que pour le moment, nous n'avons rien. C'est toi qui as besoin d'argent frais pour redémarrer à Rome! Eh bien, cet argent, tu l'auras.

— Tu n'as donc aucun principe moral?

— Lâche-moi, avec tes principes. Ceux qui rachète-ront la société l'utiliseront comme ça leur chante. Les Corleone, que crois-tu qu'ils auraient fait? De l'exporta-tion de sucres d'orge? Tu n'es plus une enfant, Sophia; il faut regarder les choses en face.

Rosa tapota le genou de sa mère.

— Pourquoi Barzini? Pourquoi l'avoir choisi, lui?

Teresa haussa les épaules. Sophia alluma une cigarette et baissa sa vitre.

— Je viens d'avoir une sacrément bonne idée...

L'autre fit la moue.

— Il a été le premier Américain à faire une proposi-tion après la mort de don Roberto. Barzini n'est que le représentant de très gros intérêts. Il ne traite pas pour son propre compte; il négocie pour différentes familles.

— J'ai eu son offre originale sous les yeux, se rappela Sophia. Elle était proprement insultante. Nous ne pou-vons traiter avec lui, ce serait aller à l'encontre de tout ce que don Roberto a toujours défendu. Ce serait écœu-rant.

— Nous aurons besoin de ta signature, dit Teresa. Cela signifie que tu ne signeras pas?

Sa belle-sœur la toisa d'un air de dégoût et écrasa sa cigarette.

— Tout juste. Des tas de gens brassent des affaires licites. Dans le nombre, il y aura bien quelqu'un pour nous faire une offre honnête.

— Ah oui? Et peux-tu me préciser quel type honnête va investir un cent dans une affaire — il faut bien le dire — marquée du côté de la Mafia?

Luka n'avait encore rien dit. Il regarda Sophia dans le rétroviseur.

— Teresa a raison, et puis vous allez avoir besoin de la protection de Barzini. Vous ne pouvez pas vous mettre à chercher d'autres acheteurs. Plus maintenant. C'est trop tard.

Le reste du trajet se fit dans un silence morose.

Graziella insista pour préparer le dîner et, ignorant comment s'allumait le réchaud, manqua de faire exploser la petite cuisine. Avec force entrechoquements de casseroles, elle fit cuire une énorme marmite de spaghettis.

Luka arriva, disparaissant presque derrière une grande gerbe de roses. Aux anges, la vieille femme prit la brassée de fleurs. Il avait également acheté du vin, de la mozzarella et du pain frais. Il fut traîné jusqu'à la cuisine pour goûter la sauce des pâtes.

Sophia entendit Rosa l'appeler. Comme elle ne venait pas, Teresa frappa à la porte de sa chambre et entra.

— Tu viens manger?

— Je n'ai pas faim.

Elle referma la porte et s'assit sur le bord du lit.

— Si tu tiens vraiment à nous lâcher, après tout cela te regarde. Nous essaierons de réunir de quoi te permettre de rentrer à Rome et de redémarrer.

— Tu parles! Je n'ai pas le début d'une collection, je n'ai même pas d'atelier, et j'ai dépensé le peu qui me restait à payer l'amende de *mamma*. Je suis fauchée,

Teresa. Mais je ne vais pas pour autant cautionner ce que tu es en train de faire.

Sa belle-sœur laissa échapper un soupir et la considéra de son air le plus sérieux.

— Tu veux un petit conseil? Si j'étais toi, je n'essaierais pas de faire dans la haute couture. Je travaillerais sur des créations plus marrantes, tu sais, des trucs pour les grands magasins. C'est là que se trouve l'argent.

— Tu connais peut-être pas mal de choses, Teresa, mais ne viens pas me dire comment je dois mener mes affaires.

— Si tu avais reçu ce genre de conseils beaucoup plus tôt, peut-être n'aurais-tu pas été obligée de déposer le bilan. Toutes ces soieries et ces corsages ruchés étaient ravissants, mais qui peut mettre cinq mille dollars dans des trucs comme ça? Ton marché est trop confidentiel.

Sophia alluma une cigarette.

— Beaucoup de femmes le peuvent, Teresa. C'était mon cas, et celles auxquelles je souhaite vendre dépensent jusqu'à soixante mille dollars sur une seule saison. Pas dans des accessoires, uniquement des robes.

Les lèvres de Teresa prirent un pli amer.

— Justement, ne fous pas en l'air nos chances de porter un jour ce genre de fringues. Si Barzini nous trouve un acheteur, nous vendons et nous commençons à vivre. Je ne te laisserai pas nous mettre des bâtons dans les roues, tu m'as comprise?

On passa à table. La conversation était très animée, et seule Sophia demeurait silencieuse. Graziella avait préparé suffisamment de spaghettis pour vingt personnes.

Le repas terminé, Rosa voulut se lever pour débarrasser, mais sa grand-mère lui dit de rester assise.

— Eh bien, Johnny, que pensez-vous du fait que nous traitions avec Barzini?

Luka parut hésiter, puis, d'une voix égale:

— Les Corleone croyaient avoir fait affaire. Vous avez changé d'avis. Pour l'instant tout va bien, mais si vous vous mettez à chercher à droite, à gauche, vous allez vous retrouver dans une position très dangereuse, parce qu'ils vont forcément l'apprendre. Non, acceptez l'offre de Barzini.

Graziella hocha la tête et se tourna vers Teresa.

— Qu'est-ce que vous en pensez? Si le prix est correct, que faisons-nous?

— Exactement ce que nous avons décidé : nous acceptons.

La vieille femme lança un regard en direction de son autre belle-fille.

— Seulement Sophia n'est pas d'accord. Et toi, Rosa, qu'est-ce que tu en penses?

— Je ne sais pas.

— Tu ne sais pas... Donc cela fait une contre, une pour et une qui ne sait pas.

— Si vous allez par là, dit Teresa, il faut également prendre en compte l'avis de Johnny. Il doit toucher quelque chose, lui aussi.

— Comme sa signature n'est pas requise sur les actes, je ne pense pas que la question se pose pour l'instant.

La jeune femme soupira.

— J'en conclus que vous êtes contre, vous aussi.

Graziella fit la moue.

— Vous avez raison sur certains points. Par exemple, la difficulté de trouver un acheteur qui n'ait rien à voir avec le trafic des stupéfiants. D'un autre côté, il y a le facteur temps : il est impératif que cela se fasse rapidement. Cela nous laisse avec cette question : allons-nous laisser Barzini organiser une transaction avec les gens qu'il représente, ou bien refusons-nous en raison de notre obligation morale envers don Roberto?

Teresa en avait suffisamment entendu. Elle recula sa chaise pour se lever, mais sa belle-mère abattit le plat de sa main sur la table avec une telle force que les assiettes firent un bond.

— Asseyez-vous, *asseyez-vous*... Ayez au moins la courtoisie d'écouter ce que j'ai à dire.

— J'allais juste préparer le café.

— Le café peut attendre. Ce qui ne peut pas attendre,

c'est ce dont nous sommes en train de parler. Sans ma signature et celle de Sophia, vous ne pouvez pas vendre. Plutôt mourir que de laisser cet individu se servir de notre nom. Je préférerais voir tout disparaître.

Teresa allait répondre, mais sa belle-sœur l'en empêcha en posant la main sur la sienne.

— Allez-y, *mamma*, dites ce que vous avez à dire.

— Imaginons que nous vendions par l'intermédiaire de Barzini : nous signons, nous prenons notre argent, vous, votre héritage, et nous sommes débarrassées. Si les différentes sociétés se trouvent ensuite aux mains de trafiquants de drogue, de quoi auront besoin les services de lutte antidrogue ? Que leur faudra-t-il pour arrêter et inculper ces soi-disant importateurs de produits licites ? Je veux parler d'un coup de filet qui permettrait de coincer les gros bonnets comme les petits exécutants. Nous serions, nous, en mesure de fournir à la police les informations nécessaires à une telle opération.

Sophia se laissa aller contre son dossier et alluma une cigarette, tandis que les deux autres jeunes femmes emportaient les assiettes à la cuisine en se parlant à voix basse.

Teresa revint avec le café. Posant les tasses, elle demanda à la cantonade quels seraient les risques si jamais une telle démarche venait à se savoir. Sophia servit le café et en tendit une tasse à Luka.

— *Signor* Moreno, puisque vous êtes intéressé à la transaction, dites-nous donc quel danger cela représenterait. Mieux encore, sauvez-nous la vie en offrant de remettre vous-même l'information à la police.

— Entendu, si vous me le demandez, je le ferai.

— Je plaisantais, fit-elle en riant.

— Moi pas. Je pourrais faire en sorte que les renseignements que vous souhaitez divulguer parviennent aux intéressés.

Elle rit à nouveau.

— Ma parole, mais il est tout ce qu'il y a de sérieux.

Luka rougit. Face à ce genre d'ironie, il était pris de court.

— Ainsi, aucune d'entre vous ne courrait de risques.

— Merci, Johnny, j'apprécie. Nous apprécions toutes votre proposition, mais tant que nous n'avons rien décidé, l'accepter serait prématuré.

Graziella lui souriait avec chaleur, mais c'est vers Sophia qu'il se tourna une nouvelle fois. Plongée dans ses pensées, elle tournait et retournait son briquet en or sur la nappe. Il pouvait voir le mouvement de ses cils, si longs qu'ils semblaient reposer sur sa joue à chaque battement de paupière.

— Bien, fit Teresa, est-ce que quelqu'un n'est pas d'accord avec la suggestion de *mamma*? (Silence. Teresa termina son café, puis se leva.) Dans ce cas, l'affaire est réglée. Si Barzini nous propose une transaction intéressante, nous acceptons. Ensuite, nous agirons selon la volonté de *mamma*.

Elle sortit, et l'on décida qu'il était temps d'aller se coucher. Rosa avait espéré pouvoir rester un moment seule avec Luka, et elle fut déçue en le voyant emboîter le pas à Sophia.

— J'ai une surprise pour vous, dit-il.

Elle éprouvait quelque peine à ouvrir la porte de sa chambre, car elle tenait son café à la main. Il se précipita pour la secourir. Une petite mallette était posée sur le lit.

— Qu'est-ce que c'est?

— Quelque chose que vous vouliez. Bonne nuit.

Il referma la porte derrière lui tandis qu'elle considérait la sacoche, intriguée. Elle posa son café et l'ouvrit. Elle y découvrit de pleins carnets de croquis exécutés par Nino Fabio, et des centaines de feuilles volantes sur lesquelles figuraient ses projets définitifs.

Teresa terminait le lavage de la vaisselle pendant que Rosa essuyait les couverts.

— Où est Johnny? lança Sophia depuis le couloir.

— Il est sorti, fit sa nièce, le visage crispé par la colère.

Le téléphone sonna. Teresa se figea.

— C'est peut-être Barzini.

Elle se précipita vers la petite pièce qui lui servait de bureau.

Sophia avait regagné sa chambre. Les dessins étaient étalés sur le lit. Elle était certaine d'avoir là toute une saison, peut-être plus. Elle chercha son carnet d'adresses dans son sac à main, puis décrocha le téléphone.

Teresa occupait toujours la ligne. Sophia allait raccrocher, quand elle entendit une voix masculine qui disait :

— Cela représente beaucoup d'argent, signora Luciano. Je ne sais pas si mes amis seraient disposés à aller jusque-là.

Et la voix de sa belle-sœur :

— Dois-je comprendre, *signor* Barzini, que vous n'êtes plus intéressé ?

— Il faut que je soumette vos exigences aux intéressés.

— Cela ne prendra pas trop longtemps ? Je pense vous avoir décrit notre situation financière.

— Accordez-moi quelques heures, peut-être moins.

Sophia entra dans le bureau sans frapper. L'autre raccrocha et leva les yeux avec un petit sourire.

— J'espère que tu sais ce que tu fais.

— Ne t'inquiète pas... C'était toi, sur l'autre poste ?

— Oui, excuse-moi. Je ne cherchais pas à t'espionner, je voulais passer un coup de fil à Rome. Figure-toi que Johnny vient de me remettre une mallette bourrée de dessins de Nino Fabio. C'est à n'y rien comprendre...

— Et alors, fit Teresa, l'air interdit. Je croyais que c'était ce que tu voulais.

— Avant que nous quittions Rome, il a catégoriquement refusé de me laisser ne serait-ce qu'un seul de ses croquis, et en voici une pleine valise qui me tombe du ciel. C'est complètement insensé. Comment diable Johnny a-t-il pu les avoir ?

L'autre lui montra le téléphone en lui disant qu'effectivement, le mieux était d'appeler Nino Fabio.

— Mais n'occupe pas la ligne trop longtemps, au cas où Barzini voudrait rappeler.

Elle regagna la cuisine. Tout était rangé, et elle adressa

un sourire de gratitude à Rosa. Elle jeta un coup d'œil à sa montre.

— J'attends un coup de fil de Barzini. Ta tante est en train d'appeler Nino Fabio. Il semblerait que Johnny lui ait donné tous ses projets.

Elle prêta l'oreille et fut soulagée d'entendre, sur l'autre poste, la petite tonalité indiquant que la ligne était à nouveau disponible.

Elle regagna le bureau à l'instant où sa belle-sœur en sortait.

— Alors, est-ce que tu l'as eu?

Avant que Sophia ait pu répondre, le téléphone sonna à nouveau. Teresa décrocha d'un geste brusque, puis se recueillit une seconde avant de porter le combiné à son oreille.

— Oui, elle-même... Oui... Oui, le tout. (Elle regarda Sophia et lui fit le V de la victoire.) Merci beaucoup, je ne sais comment vous dire à quel point nous vous sommes reconnaissantes... Oui, merci... (Elle raccrocha et battit des mains.) C'est dans la poche! Barzini a accepté! Rosa! Rosa!

— Combien, Teresa? *Combien?*

— Attends, attends. *Mamma*, Rosa, venez voir!

Sa fille arriva, suivie de sa grand-mère. Teresa était partagée entre le rire et les larmes.

— Nous avons réussi! Barzini est disposé à nous verser quinze millions de dollars. Quel Noël!

Rosa serra sa mère dans ses bras. Le visage épanoui, Graziella regarda Sophia.

— Quelle nouvelle! Nous avons rudement bien mené notre affaire. Il faut fêter ça, non?

La jeune femme fit un sourire en demi-teinte.

— Oui, *mamma*... Et si je descendais acheter du champagne?

Elle sortit de la pièce et s'arrêta dans le couloir, près du guéridon où Luka avait laissé un billet avec son adresse.

— Tu veux que je t'accompagne, tante Sophia?

— Non, Rosa. Je ne serai pas longue.

Elle sortit rapidement. Sa nièce s'approcha de la tablette. Le morceau de papier avait disparu. Graziella lui tapota l'épaule en passant pour gagner sa chambre.

— Rosa, aide ta maman avec les contrats. Il faut que nous les signions tous.

— Grand-mère, c'est toi qui as pris l'adresse de Johnny? Elle était ici, sur ce guéridon...

— Non... Est-ce que tu as entendu ce que je viens de te dire? Va aider ta mère avec les contrats.

La jeune fille retourna dans le bureau.

— Maman, c'est toi qui as pris le papier sur lequel Johnny avait noté son adresse?

— Non. Je vais avoir besoin de ta signature, et aussi de celle de ta grand-mère...

Elle frappa à la porte de Graziella et passa la tête à l'intérieur.

— Je crois que tante Sophia est partie rendre visite à Johnny. Elle a dit qu'elle allait chercher du champagne, mais en fait, elle est partie le voir.

— Peut-être pour lui annoncer la bonne nouvelle.

Rosa haussa les épaules et marmonna au sujet de Sophia et du champagne.

— Je pense qu'il est un peu tôt pour fêter ça.

Graziella regardait sa petite-fille déambuler dans la pièce. Cette dernière finit par s'asseoir devant la coiffeuse. Elle commença par manipuler des peignes et des brosses, puis les remit en place. Ensuite, elle rassembla ses cheveux pour les relever en chignon, ainsi que le faisait sa tante. Une moue sur les lèvres, elle se regarda dans le miroir.

— Sophia est très belle, n'est-ce pas?

— C'est vrai... Tu sais, la première fois que je l'ai vue, elle avait quelques années de moins que toi. Elle était si maigre, avec un tout petit visage...

— J'aime bien Johnny, grand-mère.

— Je crois que toutes, nous l'aimons bien. C'est un gentil garçon, et très travailleur. Cependant, ma petite, c'est exactement ce qu'il est : un travailleur. Est-ce que tu comprends ce que je veux dire? Lorsque le jour viendra de te trouver un mari, il te faudra quelqu'un qui soit digne de toi. Tu es la dernière, Rosa. Toi seule peux continuer la lignée des Luciano. Des enfants, un fils, rien ne compte plus que cela... Le moment venu, nous retournerons en Sicile pour te trouver un mari. Aussi ne va pas t'enticher de Johnny, ma chérie. Cesse de te mettre des idées dans la tête avant qu'il ne soit trop tard.

Rosa se pencha au-dessus du lit et l'embrassa sur la joue.

— Oui, grand-mère... Bonne nuit.

Elle n'avait aucunement l'intention de lui obéir. Dès qu'elle aurait touché sa part, elle pourrait faire ce qu'elle voudrait. Elle serait libre.

Sophia régla le prix de la course, et voyant le taxi s'éloigner, regretta de n'avoir pas demandé au chauffeur de l'attendre. La maison de rapport se trouvait dans un quartier sinistré. Le perron était encombré d'éclats de verre et de sacs d'ordures. La porte écaillée était flanquée d'un tableau de sonnettes dont un grand nombre étaient fracassées. Elle pressa le bouton correspondant à la chambre 18 et attendit. Elle appuya à nouveau et entendit la voix déformée de Johnny demandant qui était là.

— C'est moi. Ouvrez.

L'interrupteur dut être manœuvré à trois reprises avant que le pêne se libère. L'entrée sentait l'urine et le moisi. Une ampoule nue éclairait la cage d'escalier. Elle s'engagea sur les marches en bois sombre.

Luka l'attendait sur le palier du second. Il avait un grand sourire. Il ouvrit la porte de sa chambre en grand puis considéra Sophia avec une expression inquiète.

— Il y a un problème?

Elle passa devant lui.

— Comment avez-vous obtenu ces dessins? J'exige de savoir la vérité.

— Est-ce que c'est si important?

— Oui, c'est très important. Ne me racontez pas qu'il

vous les a donnés, parce que je sais que ce n'est pas vrai... Il est mort, il est mort!

— Comment le savez-vous?

— J'ai appelé à son atelier, je voulais lui parler. Voilà comment je le sais.

— Voulez-vous vous asseoir?

— Non, je veux juste que vous me disiez la vérité.

— J'ai aussi obtenu ceci pour vous. Il l'a signé, juste pour le cas où il y aurait un problème.

Elle lui arracha des mains la feuille qu'il lui tendait.

— Qu'avez-vous fait, Johnny? Dites-le-moi!

Comme s'il la craignait, il se mit à raser les murs de la chambre. Elle était éclairée par une ampoule nue de faible intensité, et meublée avec un étroit lit-cage. Il s'immobilisa devant la fenêtre, en partie occultée par l'escalier d'incendie.

— Je croyais que vous les vouliez, ces dessins, dit-il en lui tournant le dos. Je croyais que c'était ce que vous vouliez.

L'enseigne clignotante d'un hôtel l'éclairait par intermittence d'une sinistre lueur bleuâtre... Il était tour à tour clairement visible, puis plongé dans la pénombre. Sophia s'assit au bord du lit et frotta sa main sur la couverture rêche.

— J'ai l'impression d'être en plein cauchemar, j'ai l'impression que rien de tout ceci n'est réel.

— Cette piaule est tout ce qu'il y a de minable, dit-il à voix basse.

— Je voudrais un verre d'eau.

Il quitta la pièce. Toujours assise au bord du lit, Sophia continuait à passer la main sur la couverture. Elle avait mal à la tête. Elle regarda autour d'elle d'un œil éteint. Les vêtements de Luka et toutes ses autres affaires étaient propres et bien rangés.

Il reparut, transportant précautionneusement un gobelet en carton. Elle toussa. Il lui prit la main et elle eut un mouvement de recul.

— Non, je vous en prie, ne me touchez pas...

Il s'assombrit, tête baissée, une moue sur les lèvres.

— Laissez tomber votre numéro du petit garçon que personne n'aime, Johnny. Regardez-moi dans les yeux... Johnny, je veux savoir la vérité.

Il releva la tête. Son corps oscillait légèrement, et il parut tout à coup très jeune, beaucoup plus jeune que ses 26 ans. Il parla d'une voix à peine audible.

— Sophia, ne soyez pas si dure avec moi.

Il la regardait avec les yeux d'un enfant dépassé par les événements.

— C'est vous qui l'avez tué?

— Oui.

Elle renversa le gobelet en cherchant à le poser sur la table de nuit. Luka se jeta à ses genoux et noua les bras autour de ses jambes.

— Non, reculez! Non, je vous en prie!

Il pressait le visage contre ses cuisses. Un frisson violent le parcourut et il resserra son étreinte.

— C'est pour vous que je l'ai fait, pour vous prouver que je compte. Quand je vous ai vue partir avec l'autre type, je me suis dit qu'il fallait que je vous prouve... J'ai fait ça pour vous.

Sophia parvint à se libérer sans le brusquer. Il s'accroupit sur ses talons.

— Est-ce que vous avez à boire?

Elle avait la langue comme gonflée et n'arrivait pas à déglutir.

Il s'élança vers la porte.

— Je retourne vous chercher de l'eau.

Elle en profita pour se lever à son tour.

— Non, non, ça va aller. Je dois partir. Les autres m'attendent... Je leur ai dit que j'allais acheter du champagne... Barzini a appelé Teresa : il offre une grosse somme d'argent. *Je vous en prie, ne m'approchez pas!*

— Chhhhut! on pourrait vous entendre. (Il entrouvrit la porte pour regarder dans le couloir, puis il referma et donna un tour de clef.) Qu'est-ce que vous allez faire, maintenant?

— Cela ne vous regarde pas.

— Si, ça me regarde. C'est pour vous que j'ai fait ça.

Elle sentit monter sa colère.

— Que voulez-vous que je fasse de ces dessins, à présent ? Croyez-vous que je vais seulement envisager de les utiliser, maintenant que je sais comment vous les avez récupérés ? Et cessez de répéter toujours la même chose. Je ne vous avais rien demandé.

— Mais ils ne remonteront pas jusqu'à vous, fit-il d'une voix plaintive. Il n'y a aucun risque de ce côté-là.

— Ah oui ? Seriez-vous aussi crétin que cinglé ? Je suis passée à l'atelier, *j'y suis passée !* La police va vouloir m'entendre. Les gens qui travaillent pour Nino auront remarqué qu'il manque des dessins !

— Il y en avait des centaines. Je n'ai pas tout pris.

— Vous ne voyez donc pas que vous m'avez privée de la possibilité d'en utiliser ne serait-ce qu'un seul ?

Il lui fit signe de ne pas élever la voix.

— J'aurais pu le payer, si vous voulez savoir. J'aurais pu les lui acheter en toute légalité.

Il s'assit sur le bord du lit et se prit la tête entre les mains. Elle avait envie de le frapper, de le gifler, de lui donner des coups de pied. Jamais elle n'avait éprouvé une telle fureur à l'encontre d'un de ses semblables.

— Je devrais aller tout droit vous dénoncer à la police... Je devrais leur rapporter les dessins de Nino, les laisser s'occuper de vous, espèce de...

Elle arpentait la pièce. Sa colère l'empêchait de réaliser l'horreur de la situation. Elle s'arrêta devant Luka et l'empoigna par les cheveux pour l'obliger à la regarder.

— Dès que Barzini nous aura remis l'argent, vous disparaîtrez de notre vie, sinon, Dieu m'est témoin, je vous dénonce à la police.

Il s'agissait là d'une menace en l'air. Elle était elle-même coincée et en avait parfaitement conscience. Sa liberté, son projet de se démarquer des Luciano, tout cela était en train de lui filer entre les doigts.

— Ça a été un accident, Sophia. Il s'est mis à dire des choses sur vous, et j'étais obsédé par la manière dont vous aviez rampé devant lui, dont vous l'aviez supplié de vous aider, dont il vous avait ri au nez. Vous en avez

494

vomi en pleine rue. Il disait que vous étiez finie, que vous ne pourriez jamais rien faire, que vous n'aviez aucun talent. Il n'arrêtait pas, alors je lui ai demandé de se taire, mais il a continué, et je l'ai frappé avec le premier objet qui m'est tombé sous la main. Une statuette, je crois... Je ne sais plus, je ne me souviens pas. Je ne voulais pas le tuer. Mais il l'a bien cherché, et si c'était à refaire, je le referais. Personne n'a le droit de vous faire du mal. Je ne le permettrai pas.

— Vous m'avez privée de la dernière chance qui me restait de tout recommencer.

Son visage se décomposa et elle éclata en sanglots. Luka voulut s'approcher, mais elle gagna la porte et manœuvra la poignée. Lorsqu'elle se retourna, il l'emprisonna dans ses bras. Elle chercha à se libérer, à lui griffer le visage, mais il lui tordit le bras dans le dos.

— Vous aurez tout ce que vous voulez, Sophia. C'est moi qui vous le donnerai. Je vous aime, je vous aime tant.

Les yeux de la jeune femme n'étaient que mépris.

— Votre amour me dégoûte. Écartez-vous de cette porte et laissez-moi partir.

Il lui donna un long baiser passionné, auquel elle ne répondit pas. Lorsque leurs bouches se séparèrent, il lut une telle animosité dans ses yeux qu'il la lâcha et chercha la clef dans sa poche. Debout derrière lui, elle attendit qu'il lui ouvre.

Tout en s'engageant sur les marches, elle s'essuya les lèvres d'un revers de la main. Elle savait qu'il la suivait, mais elle ne se retourna pas. Elle ne regarda en arrière qu'arrivée dans l'entrée de l'immeuble. Il s'était immobilisé à mi-étage. Derrière lui, la lumière de l'ampoule nue détourait sa tête et ses épaules. À cette distance, elle ne put lire son expression. Ainsi immobile, avec sa peau pâle et ses cheveux blonds éclairés par une lueur spectrale, il semblait une statue.

Sophia entra dans l'appartement. Rosa apparut comme elle refermait la porte.

— Où est le champagne?

495

— Je... je n'ai rien trouvé d'ouvert.

Elle passa devant la jeune fille et se dirigea vers sa chambre.

— Tu es allée retrouver Johnny, c'est ça, hein?

La main sur la poignée de la porte, elle laissa échapper un soupir.

— Je n'ai pas de comptes à te rendre, Rosa.

— Vous couchez ensemble?

— Non.

— Inutile de mentir, fit-elle, rouge de colère. Il n'arrête pas de te manger des yeux. Que s'est-il passé entre vous à Rome?

Sophia ouvrit sa porte.

— Rien du tout. Et si tu veux un conseil, évite-le.

— Parce que tu le veux pour toi?

Elle referma violemment la porte et fit face à sa nièce.

— Cesse ces enfantillages et ne me parle pas comme ça. Je passe l'éponge pour cette fois, mais que je ne t'entende plus insinuer qu'il puisse y avoir quoi que ce soit entre moi et ce personnage... Et je te le répète, Rosa, surtout évite-le.

La jeune fille tourna les talons et courut se réfugier dans sa chambre. Sa mère sortait de la salle de bains.

— Que se passe-t-il?

— Rien du tout... Je vais me coucher, si ça ne te dérange pas.

— Inutile de t'en prendre à moi. Il m'a juste semblé que vous étiez en train de vous disputer.

— Excuse-moi... Rosa semble penser qu'il y a quelque chose entre Johnny et moi.

— Non? Tu es sérieuse?

— Ne la laisse pas le voir trop souvent. Crois-moi, Teresa, je sais de quoi je parle. Plus tôt nous en serons débarrassées, mieux cela vaudra.

L'autre hésitait. Elle aurait voulu abonder dans le sens de sa belle-sœur, mais Johnny avait barre sur elle depuis l'assassinat de Rocco. Si jamais elle le contrecarrait, il pouvait s'en prendre à elle, à n'importe laquelle d'entre elles.

— Il nous est encore utile, Sophia. Mais tu as raison, je vais parler à Rosa.

Le petit déjeuner ne se déroula pas dans la gaieté. Aucune ne montra beaucoup d'appétit pour les œufs et les saucisses préparés par Graziella. Les quatre femmes étaient soucieuses à la pensée de l'entrevue avec Barzini. Il faisait très froid dehors, et avec son habituelle générosité, Sophia proposa ses manteaux de fourrure à qui voulait.

Rosa se renfrogna.

— Je trouve écœurant de se balader avec une dépouille d'animal sur le dos. Ça me dépasse. Pour faire ce vison, il a fallu tuer une cinquantaine de petites boules de fourrure, toutes chaudes et palpitantes...

Sa tante alluma une cigarette et ne répondit pas.

Le téléphone sonna, mais Teresa ne se précipita pas pour décrocher.

— Il ne faut pas lui donner l'impression que nous sommes suspendues à ses lèvres.

Elle s'enferma dans le bureau et reparut quelques instants plus tard.

— Nous avons rendez-vous à 13 heures précises dans un restaurant baptisé *Les Quatre-Saisons*. Dis, Sophia, tu crois qu'un de tes manteaux pourrait m'aller?

— Maman! Comment peux-tu...?

— C'est tout simple, Rosa : je n'ai pas envie de geler sur pied.

Elles étaient installées à la table personnelle de Barzini. On passa commande. En bon vivant, il ne voulut pas parler affaires avant la fin du repas. Il paraissait être un habitué de ce restaurant, saluant les autres clients et appelant les garçons par leur prénom.

Les trois femmes étaient très guindées, mal à l'aise et à peine capables d'avaler une bouchée. Chaque personne qu'apostrophait Barzini leur semblait représenter une menace. Lorsqu'il allongea le bras pour saisir la main de Sophia, elle ne put réprimer un mouvement de recul.

— Vous êtes très belle, et c'est pour moi un honneur que de vous avoir à ma table. Cependant, quelque chose m'intrigue...

Elles attendirent la suite. Sous la table, Rosa appuyait sa jambe contre celle de sa mère. Elle détestait la façon dont les mains grassouillettes de l'homme s'agitaient sans cesse, cette façon qu'avaient ses petits yeux de passer de l'une à l'autre.

— Où est donc la *signora* Luciano? Je me faisais une joie de la revoir.

— *Mamma* est un peu souffrante, *signor* Barzini. Elle prie de l'excuser et vous envoie ses meilleurs vœux.

— Elle est tout excusée. Elle doit être un peu fatiguée. Sans doute séjourne-t-elle chez vous, Teresa? Je peux vous appeler Teresa?

— Je vous en prie. Oui, nous logeons toutes chez moi.

Il hocha la tête, puis tapota la main de Rosa.

— Parfait. Car voyez-vous, comme promis, je vais veiller à assurer votre protection. Croyez-moi, nous vivons des temps dangereux, et il est bon que vous soyez ensemble, en famille.

Ce déjeuner semblait ne jamais devoir s'achever, et Barzini ne jamais en venir à l'objet de la rencontre. Pourtant, lorsque le café eut été servi, il posa ses petites mains manucurées sur la nappe blanche et, son regard passant de l'une à l'autre, il déclara d'une voix tranquille :

— Venons-en à nos affaires...

Il fut convenu qu'elles toucheraient leur dû sous la forme d'un chèque bancaire qui leur serait apporté dans les vingt-quatre heures. En échange, elles lui feraient remettre les documents relatifs aux possessions des Luciano à Palerme ainsi qu'à quelques sociétés sises à New York. Satisfait que l'entrevue ait servi son but et que les parties se soient mises d'accord, le petit homme fit appeler un taxi pour ses invitées.

Il n'avait cependant pas échappé à Sophia que pas une fois il n'avait nommé les acquéreurs.

Graziella profita de l'absence des autres pour s'entretenir avec Luka. Après s'être un moment activée à la cuisine et avoir préparé du café, elle lui demanda de la rejoindre.

— Venez, asseyez-vous. Profitons-en pendant que personne ne peut nous entendre. Voilà, Johnny, je voudrais vous parler de Rosa.

Il eut l'air surpris.

— De Rosa?

— Elle est encore très jeune, et je crois qu'elle a un faible pour vous, qu'elle a le béguin, comme on disait de mon temps. Vous voyez sûrement de quoi je veux parler.

— Je l'ignorais.

Graziella sourit.

— Peut-être, mais je tenais à m'assurer que vous n'encouragiez en aucune façon cette inclination. Vous comprenez, elle doit faire un bon mariage, car tous nos espoirs reposent sur elle. Désormais, elle seule peut transmettre le sang des Luciano... La famille ne peut survivre qu'à travers elle.

— Je ne lui ai quasiment jamais parlé.

— Oui, mais vous êtes devenu très proche de nous toutes. Nous apprécions tout ce que vous avez fait pour nous. Je sais que Teresa vous a promis un pourcentage, et vous l'aurez bien mérité. Mais quand tout cela sera terminé — Dieu fasse que nous sachions aujourd'hui à quoi nous en tenir —, il serait bon que vous songiez à vous bâtir une vie à vous. Il le faut, ne serait-ce que pour Rosa. À nous de lui permettre une union bien assortie. C'est une Luciano, comprenez-vous? Vous êtes jeune, séduisant; il n'en fallait pas plus pour qu'elle s'entiche de vous. Ne la laissez pas se bercer d'illusions, Johnny.

Elle lui caressa la joue du dos de la main. Il la lui prit et y posa les lèvres.

— Tout ce que je désire, c'est rester auprès de vous quatre. Je voudrais travailler pour vous.

Elle lui adressa un sourire affectueux et lui pinça le menton.

— Quel âge avez-vous, Johnny? Vingt et un, 22 ans? Il avala sa salive.

— Vingt-six.

— C'est si jeune, et cependant assez vieux pour se marier et fonder un foyer. Avez-vous quelqu'un, une jeune personne à qui vous êtes attaché, Johnny?

— Non, je n'ai personne... en dehors de vous quatre.

— Alors il est grand temps que vous pensiez un peu à faire votre vie, et puis vous méritez mieux qu'une place de chauffeur, vous ne croyez pas? Avec votre part, vous aurez de quoi vous bâtir une carrière.

Il s'était tassé, le front posé sur les avant-bras. Elle lui toucha doucement les cheveux.

— Et votre famille? Rosa m'a dit que vous aviez un frère. Est-ce exact?

Elle continuait à caresser ses cheveux de paille. Il releva la tête, et elle laissa sa main retomber sur son tablier.

Il repoussa sa chaise, fit un de ses gentils sourires et se leva.

— Je repasserai un peu plus tard. Je dois aller chercher quelque chose pour Teresa.

Graziella entendit la porte d'entrée se refermer sur lui. Elle fixait sa main : ses doigts la picotaient, comme s'ils caressaient encore le soyeux de ses cheveux. Elle laissa échapper un long et profond soupir...

Elle se leva lentement pour gagner sa chambre. Là, elle ouvrit le tiroir de la coiffeuse et en sortit une photographie de Michael. Tout en la contemplant, elle le revoyait comme si c'était hier, assis à la table de la salle à manger, penché vers Roberto, affichant comme souvent son si merveilleux sourire...

Elle entendit la clef tourner dans la serrure de l'entrée et rangea promptement le portrait en songeant qu'elle était bien bête de se torturer avec ses souvenirs.

Rosa portait deux sacs remplis de ravitaillement.

— Cela va être un Noël dans les règles, grand-mère. Nous avons de tout... une dinde, plusieurs puddings, des patates douces, plein de biscuits...

Elle posa sans ménagements son fardeau sur le guéridon du couloir et, prenant Graziella à bras-le-corps, la fit gaiement tourner.

Sophia ne prononça pas un mot. Suivie des yeux par Teresa, elle alla directement s'enfermer dans sa chambre.

Il était un peu plus de 4 heures de l'après-midi lorsque la sonnette de la porte d'entrée retentit. Rosa était en train de se laver les cheveux; quant à Sophia, elle n'était pas ressortie de sa chambre. On sonna une deuxième fois, et Teresa ouvrit.

Trois hommes, la face cachée derrière d'épouvantables masques, repoussèrent si violemment le battant de la porte qu'elle le reçut dans l'épaule et fut projetée en arrière. L'instant d'après, un des types la soulevait par les cheveux et lui pointait un pistolet sur la gorge.

— Ferme-la et avance... Allez, grouille... Vous deux, trouvez les autres.

Graziella s'encadra sur le seuil de la cuisine. L'un des intrus la saisit au bras pour lui faire rejoindre Teresa. Elle voulut se débattre et, d'une gifle, fut projetée à terre. À la seconde où elle tombait en poussant un grand cri, Sophia apparut au bout du couloir.

— Taisez-vous, mettez les mains sur la tête, et il ne vous sera fait aucun mal.

La voix était déformée par le masque en caoutchouc, un masque de sorcier parsemé de verrues avec un nez interminable et un menton prognathe qui ne cessait de trembler.

Sophia commit l'erreur de hurler pour avertir Rosa. Un coup de crosse l'atteignit à la tempe droite, et elle tomba inanimée aux pieds de Graziella. L'homme qui tenait Teresa par les cheveux l'entraîna si rapidement le long du couloir que ses pieds se dérobèrent sous elle.

— S'il vous plaît, ne nous faites pas de mal...

Elles furent conduites dans le bureau. Dans la salle de bains, Rosa avait entendu les cris. Terrorisée, elle laissa tomber le sèche-cheveux, poussa la targette et courut à la fenêtre dans l'espoir de se sauver par l'escalier d'incendie. Elle soulevait le châssis quand elle entendit des coups de feu, les détonations assourdies d'une arme munie d'un silencieux. Autour de la poignée de la porte, le bois volait en éclats. La jeune fille était prostrée au pied de la fenêtre, paralysée par la peur, lorsque l'homme au masque de clown l'empoigna pour la traîner dans le bureau. Il l'envoya bouler en direction de Sophia. Cette dernière avait tout le côté du visage en sang. La nièce et la tante s'agrippèrent l'une à l'autre.

L'homme au masque de sorcier pointa successivement son arme sur chacune d'elles, puis recula contre le mur.

— Maintenant vous allez être bien sages, et il n'y aura pas de bobo. Toi, viens voir par là.

Il tira Teresa jusqu'au bureau. Elle se cogna la hanche à l'angle du meuble.

— On vient pour les papiers. Tu vas nous les donner gentiment.

Elle se raccrochait au rebord du bureau.

— Quels papiers ?

Le sorcier la gifla.

— Tu le sais, connasse. Mets-toi à genoux... Je t'ai dit de te mettre à genoux !

Il lui tordit le bras dans le dos, et elle se laissa glisser vers le sol. Rosa hurla. Un coup de pied à l'estomac la fit taire. Elle se recroquevilla et se mit à vomir. Le clown tira de sa poche des bouts de chiffon et s'installa à califourchon sur elle pour lui nouer les mains derrière le dos. Puis il la fit s'agenouiller à côté de sa mère.

Le sorcier ouvrait tous les tiroirs et vidait leur contenu.

— Tu sais ce qu'on est venus chercher. Ne perdons pas de temps. *Où sont-ils ?*

Teresa sanglotait.

— J'ignore ce que vous cherchez. Quels papiers ? Il n'y a rien d'intéressant ici...

Rosa eut un mouvement de recul lorsque le troisième, celui qui portait un masque dont le menton était prolongé par de longues mèches de poils filasse, la saisit par le bras.

— Dis-lui de nous donner ce qu'on veut! Dis-lui!

Il lui projeta la tête contre le bureau. L'impact eut lieu juste au-dessus de l'œil droit. Elle se mit à hurler.

Graziella était restée tapie contre le mur, serrant très fort la main de Sophia dans la sienne. Elle ne put supporter d'entendre crier sa petite-fille. Elle se jeta au visage de l'homme, cherchant à lui arracher son masque.

— Ne la touchez pas! Laissez-la tranquille! Quel genre d'hommes êtes-vous pour vous attaquer à des femmes sans défense?...

Le clown la repoussa violemment, lui donnant au passage un grand coup de pied dans l'abdomen. Rosa sanglotait.

— Je t'en supplie, maman, donne-leur ce qu'ils veulent...

Le sorcier s'esclaffa et désigna Teresa.

— T'entends ce qu'elle dit? Allez, exécution! À moins que t'aies envie qu'on lui taillade sa jolie petite gueule?

Sophia dut prendre Graziella à bras-le-corps pour l'empêcher de s'élancer à nouveau.

— Fais ce qu'il dit, Teresa. Donne-leur ce qu'ils veulent... *Fais-le!*

Luka allait sonner lorsqu'il s'aperçut que le pêne de la serrure n'était pas tout à fait engagé dans son logement. Il ouvrit tout doucement la porte et entendit Rosa hurler.

Cela provenait du bureau. Il ouvrit son blouson et tira son pistolet. Il entendait maintenant la voix de Teresa. Il passa silencieusement de pièce en pièce afin de s'assurer que tout le monde se trouvait bien dans celle du fond. Puis, revenant sur ses pas, il entra dans la salle de bains et, passant par la fenêtre, se laissa tomber sur l'escalier d'incendie. La structure métallique épousait l'angle de l'immeuble. Il gravit les marches jusqu'à la fenêtre du bureau. Plaqué contre le mur, il risqua un œil entre les lames du store.

Teresa, un canon appuyé sur la tempe, faisait le tour du bureau. Rosa se trouvait à genoux devant ce même bureau. Sophia était debout au fond de la pièce en compagnie de Graziella, qu'elle tenait par les épaules. Les trois hommes tournaient tous le dos à la fenêtre...

Luka se mit en position. Sophia et Graziella se trouvaient sur sa gauche. Rosa, les bras attachés dans le dos, secouée de violents sanglots, était toujours agenouillée devant le bureau. Teresa, terrifiée, les mains agitées de tremblements, remettait des documents à l'homme au masque de sorcier, qui tournait toujours le dos à la fenêtre et braquait son arme sur Rosa.

Le clown se tenait près de la porte, l'arme à la main. Le troisième homme ne semblait pas armé. Il feuilletait rapidement les papiers au fur et à mesure que Teresa les déposait sur le bureau. La longue barbe blanche de son masque était partiellement arrachée.

À deux reprises, Luka eut le sorcier dans sa ligne de mire, mais Teresa entra chaque fois dans le champ. Puis l'occasion se présenta : Rosa, toujours sanglotant, se tassa un peu plus derrière le bureau, et sa mère se pencha pour signer un document. Il fit feu.

Le sorcier fut projeté en avant, la boîte crânienne fracassée. Il s'effondra et des dizaines de feuilles glissèrent à terre. Teresa était couverte de sang, le mur également. Elle ramassa le pistolet, le tint à deux mains et tira.

Le projectile atteignit le clown au bras droit. L'impact le projeta en arrière et il tomba à la renverse. Elle cria à sa belle-sœur de lui prendre son arme, mais Sophia s'était tournée vers la fenêtre.

— C'est moi! lança Luka tout en se ménageant un passage à travers la vitre fracassée à coups de talon. Il entra dans la pièce à la seconde où le troisième masque plongeait vers le pistolet du blessé. Il fit feu à l'instant où ses doigts entraient en contact avec la crosse. Le projectile le faucha à hauteur de la cuisse, et, en état de choc, il s'abattit sur le dos.

Graziella défit les liens de Rosa et la tira à l'abri sous le bureau. Luka attrapa Sophia par le bras et lui remit son arme.

— Vous les braquez. Au moindre mouvement, vous tirez.

Puis il retourna les deux blessés sur le ventre. Il donna un coup de pied dans l'aine du clown qui poussa un hurlement de douleur. L'autre homme, à présent couvert de sang, leva les mains au-dessus de son masque à barbiche.

— Ne tirez pas! Ne tirez pas!

Luka ordonna à Rosa de quitter son abri.

— Passez-moi les cordes, que je leur attache les poignets.

Graziella contourna le bureau à pas prudents. Foulant des morceaux de verre, elle se pencha au-dessus du sorcier, vautré en travers du meuble. Elle chercha son pouls. Il y avait du sang partout : sur le plateau du bureau, sur les papiers.

— Il est mort! souffla-t-elle à Teresa.

Tenant toujours le pistolet à deux mains, les yeux écarquillés, celle-ci semblait incapable du moindre mouvement. La vieille femme tendit le bras pour la toucher : sa belle-fille était toute raide; elle restait sourde à l'appel de son nom. Elle semblait fascinée par le lourd automatique qu'elle tenait à bout de bras. Son visage et sa robe étaient couverts de sang. Insensiblement, sa respiration se débloqua, puis, haletante :

— Oh! mon Dieu! Oh! mon Dieu, Rosa... Où est Rosa? (Et, sa voix virant au suraigu :) Qu'ai-je fait, *mamma*? Qu'avons-nous fait?

Luka acheva de lier les poignets du deuxième homme. Ensuite, il prit Rosa par les épaules. Le visage aspergé de sang, elle posait sur lui un regard de démente. Elle allait hurler, il le savait.

— Rosa, reprenez-vous! Je voudrais que vous emmeniez Graziella à côté.

Elle hocha la tête, son regard balaya rapidement la pièce, puis revint se poser sur lui.

Ce fut la grand-mère qui dirigea la petite-fille hors de la pièce.

— Là, ma chérie. C'est fini, maintenant. Viens avec moi.

La vieille dame tremblait de peur.

Luka reprit son arme à Sophia et la glissa dans la ceinture de son pantalon. Cette dernière tendit la main à Teresa, qui, pleurant comme une fontaine, ne cessait de répéter :

— Qu'allons-nous faire ? Qu'allons-nous faire ?

— Comme moi : réfléchissez-y, lui lança-t-il. Sophia, allez chercher de l'eau, des bandages, des vieux draps... ce que vous trouverez. Ces deux-là sont en train de se vider sur la moquette.

La jeune femme soutenait sa belle-sœur, et toutes deux fixaient Luka.

— Mon Dieu, qu'allons-nous faire ? répéta Teresa dans un souffle.

Le garçon empoigna un des papiers éparpillés.

— C'est ça, qu'ils venaient chercher. On va commencer par leur demander qui les envoie, et si vous pensez ne pas être capables de supporter une petite séance d'interrogatoire, vous pouvez sortir.

Sophia voulut entraîner sa belle-sœur vers la porte, mais celle-ci refusait de bouger. Luka s'approcha.

— Il faut de quoi étancher leurs blessures. Vous vous en chargez ? Je m'occupe de Teresa. (Soudain, il lui prit le visage entre ses mains.) Vous voyez combien vous avez toutes besoin de moi ? À présent, vous devez me faire confiance. Vous n'avez pas d'autre choix.

Il lançait ses instructions d'un ton cassant qui donnait froid dans le dos. Il semblait prendre plaisir à les voir si dépendantes de lui.

Le laissant seul dans le bureau, elles allèrent se réfugier dans la cuisine, où elles s'assirent en silence. Leur peur les rapprochait, les soudait dans une même hébétude. Brusquement, Sophia craqua.

— Nous savions que cela nous pendait au nez. Bravo à Barzini pour sa protection. Ces types nous ont été envoyés de Sicile. Ce genre de visite impromptue pourrait se répéter jusqu'à la fin de nos jours... On arrête tout de suite les frais. Donnons-leur ce qu'ils veulent. Je ne peux en supporter davantage.

Luka était sur le seuil. Quatre paires d'yeux apeurés se tournèrent vers lui.

— Le mort s'appelle Harry Barzini. C'est un cousin de votre Barzini. Il travaille pour lui. Les deux autres sont son chauffeur et son garde du corps. Ils disent que Barzini a monté le coup tout seul ; il comptait garder l'argent pour lui. Donc vous voyez, ça n'a rien à voir avec la Sicile.

Teresa jaillit de la pièce, traversa le couloir en courant et ouvrit d'un coup de pied la porte du bureau. Son effroi s'était changé en colère. Elle se baissa pour arracher le masque de clown à son possesseur. Avant que quiconque ait pu intervenir, elle l'obligea, à force de coups de pied, à s'agenouiller près du bureau.

— Tu as fait mettre ma fille à genoux. C'est à toi, maintenant. *À genoux !* Et dis-moi ce que Barzini t'avait demandé de faire de nous. Tu me le dis tout de suite !

Rosa, derrière sa mère, vit que l'homme pleurait.

Le cadavre avait été enlevé du meuble et gisait maintenant sur le sol, son masque plein de sang.

Du pied, la jeune fille fit basculer le troisième homme... Ses yeux se révulsèrent.

Luka observait la scène avec intérêt. Les rôles étaient renversés. Jusqu'où ces femmes iraient-elles pour obtenir les réponses à leurs questions, pour conjurer leur peur ? Mais Graziella mit un terme à ses spéculations.

— Teresa, Rosa ! Arrêtez ! Sophia et moi avons pris la décision d'appeler la police. Ces hommes se sont introduits ici par effraction ; il est logique d'en référer aux autorités. Quant à vous, Johnny, nous vous avons écouté, nous avons suivi vos instructions, mais trop c'est trop...

La fureur empourprait le visage de sa belle-fille.

— Ça non, *mamma*, pas question ! Si nous mêlons la police à ça, nous perdons tout.

— Il n'y a rien à perdre, Teresa. Nous ne pouvons pas tenir tête à ces gens, ils sont pires que des bêtes. Tenez, regardez-vous : en ce moment, vous ne valez pas mieux qu'eux. Et votre fille non plus. Je dis : ça suffit.

La jeune femme serrait les poings.

— Vous n'avez pas le droit de faire ça, *mamma* !

Sa belle-sœur s'avança dans la pièce.

— Oh que si ! elle en a le droit. Tout ceci est allé trop loin. Je ne veux avoir aucune part là-dedans.

— Tu n'en as jamais eu, Sophia. Depuis le début, tu n'as pas cessé de t'opposer à tout ce que j'essayais de faire.

— Tu comprends peut-être mieux pourquoi, à présent ! Regarde, Teresa, non mais regarde-moi cette pièce. Les murs sont couverts de sang, nous en avons plein nos vêtements, ta fille en a les cheveux poissés ! Pour l'amour du Ciel, regarde la réalité en face ! Ce coup-ci, nous avons eu beaucoup de chance, mais que se passera-t-il la prochaine fois ? Que se passera-t-il quand Johnny ne sera plus là ?

Luka voulut lui toucher le bras.

— Je serai toujours là.

Elle repoussa sa main.

— Ne vous mêlez pas de ça, vous, sinon, Dieu m'est témoin, je leur dis la vérité à votre sujet. Partez, prenez le large, laissez-nous tranquilles.

— Mais je viens de vous sauver la vie ! C'est tous les remerciements que je récolte ? Vous vous figurez peut-être qu'ils auraient pris les actes et seraient repartis comme ça, bien gentiment...

Teresa tremblait de rage.

— Sophia, écoute-moi une minute. Si Barzini a l'argent...

— Il l'a, Sophia, intervint à nouveau Luka. Il a le chèque qui vous est destiné. Il s'est mis à gamberger, et sa magouille n'a rien donné. Mais ce qui est certain, c'est qu'il était seul sur ce coup ; il n'y a personne d'autre avec lui.

La jeune femme fixait sa belle-sœur.

— Tu ne vas pas prêter foi à ce que ces hommes ont pu dire à Johnny ? Tu ne vois donc pas où nous en sommes ? Mais regarde-nous, debout dans cette pièce avec un mort et deux blessés... Et nous ne trouvons rien

de mieux à faire que de nous engueuler! C'est complètement fou!

Luka arracha le bâillon du chauffeur de Barzini,
l'empoigna par les cheveux et lui releva brusquement la
tête.

— Dis-le-leur, toi!

L'homme ne le quittait pas des yeux. La peur le faisait
bégayer.

— Le chèque a été remis à Peter Salerno, je le jure sur
ma vie. Il l'a donné à Barzini. Je les ai entendus dire qu'il
vous était destiné. Je le jure... Tenez, je vous le jure sur
la tête de mon gosse. Je vous dis vraiment la vérité!
Parole, c'est Barzini qui a le fric. Il voulait juste vous flanquer la frousse pour se le...

Luka leva les yeux vers Sophia. Elle se détourna. Il
rudoya à nouveau le blessé.

— Dis-leur quelles étaient ses instructions.

L'homme pleurait.

— Il a dit comme ça que c'était du billard. On devait
vous faire peur, vous flanquer la frousse pour que vous
ne parliez pas. Fallait que ça ait l'air d'un cambriolage.

Luka secoua encore la tête du chauffeur de Barzini, lui
arrachant des poignées de cheveux.

— Et quoi d'autre?

— Il nous a dit que Luciano était une ordure, qu'il
s'était mis à balancer, et que donc, on pouvait faire ce
qu'on voulait à ses femmes, personne lèverait le petit
doigt pour les aider.

Luka l'envoya rouler à terre d'un air de profond
dégoût. Il regarda Sophia.

— Barzini était sûr de son coup : il est tout seul chez
lui. (Il donna un coup de pied à l'homme prostré sur le
sol.) Hein qu'il est seul?

L'autre hocha la tête.

N'obtenant aucune réaction de Sophia, Luka s'adressa
à Graziella.

— On peut aller le trouver. On met ces masques
débiles et on se pointe à sa porte. En nous voyant dans
l'œilleton, il pensera que ce sont ses copains qui
reviennent.

La vieille femme secoua la tête.

— C'est nous, les Luciano, qui allons décider de ce qu'il convient de faire. Vous, Johnny, vous restez ici et vous surveillez ces hommes...

Elles étaient à nouveau assises à la table de la cuisine. Teresa défendait l'idée d'une confrontation avec Barzini.

— Au besoin, nous pouvons nous procurer la configuration de l'appartement. S'il est seul, pourquoi ne pas tenter le coup ? Pour qu'il nous ouvre, nous mettons les masques, comme Johnny vient de le suggérer. Non, Sophia, laisse-moi terminer... Essayons au moins de parler à Barzini, donnons-lui une chance de nous remettre l'argent. Je pense que Johnny devrait nous accompagner.

Sophia secoua la tête.

— Non, si nous y allons, c'est sans lui. Et nous emportons un pistolet pour nous défendre, éventuellement. Mais rien d'autre, Teresa, c'est bien compris ? Et si ça tourne mal, nous fichons le camp et laissons tomber pour de bon, d'accord ?

Pendant un instant personne ne parla, puis Teresa ourla les lèvres et déclara :

— Cela va marcher. Il le faut. *Mamma*, est-ce que vous voulez en être ?

Graziella regarda Sophia, puis Rosa, et hocha la tête lentement.

— Je viens. Je tiens à parler à cet homme les yeux dans les yeux. Ensuite, nous suivrons le conseil de Sophia.

Teresa se leva.

— Alors c'est d'accord, on ne mêle pas la police à ça ? Du moins pas pour le moment. Je vais mettre Johnny au courant.

Assis sur le coin du bureau, Luka balançait machinalement les talons contre la paroi du meuble. Teresa referma la porte derrière elle.

— La police reste en dehors de tout cela. Nous allons voir Barzini.

— Voyez-vous ça! Et que comptez-vous faire de ce type avec son crâne en compote? Et aussi de ces deux-là, qui sont en train de se vider de leur sang sur la moquette? Comment allez-vous nettoyer tout ça? Il va falloir lessiver les murs, la moquette, le bureau...

Teresa opina du chef.

— Je vais chercher les autres.

— Non, attendez. Je dois d'abord décider ce qu'on va faire de ces types.

— Il faut les emmener à l'hôpital, non?

Il la regarda, inclinant la tête sur le côté.

— Ouais, je vais m'en occuper. Mais faut commencer par sortir le mort. (Il se baissa vers un des blessés.) On va vous déposer devant un hosto. Vous êtes motorisés? Vous avez une bagnole?

L'homme acquiesça. Les yeux lui sortaient de la tête à cause du bâillon enfoncé dans sa bouche.

— Parfait, ils sont venus en voiture. Vous allez demander à Rosa d'emprunter le fauteuil roulant de la vieille du dessus. Pendant ce temps-là, je prépare le mort.

— Ce fauteuil roulant, que comptez-vous en faire?

— Ce type n'est pas une demi-portion. Vous voulez qu'on nous voie en train de le transporter? Faites ce que je vous dis et magnez-vous!

Sitôt la porte refermée, Luka contourna le bureau pour soulever le cadavre. Le masque de sorcier était toujours en place, et toujours empli de sang. Les vêtements du morts étaient en désordre : sa chemise bâillait, son pantalon était tire-bouchonné. Il adressa un sourire aux deux autres.

— On va lui faire un brin de toilette. Il ne faudrait pas choquer ces dames, pas vrai?

Elles le regardèrent, terrifiées, rajuster les vêtements d'Harry Barzini.

Les femmes étudiaient un plan de l'appartement de Barzini qu'avait réalisé Luka d'après la description faite par l'un des deux blessés. Elles savaient à présent où se

511

trouvait la chambre de sa femme, et savaient que celle-ci se mettait au lit de bonne heure.

Rosa revint avec le fauteuil roulant. Luka avait préparé le cadavre. Il était recouvert d'une couverture, avec le bas du visage masqué par une écharpe et un des chapeaux de Filippo enfoncé jusqu'aux yeux. Aidé de Rosa et Teresa, il l'installa sur le fauteuil.

— Que personne ne pénètre dans le bureau. N'approchez pas des deux autres jusqu'à mon retour. Teresa, allez voir si l'entrée de l'immeuble est libre. C'est moi qui le pousse. Vous, Rosa, vous ouvrez la marche. Je vais aller le balancer dans une ruelle à quelques rues d'ici. Il faudra récupérer le chapeau, l'écharpe et la couverture ; ce seraient autant d'indices pour les flics. Bien, Rosa, allons-y.

Teresa sortit la première pour vérifier que la voie était libre. Les deux autres transportèrent leur étrange fardeau jusqu'au rez-de-chaussée. Puis, debout devant l'entrée de l'immeuble, la jeune fille regarda Luka s'éloigner en poussant devant lui le fauteuil roulant.

Il était près de 18 heures et les trottoirs étaient noirs de monde, mais il semblait plein d'assurance, presque guilleret. Après avoir parcouru la moitié d'un pâté de maisons, il se retourna pour voir si Rosa était rentrée, puis il fit demi-tour et revint vers l'immeuble. Il s'engagea le long de la rampe menant au parking souterrain. Il croisa plusieurs habitants de l'immeuble, mais au milieu des voitures qui manœuvraient en marche arrière pour se garer, nul ne fit attention à lui.

Il dépassa la Lincoln de Teresa et s'arrêta près d'une Lincoln Continental argentée flambant neuve. La voiture de Barzini.

Luka sonna et attendit. Ce fut la jeune fille qui le fit entrer. Il lui donna une petite tape sur la joue.

— Rosa, avant d'ouvrir, il faut toujours demander qui c'est ! Vous allez nettoyer ce fauteuil ; qu'il n'y reste plus la moindre trace de sang. Je garde l'écharpe et le chapeau pour le suivant.

Teresa était en peignoir. Elle avait mis tous ses vêtements maculés de sang dans un sac à ordures.

— Où l'avez-vous déposé?

Il s'immobilisa sur le seuil du bureau et lui sourit.

— Dans une ruelle, comme prévu. N'y pensez plus.
Tenez, venez m'aider à préparer celui-ci.

À 18 h 40, Luka redescendit en compagnie de
l'homme au masque à barbiche. Un pardessus jeté sur
ses épaules dissimulait ses mains, toujours liées dans son
dos. Écharpe et chapeau cachaient son bâillon. D'une
voix tranquille, le garçon l'engagea à se dépêcher, lui
rappelant que plus vite il serait installé dans la voiture,
plus vite son ami l'y rejoindrait, et plus vite ils arrive-
raient à l'hôpital. Le type s'appuyait contre lui. Il claudi-
quait fortement et paraissait souffrir le martyre.

Quand Luka l'aida à se glisser sur la banquette arrière
de la Lincoln, il haletait, son souffle s'échappant en sif-
flant du bâillon. Lorsqu'il fut installé, le jeune homme se
pencha à l'intérieur et lui sourit.

— Je vais avoir besoin du chapeau.

Il tendit le bras et, avec le pistolet muni d'un silencieux, il tira une unique balle dans la tempe du blessé. Il
remit le cadavre en position assise et remonta pour
s'occuper du clown. Il l'enveloppa dans le pardessus, lui
noua le foulard autour du cou et le coiffa du chapeau. Le
sang s'écoulait en abondance de son bras et dégouttait
au bout de ses doigts. C'est en gémissant de douleur
qu'il franchit le seuil de l'appartement.

Il était maintenant 19 h 15. Luka annonça qu'il emmenait les deux hommes à l'hôpital. Dès qu'il fut parti, les
quatre femmes entreprirent de nettoyer le bureau. Elles
lessivèrent les murs et roulèrent la moquette. Il fallait
faire disparaître tous les vêtements tachés de sang, aussi
les mirent-elles dans des sacs en plastique que le garçon
déposerait ensuite dans l'incinérateur à ordures situé au
sous-sol.

Cependant, quatre heures plus tard, Luka n'était toujours pas rentré. Il ne restait plus rien à faire dans l'appartement. On avait même rapporté le fauteuil roulant. Elles avaient les nerfs en pelote.

Teresa arpentait la longueur du couloir. Quatre heures! Quelque chose clochait. Peut-être les deux hommes s'étaient-ils échappés.

Sophia, une tasse de café à la main, consulta sa montre pour la centième fois. À un moment, elle avait failli leur parler du rôle joué par Luka dans la mort de Nino Fabio, mais elle s'était ravisée, considérant que si elles récupéraient le chèque de Michele Barzini, elles seraient en mesure de lui donner sa part, et ainsi de se débarrasser de lui. Ensuite, elle serait à même de mener la vie qu'elle se choisirait.

— Il est 11 heures trente, Teresa. Barzini est peut-être sorti. Il pourrait même être en route pour Tokyo. Où Luka a-t-il dit qu'il allait?

La jeune femme porta les deux mains à son visage.

— Seigneur Dieu! Tu penses qu'il aurait pu se rendre chez lui?

Vêtue de son manteau et de son chapeau, Graziella se tenait sur le seuil de sa chambre.

— Qu'est-ce qu'on attend? Oui ou non, allons-nous chez Barzini? Cela fait une heure que j'ai ce vêtement sur le dos.

— Nous attendons le retour de Johnny, *mamma*.

— Pourquoi donc? Vous avez dit que nous y allions seules. Alors pourquoi ne pas nous mettre en route?

À la seconde même, Luka frappa à la porte et leur demanda d'ouvrir. Il avait passé un jean et une chemise propre, et il tendit à Teresa un sac contenant ses vêtements tachés de sang ainsi que le pardessus et le chapeau. Il ne s'excusa pas de les avoir faites attendre et leur suggéra de s'installer dans la voiture pendant qu'il portait tous les sacs à l'incinérateur.

Elles allaient sortir lorsqu'il poussa un juron. Celui dans lequel elles avaient mis le rouleau de moquette plié en trois avait commencé à craquer. Teresa resta pour l'aider tandis que les trois autres descendaient au garage.

Ensemble, ils s'efforcèrent de faire entrer le rouleau de moquette dans un nouveau sac qu'il avait apporté.

— Il va en falloir un autre, Johnny. Ils sont dans la cuisine, sous l'évier.

Elle renversa le contenu du sac qu'il venait d'apporter. Elle y trouva sa chemise : elle était imbibée de sang... elle en eut les mains toutes poissées. En dessous, il y avait son jean et ses mocassins, eux aussi couverts de sang. Elle le regarda d'un air horrifié lorsqu'il revint de la cuisine.

— Johnny, qu'avez-vous fait ?

— Allez vous laver les mains. Je les descends à l'incinérateur. On se retrouve à la voiture. Ah ! tenez, je vous ai trouvé ça. C'est simple comme bonjour : vous enlevez la sécurité, et il est prêt à tirer. Faites attention : il est chargé. Glissez-le dans votre sac à main.

Elle empoigna le 22 et courut à la salle de bains. Elle s'adossa à la porte. Ses mains étaient couvertes de sang, et la crosse du pistolet lui semblait poisseuse. Elle prit sur elle pour nettoyer l'arme, puis, laissant l'eau couler, elle se brossa les mains presque à vif.

Elle fit le tour de l'appartement afin de s'assurer que tout était net. Seule la vitre brisée rappelait encore le cauchemar. Elle prit son sac à main et le pistolet, ferma la porte à clef et descendit précipitamment l'escalier.

Atteignant la porte du parking, elle entendit quelqu'un siffloter. Elle marqua un temps d'arrêt, puis, toute essoufflée, s'avança lentement...

C'était Luka. Le jeune homme paraissait tout à fait insouciant. Il cessa de siffler en la voyant, sourit, et lui ouvrit la porte avec une révérence. Elle n'arrivait pas à oublier la chemise mouillée de sang, le pantalon taché, les mocassins recouverts d'une croûte noirâtre. La série de meurtres ne s'interromprait-elle donc jamais ? Elle tituba, prit une profonde inspiration. Elle allait se sentir mal, mais Luka la saisit par le coude. Ses doigts la seraient trop fort.

— J'ai fait ce qu'il fallait. Allez, remettez-vous. Ça va aller ?

Elle hocha la tête, et il relâcha lentement sa prise. Ils se dirigèrent vers la voiture.

Il était 23 h 45 lorsqu'ils sortirent du parking souterrain. Teresa était assise devant avec Luka, qui conduisait. Rosa se trouvait à l'arrière, encadrée par Sophia et Graziella. Elles avaient posé le masque de clown et celui à la barbiche filasse entre les deux banquettes.

Il conduisait prudemment et sans hâte. À travers le cuir du sac, sous la paume de sa main, Teresa sentait le relief du pistolet. Peu à peu, l'horrible sentiment de panique refluait. Cette arme la rassurait, lui donnait confiance.

Après un regard de biais, Luka allongea le bras pour lui tapoter la main.

— Ça va ? murmura-t-il. (Elle acquiesça.) Nous y sommes.

Il serra le frein à main et prit pied sur le trottoir avant que le portier de l'hôtel ait fait un pas.

Elle se tourna vers la banquette arrière.

— Cachez les masques sous votre manteau. On y va ?

Toutes trois hochèrent la tête et la portière s'ouvrit. Sophia fut la première à sortir, suivie de Rosa. Puis Luka aida Graziella. Refermant la portière, il demanda à Teresa :

— Alors c'est sûr, je ne viens pas avec vous ?

— Vous restez ici !

Les quatre élégantes se fondirent aisément parmi la foule qui bruissait dans le hall. Elles se scindèrent en arrivant aux ascenseurs.

Elles parvinrent à la porte de la suite sans avoir croisé personne. Tandis que Rosa actionnait la sonnette, Graziella et Sophia coiffèrent les masques. Teresa enfila le sien avec une fraction de seconde de retard, quelques poils de la barbiche s'étant pris dans le fermoir de son sac à main. Elle finissait de l'ajuster lorsque la serrure cliqueta.

Barzini avait d'abord regardé à travers l'œilleton, et

elles l'entendirent jurer et demander comment on pouvait être aussi stupide. Puis il ouvrit la porte en grand. Avant que Teresa ait dit le premier mot de l'entrée en matière qu'elle avait préparée, Graziella se lança dans une tirade en sicilien.

Il fut si surpris qu'il tituba à reculons et renversa une petite urne vénitienne. Les fleurs qu'elle contenait tombèrent à terre.

Teresa écarta sa belle-mère sans ménagements.

— Bonsoir, *signor* Barzini.

Elle arracha son masque et le lui lança au visage. Sophia referma la porte et mit la chaîne de sécurité. Elle tremblait si fort qu'elle dut s'y reprendre à deux fois pour glisser la barrette dans son logement.

Sous l'œil impitoyable de Teresa, l'homme se décomposait. Rosa coupa le fil du téléphone et replaça sa paire de ciseaux dans son sac. Puis elle suivit sa mère et sa tante jusqu'au séjour.

Graziella partit dans la direction opposée, à la recherche de la femme de Barzini. Elle verrouilla la porte de la chambre, puis gagna le salon en brandissant la clef.

Elle s'assit sur un canapé. Son apparition redonna espoir au type.

— Enfin voyons, les filles. Je sais pas ce que les gars vous ont raconté, mais...

Il s'aperçut qu'il avait encore le masque à la main et le jeta de côté.

Teresa lui posa la main sur l'épaule.

— Payez-nous, Barzini, et vous éviterez les bobos.

— Alors là, si c'est une mise en boîte, je ne vous trouve pas drôles.

Elle l'empoigna par les cheveux.

— Tu nous donnes le chèque, et on te laisse.

— Je vous jure que je vois pas de quoi vous voulez parler. Là, je suis dans le brouillard. Dites, je vous sers un verre et on cause tranquillement de tout ça ? Qu'est-ce que vous en dites ?

Teresa se pencha vers sa fille pour lui demander ses

ciseaux à ongles. Rosa les sortit de son sac pour les lui glisser, à l'instant où Barzini reportait son attention vers Sophia, déclarant qu'il ne savait rien des hommes qui les avaient agressées. Celle-ci lui demanda comment il pouvait savoir qu'elles venaient de se faire agresser. Aussitôt, il ouvrit de grands yeux en affectant de remarquer à haute voix qu'elles présentaient des ecchymoses, et Sophia une vilaine coupure.

Mais Teresa revenait à la charge. Il tourna la tête pour voir ce qu'elle faisait. D'un coup sec de ses ciseaux de précision, elle lui entailla franchement le lobe. Il recula avec un cri aigu et porta la main à son oreille.

— Bordel, mais vous êtes cinglée !

Le sang lui ruisselait sur la main. Il tira un mouchoir blanc pour comprimer la plaie.

— Nous ne voulons que notre chèque, Barzini.

— Mais c'est qu'elle m'a coupé ma putain d'oreille !

Sur un signe de Teresa, Sophia se leva. Elle contourna le bureau et se mit à sortir les tiroirs pour renverser leur contenu aux pieds du type.

Il retourna sa fureur contre elle.

— Hé vous, bas les pattes ! Arrêtez ça !

Teresa ouvrit son sac et en tira le pistolet. Barzini ne pouvait rien faire ; impuissant, il se tamponnait méthodiquement l'oreille.

— Je n'arrive pas à croire que vous puissiez être aussi stupides ! Vous vous rendez compte de ce que vous êtes en train de faire ? Vous croyez vous en tirer comme ça ? Vous croyez peut-être que c'est moi qui prends les décisions ? Je ne travaille pas tout seul, j'ai des partenaires.

— Ça, Barzini, nous nous en sommes aperçues. Il ne vous est pas venu à l'idée que nous pouvions en avoir, nous aussi ? D'ailleurs, nous ne venons rien chercher d'autre que ce que vous deviez nous donner.

Teresa confia le pistolet à sa fille et vint aider Sophia à fouiller parmi les papiers. Elle ramassa un petit carnet qu'elle se mit à feuilleter.

L'homme fit un pas vers le bureau pour tenter de le lui arracher.

— Espèces de salopes!

Rosa braqua le pistolet sur lui. Il se figea, tandis que Teresa continuait à feuilleter le carnet.

— Videz vos poches, commanda-t-elle d'une voix très calme.

Il ôta son veston et le lança de côté.

— Vous êtes en train de faire une grosse bêtise, je vous le dis. Vous pouvez me croire, ça ne va pas en rester là.

Teresa fouilla les poches du veston. Elle ouvrit son portefeuille et en sortit une enveloppe blanche pliée en deux. Elle sut aussitôt qu'elle avait trouvé ce qu'elle cherchait. Le montant du chèque était de quinze millions de dollars, mais il avait été établi à l'ordre de Barzini.

— Vous récupérerez les actes quand vous aurez encaissé ce chèque. Excellent, ce restaurant où vous nous avez invitées hier. Vous allez à nouveau y réserver une table pour... disons demain, 13 heures. Nous ne voulons pas de chèque, rien que du liquide. En échange, nous vous remettrons ce qui a été convenu. Si jamais vous ne veniez pas...

Elle avait soudain perdu le fil. Que se passerait-il s'il ne venait pas? Et s'il disparaissait dans la nature après avoir touché le chèque?

Graziella quitta la banquette et, posément, se dirigea vers Barzini.

— Si nous ne recevons pas l'argent, nous en référerons aux associés de mon mari. Nous leur dirons de quelle manière on se conduit à notre égard. Est-ce que vous me suivez bien? Vous avez commis une grossière erreur de jugement. Ne vous imaginez pas que nous sommes seules.

Dès qu'il les vit sortir de l'hôtel, Luka ouvrit la portière à l'intention de Graziella.

À leur arrivée dans l'appartement, elles lui racontaient encore les faits et gestes de chacun.

Luka demanda à s'entretenir seul à seule avec Teresa. Ils s'enfermèrent dans le bureau.

— Pourquoi s'en tiendrait-il à ce que vous avez demandé? interrogea le jeune homme.

— Nous ne pouvions rien proposer d'autre : le chèque était à son nom.

— Il y a des agences bancaires ouvertes toute la nuit. Vous n'auriez pas dû le laisser. Je vous avais dit de m'emmener avec vous. Vous avez fait une connerie. Et maintenant, qu'est-ce qui l'empêche de vous faire toutes descendre, les unes après les autres?

Teresa avait les jambes qui tremblaient. Luka se tenait tout près d'elle, mais ses yeux étaient si pâles et si morts qu'elle s'écarta de lui.

— Vous aviez besoin de moi. Il fallait lui faire peur, vous comprenez? Lui flanquer la trouille de sa vie. Vous aviez besoin de moi. Pourquoi ne me faites-vous pas confiance? Je vous ai sauvé la vie, bon sang, je vous ai sauvé la vie à toutes les quatre!

Elle s'agrippa au rebord du bureau comme pour y puiser de la force.

— Nous aussi, nous vous avons sauvé la vie, aussi je pense que nous sommes quittes. Vous allez toucher votre part de ces quinze millions, et vous l'aurez méritée. Mais ensuite, que va-t-il arriver, Johnny? Qu'est-ce qui nous attend? Allons-nous passer notre vie dans l'angoisse du chantage? Est-ce ce que vous nous réservez, Johnny?

— C'est Sophia qui vous a parlé?

Teresa secoua la tête.

— Alors pourquoi? Pourquoi êtes-vous si remontée contre moi? Je n'y comprends plus rien. Vous avez besoin de moi.

Elle lui lança un regard scrutateur, puis rajusta ses lunettes.

— Comment pouvez-vous savoir tout ça, Johnny? Vous n'êtes qu'un gosse, et cependant nous continuons à nous en remettre à vous. Pourtant, nous ne savons rien de vous et... et vous avez fait de nous les complices de vos meurtres.

— Si j'ai fait ça, c'est que j'y étais chaque fois obligé, vous le savez parfaitement! Qu'aurais-je dû faire d'autre?

Me sauver? Pourquoi ne voulez-vous pas reconnaître que je vous ai sauvé la vie à toutes les quatre?

Elle soupira.

— Je sais, Johnny, je sais... Mais la situation commence à nous échapper. Je continue à suivre vos conseils, seulement nous ne...

Il avait posé une fesse sur le coin du bureau et balançait son pied dans le vide.

— Si j'en sais autant, c'est parce que j'ai longtemps servi de coursier et que je n'avais ni les yeux ni les oreilles dans ma poche. Mon père était un médiocre, mais il appartenait quand même au milieu. Avant d'avoir 13 ans, je portais déjà des messages, je lavais des voitures, ce genre de choses. Comme je savais tenir ma langue, tout le monde m'aimait bien.

Teresa ôta ses lunettes.

— Tout le monde? Qui exactement, Johnny?

— Eh bien, pendant un temps cela a été la famille Gennaro. Je voyais du pays. Il y a presque un an de ça, ils m'ont envoyé en Sicile. Je devais leur rapporter de la marchandise. Mon père est mort peu après mon départ. La transaction avec Dante a mal tourné. J'ai échoué. Si mes anciens patrons me retrouvent, ils me font descendre. C'était de l'héroïne, je vous l'ai dit. Sans vous, je n'avais aucune chance de quitter la Sicile. J'ai besoin de vous! Donc vous m'employez et je bosse pour vous. Je suis complètement dépendant de vous, car vous pouvez me balancer quand ça vous chante.

— Cela marche dans les deux sens, Johnny.

— C'est vrai, mais je n'ai pas l'intention de prendre le commandement des opérations. Vous ordonnez, et moi j'exécute. Je veux travailler pour vous; vous êtes devenues ma famille. Je n'ai personne d'autre.

Il se retourna à l'entrée de Sophia. Elle s'appuya dans l'encadrement de la porte.

— Il est 2 heures du matin. Je crois que nous devrions nous reposer un peu. Je pense qu'il est temps que Johnny prenne congé.

Luka se leva aussitôt. Il évita le regard de Sophia et se

contenta de marmonner qu'il pourrait revenir le lendemain pour les conduire à l'entrevue avec Barzini.

— Je vous accompagne jusqu'en bas, Johnny, dit Teresa. J'ai besoin de prendre l'air.

Sophia les regarda un instant debout sur le trottoir. Puis elle referma les rideaux et s'adressa à Graziella.

— Est-ce qu'il vous reste des somnifères? Je n'en ai plus.

La vieille femme ouvrit le tiroir de sa table de chevet et tendit un flacon à sa belle-fille. Cette dernière aperçut le portrait de Michael.

— C'était votre préféré, n'est-ce pas?

Graziella ferma les yeux.

— Il m'a réchauffé l'âme et brisé le cœur. On dit toujours que l'aîné est celui qui vous émeut le plus, qui, plus que les suivants, demeure une partie de vous-même. Peut-être parce que la venue du premier est si impressionnante et si merveilleuse...

Elle s'interrompit. Sophia avait quitté la pièce.

Elle se servit un plein verre de whisky et s'assit à la table de la cuisine. Elle prit une première pilule, puis une seconde. C'est alors qu'une main se posa sur son épaule. Graziella s'empara du flacon et en revissa soigneusement le bouchon. Puis elle s'assit en face de Sophia et lui saisit les mains, mais elle ne trouvait pas les paroles qui auraient pu réconforter sa belle-fille.

— Je voudrais m'endormir, *mamma*, et ne jamais me réveiller. Je ne crois pas pouvoir en supporter beaucoup plus. Il me semble que nous sommes engluées dans un cauchemar.

Graziella soupira.

— Oui, des fois je suis éveillée dans mon lit et j'ai le sentiment d'être dans un autre monde.

— *Mamma*, il y a quelque chose que je ne vous ai jamais dit. Vous vous rappelez le fameux soir où Filippo m'a emmenée chez vous après l'accident? J'étais venue de Cefalù à Palerme parce que...

Elle se tut car Rosa venait d'apparaître sur le seuil.

— Où est maman? interrogea la jeune fille.

Elle était très pâle, elle avait les traits tirés. Graziella se tapota le genou. Rosa s'y jucha comme une enfant et enfouit son visage dans son cou.

— Grand-mère, je suis si contente que tu sois avec nous.

Graziella sourit.

— Vous voulez mon avis? Je crois que nous avons toutes une faim de loup.

— Tu sais quel jour nous sommes, grand-mère? Aujourd'hui c'est Noël.

Rosa sentit la vieille femme la serrer plus fort, et elle se nicha plus étroitement contre elle.

— Tu sais, ma petite Rosa, Noël à la villa Rivera, c'était vraiment quelque chose. Nous accrochions des guirlandes électriques dans le grand arbre, tu vois, celui qui est près de la fenêtre de la cuisine. Et ton grand-père montait y suspendre les saints que les enfants de l'école voisine nous confectionnaient chaque année. Lorsque les garçons étaient petits, une fois certains qu'ils dormaient à poings fermés, nous allions à pas de loup y accrocher leurs chaussettes. Sauf qu'il ne s'agissait pas de vraies chaussettes mais de vieilles taies d'oreiller sur lesquelles leurs noms étaient brodés en grandes lettres rouges. Michael, Constantino, Filippo.

» Je déposais les cadeaux de ton grand-père au pied de l'arbre, mais lui ne faisait pas cela. Non, il me cachait les miens, comme si j'étais une petite fille. Parfois sous mon oreiller, parfois dans la poche de mon peignoir, et une fois, au moment de prendre mon petit déjeuner, j'ai trouvé un collier de perles sous ma serviette. Oh! Rosa, des perles absolument parfaites, qu'il avait choisies une à une. Cela lui avait pris beaucoup de temps, car il est très difficile de réunir beaucoup de perles de même taille et de même couleur. Il y en avait une pour chacune de nos années ensemble, une pour chacun de mes garçons...

— Est-ce que je peux les voir, grand-mère?

— Je ne les ai plus, murmura-t-elle. Elles sont parties, comme le reste.

— Je t'en achèterai d'autres.

— Il y a des choses, Rosa, qui ne s'achètent pas. C'est ce que *mamma* vient de t'expliquer.

Sophia leur adressa le plus doux des sourires. C'était ce même sourire qui avait touché le cœur de Graziella, le jour où sa belle-fille avait été transportée à la villa Rivera. Il bouleversa une nouvelle fois la vieille femme, car il démontrait que tout le chagrin et toute la folie qui les environnaient n'avaient en rien entamé la douceur de l'âme de Sophia.

Celle-ci comprit à cet instant qu'elle ne pourrait jamais parler à Graziella de l'enfant de Michael. Il était désormais trop tard.

Teresa s'enveloppa dans le manteau de Sophia. Luka la prit par le bras.

— Vous devriez rentrer.

— Non, de toute façon je n'arriverais pas à dormir. Et puis je voulais vous parler. Vous êtes un garçon étrange, et parfois j'ai peur de vous. Tantôt j'ai confiance en vous, tantôt non. Pourtant, je ne demande qu'à vous faire confiance, Johnny, parce que...

Ils s'arrêtèrent, et Luka releva le col de son manteau de fourrure sur son cou pour la protéger de la fraîcheur nocturne. C'était un geste plein de bienveillance, une attention qui faisait chaud au cœur. Il lui prit le visage entre les mains.

— Teresa, vous vous méfiez de moi parce que vous, et vous seule, savez ce qu'il a fallu faire. Mais vous savez aussi que je peux prendre soin de vous, de vous toutes. Dans chaque famille, il y a quelqu'un qui protège les autres ; je n'ai jamais rien fait d'autre que vous protéger.

Ils avaient poussé jusqu'aux locaux de la société de transports routiers. Tout était toujours verrouillé et barricadé, avec, courant au sommet des murs d'enceinte, des fils électriques à l'aspect fort peu engageant.

— C'est ici que travaillait mon mari. C'est la seule

affaire que je n'ai pas incluse dans la vente. J'ai aussi gardé la concession de la jetée numéro 3, sur le port de commerce. C'est un des plus grands appontements.

Il parcourut du regard les entrepôts obscurs et, frissonnant un peu, enfonça les mains au plus profond de ses poches.

Teresa souriait.

— Je compte consacrer ma part de l'argent à relancer cette affaire. Je vais avoir besoin de collaborateurs, bien évidemment, des gens en qui j'ai toute confiance.

Luka battait la semelle. À présent, il avait vraiment froid.

— Comment les trouverez-vous? Pour commencer, vous aurez les syndicats sur le dos.

Tournée vers les énormes portes coulissantes de l'entrepôt, elle ne prêtait pas attention à ce qu'il disait.

— C'est ici qu'était stockée toute l'essence. Les Luciano touchaient un pourcentage sur chaque galon vendu. Est-ce que vous saviez cela? Ils avaient tant de sociétés prête-noms que s'y retrouver dans tout cela constituait en soi un boulot à plein temps. Papi Luciano n'arrêtait pas de la ramener sur l'aspect licite de ses activités, mais je sais avec certitude qu'il se faisait des millions avec son racket sur les carburants.

Luka inclina la tête. Il la regarda avec son nez rougi par le blizzard, ses épaules voûtées contre le froid. Il trouva quelque chose de touchant à ce côté sérieux qu'elle avait.

— Vous voulez que les Luciano reprennent leurs activités, c'est bien ça?

Elle hocha la tête, fixant ses chaussures.

— J'ai besoin de savoir qui sont les partenaires de Barzini, s'ils sont américains ou siciliens, et dans quel secteur ils travaillent. Seriez-vous en mesure de vous procurer ces renseignements?

Luka n'avait pas la moindre idée de la façon dont il pouvait s'y prendre.

— Je vais vous trouver ça, fit-il pourtant. Rentrez chez vous, Teresa. Je m'en occupe.

Épuisée, elle s'engagea dans l'escalier. Elle espérait que les autres seraient endormies, car elle ne se sentait pas de force à affronter de nouvelles discussions.

Elle les entendit lorsqu'elle arriva sur le palier. Elle perçut tout d'abord comme une plainte aiguë qui l'effraya. Puis, incrédule, elle prêta l'oreille et perçut trois voix, un peu fausses, qui chantaient à l'unisson.

— Depuis plus de mille ans nous le promettaient les prophètes, loué soit son avènement...

20

Le commissaire Pirelli passa Noël à Milan, et ce fut le pire qu'il ait jamais connu. L'enquête sur le meurtre de l'enfant Paluso avait dû être, de fait, abandonnée. Il était admis que Luka Carolla avait probablement quitté l'Italie. Pendant six semaines, aucun indice nouveau n'était survenu, aucun élément susceptible de relancer les recherches. Le magistrat chargé de l'affaire avait décidé que Carolla resterait sur la liste des personnes recherchées, avec mandat d'extradition s'il était arrêté aux États-Unis. À l'instar de centaines d'autres affaires impliquant la Mafia, ce dossier ne serait jamais refermé.

Pirelli, sa femme et son fils avaient regagné Milan la veille de Noël. Ils avaient acheté un sapin et des cadeaux. Lorsqu'ils s'étaient enfin retrouvés chez eux, Lisa avait entrepris de défaire les bagages et envoyé son mari chercher de la terre pour le sapin de Noël.

Une des valises contenait du linge sale qu'elle n'avait pas pu laver à Palerme. Alors qu'elle était sur le point de la vider dans le panier de la salle de bains réservé à cet usage, elle aperçut dans celui-ci la paire de draps qu'elle avait mise sur leur lit juste avant de partir.

Ce n'était pas une chose à faire, mais Pirelli préleva de la terre sur un massif. Revenu chez lui, il tomba nez à nez avec sa femme qui l'attendait.

Elle lança les draps sales à travers la pièce.

— Depuis quand est-ce que tu te soucies de changer

ton lit? Je vais te le dire, espèce de salaud : c'est depuis que tu as ramené une pouffiasse ici!

Il ne répondit pas, et la voix de Lisa s'éleva dans les aigus.

— Et ça se prend pour un détective! Pas étonnant que l'autre type s'en soit tiré. Tu n'es même pas capable d'amener une femme chez nous et d'effacer les traces de son passage! Appelle ta pute, parce que moi, je pars! Je vous souhaite un joyeux Noël...

Son mari se laissa tomber sur une chaise et alluma une cigarette. Il n'avait pas pronocé un mot. Elle le toisait, les mains sur les hanches, les yeux furibonds.

— Eh bien, tu ne dis rien? Tu ne te cherches même pas d'excuses?

Il haussa les épaules, évitant son regard. Frustrée par son silence, elle s'engouffra dans la chambre et claqua la porte. Il l'entendit fondre en larmes. Lentement, il écrasa sa cigarette et la rejoignit.

Elle était recroquevillée sur le lit défait. Il s'assit à côté d'elle.

— Lisa, écoute-moi...

— Comment as-tu pu amener une femme dans notre lit? Comment as-tu pu me faire ça?

— Je n'ai aucune excuse, je suis impardonnable. Je suis désolé.

Elle s'assit.

— Qui est-ce? Je la connais?

Il alluma une cigarette.

— Non, tu ne la connais pas.

— Depuis combien de temps est-ce que ça dure?

— Cela n'est arrivé qu'une seule fois. Je suis désolé.

— Qui est-ce?

— Tu ne la connais pas. Moi-même, je n'ai rien compris à ce qui s'est passé. Tout ce que je peux dire, c'est que je suis désolé. Tiens, j'ai même honte de ce que j'ai fait, si cela peut te rassurer.

— Tu la vois toujours?

À la grande surprise de Lisa, il semblait au bord des larmes. Il secoua la tête, incapable de la regarder dans les yeux.

— Est-ce que tu aimes cette femme, Joe? (Elle le poussa à l'épaule.) Es-tu amoureux de cette femme?

Il lui prit la main. Elle voulut se libérer, mais il raffermit sa prise.

— Écoute-moi. C'est fini, mais je ne peux pas en parler.

— Ah ça, c'est le bouquet! Tu amènes une femme ici, chez nous, tu couches avec elle dans *mon* lit, et ensuite tu me dis que tu ne veux pas en parler! Eh bien, va te faire foutre!

Elle parvint à se libérer et le gifla à toute volée. Il détourna le visage, et c'est alors qu'il montra la porte: depuis le couloir, leur fils les regardait, son petit visage marqué par la peur.

— Gino, va dans ta chambre! lui lança Lisa. J'arrive dans une minute... Gino, tu m'entends?

Le garçon s'éclipsa. Pirelli ferma la porte. Il tournait maintenant le dos à sa femme. Il soupira et demanda:

— Que veux-tu que je fasse, Lisa? Tu souhaites que je parte?

Une boîte de mouchoirs en papier était posée sur la table de chevet. Elle en tira un et se moucha.

— Je ne comprends pas... Je ne comprends pas comment tu as pu me faire une chose pareille.

Elle paraissait complètement désemparée. Il vint lui poser les mains sur les épaules.

— Tu ne m'aimes plus, c'est ça? fit-elle.

Il lui caressa la joue.

— Je t'aime, Lisa... (Il rougit et arbora un sourire penaud.) Écoute, on va partir tous les trois en vacances. Maintenant que j'en ai fini avec Palerme, rien ne nous empêche de nous en aller aussitôt après Noël. Qu'est-ce que tu en dis?

— Je ne sais pas, Joe. Pour l'instant, je ne sais pas trop où j'en suis. Tout s'embrouille dans ma tête... Je n'arrive toujours pas à croire que tu aies pu me mentir.

— Je ne t'ai pas menti, Lisa. Crois-moi, je ne te mens pas. Tout est fini. Je ne la reverrai plus.

Il l'avait prise dans ses bras et lui embrassait les cheveux, la gorge. Agrippée à lui, elle fondit en larmes. Il la serra plus fort.

— Non, Lisa, ma Lisa, ne pleure pas.

Ce fut un triste Noël. Sa femme évoquait son « petit extra » chaque fois que l'occasion s'en présentait. Lui était torturé par la culpabilité et un sentiment d'échec. Luka Carolla se promenait quelque part dans la nature. Chaque fois qu'il pensait à lui, cela le ramenait invariablement à Sophia, comme si les deux étaient liés.

Il avait décidé de ne pas retourner travailler après le congé des fêtes, mais de prendre les deux semaines qu'on lui devait. C'est alors qu'il reçut le coup de fil d'un vieil ami.

L'inspecteur Carlo Gennaro avait été chargé de l'enquête sur le meurtre de Nino Fabio. Il lui demanda de l'aider à retrouver Sophia Luciano, car il avait besoin de l'interroger. Pirelli accepta. Il ne pouvait savoir qu'elle se trouvait maintenant à New York.

Michele Barzini avait de gros soucis. Ceux qui lui avaient remis l'argent destiné à régler les veuves attendaient maintenant qu'il leur donne les actes par lesquels ils deviendraient propriétaires des sociétés Luciano.

Il quitta sa suite du *Plaza* et parcourut deux pâtés d'immeubles pour gagner sa place de parking souterrain. Plongé dans ses pensées, il descendit la rampe et se dirigea vers la Lincoln.

Alors qu'il ouvrait sa voiture, le gardien du parking lui cria quelque chose. Barzini regarda autour de lui, mais l'autre s'était éclipsé. Il claqua la portière, mit le moteur en marche, engagea la marche arrière et, se retournant à demi, posa le bras droit sur le dossier de la banquette. Il allait exécuter sa manœuvre lorsqu'il entendit quelque chose tomber du siège arrière. Il repassa au point mort et se pencha par-dessus son dossier pour voir ce dont il s'agissait.

Mais l'éclairage du parking n'était pas suffisant. Il prit une lampe torche dans la boîte à gants et en braqua le faisceau sur le plancher entre les deux banquettes. Comme il ne parvenait toujours pas à identifier de quoi il s'agissait, il tendit le bras pour palper. Ses doigts se refermèrent sur quelque chose de fibreux qu'il ramena à lui.

Il s'agissait de cheveux humains. C'était la tête d'Harry Barzini, son cousin.

Un son étranglé sortit de sa gorge et, aussitôt, il se défit à la hâte de son veston pour envelopper l'épouvantable objet. Il chercha fébrilement, sous le tableau de bord, la commande d'ouverture du coffre.

La puanteur le fit vomir. Tremblant de tous ses membres, au bord de la crise de nerfs, il descendit de voiture. La tête lui échappa et roula sous la voiture. Il dut se mettre à quatre pattes sur le sol en ciment poissé d'huile. L'horrible faciès était orienté dans sa direction et semblait le regarder de ses yeux vitreux. Il parvint à saisir la tête par quelques cheveux. Pantelant, il la jeta dans la malle qu'il referma à toute volée. Mais le capot se rouvrit. Il pesa dessus de tout son poids jusqu'à ce que le pêne soit bien en place. Puis il s'élança vers l'ascenseur.

Le gardien du parking le regarda, puis jeta un œil à la Lincoln à demi engagée sur l'allée.

— Dites, Mr Barzini, vous voulez que je déplace votre voiture? Quelque chose ne va pas, Mr Barzini?

Mais déjà la porte de l'ascenseur se refermait. L'homme se dirigea lentement vers le véhicule. La clef de contact était restée en place. Il monta à bord pour la replacer dans son logement. Puis il redescendit et ferma la porte à clef. Il allait retourner à ses affaires quand il regarda ses mains. Elles étaient toutes poisseuses et dégageaient une odeur désagréable... Lentement, il fit le tour de la voiture et s'immobilisa pour examiner les traces sombres laissées par son propriétaire lorsqu'il s'était acharné sur le coffre. Le trousseau de clefs toujours à la main, il se retourna vers l'ascenseur, puis à nouveau vers la Lincoln...

Dans tous ses états, Barzini arriva à son appartement au moment où Salerno allait y entrer. Il l'entraîna à l'intérieur.

— Rassemble quelques gars. Faut enlever ma voiture, la balancer dans un coin désert et y foutre le feu. Un endroit où personne la retrouvera.

— Qu'est-ce qui t'arrive? T'as eu un accident?

— Écoute-moi, bordel... Les femmes Luciano sont complètement cinglées. Il faut leur filer le fric.

— Quoi? Je croyais que tu t'en étais déjà occupé.

— Fais ce que je te dis.

— Le marché était tout ce qu'il y a de régulier. Qu'est-ce qui a cloché? T'as voulu jouer au plus fin? (Devant l'expression de Barzini, Salerno comprit qu'il ne se trompait pas. Il secoua la tête.) T'es vraiment incorrigible, Mike. Un chargement est déjà parti de Colombie à destination de Palerme. S'ils ne peuvent pas le stocker sur place parce qu'ils ne sont pas — contrairement à ce qu'ils se figurent — propriétaires des entrepôts Luciano, alors là, t'es vraiment dans la merde. Bordel, mais qu'est-ce que t'as essayé de trafiquer?

— Tire-toi et fais ce que je t'ai demandé. Tu enlèves ma bagnole.

À l'instant où Michele Barzini montait dans un taxi devant l'*hôtel Plaza*, des voitures de police s'engouffraient dans l'entrée du parking souterrain. Un drap fut jeté sur le coffre ouvert de la Lincoln, dissimulant les restes de son cousin.

Salerno rebroussa chemin dès qu'il aperçut les flics. Il tenta d'appeler Barzini depuis la réception de l'hôtel, mais celui-ci venait de partir. Il téléphona à la banque pour lui laisser un message lui demandant d'appeler d'urgence chez lui.

La police avait déjà investi la suite lorsque Salerno y remonta. Il entendit Elsa Barzini dire aux policiers que son mari devait déjeuner aux *Quatre-Saisons*...

Barzini arriva au restaurant avec dix minutes de retard. Quand il gravit le large escalier, un attaché-case noir à la main, il semblait avoir recouvré son calme.

Pourtant, lorsqu'il prit place à table, son front luisait de transpiration.

Teresa lui sourit et déclara que tout s'était bien passé. Elle lui remit un épais classeur.

Barzini appela le sommelier et demanda à la jeune femme :

— Vous désirez du vin ? De l'eau minérale ?

— Du vin blanc.

Il parcourut la carte et la referma presque aussitôt d'un coup sec.

— Donnez-moi un grand bourbon avec de la glace et le numéro 17. (Puis, s'adressant à nouveau à Teresa :) Que prenez-vous ?

— L'assiette de saumon frais.

Il examina le menu et leva les yeux vers le garçon.

— Un plat du jour. Pas de hors-d'œuvre, merci.

Puis il repoussa son couvert et ouvrit le dossier. Il lut posément chaque document, sans rien montrer à la jeune femme de ce qu'il pouvait ressentir. Mais un film de sueur luisait sur sa lèvre supérieure.

On lui apporta son bourbon. Le regard rivé aux documents, il prit le verre et le vida presque d'un trait. Le sommelier vint lui montrer la bouteille, mais il lui fit signe de la déboucher sans même jeter un coup d'œil à l'étiquette.

Il s'arrêta sur une page, retourna en arrière pour vérifier qu'elle concordait avec ce qui précédait, puis, satisfait, poursuivit. Il leva les yeux à l'instant où le garçon lui versait un fond de vin blanc. Il se redressa brusquement.

Deux policiers en tenue gravissaient l'escalier. L'un d'eux fit signe au maître d'hôtel d'approcher. Derrière ses lunettes, les paupières de Barzini clignaient furieusement. Le maître d'hôtel se tourna vers sa table pour le montrer du doigt, et les deux policiers se dirigèrent vers lui.

Il regarda Teresa d'un air haineux.

— Espèce de salope, c'est toi qui as monté ça !

Il culbuta la lourde table, envoyant verres et vaisselle se fracasser sur le sol, et, dans une course folle, s'élança vers les escaliers.

Il déboucha dans la rue et entreprit de traverser la chaussée, zigzaguant entre les voitures qui faisaient de brusques écarts pour l'éviter. Alors que les deux policiers le prenaient en chasse, il fut percuté par un taxi... Telle une poupée de chiffon, son corps fut projeté en l'air par-dessus le véhicule et retomba devant un camion de livraison qui venait en sens inverse.

Assis dans la voiture, Luka attendait Teresa; il assista, éberlué, à l'accident.

La jeune femme vit la fin de Barzini par la grande baie donnant sur la rue. Elle glissa les documents dans la mallette, serra celle-ci sous son bras et mit son sac à main par-dessus. Au milieu de l'émoi général, tandis que des gens entraient et sortaient en courant, personne ne prêta attention à elle.

Elle regagna directement la voiture et se glissa à l'arrière. Le moteur tournait déjà.

— Vous avez vu ce type se faire écraser par un camion? fit Luka en démarrant. On aurait dit un pantin désarticulé.

— C'était Barzini. Les flics sont arrivés, et il a pris ses jambes à son cou.

— Comment ça se fait? fit-il avec un petit sourire. La cuisine était dégueulasse à ce point?

Elle lui sourit également, l'attaché-case toujours serré contre elle.

— Ça s'est bien goupillé, n'est-ce pas? constata-t-il en s'insérant dans le flot de la circulation.

— On peut le dire. J'ai l'argent et j'ai toujours les papiers. Je pense que le mieux est de rentrer à la maison.

Pirelli était secoué d'une quinte de toux, et son visage virait peu à peu au rouge brique. La porte de son bureau s'ouvrit; l'inspecteur Carlo Gesù Gennaro s'y encadra en souriant.

L'autre faisait de grands gestes.

— Ah! mon vieux, faut que je laisse tomber la cigarette avant d'y rester.

— Tu disais déjà ça il y a quatre ans, quand nous bossions ensemble. Est-ce que tu as demandé du café?

On leur apporta du café très serré, et les deux hommes allumèrent chacun une cigarette, emplissant la pièce climatisée d'une fine fumée bleutée qui dérivait lentement vers les grilles d'aération.

Gennaro dit à Pirelli qu'il était désolé pour son peu de réussite en Sicile. Ce dernier haussa les épaules.

— Je finirai bien par le coincer un jour ou l'autre. Et toi, comment ça va?

— Oh, couci-couça. Comme je te l'ai expliqué, je suis sur le meurtre de Nino Fabio, et j'aurais besoin d'entendre Sophia Luciano. Elle a vendu son appartement à Rome. Le 16 décembre — le jour du meurtre — elle est venue le voir et, d'après le témoignage de tous ceux qui étaient à portée de voix, ils se sont salement engueulés. Elle accusait Fabio de la mettre sur la paille, et elle voulait se servir de quelques-unes de ses créations pour relancer son affaire. Lui refusait de l'aider. Détail intéressant : tous les dessins du styliste, ses projets — appelle ça comme tu voudras — ont disparu, comme la *signora* Sophia. Je suis allé faire un tour à l'ancien quartier général des Luciano; la baraque a été entièrement rasée... Est-ce que tu crois pouvoir m'aider? As-tu une idée de la façon dont je pourrais entrer en contact avec elle?

Pirelli reprit du café.

— Tu penses qu'elle a quelque chose à voir là-dedans?

Gennaro haussa les épaules et accepta une seconde tasse de café. Il y empila plusieurs morceaux de sucre et tourna lentement une cuiller en plastique tordue d'avoir déjà servi.

— J'en doute. Ça ressemble à l'œuvre d'un détraqué, et il semblerait que Fabio donnait dans le genre pédé sadomaso tendance dure. Peut-être a-t-on embarqué ses dessins pour brouiller les pistes. N'empêche, il faut que

535

je la voie, ne serait-ce que pour l'écarter de la liste des suspects.

— Je sais qu'elle était à Palerme juste avant Noël pour le jugement de Graziella Luciano. Mais j'ignore où elle se trouve maintenant.

Gennaro renversa du café sur sa chemise et lâcha un juron. Il sortit un mouchoir cradingue avec lequel il se tamponna.

— Ton suspect, tu n'as toujours aucune idée de l'endroit où il a pu se planquer?

— Carolla? Ça, si je le savais, je ne serais pas ici.

Son ami lui lança un regard oblique.

— En fait, c'est aussi à cause de lui que je viens te trouver; de lui et de Sophia Luciano.

— T'as du nouveau à son sujet? fit Pirelli, aussitôt en alerte.

— Ça se pourrait... On a interrogé les employés de Fabio. On en a entendu une trentaine, mais une fille, une certaine Celeste Morvanno, était en train d'accoucher, aussi ne l'ai-je vue qu'il y a deux jours. Elle a vu Sophia Luciano parler à son chauffeur, devant l'immeuble.

Le commissaire soupira.

— Viens-en au fait.

— Bon, donc elle est dans mon bureau. Je lui demande de me décrire ce type pour savoir s'il s'agit de celui que les autres témoins ont vu. Elle commence par bredouiller, et voilà que tout à coup, elle fonce droit au tableau d'affichage pour montrer le portrait-robot de Luka Carolla.

— Quoi?

— Attends. « Je crois que c'est lui, qu'elle fait comme ça, mais il est plus ressemblant sur cette photo. » Il s'agissait de celle que tu as fait diffuser après le portrait-robot. Les deux sont punaisés dans mon bureau.

Pirelli se balançait d'avant en arrière sur son fauteuil.

— Est-ce que tu peux vraiment te fier à ce que dit ce témoin?

— Pas vraiment, non. C'était trois semaines après les faits. Remarque, elle est venue me trouver de son propre chef. Elle n'avait rien à y gagner. Je veux dire qu'elle ne bosse plus dans la même boîte.

Gennaro fouilla dans sa serviette pour en sortir une chemise toute cornée. Il laissa tomber sur le bureau plusieurs agrandissements en noir et blanc représentant la victime.

— Comme je te le disais, le gars qui a fait ça est un vrai détraqué. Les taches sur la moquette indiquent que Fabio a saigné à mort. On l'a retrouvé au milieu de ses mannequins.

L'autre regarda les clichés d'un air écœuré, et l'inspecteur émit l'idée qu'un verre était peut-être de mise.

Ce n'est qu'après avoir vidé une bière que Pirelli dit à Gennaro qu'il se trouvait avec Sophia Luciano le soir du meurtre de Nino Fabio.

Il eut l'air estomaqué, ce qui lui valut un regard mauvais de son ami.

— On est allés à l'opéra, si tu veux savoir. N'empêche qu'elle était avec moi au moment présumé de la mort du type.

Gennaro le regarda à la dérobée.

— As-tu vu son chauffeur?

Pirelli avait la tête qui tournait. Il prit le temps d'allumer une nouvelle cigarette. Il avait remarqué le chauffeur, mais il ne lui avait guère accordé d'attention. Et il ne se souvenait pas d'avoir aperçu son visage. Le sien se mouillait de sueur. Bon sang, était-ce Luka Carolla qui conduisait ce jour-là la Rolls de Sophia Luciano?

— Non, je ne l'ai pas vu, fit-il d'une voix qui ne trahissait pas son tumulte intérieur.

— Et quand elle a accompagné sa belle-mère au tribunal? Tu ne l'as pas vu, cette fois non plus?

Pirelli tira sur sa cigarette. Il n'arrivait pas à se souvenir. À l'époque, il était trop obnubilé par ses sentiments pour Sophia.

— Non, dit-il. Non, je n'ai vu personne avec elle en dehors de sa belle-mère, Graziella Luciano.

Gennaro l'observa ; il commandait une autre consommation, un cognac cette fois.

— Joe, ça va ?

Pirelli grimaça un sourire.

— Ouais, à peu près comme si je venais de me ramasser une bastos dans le ventre... Alors tu es certain de ce que tu avances au sujet de ce chauffeur ?

Les boissons arrivèrent. Gennaro attendit que le serveur s'en aille.

— Joe, je te pose la question sans détour, et tu ferais mieux de me répondre parce que si jamais je découvre quelque chose, la merde risque de rejaillir sur toi... Il y a eu quelque chose, avec cette femme ?

Le commissaire écrasa sa cigarette.

— Mais enfin, bon Dieu ! j'enquêtais sur le meurtre de ses deux gosses. Bien sûr, je l'ai rencontrée, et plus d'une fois, mais toujours dans le cadre de mon enquête. Il se trouve que j'étais à Milan en même temps qu'elle. Le hasard a fait que nous nous sommes rencontrés, et... et ça s'arrête là. S'il y avait eu autre chose, je te le dirais, d'accord ? Il semblerait que je suis son alibi. Elle était loin de chez Fabio quand il a été assassiné.

Gennaro renifla.

— Ce qui ne veut pas dire qu'elle n'a pas chargé quelqu'un de le faire.

Eugenio Muratte, adjoint de Pirelli à Milan, sauta le déjeuner tandis que son chef et Gennaro s'attardaient au bar. Il vint les trouver une heure plus tard. Il n'était pas parvenu à localiser Sophia Luciano ni sa belle-mère. Mais il pouvait tenter de joindre Teresa Luciano à New York ; celle-ci pourrait peut-être les renseigner.

Pirelli lui suggéra de contacter également les services de police new-yorkais et de soumettre les données du meurtre de Nino Fabio à l'ordinateur afin de voir si d'autres homicides de même nature avaient été commis au cours des cinq dernières années.

Les deux hommes burent une troisième tournée. De retour au quartier général, ils eurent un petit creux et commandèrent des sandwiches.

Sur son bureau, une note indiquait au commissaire que l'on ne tarderait pas à obtenir le numéro de téléphone de Teresa Luciano. Lorsque Eugenio reparut, la face éclairée d'un grand sourire, ils pensèrent qu'il l'avait. Mais il apportait quelque chose de bien plus important aux yeux de Pirelli.

Celui-ci prit connaissance du télex envoyé par Palerme, puis il se laissa aller contre son dossier.

— Ça y est, je tiens la preuve qui me manquait : Luka Carolla a refait surface aux États-Unis. (Il se leva et se mit à arpenter la pièce tout en donnant lecture de la dépêche.) *Ayant connaissance que vous*, et cætera, *et après enquête approfondie, il apparaît que le coffre numéro 456 de la banque centrale de Manhattan appartenait à Paul Carolla, aujourd'hui défunt. Les dernières volontés de Paul Carolla*, et cætera, *désignaient son fils, Giorgio Carolla, comme son seul héritier. Le 28 décembre 1988, par décision de justice, la propriété dudit coffre a été transmise à G. L. Carolla. G. L. Carolla a pris possession du contenu du coffre numéro 456 de la banque...* Bon sang, le 28 décembre, c'était il y a une semaine !

L'inspecteur crut que son ami allait lui sauter au cou.

— Et alors ?

— G. L. Carolla, c'est Luka Carolla ! Il faut que j'aille là-bas avant que ces connards le laissent s'évanouir dans la nature...

Gennaro regagna ses services avec l'espoir d'arracher à ses supérieurs un billet pour New York. Pirelli fit également le siège de sa hiérarchie. On lui accorda un aller-retour en classe économique, plus trois jours de frais. Lorsque Gennaro obtint lui aussi le feu vert, les deux hommes prirent leurs dispositions pour voyager ensemble.

Les quatre femmes se partagèrent l'argent, même si cela n'alla pas sans discussions. Rosa insista pour que sa part soit distincte de celle de sa mère. Puis Graziella tint à ce que la sienne soit divisée en trois, car elle ne voulait rien pour elle-même. Pour finir, Teresa encaissa son argent, Sophia et Rosa le leur, et toutes trois insistèrent pour que Graziella prenne au moins un quart du total. Elles choisirent des banques différentes. Seule Teresa savait qu'elles détenaient toujours les divers actes et documents.

Luka appela Peter Salerno depuis une cabine pour lui demander de mettre sur pied une rencontre avec les soi-disant partenaires de Barzini. Il eut soin de ne pas pro-noncer le nom des veuves Luciano, certain que son télé-phone était sur écoute. Debout près de la cabine, Teresa écoutait.

— Mes clientes sont toujours intéressées. Elles sont toujours en possession des papiers et désirent faire affaire. (Il ne put réprimer un sourire avant de dire :) Oui, mes clientes n'ont toujours rien touché et sou-haitent accélérer les choses.

Salerno était certain que Barzini avait encaissé le chèque et payé les veuves, mais il n'en dit rien. Il se borna à promettre de contacter les intéressés. L'organi-sation d'une rencontre demanderait quelques jours. Et d'ajouter, d'un ton égal et fort courtois, qu'il entendait que ses bons offices lui valent quelque rétribution.

Il fut finalement décidé qu'il toucherait 2 % du mon-tant final de la transaction.

La jeune femme entrouvrit la porte pour souffler à Luka :

— Faites-lui savoir que nous n'avons pas les papiers à la maison.

Il lui adressa un clin d'œil.

— Mes clientes vous précisent également que les documents se trouvent dans un coffre bancaire et non à leur domicile. Est-ce que vous me suivez? C'est moi qui ai la clef, aussi serait-il vain de tenter quoi que ce soit...

— Qui êtes-vous au juste?

— Cela ne vous regarde pas. Je me contente d'agir pour le compte de mes clientes. Évitez tout retard. Je vous rappelle dans trois jours à ce même numéro.

Il raccrocha et sourit à Teresa.

— Vous avez entendu? Je crois qu'il va suivre nos indications. Il n'a pas le choix.

Il lui tendit sa main ouverte. Elle rit et appliqua une claque sonore sur sa paume. Puis ils s'étreignirent.

— On a joué fin, hein?

Elle le regarda droit dans les yeux.

— Je voudrais que vous me promettiez quelque chose. Faites le serment, Johnny, qu'il n'y aura plus de tueries. Je veux votre parole.

Il recula d'un pas et se signa.

— Devant Dieu tout puissant, je le jure.

Une neige très fine se mit à tomber tandis qu'ils remontaient la 5e Avenue bras dessus bras dessous. Elle s'arrêta devant la vitrine d'un fourreur.

— J'aimerais acheter quelque chose à Rosa.

— Pas une fourrure, surtout. Elle ne la porterait pas. C'est contre ses principes.

Elle rit.

— Oui, mais pas contre les miens. Qu'est-ce que vous pensez de celle-là? Est-ce que je l'essaie?

Teresa arriva à la maison les bras chargés de paquets, fit un tour sur elle-même pour montrer son manteau de fourrure, puis procéda à la distribution de ses présents.

— *Mamma*, Rosa, Sophia... joyeux Noël à retardement. Ceci est de notre part.

— De notre part? répéta sa belle-sœur.

— Oui, c'est Johnny et moi qui les avons achetés. Eh bien, vous ne les ouvrez pas?

Sophia prit son cadeau.

— Tu l'as perdu en chemin?

Teresa lui sourit.

— Il a dit qu'il ne tarderait pas. Je crois qu'il nous prépare une surprise — un petit voyage, à ce qu'il m'a dit. C'est une bonne idée. Il serait souhaitable que nous nous absentions deux ou trois jours, juste au cas où de nouveaux hommes masqués se mettraient en tête de nous rendre une petite visite. (Elle était dans un état d'excitation qui confinait à l'hystérie.) Allez, ouvre ton cadeau, Sophia. On a mis des heures à le choisir.

La boîte contenait un corsage en soie crème signé Ferrucci. Il avait coûté une petite fortune.

— Oh! Merci, dit-elle avec un grand sourire. Je vais l'essayer immédiatement.

Rayonnante, sa belle-sœur remit les deux plus gros paquets à Graziella et à Rosa.

— Allez, ouvrez-les.

Soudain inquiète, Sophia s'arrêta sur le seuil.

— Teresa, comment Salerno a-t-il réagi?

— Il faut qu'il voie cela avec les autres. Nous devons le recontacter dans trois jours.

Rosa passa la main sur le manteau de sa mère.

— Dis donc, ce n'est pas celui de tante Sophia. Tu te l'es acheté?

— Oui, mais qu'attends-tu pour ouvrir ton cadeau? Allez, *mamma*, vous aussi.

Sophia s'attardait toujours près de la porte.

— Pourquoi s'est-il adressé à Salerno et non pas directement à Barzini?

— Je n'en sais rien. (Avec un haussement d'épaules, Teresa changea de sujet.) Alors, ce corsage, tu l'essaies, oui ou non?

La jeune femme était certaine que sa belle-sœur cachait quelque chose. Elle regarda les deux autres achever de déballer leurs cadeaux respectifs.

Les traits de Rosa s'affaissèrent.

— Maman! Qu'est-ce qui t'est passé par la tête? Ah! ça, ne compte pas me voir avec ce truc sur le dos!

Teresa sortit le manteau de sa boîte et le déplia.

— Oh mais si, parce que figure-toi que c'est un faux.

Graziella dépliait le sien.

— Comment ça, un faux?

Elle voulut aider sa belle-mère à passer le manteau.

— Eh bien, cela ressemble à s'y tromper à du vison, mais ce n'en est pas. Quant au vôtre, on jurerait du renard, mais c'est aussi un faux. Il s'agit de fourrure artificielle, synthétique... Alors Rosa, qu'est-ce que tu en dis?

La jeune fille considérait le vêtement d'un air dégoûté.

— Ça ressemble à du vrai, maman, et tôt ou tard, quelqu'un va me lancer un pot de peinture dessus. C'est aussi condamnable que de porter de la vraie fourrure, parce que cela encourage tout autant...

— Très bien, l'interrompit sa mère. J'aurais bien dû penser que de toute façon tu ne serais pas contente. Tiens, voici le bon de caisse, tu n'auras qu'à aller l'échanger contre autre chose !

Graziella se regardait dans la glace du couloir. L'air perplexe, elle fit signe à Sophia d'approcher.

— Alors comme ça, il s'agit d'un faux ?...

— Oui, *mamma*. Cela vient du fait que beaucoup de gens réprouvent ce qu'ils considèrent comme de la barbarie.

La vieille femme hocha la tête et ajusta le col du manteau.

— Il est très bien, Teresa. Merci beaucoup... Vous pensez qu'il sera assez chaud ? Il est très léger...

La porte d'entrée s'ouvrit. Luka entra, coiffé d'une toque de fourrure. Sophia partit d'un grand éclat de rire. Le jeune homme ôta son couvre-chef et exécuta une révérence.

— C'est de la fausse fourrure, Rosa. Tenez, regardez, c'est écrit : *fourrure synthétique*. (Son regard passa de l'une à l'autre.) C'est Teresa qui me l'a offerte...

Il était aux anges. Il avait acheté des fleurs et du champagne. Il annonça fièrement qu'il avait loué une limousine pour un petit voyage surprise. L'air grave, il leur demanda d'être prêtes dès 8 heures le lendemain matin.

Il s'excusa de ne pouvoir s'attarder, mais il lui restait encore des choses à préparer. Avant de sortir, il s'approcha de Rosa et lui glissa :

— Tenez, ceci est pour vous. Je savais que le manteau ne vous plairait pas, mais elle n'a pas voulu m'écouter.

Il lui remit une petite boîte à bijou et partit en hâte vers le couloir. Elle l'ouvrit, rougissante, et porta vivement la main à sa gorge. C'était un diamant en forme de larme, au bout d'une jolie chaînette en or. Elle s'élança à sa suite.

— Johnny... Johnny, attendez!

Déjà dans l'escalier, il se retourna pour la regarder descendre jusqu'à lui.

— C'est très très beau, tout simplement ravissant, merci...

— Je suis heureux qu'il vous plaise, je l'ai choisi moi-même.

Elle s'arrêta deux marches au-dessus de lui et se pencha pour le serrer dans ses bras.

— Merci.

Elle voulut l'embrasser, mais il lui saisit fermement les deux mains.

— Ce n'est rien qu'un geste d'amitié, Rosa, parce que je vous aime beaucoup. Il ne faut pas y voir autre chose.

Elle plongea le regard dans le bleu pâle de ses yeux.

— Maman vous a parlé?

Il lui lâcha les mains et reprit sa descente.

— Il faut que j'y aille. J'ai des choses à faire.

Mais d'un bond agile, elle put l'attraper par le bras à l'arrondi de la rampe.

— Je vous en prie, attendez...

Il se libéra d'un geste vif.

— Pas le temps.

— Johnny, sois gentil.

Elle l'attrapa par la manche et l'attira en arrière. Il commença par résister, puis se laissa faire lorsqu'elle lui dit :

— Tu sais ce que j'éprouve pour toi. Tu le sais, n'est-ce pas?

Il avait l'air un peu perdu. Elle lui prit le visage entre les mains et l'embrassa tendrement. Comme il ne montrait aucune réaction, elle l'observa avec perplexité. Il avait les yeux d'un enfant. Elle le serra plus étroitement et posa les lèvres dans son cou... Lorsqu'elle retrouva sa bouche, il l'étreignit avec rudesse.

— Rosa, Rosa, reviens ici.

Il la lâcha pour se plaquer le dos au mur. Ils levèrent

les yeux vers Sophia qui, un demi-étage plus haut, les fusillait du regard.

— Allez à vos affaires, Johnny !

Le bruit de ses pas décrut et on l'entendit pousser la porte de l'immeuble. La jeune fille remonta vers sa tante d'un air décidé.

— Où est le problème ? Tu es jalouse ?

Sophia la poussa à l'intérieur.

— Ne sois pas puérile. Teresa, je crois qu'il serait bon que tu aies une petite conversation avec ta fille. Elle était dans l'escalier avec Johnny. Parle-lui. Fais-lui entendre raison...

Rosa s'en prit furieusement à sa tante.

— Pourquoi ne t'occuperais-tu pas de tes oignons ? Je fais ce que je veux. Je dénie à quiconque le droit de me dire comment je dois me conduire...

Le téléphone sonna. Toujours cette sonnerie stridente, insistante, qui chaque fois leur glaçait les sangs. Avec un regard en direction du bureau, Teresa déclara d'un ton anodin :

— Tiens, le téléphone. Il se pourrait que ce soit mon coiffeur.

Mais personne ne semblait disposé à répondre.

Elle finit par aller décrocher. Elle tourna le dos aux autres, qui toutes l'avaient suivie, anxieuses de savoir qui appelait.

— Elle n'est pas là pour le moment... Elle séjourne ici, en effet... oui, certainement.

Elle posa la main sur le micro et dit à Sophia :

— C'est quelqu'un qui te demande. Un inspecteur qui arrive de Milan. Gennaro. Tu connais ?

L'autre secoua la tête, et elle revint à son correspondant.

— Oui, oui, je le lui dis dès qu'elle rentre. Avez-vous un numéro où elle peut vous rappeler ?

Teresa le nota sur une vieille enveloppe. Ce faisant, elle glissa à Sophia :

— Il est à New York. (Puis, revenant à Gennaro :) Pourrais-je vous demander à quel propos ?... Ah !

d'accord... Eh bien, dans ce cas je lui dirai de vous rappeler.

Sophia s'était approchée.

— Qu'est-ce qu'il veut?

Elle lui fit signe de se taire.

— Oui... Je n'y manquerai pas, merci.

Elle raccrocha et se tourna vers sa belle-sœur.

— Cela fait un moment qu'il cherche à te contacter, en rapport avec Nino Fabio. Il va falloir que tu te débarrasses de lui. S'il y a une chose dont nous n'avons pas besoin en ce moment, c'est bien la police. Que crois-tu qu'il veuille?

Sophia s'assit et alluma une cigarette. Elle tremblait, son visage était livide. Teresa demanda aux deux autres d'aller l'attendre dans la cuisine. Elle ferma la porte du bureau et posa sur sa belle-sœur des yeux scrutateurs.

— Qu'est-ce que c'est que cette histoire?

— Tu vas comprendre, répondit Sophia. (Elle passa dans sa chambre et revint bientôt avec la valise contenant les dessins de Nino Fabio.) C'est Johnny qui m'a apporté ça. Une fois, j'ai essayé de te le dire.

— Je me souviens, oui. Mais pourquoi ferait-il un tel voyage pour te parler de ça? Non, ne me dis pas que Johnny les a volés?

Elle se mordait la lèvre.

— Je crois bien que si...

Teresa enleva ses lunettes pour se frotter les yeux.

— Ce petit crétin... Seigneur, on avait bien besoin de ça. De toute façon, c'est ta faute. Peu importe ce qui se passe entre lui et Rosa. C'est après toi qu'il en a... C'est toi qu'il passe son temps à manger des yeux, ça a été ainsi depuis que tu es rentrée. Il s'est passé quelque chose entre vous deux à Rome?

Sophia referma la petite valise d'un coup sec.

— Ne sois pas ridicule... Crois-tu que je l'encouragerais dans ce sens? Dès le début j'ai insisté pour qu'on s'en débarrasse. C'est lui qui nous a valu de...

— Ne dis pas ça, l'interrompit Teresa. Sans lui, à l'heure qu'il est, nous serions toutes mortes. Bon, alors tous ces croquis, est-ce que ça vaut de l'argent? C'est pour ça que ce flic a fait le voyage?

— Ils représentent une grosse somme. Il y a là presque une collection entière, seulement...

Elle était coincée. En la mettant au courant du meurtre de Nino Fabio et en lui annonçant qui était le meurtrier, Teresa saurait que ce policier n'était pas venu à New York uniquement pour enquêter sur le vol des dessins. Elle avait les idées tellement embrouillées qu'elle n'arrivait pas à décider ce qu'elle devait admettre savoir...

L'autre arpentait la petite pièce.

— Bon, procédons par étapes. Sont-ils au courant de tes contacts récents avec Fabio?

— Évidemment. Je suis passée à son atelier pour lui proposer de lui acheter ses dessins. Johnny était avec moi, c'était lui qui conduisait la voiture. Tout cela, tu le sais déjà.

— Est-ce que quelqu'un vous a remarqués?

Sophia haussa les épaules.

— Je ne sais pas. Je n'arrive pas à me souvenir.

— Fais un effort. Qui as-tu vu, là-bas?

— Personne, je n'ai vu personne. Ah! si, juste comme je partais, je suis tombée sur une fille que j'employais comme hôtesse d'accueil. Elle travaillait toujours pour Nino. On a causé un moment dehors, devant l'entrée.

— Elle a donc également vu Johnny?

— Oui, certainement. Il était assis au volant.

Teresa poussa un long soupir.

— Bon, avant toute chose, tu vas te débarrasser de ces dessins. Brûle-les, fais-en ce que tu veux, mais qu'ils disparaissent. Il ne faut pas qu'on les trouve en notre possession. Ensuite, tu vas appeler ce flic en lui donnant l'impression d'être tout à fait disposée à collaborer avec lui. Tu reconnais être passée voir Fabio, et c'est tout. Tu joues l'innocente à fond.

Sur sa chaise, la jeune femme restait d'une immobilité parfaite.

— Sophia? Tu m'entends?

— Oui, oui, je t'entends.

— Il faut que tu le contactes avant qu'il ne rappelle. Si tu ne le fais pas, cela va lui mettre la puce à l'oreille. Tu lui dis que tu ne sais rien, qu'effectivement tu voulais ses dessins, mais que, suite à son refus, tu as laissé tomber les affaires. Ça tient debout, non?

— Oui, sans doute... Quand est-ce que je téléphone?

— Je ne sais pas, moi. (Teresa lui lança un regard intrigué.) C'est bien tout? Tu es certaine de n'avoir rien d'autre à m'apprendre?

Sophia empoigna la valise.

— Je descends au sous-sol.

Allongé sur son petit lit, Luka fixait l'ampoule du plafond. Il avait organisé le voyage du lendemain jusque dans le détail. Le petit cartable contenant tous les papiers de Paul Carolla était posé à côté du lit. Il tendit le bras pour le toucher et glissa la main à l'intérieur afin de caresser les documents pliés en deux et les liasses de billets. Puis il se mit à plat ventre et se plaça l'oreiller sur la tête. Les rêves dorés de Paul Carolla tenaient maintenant dans un tout petit cartable.

Luka revoyait l'homme ventru qui avait tenté d'être un père pour lui, il sentait encore l'odeur de ses cigares, il éprouvait encore la façon dont ses mains grasses l'agrippaient, l'étreignaient avec rudesse... Il gloussa, serrant l'oreiller autour de sa tête.

21

Pirelli défit son petit bagage, puis redescendit à la réception et gagna le bar en contrebas.

Gennaro était déjà installé sur un tabouret. Il commanda une bière pour son collègue et s'emplit la bouche d'une poignée de cacahuètes qu'il avait prélevées dans une coupelle posée devant lui.

— J'ai appelé chez Teresa Luciano. On n'a pas pu me dire où se trouvait actuellement la *signora* S., mais elle est bien à New York. J'ai donné le numéro d'ici pour qu'elle me rappelle...

Le commissaire se percha sur un tabouret et ouvrit un nouveau paquet de Marlboro. Il fouilla ses poches en quête d'un briquet, puis préleva dans une coupe une pochette d'allumettes publicitaires. Il en craqua une et s'aperçut que sa main tremblait.

Il était 22 heures passées, mais Pirelli ne trouvait pas le sommeil. Il tenta de lire, mais il n'arriva pas à se concentrer. Il allait la revoir et ne savait comment s'y prendre. L'atmosphère était plus que jamais orageuse entre Lisa et lui, surtout depuis qu'il avait annulé les vacances promises.

Il repoussa le drap et prit une bouteille échantillon de cognac dans le réfrigérateur. Il en dévissait le bouchon lorsque le voyant de son téléphone clignota.

La réceptionniste lui dit qu'on demandait Mr Gennaro au téléphone, mais que sa chambre ne répondait pas.

— Il a demandé qu'en son absence tous les appels vous soient passés, Mr Pirelli. Est-ce que vous prenez celui-ci?

Il tendit le bras pour attraper une cigarette.

— Oui, qui est-ce?

— La personne n'a pas voulu donner son nom, Mr Pirelli.

— Bon, passez-la-moi.

Une voix un peu rauque demanda s'il s'agissait de l'inspecteur Gennaro.

— Non, Sophia, c'est moi, c'est Joe.

Il y eut un silence.

— Joe?

— Oui. Je suis ici pour une enquête. Nous avons fait le voyage ensemble, Gennaro et moi.

— Il a demandé que je le rappelle. Il veut me voir.

Pirelli inhala une longue bouffée et rejeta la fumée par le nez.

— Moi aussi, je veux te voir.

Elle ne répondait pas.

— Sophia, tu es toujours là?

— Oui...

— Je ne peux pas te parler de son enquête, tu comprends bien ça?

— Bien sûr... Bon, je rappellerai demain. Désolée d'avoir appelé aussi tard.

— Il n'est pas si tard... Comment vas-tu?

— Ça va.

Il fallait pourtant qu'il la prévienne.

— Sophia, il va t'interroger au sujet du soir où nous sommes allés à l'opéra. Il sait que nous étions ensemble, mais rien de plus...

Nouveau silence. Lorsqu'elle parla, ce fut d'une toute petite voix.

— C'est au sujet de Nino Fabio?

— Tu es au courant?

— Oui. J'ai appelé son atelier. On m'a annoncé la nouvelle.

550

— Je crois que c'est ce dont il veut parler avec toi.
— Pourquoi?
— Je ne peux pas vraiment m'étendre là-dessus.
— Oui, je comprends.
— Je vais venir te voir avec lui.
— Ah? Vous êtes sur la même affaire?
— Non, mais je vais l'accompagner.
— Quand souhaite-t-il me rencontrer?
— Le plus tôt possible.
— Demain?
— Oui... Neuf heures demain matin, ça irait?
À nouveau un silence.
— Venez un peu plus tard. Ma belle-sœur et ma belle-mère doivent aller faire des achats. Nous serons seuls. Ce sera plus facile pour parler.
— Bon, à quelle heure, alors?
— Vers 11 heures?
— Entendu.
Il y eut un long silence, puis il dit :
— Tu m'as manqué, Sophia. (Silence.) Tu m'entends?
— Oui, je vous entends...
— Bon, alors à demain matin?
— Avez-vous une raison précise pour venir demain?
— Oui, j'ai quelques questions à te poser.
— À quel sujet?
— Il est préférable que nous voyions cela demain.
— Bon, alors à demain, souffla-t-elle d'une voix à peine audible.
— Je t'aime toujours, tu sais, dit-il encore.
Mais elle venait de raccrocher.

Teresa fixait sa belle-sœur.
— Alors? Ce n'était pas Gennaro?
Sophia secoua la tête.
— Non, c'était le commissaire Pirelli. Ils sont ensemble. Ils viennent demain matin à 11 heures.
— Oui, ça, j'ai entendu. A-t-il dit pourquoi ils veulent te voir?
Elle alluma une cigarette.

— Nino Fabio a été assassiné.

— Quoi? sursauta Teresa. Et ils croient que tu as quelque chose à voir avec ça?

Elle haussa les épaules.

— Ils pensent à un cambriolage qui aurait mal tourné. Seulement j'ai été vue sur les lieux quelques heures avant, et c'est sans doute pour cette raison qu'ils veulent m'entendre.

L'autre plissait les yeux. Elle n'avait pas ses lunettes. Les traits de sa belle-sœur lui semblaient flous.

— Que comptes-tu faire?

— Les recevoir, pardi. Je vous rejoindrai plus tard là où vous serez pour le week-end. Pour l'heure, je suis crevée. Je vais me coucher.

Teresa la regarda quitter la pièce. Sophia ne cesserait jamais de l'étonner : que la police italienne ait fait le voyage pour l'interroger semblait la laisser de marbre. Pour sa part, elle était soulagée à l'idée qu'elle serait partie à l'heure où les inspecteurs se présenteraient à l'appartement.

Sophia se tournait et se retournait, incapable de trouver le sommeil. En désespoir de cause, elle gagna la cuisine pour se préparer une tasse de thé. Étaient-ils au courant pour Johnny? Elle savait qu'ils ne la soupçonnaient pas... Après tout, était-ce si certain que cela? Ils? C'était surtout Joe, Joe Pirelli... Elle pensa au réconfort qu'il lui avait apporté, à sa chaleur, à la douceur avec laquelle il lui avait fait l'amour. Se pouvait-il qu'il soit venu uniquement pour elle? L'aimait-il vraiment? Aimer... Ce mot même semblait appartenir à une autre langue. Trop de choses étaient arrivées en l'espace de quelques mois pour qu'elle puisse envisager que quelqu'un l'aimait.

L'eau frémissait dans la bouilloire. Sophia allait la verser dans la théière quand elle entendit un bruit. Elle se retourna et vit passer sa nièce dans le couloir habillée pour sortir.

— Rosa?

La jeune fille s'immobilisa, saisie de stupeur.

— Tu m'as fait peur, souffla-t-elle à sa tante lorsque celle-ci fit un pas dans le couloir.

— Je n'arrivais pas à dormir. Je suis en train de préparer du thé. Tu en veux une tasse?

Elle murmura d'un air coupable qu'elle allait faire un petit tour. Elle partit vers la porte, mais Sophia lui saisit le poignet.

— Non, Rosa, ne va pas le retrouver.

Elle se libéra.

— Je ne sais pas de quoi tu parles. Je vais juste prendre l'air!

— Il est plus de minuit, pas question que tu ailles traîner toute seule dans les rues.

Son visage se durcit.

— Tu veux m'accompagner?

— Non, Rosa. Et toi aussi, tu restes là. Essaie seulement de sortir, et j'appelle ta mère.

La jeune fille soupira d'agacement.

— Mais c'est une vraie prison, ici. Tout le monde surveille tout le monde.

— Il n'y en a plus pour longtemps. De plus, demain matin, vous partez toutes les trois en week-end.

— Tu ne viens pas?

— Non, il y a cet inspecteur Gennaro qui veut me parler.

— Qu'est-ce qu'il te veut? s'enquit-elle en suivant sa tante dans la cuisine.

— C'est au sujet de Nino Fabio, tu sais, ce styliste avec qui je travaillais. Il a été assassiné, et il faut qu'il interroge tous ceux qui l'ont vu le jour où c'est arrivé.

Rosa s'adossa au mur.

— Quand même, tu n'es pas vernie.

Sophia avait rempli deux tasses de thé, et elle ouvrait le réfrigérateur pour prendre du lait.

— Comment ça?

— C'est bien simple : tous ceux qui t'approchent finissent par se faire descendre.

— Il faut rire?

Les yeux de la jeune fille lançaient des éclairs.

— Je ne suis pas d'humeur. Ce n'est vraiment pas de chance que tu te sois engueulée avec Nino justement ce jour-là.

Sophia posa brutalement le sucrier sur la table.

— Je ne me suis pas engueulée avec lui, comme tu dis, pas plus que je ne m'intéresse à Johnny. Et si tu avais un peu de plomb dans la cervelle, tu ferais comme moi.

Elle considéra un instant le visage renfrogné de sa nièce. Pour un peu, elle l'aurait giflée. Au lieu de cela, elle s'assit et sirota son thé brûlant. L'autre s'installa à son tour — de mauvaise grâce — mais ne toucha pas à sa tasse. Elles demeurèrent un moment silencieuses. Rosa manipula la chaînette qu'elle avait au cou, puis elle promena le diamant en forme de larme sur ses lèvres.

— C'est ravissant.

— Oui... C'est Johnny qui me l'a offert.

— Je sais. (Sophia allongea le bras pour toucher la jeune fille, mais celle-ci eut un mouvement de recul. Elle soupira.) Écoute, Rosa, il est possible que tu éprouves quelque chose pour lui, mais...

— En quoi est-ce que cela te regarde?

— Cela me regarde parce que je t'aime bien, et aussi... Veux-tu m'écouter une minute?

Elle recula sa chaise pour se lever, mais sa tante lui prit la main.

— Parce que nous sommes enfermées ici, les unes sur les autres... C'est peut-être à cause de cela que tu es plus attirée par lui que tu ne le serais en temps normal.

Rosa répondit dans un murmure un peu rauque, plein d'amertume.

— En temps normal? Tu trouves normal qu'une fille de mon âge soit encore vierge? Qu'on ait voulu m'arranger un mariage? Me vendre comme un morceau de viande?... Dès que tout ça sera terminé, grand-mère et maman vont chercher à me marier à quelqu'un qu'elles jugeront convenable. Tu trouves ça normal, toi? Eh bien, figure-toi que je suis libre! J'ai de l'argent, et je peux faire ce que je veux quand je le veux. Je peux fréquenter qui je veux, et nul n'a le droit de m'en empêcher, ni toi ni personne. Je voudrais avoir quelqu'un, j'ai tellement envie de...

Son visage s'affaissa, elle se mordit la lèvre. Elle avait refermé les bras autour de son buste et oscillait légèrement.

— Je croyais qu'Emilio m'aimait. La façon dont il m'embrassait... Il disait m'aimer, alors qu'en fait il ne faisait qu'obéir à grand-père...

Sophia glissa les bras autour de ses épaules.

— Il t'aimait, tu le sais bien. Je me rappelle le jour où nous sommes allées à Palerme, tu t'en souviens? C'était la veille du mariage, la veille de...

Rosa détourna le regard.

— Crois-tu que je pourrais oublier?

L'autre secoua la tête et sa voix se chargea de douleur.

— Nous allions toutes faire des courses et tu ne voulais pas venir. En quittant la villa, nous vous avons vus tous les deux, assis l'un contre l'autre...

Les larmes ruisselèrent sur les joues de la jeune fille. Elle se raccrochait à sa tante.

— Il me touchait, dit-elle d'une voix étranglée par les sanglots, il touchait mes seins, il me touchait et j'ai eu envie de le caresser... J'ai déboutonné sa chemise, et j'ai glissé la main dans...

Sophia posait de petits baisers sur son crâne, tout en lui murmurant des mots réconfortants. Elle s'accroupit devant sa nièce, toujours assise.

— Tu es si belle... Tu sais, ces élans, cette chaleur qui emplit tout ton corps et qui te donne l'impression que ton cœur va exploser...

Rosa hochait la tête.

— Oui... oui... Oh! tante Sophia, il était si tendre, si empressé...

— Je vais te confier un secret. Je n'en ai jamais parlé à personne, et il faut me jurer d'en faire autant. Tu me le promets?

La jeune fille acquiesça, et elle avança sa chaise si près d'elle que leurs visages se touchaient presque.

— Savais-tu que j'avais été serveuse? J'étais encore

plus jeune que toi, je devais avoir 15 ans. Il fallait que je travaille parce que ma mère était invalide. J'étais sacrément maigre, à l'époque. Je ne m'habillais que chez le fripier et je ne crois pas avoir eu une nouvelle paire de chaussures avant l'âge de 18 ans... Bref, je travaillais dans un genre de snack-bar. Voilà qu'un jour arrive une bande de garçons. Ils ont commencé à me taquiner. Pour finir, l'un d'entre eux m'a fait un croche-pied alors que je passais avec un plateau chargé de vaisselle. Je suis tombée, et toutes les assiettes et les tasses se sont fracassées par terre. C'était horrible. Je suis restée à quatre pattes pour ramasser les morceaux. Je pleurais, et eux riaient comme des possédés... Je savais que le patron retiendrait cela sur mon salaire.

— Mais ce n'était pas ta faute !

— Oui, pourtant c'est ainsi que ça se passait. Et comme de juste, après la fermeture, il a déduit la casse de mes maigres gains. Je me revois encore pleurant toutes les larmes de mon corps, adossée au mur près de l'arrêt de bus... C'est alors que ce garçon... Je l'avais déjà vu une ou deux fois. Il faut te dire que la clientèle était surtout composée de fils à papa. Ils avaient tous un Lambretta rutilant. Jamais un regard pour moi. Mais celui-là n'était pas comme les autres.

» Il s'est approché, m'a posé une main sur l'épaule et m'a demandé ce qui n'allait pas. J'étais très embarrassée, parce que tu comprends, ce garçon, je l'avais chaque fois observé à la dérobée. Il était très beau. Tout le monde le connaissait. Il appartenait à une famille très riche... J'avais rêvé de lui à plusieurs reprises, et voilà que nous nous retrouvions tous les deux, moi le visage bouffi d'avoir trop pleuré. Il était si doux, si compréhensif. Le lendemain, j'ai découvert qu'il avait payé la casse ; du coup, le patron m'a rendu mon argent.

» À partir de là, il s'est mis à venir tous les jours. Il s'asseyait dehors, en terrasse, et il ne cessait de me sourire. Il me laissait de gros pourboires. Et puis un jour, il m'a demandé si nous pouvions nous voir après la fermeture.

Rosa réalisa que Sophia ne lui racontait plus son histoire, mais qu'elle se parlait à elle-même, les yeux perdus dans le vague.

— Nous nous retrouvions dans un verger. J'y allais à bicyclette. Je le trouvais qui m'attendait assis sur un vieux mur à demi écroulé. C'était mon premier amour. Je l'aimais... Maman essayait de me persuader de l'amener à la maison. Mais j'avais honte de notre petit logement, j'avais même honte de ma pauvre mère... Je ne voulais pas faire l'amour avec lui, parce que dans mon rêve, il m'épousait. Dans mon rêve, j'étais acceptée au sein de sa famille.

La jeune fille attendait la suite. Sa tante restait immobile, les bras croisés sur la table.

— Que s'est-il passé, après?

Elle posa lentement les mains à plat sur la toile cirée.

— Une nuit, il est venu me chercher. Il a jeté des petits cailloux contre ma fenêtre, et je suis sortie le rejoindre. Je n'avais sur moi que mon slip, j'étais nu-pieds, mais je suis allée le retrouver par crainte qu'il ne réveille ma mère ou les voisins.

Rosa se pencha en avant.

— Et tu as couché avec lui?

Sophia la regarda. Deux larmes, aussi limpides que le diamant de Luka, roulaient sur ses joues.

— Oui... oui, nous l'avons fait... Il était venu me dire qu'il partait, peut-être pour deux ans. Il m'a promis de revenir me chercher, il m'a promis de m'écrire... Il m'a donné un souvenir, un petit cœur en or...

Elle leva la main, et ce fut comme si elle tenait le petit pendentif au bout de sa chaînette.

Rosa lui effleura les doigts : ils étaient glacés.

Elle poursuivit dans un souffle.

— Il n'est jamais revenu, il ne m'a jamais écrit. Je ne l'ai jamais revu. (Comme sortant d'un rêve, elle se tourna lentement vers sa nièce.) Je l'ai aimé, je l'ai tellement aimé. Ses caresses, ses baisers... tout cela est toujours présent dans mon cœur...

— Mais tu aimais Constantino, tu l'as épousé. Est-ce que c'était la même chose?

Sophia sourit et secoua la tête.

— Non, mais il y avait entre nous quelque chose de très doux. Lui m'aimait passionnément...

La jeune fille sourit à son tour.

— Il était riche, c'était un Luciano. Ton rêve a donc quand même fini par se réaliser : tu es entrée dans la prestigieuse famille Luciano... Est-ce que la famille de ce garçon était aussi connue ?

Elle ne répondit pas. Sa nièce sourit à nouveau et murmura :

— Raconte-moi ta rencontre avec Constantino.

Mais Sophia secoua la tête.

— Non, je pense t'en avoir suffisamment dit pour ce soir. Tu dois aller te coucher, à présent. Dors bien... Peut-être vas-tu faire toi aussi de beaux rêves...

Rosa lui déposa un baiser sur la joue et étouffa un bâillement. Sur le seuil, elle se retourna pour chuchoter :

— Merci, tante Sophia. Veux-tu que j'éteigne ?

Elle hocha la tête, et l'obscurité se fit. Elle attendit d'entendre la porte se refermer, puis elle étendit les bras sur la table et posa la joue sur la froide surface de la toile cirée. Les années s'évanouirent lorsqu'elle balbutia :

— Tu sais, Michael, nous avons eu un fils, une merveille de petit bébé...

Brusquement, elle se redressa. Il devait être un homme, à présent. Comment pensait-elle pouvoir l'aider ? En lui donnant de l'argent, en faisant de lui un Luciano ?

— Tu continues à rêver, Sophia, dit-elle à haute voix dans le noir. Arrête, arrête tout de suite... Le passé est le passé. Cesse de ressasser. Vis ta vie.

Elle serra les poings. Demain, après avoir vu Pirelli, elle partirait, elle s'en irait seule. Il était impossible qu'on lui prête une quelconque part dans l'assassinat de Fabio. Elle avait un alibi idéal : elle avait passé la nuit dans le lit du commissaire et était bien décidée, si nécessaire, à le proclamer haut et fort. Elle ne se souciait plus du tout de ce que pouvaient penser les autres. Elle n'était plus la *signora* Luciano. Elle était redevenue Sophia Visconti.

À 8 heures le lendemain matin, Luka arriva avec la limousine pour emmener tout le monde à Long Island. Il monta les marches quatre à quatre.

Les bagages étaient rangés dans le couloir. Il les descendit en lançant à ces dames de se dépêcher car il était garé en double file.

Décidant finalement que la robe qu'elle avait passée ne convenait pas, Rosa courut se changer. Sa mère aida Graziella à enfiler son nouveau manteau, puis entra dans la chambre de Sophia. Celle-ci, encore en peignoir, était en train de se passer de la crème dans le cou.

— Je ne suis pas tranquille de te laisser toute seule. Tu es sûre que ça va aller?

— Oui, Teresa, sois sans inquiétude. Vas-y, les autres vont t'attendre. Johnny vous réserve une surprise. Appelle-moi pour me dire où vous êtes. Je vous y rejoindrai.

Elle hésitait. Elle dit à Sophia qu'elle n'aurait qu'à prendre le train. Celle-ci l'accompagna jusque dans l'entrée, lui expliquant qu'elle pourrait tout aussi bien louer une voiture.

Teresa sortie, elle s'adossa au mur et poussa un long soupir. Elle avait réussi. Cela avait été si facile : la simple promesse de les rejoindre avait suffi. Elle goûtait le silence qui régnait dans l'appartement vide.

Mais la sonnette retentit, stridente, insistante.

C'était Luka. Il était comme possédé. Lorsqu'elle ouvrit, il donna un grand coup de poing dans la porte.

— Pourquoi ne venez-vous pas? Pourquoi?

Elle s'éloignait de lui à reculons.

— Parce que je dois rester ici. Teresa ne vous a pas dit?

— Il faut que vous veniez! J'ai tout organisé. Il faut que vous veniez.

Il voulut l'entraîner dehors, mais elle se dégagea.

— Je ne peux pas.

— Mais vous ne comprenez pas? J'ai quelque chose pour vous quatre. Vous êtes obligée de venir.

— Rien ne m'oblige à faire quoi que ce soit, Johnny.

— Si!

— Non!

Il la saisit par le bras pour l'entraîner à nouveau vers l'escalier. Cette fois, elle se débattit avec plus de véhémence. Comme il ne la lâchait pas, elle le frappa, et il alla buter contre la porte. Furieux, il y flanqua un grand coup de pied.

Puis il parvint à museler sa colère.

— J'ai quelque chose pour vous, répéta-t-il en lui tournant le dos.

— Je ne peux pas venir tout de suite, Johnny. Je dois rester ici encore quelques heures.

Lorsqu'il lui fit face à nouveau, ses yeux d'un bleu intense contenaient une lueur de folie.

— Qu'est-ce que vous allez lui raconter?

— Je ferai en sorte qu'il ne revienne pas. J'ai brûlé les dessins.

Il lança un regard mauvais.

— Vous n'auriez pas dû.

— Il le fallait. S'il les avait trouvés ici... Vous ne comprenez donc pas? Il vient m'interroger au sujet de Nino...

— Je repasserai vous prendre. Attendez-moi ici.

— Ce ne sera pas nécessaire.

— Pourquoi?

— J'ai prévu de vous rejoindre par mes propres moyens.

— Vous n'avez pas l'intention de nous fausser compagnie?

— Non...

— Surtout n'oubliez pas que l'ennemi, c'est lui. Il faut que vous vous répétiez ça. L'ennemi, c'est lui.

— Je m'en souviendrai.

Elle tourna les talons et gagna la cuisine, prêtant un instant l'oreille car elle n'avait pas entendu la porte se refermer. Elle revint sur ses pas à l'instant où il ressortait du bureau. Il tenait un petit pistolet.

— Tenez, prenez ça. Je l'avais acheté pour Teresa. Vous voyez ce petit levier? Vous le débloquez, et il n'y a plus qu'à faire feu. Il ne tire que quatre coups.

— Je n'en veux pas.

— Prenez-le.

— Pourquoi ne partez-vous pas, maintenant?

Il lui tendait toujours le pistolet.

— Il faut que vous puissiez vous défendre. Il est l'ennemi. Ne l'oubliez jamais.

Elle finit par prendre l'arme.

— Ne vous faites pas de souci pour moi, dit-elle avec un sourire rassurant.

Il semblait incapable de se résoudre à partir. Tendrement, il releva une mèche qui lui tombait devant les yeux. Puis il se baissa et lui vola un baiser. Elle détourna la tête.

— Je vous en prie, non...

Le col de son peignoir en éponge dessinait un V très échancré. Luka pouvait voir le pli de ses seins. Il tira sur la ceinture et recula d'un pas comme le vêtement s'entrouvrait. Elle tourna lentement la tête vers lui, espérant l'arrêter par l'effet de son regard. Mais il écarta les pans de la robe de chambre pour lui dénuder les seins. Sa main était froide et légère.

— Vous êtes tellement belle, murmura-t-il.

Il se laissa tomber à genoux pour lui embrasser le ventre. Écartant le lourd tissu, il posa la tête contre son abdomen.

— Je vous aime, je vous aime...

Elle tressaillit, inquiète de ce qu'il ferait ensuite. Mais il restait blotti tout contre elle, pareil à un enfant.

— Elles vous attendent, Johnny. Mettez-vous en route.

Il se releva lentement, se pencha pour l'embrasser comme l'embrassaient naguère ses deux petits garçons.

— Je reviendrai vous chercher. Attendez-moi. Promettez-moi que vous m'attendrez.

— Oui, je vous attendrai...

Elle poussa un soupir de soulagement lorsqu'il sortit enfin. Alors elle laissa la robe de chambre glisser à terre et étudia son reflet dans le miroir du couloir. Ainsi que Luka l'avait fait, elle souleva une mèche folâtre et la remit en place.

Sophia était allongée dans un bain moussant. Le silence l'apaisait, les sels parfumés la détendaient...

La tête enturbannée d'une serviette, elle regagna sa chambre. Les étendant un à un sur le lit, elle choisit avec soin les vêtements qu'elle allait porter.

Une nouvelle fois, elle se contempla nue dans le miroir. Elle ramassa le petit pistolet et fit glisser le métal froid sur sa peau, sur ses cuisses, son ventre, ses seins. Puis elle le porta à sa tempe, amena le canon nickelé contre sa pommette pour enfin l'arrêter sur ses lèvres. Le baiser de Luka, très doux, enfantin, lui avait procuré la même sensation de froid.

Il lui suffisait de brûler une cartouche et tout serait terminé : une infime crispation de l'index lui donnerait le repos éternel.

Lentement, elle reposa l'arme. Elle commença à se maquiller, étalant soigneusement une base sur son épiderme parfait. Puis elle se passa du fond de teint et se poudra légèrement avant de souligner ses paupières d'un trait de crayon et de s'enduire les cils de mascara. Enfin, elle se mit du rouge sur les lèvres...

Joe Pirelli se rasa de près, se brossa les cheveux et changea deux fois de chemise. Ayant rebouché son flacon d'eau de toilette, il enfila son grand manteau en cuir. Il s'inspectait une dernière fois dans la glace lorsque Gennaro entra.

— T'es prêt?

Il se retourna avec un sourire juvénile.

— Fin prêt. (Il ferma sa chambre à clef et dit :) On se retrouve comme convenu à midi devant l'entrée de l'immeuble. Ne me fais pas poireauter.

L'autre acquiesça, ignorant que son ami lui avait menti concernant l'heure du rendez-vous avec Sophia; il voulait d'abord la voir seul à seule.

Gennaro entra le premier dans l'ascenseur.

— Bon, alors comment est-ce qu'on procède? Je parle en premier? Je lui annonce la nouvelle, histoire de mesurer l'effet de surprise?

Pirelli hocha la tête en mettant ses clefs dans sa poche. Ils attendirent en silence que la cabine les dépose au rez-de-chaussée. L'inspecteur le regarda vérifier son image dans le miroir.

— Tu t'es mis en frais, dis donc. Qu'est-ce que tu espères? Une nouvelle soirée à l'opéra?

Il rit.

— Non, je tiens à faire bonne impression. J'ai rendez-vous avec le procureur de New York. Paraît que c'est un crack, un Italien. Et toi, comment comptes-tu t'occuper?

— Oh, je vais aller acheter deux ou trois trucs pour ma femme. On se retrouve à midi.

Ils passèrent en silence devant la réception et se retrouvèrent dans la rue. Le trottoir était couvert d'une épaisse couche de neige sale, et il continuait à neiger abondamment.

Sophia regarda sa montre. Il n'était que 10 heures et demie; Pirelli n'arriverait qu'à 11 heures. Elle n'avait plus qu'à s'habiller. Elle venait de faire sa valise et de réserver une place sur un vol à destination de Rome.

La sonnette retentit, faisant voler en éclats sa bonne humeur. Johnny avait-il changé d'avis et rebroussé chemin?

— Qui est là?

— Joe.

Elle regarda à travers l'œilleton et vit qu'il était seul. Elle lui ouvrit.

— Tu es en avance.

— En effet, et je me suis aussi rendu coupable d'un gros mensonge. J'ai dit à Gennaro que nous passions te voir à midi. J'ai bien fait?

Elle marqua un temps d'hésitation, puis hocha imperceptiblement la tête.

— Veux-tu un café? J'étais sur le point de m'habiller.

Il était appuyé contre la porte. La neige lui avait mouillé les cheveux, faisant naître de petites boucles sur son front. Son épais col de fourrure était remonté jusqu'à ses oreilles.

— Oui, va pour un café.

Elle lui fit signe d'enlever son manteau et de la suivre dans la cuisine. Il ôta son cuir et le posa sur la chaise qui se trouvait dans le couloir. Il se passa les mains dans les cheveux.

— Vrai? Ça ne te dérange pas que je sois venu sans Gennaro?

Elle lui sourit.

— Je suppose que tu avais une bonne raison pour ça. Noir ou avec du lait?

— Noir, sans sucre. Tiens, je t'ai acheté des cigarettes, celles que tu préfères.

Il jeta une cartouche de cigarettes turques sur la table et prit une chaise. Elle le remercia d'un sourire et continua à doser le café dans le percolateur.

Assis de guingois, il se sentit tout à coup passablement inconséquent. Il n'aurait pas dû venir. Sophia posait tasses et soucoupes sur la table. Comme elle passait à côté de lui, il lui prit la main.

— Il fallait que je te voie, que je sache si tout allait bien. Où sont les autres?

— Je t'ai dit qu'elles partaient faire des courses. Tu veux les voir?

— Non... Elles sont ensemble?

— Oui.

— Tu n'as pas eu de problèmes?

— Non, pourquoi? J'aurais dû?

Il se mit subitement à sourire.

— Tu m'as manqué, Sophia.

Il lui retourna la main et y posa les lèvres. Elle se dégagea vivement et, d'un geste, montra le café. Il leva le bras en signe d'excuse.

— Désolé...

— Quelles questions veut-il me poser? Est-ce qu'il t'en a parlé?

— Il te dira ça lui-même. À propos, je lui ai raconté que j'avais rendez-vous avec le procureur... Ce n'est qu'un demi-mensonge, puisque je dois déjeuner avec lui.

— Est-ce pour cela que tu es ici, à New York?

Pirelli hocha la tête.

— Je suis peut-être à nouveau sur la piste de Luka Carolla. Il est dans cette ville. Quelqu'un utilisant ses papiers d'identité est venu vider le contenu d'un coffre bancaire qui appartenait à Paul Carolla.

Elle ne paraissait guère intéressée. Il poursuivit.

— Je n'étais pratiquement plus sur l'affaire. J'avais regagné Milan et...

— Tu veux dire que le dossier est clos? Même si le tueur est encore dans la nature?

— Pas exactement, mais nous ne recherchons personne d'autre. L'affaire est toujours en cours, et comme les nouveaux renseignements... Est-ce que je peux t'aider?

Elle eut un mouvement de recul, comme si elle craignait qu'il ne la touche à nouveau.

— Non, j'en ai pour une seconde.

Mais lorsqu'il voulut lui saisir la main, elle se laissa faire et s'appuya légèrement contre lui.

— Non, Joe. Quoi qu'il y ait eu entre nous, c'était une erreur. C'est terminé.

Il la tenait toujours.

— Est-ce que ça n'a pas compté pour toi?

Elle lui effleura la tête du bout des doigts.

— Si, bien sûr, sur le moment.

— Je suis prêt à quitter ma femme. C'est ce que tu veux?

Elle s'écarta de lui.

— Peu importe ce que je veux. Si tu souhaites quitter ta femme, c'est ton affaire. Cela n'a rien à voir avec moi.

— Bien sûr que si! s'emporta-t-il.

— Absolument pas! fit-elle avec autant d'humeur. Tu es marié; je refuse de provoquer la rupture de ton ménage. Cela ferait de moi la responsable. Tu es en train de me dire que si je veux de toi, tu es prêt à quitter ta femme.

— Mais à supposer que je la quitte, qu'est-ce que ça donnerait pour nous deux?

— Il n'y a rien entre nous.

Cela lui fit l'effet d'une gifle.

— Ah bon! Dans ce cas, excuse-moi. Je pensais que tu éprouvais quelque chose, peut-être même que tu m'attendais...

— Eh bien, tu t'es trompé. Je suis tout aussi désolée que toi.

Il se leva.

— Bon, je vais m'en aller. Je reviens tout à l'heure avec Gennaro.

Apparemment maître de lui, il demanda s'il pouvait passer un coup de fil. Elle hocha la tête en montrant le bureau. Il passa devant elle en ayant soin de ne pas la toucher.

La machine à café se mit à crachoter. S'étant versé une tasse, Sophia passa dans le couloir. Sans le vouloir, elle perçut des bribes de sa conversation téléphonique. Elle l'entendit prononcer le nom de Barzini et s'approcha pour écouter la suite.

— Ouais, écoutez, je suis embêté de vous demander ça, mais si vous pouviez faire des recherches sur les partenaires de Barzini, en particulier pour les cinq dernières années... Vous pouvez me joindre à mon hôtel. J'y passerai vers 15 heures... Merci beaucoup, désolé pour le décalage horaire... D'accord, merci!

Pirelli raccrocha. Il venait d'apprendre que Barzini avait été inhumé en début de matinée. Il reparut, l'air préoccupé.

— Un problème? s'enquit Sophia.

Il secoua la tête et gagna l'autre bout du couloir pour prendre son manteau.

— Le café est prêt.

— Pardon?

— Ton café...

Elle fit un geste en direction de la cuisine.

Il eut un sourire oblique.

— Il vaut mieux que je file. À tout à l'heure.

Elle marcha jusqu'à la porte pour tirer le verrou. Il était tout proche. Lorsqu'elle se retourna, il l'attira contre lui. Elle tenta de résister quand il commença à l'embrasser dans le cou.

— Non, Joe... Non, je t'en prie, ne fais pas ça.

Il la prit par les cheveux, lui renversa la tête en arrière et l'embrassa sur les lèvres. Elle ne put s'empêcher de répondre à son étreinte... Il la souleva de terre.

— Où est la chambre?

Sans attendre la réponse, il longea le couloir et, du pied, poussa une porte.

— La première tentative est la bonne! s'exclama-t-il en riant.

Il la déposa sur le lit.

— Est-ce que ça va être comme tu t'apprêtais à le faire la première fois? C'est ce que tu as en tête? Annonce la couleur, c'est toi qui décides, je prendrai ce que tu voudras bien me donner... Je voudrais simplement t'entendre dire que tu as envie de moi.

Elle lui tendit les bras. Il s'agenouilla sur le lit et la serra tendrement. Sa voix était altérée par l'émotion.

— Je t'aime. Tu le sais, n'est-ce pas, que je t'aime? Je t'aime à en crever...

Elle était au bord des larmes.

— Ça ne peut pas marcher, ça ne...

Sans la quitter des yeux, il desserra sa cravate, la jeta par terre et commença à déboutonner sa chemise. Il se tapota la région du cœur.

— Tu sais comment poignarder un homme à mort? Tu veux savoir où il faut frapper? Ici, au niveau du troisième bouton. Tu as mis en plein dans le mille la première fois que j'ai posé les yeux sur toi.

Elle lui sourit, elle voulait qu'il vienne plus près.

— J'ai envie de toi, murmura-t-elle.

Il lui rendit son sourire et lui prit le visage entre les mains pour l'embrasser tendrement. Puis il fit courir le bout de sa langue sur ses lèvres, et elle l'attira tout contre elle. Une vague de chaleur la traversa, qui lui fit ouvrir ses jambes, les nouer autour de lui...

Le café était froid, mais peu lui importait. Il le but d'un trait, puis regarda sa montre. Il était en chemise et caleçon, ce qui amusait beaucoup Sophia.

— Je ne vois pas ce qu'il y a de drôle, dit-il en souriant. Il va être midi. Je dois être en bas avant que Gennaro arrive.

— Vas-y comme ça. Il ne se doutera de rien.

Pirelli éclata de rire, un merveilleux rire communicatif qui donna envie à Sophia de le prendre dans ses bras. Elle rit de plus belle en le voyant tenter d'enfiler son pantalon à cloche-pied.

— Habille-toi, femme. Tout ceci est ta faute.

— Non, c'est la tienne. Il ne fallait pas arriver en avance.

Il l'embrassa.

— As-tu idée de l'effet que cela m'a fait de te voir avec juste ce peignoir sur le dos ? Je sentais ton odeur, cette odeur de femme qui sort de son bain. J'ai été fou de désir au bout de deux secondes.

Elle parcourut la chambre du regard, un sourire sur les lèvres. Tous ses vêtements, choisis avec soin, étaient éparpillés sur le sol. Elle ramassa un chemisier en soie.

— Regarde-moi ça : ce que je t'ai fait n'est rien à côté de ce que tu as infligé à ce splendide corsage ! Refermez votre braguette, commissaire. Votre ami va arriver.

Il redevint subitement sérieux, comme s'il lui faisait répéter un rôle.

— Tu lui dis simplement la vérité : nous nous sommes rencontrés par hasard à Milan, nous sommes allés à l'opéra, nous avons dîné ensemble...

— Et si je lui crachais le morceau ? Si je lui disais comment ça s'est fini, que crois-tu qu'il se passerait ?

Il se chaussait.

— Il faudrait tout lui raconter par le menu, et ensuite il me mettrait dans la merde. Est-ce que tu as vu ma cravate ? D'ailleurs, ce n'est pas à toi qu'il s'intéresse. Je t'ai fourni un alibi. Non, il recherche le type qui conduisait ta voiture.

Il repéra la cravate et se pencha pour la ramasser. Il remarqua que Sophia avait changé d'expression : elle paraissait déconcertée. Il fallait qu'il parte, mais il attendait.

— Voilà, je suis prêt, dit-il en serrant son nœud de cravate. De quoi ai-je l'air ?

Elle s'éloigna de quelques pas.

— Pourquoi ne m'as-tu pas dit ça avant? Avant de me faire l'amour? Pourquoi?

— Parce que j'étais moi-même loin de m'attendre à ce qui vient de se passer.

Elle croisa les bras.

— Pourquoi es-tu venu ici, Joe? Pour me sauter, ou quoi?

Il lui fit face, rouge de colère.

— Je suis venu à New York pour continuer mes recherches et essayer de mettre la main sur Luka Carolla. Je suis à la poursuite d'un tueur, Sophia, de l'assassin probable de tes deux enfants. Si je me trouve présentement dans ta chambre, c'est parce qu'il fallait que je te voie. Pour dire les choses simplement, mon objectif prioritaire est de coincer un meurtrier. Le fait que je suis amoureux de toi vient compliquer...

— Ah! Je constitue une complication, à présent? Tu es venu seul pour me faire baisser ma garde?

— C'est faux, et tu le sais parfaitement.

— Dans ce cas, dis-moi pourquoi tu dois revenir avec ce Gennaro.

Il l'étudia un instant sans répondre.

— Pourquoi veut-il savoir qui était au volant de ma voiture ce jour-là?

Derrière sa colère, il perçut de la peur.

Il ouvrit la porte d'entrée.

— Je regrette, je ne peux pas t'en parler. Tu vas devoir attendre Gennaro; c'est son enquête. (Son expression de désarroi lui fit refermer la porte.) Bon, d'accord, tu as gagné. Il pense que ton chauffeur est l'assassin de Fabio.

Elle contrefit la stupeur, bouche bée, yeux écarquillés.

— Quoi?

Il haussa les épaules d'un air abattu.

— C'est pour cette raison que j'avais si peur pour toi, pour les autres... Qui est cet homme, Sophia?

— Juste un type qu'on a engagé, comme ça. Il doit s'agir d'une erreur.

L'heure tournait. Il sortit, lançant par-dessus son épaule :

— À tout de suite.

Elle referma la porte, le cœur battant. Ils étaient au courant pour Johnny. La panique la faisait trembler. Mais elle décida de se reprendre, se remaquilla, et se calma peu à peu. *Ils veulent simplement m'interroger à propos du chauffeur de la voiture... Ils ? Joe... Lui avait-il dit la vérité ?*

Elle lança son tube de rouge à travers la chambre. Pirelli lui avait-il tout dit, ou bien y avait-il encore autre chose ? L'avait-il tout simplement manipulée, trahie ? Elle attrapa le flacon de Valium, mais se ravisa et le laissa tomber dans la corbeille.

On ne peut rien te faire de plus, pensa-t-elle. Dis-leur-en suffisamment pour te débarrasser d'eux, et ensuite fiche le camp... disparais dans la nature.

Pirelli battait la semelle. Il faisait froid. Une neige très fine mouillait le trottoir et emplissait les caniveaux d'une bouillasse jaunâtre.

Gennaro était en retard. Il regarda sa montre, puis vit avec soulagement un taxi s'arrêter à sa hauteur.

L'autre régla le prix de la course.

— Désolé, mais je suis repassé par l'hôtel pour y déposer mes achats. Tout va bien ?

Le commissaire hocha la tête.

— Barzini a trouvé la mort dans un accident de la circulation. Il a été enterré ce matin. Je te le dis, cette affaire est un scénario complètement dingue, spécialement monté pour me tourmenter. (Il consulta sa montre.) Dépêchons, on est en retard.

Les deux hommes montèrent l'escalier côte à côte. Arrivé sur le palier, Pirelli se passa les doigts dans les cheveux pour se recoiffer.

Au moment où il fut présenté à Sophia, Gennaro s'empourpra jusqu'à la racine de ses cheveux noirs. Son ami n'avait pas exagéré la beauté de cette femme...

Assis légèrement à l'écart, silencieux, Pirelli écouta

570

son collègue prendre la déposition de Sophia. Elle s'exprimait d'une voix égale et sans jamais le regarder.

— Et vous n'avez vu personne à l'atelier de Fabio?

— Non, je pense que c'était l'heure du déjeuner. Il n'y avait personne dans les salles de travail. Il y avait peut-être quelqu'un, mais en tout cas, je n'ai vu personne pendant tout le temps que j'ai passé dans les lieux.

Gennaro tapota son bloc du bout de son stylo, puis changea de position.

— Et si je vous disais que quelqu'un vous a vue et que vous étiez accompagnée de...

Pirelli la regarda sourire et secouer la tête.

— La personne qui vous a dit cela se sera trompée. Je suppose qu'il y avait quelqu'un dans les bureaux, sinon vous n'auriez pas su que Nino et moi nous sommes disputés... Toujours est-il que je n'ai vu personne et que j'étais seule.

Il lui demanda où elle se trouvait entre 22 heures trente et minuit, le soir de son entrevue avec Fabio.

Elle n'eut pas le moindre regard en direction de l'autre.

— J'ai rencontré le commissaire Pirelli, par le plus grand des hasards, et nous sommes allés à l'opéra. On donnait *Rigoletto.* Nous sommes ressortis au milieu de la représentation, avant le début du dernier acte. Nous sommes ensuite allés dîner, ce qui nous a amenés jusqu'après minuit.

Gennaro haussa un sourcil à l'intention de son ami, mais celui-ci contemplait le tapis.

— Connaissez-vous une dénommée Celeste Morvanno?

— Oui, elle a travaillé pour moi comme hôtesse d'accueil. Lorsque ma société a cessé ses activités, elle a été embauchée par Nino, ce qu'à l'époque j'ignorais. En fait, je ne l'ai découvert que lorsque je me suis rendue à l'atelier. Elle m'avait dit qu'elle ne comptait pas reprendre le travail car elle attendait un enfant. À l'évidence, elle mentait, mais je dois dire que je suis habituée à ce qu'on me mente et à ce qu'on se serve de moi.

Elle ne regarda pas Pirelli, mais il toussota et changea légèrement de position.

— Comment vous êtes-vous rendue à l'atelier de Nino Fabio?

— En voiture, une Rolls Corniche blanche. C'était la voiture de mon beau-père, don Roberto Luciano.

— Conduisiez-vous vous-même?

— Non, j'avais un chauffeur.

— Est-ce que vous connaissez bien cet homme?

— Non. Cela faisait quelque temps qu'il travaillait pour ma belle-mère à la villa Rivera.

— Savez-vous comment il s'appelle?

Elle marqua un temps d'hésitation, puis hocha la tête.

— Il se prénomme Johnny, mais son nom de famille m'échappe. Je suis certaine que ma belle-mère saurait vous renseigner.

Pirelli avait sursauté. Il plissa les paupières. Johnny... La coïncidence était frappante, si toutefois c'en était une. Il attendit la question suivante, mais Gennaro ne semblait pas avoir relevé qu'il s'agissait du nom d'emprunt de Luka Carolla.

— Votre chauffeur a-t-il pénétré à un moment ou à un autre dans le bâtiment?

— Il est venu me chercher et m'a escortée jusqu'à la voiture.

— Y est-il ensuite retourné?

— Non.

— Vous semblez sûre de vous...

— Eh bien, je n'en jurerais pas, naturellement. Je ne sais pas ce qu'il a pu faire par la suite, mais il n'avait pas la moindre raison de retourner là-bas. Quand, après avoir accepté de retrouver le commissaire Pirelli, je lui ai dit de rentrer à Rome, il y est retourné directement, du moins je le suppose.

— Vous ne savez pas à quelle heure il est arrivé?

— Je l'ignore. Mais peut-être Graziella Luciano, ma belle-mère, pourra-t-elle vous éclairer sur ce point.

— Il logeait dans votre appartement?

Elle hésita, se passant la langue sur les lèvres.

— Non, mais je lui ai demandé de vérifier que tout allait bien. Après ce qu'elle a traversé, je n'aime pas la laisser seule trop longtemps. Je serais bien incapable de vous donner les coordonnées de cet homme, mais là encore, peut-être ma belle-mère pourra-t-elle vous aider.

— Savez-vous s'il connaissait Nino Fabio?

— J'en doute fort. Il n'était qu'un simple chauffeur.

— Quand vous êtes allée à l'opéra avec le commissaire Pirelli, qu'avez-vous fait de la voiture?

— Comme je viens de vous le dire, le chauffeur l'a ramenée chez moi, à Rome.

Gennaro referma son bloc.

— Il faudra que j'interroge votre belle-maman. J'aimerais aussi pouvoir entendre le chauffeur. Avez-vous une quelconque idée de l'endroit où il peut se trouver?

— Non, pas la moindre. Après notre départ d'Italie, il aura sans doute trouvé à s'employer ailleurs.

Il lança un coup d'œil à Pirelli, et il y eut un moment de silence. Puis le commissaire se leva et s'appuya contre le rebord du bureau.

— Savez-vous de quelle façon Nino Fabio a été assassiné?

— Non. On m'a appris la nouvelle quand j'ai appelé d'ici pour lui proposer de lui racheter ses dessins.

— Vous n'ignorez pas que je suis à la recherche de Luka Carolla, fils adoptif de Paul Carolla...

Sophia hocha la tête, fuyant aussitôt le regard de Pirelli. Celui-ci poursuivit.

— Vous savez également, je pense, que Luka Carolla a eu, selon moi, une part active dans le meurtre de vos enfants...

— Je ne doute pas que vous et vos collègues fassiez tout ce qui est possible pour... Veuillez m'excuser, j'ai besoin d'un verre d'eau.

Les deux hommes se levèrent lorsqu'elle quitta la pièce. Gennaro alla se poster auprès de son ami.

— Son sang-froid, je n'y crois pas. On dirait que tout glisse sur elle, et puis elle ne pose pas les bonnes questions. Je crois qu'elle nous cache quelque chose. Je n'en ai pas encore fini, mais je voudrais que tu continues, pour rester en retrait et l'observer.

Sophia revint avec son verre d'eau, une bouteille de vin frappé et deux verres à pied, le tout sur un plateau.

— Puis-je vous offrir un peu de vin?

— Non, merci. (Pirelli fourra les mains dans ses poches.) Vous préféreriez peut-être nous accompagner au commissariat? On nous a attribué une pièce avec un bureau et quelques chaises. Peut-être cela serait-il plus indiqué pour...

— Est-ce bien nécessaire? Si vous souhaitez m'interroger plus longuement, alors sans doute est-il préférable que je contacte mon avocat. Croyez-vous, messieurs, que je doive en arriver là?

Les mains toujours dans les poches, le commissaire croisa les jambes et regarda son collègue.

— En ce qui me concerne, ce dont je veux vous parler ne justifie pas la présence d'un avocat. Je pense que l'inspecteur Gennaro est de mon avis... Il est ici pour recueillir votre déposition, mais si vous estimez que...

Elle haussa légèrement les épaules et se rassit. Sous l'œil de l'inspecteur, elle croisa ses jambes parfaites et tira sur l'ourlet de sa jupe très étroite. Rien n'indiquait l'état de tension qui l'habitait. Et c'est un regard impavide qu'elle posa sur Pirelli.

— En vérité, je ne vois pas ce que je pourrais vous apprendre de plus.

Gennaro referma son bloc. Un regard passa entre les deux hommes. L'autre alluma une cigarette, se munit d'un cendrier et reprit la parole.

— Sophia, je pense sincèrement que vous, et peut-être vos proches, êtes en danger. Je voudrais vous faire prendre conscience des faits. Si, après cela, vous souhaitez contacter un avocat afin de revoir vos déclarations, vous aurez toute latitude pour le faire...

Elle avala sa salive et jeta un regard en direction de Gennaro.

— Voilà, se lança le commissaire, je suis certain que c'est Luka Carolla qui a assassiné vos enfants, de même que je suis certain de son implication dans plusieurs autres homicides. Je suis également convaincu qu'il s'agit d'un garçon extrêmement perturbé.

Sophia gardait les yeux baissés et ne montrait toujours aucune réaction particulière. Pirelli se dit qu'il devait se détendre, paraître plus neutre. Il se versa un verre de vin.

— Comprenez bien que vous n'êtes pas tenue de me répondre. Mais je vous donne ma parole que tout ce que vous pourriez dire, en dehors de la déposition prise par l'inspecteur Gennaro, restera strictement entre nous. Je veux uniquement coincer Luka Carolla avant qu'il ne tue à nouveau, et il ne fait aucun doute dans mon esprit qu'il récidivera nécessairement. D'après les différents éléments que j'ai pu rassembler le concernant, avec le concours de l'unité psychiatrique de Palerme et d'une radiologue de l'hôpital Jésus-de-Nazareth qui l'a vu en consultation lorsqu'il avait 5 ou 6 ans, je sais que Luka Carolla a eu le parcours type du futur psychopathe. Nous sommes obligés d'envisager le pire, à savoir qu'il nourrit une véritable compulsion à tuer.

Il tombait une neige abondante et serrée. Les essuie-glaces crissaient sous la charge. Luka s'engagea sur le chemin privé et sourit à Graziella dans le rétroviseur. Celle-ci observait les environs avec beaucoup d'intérêt. Assise à l'avant, Teresa abaissa un peu sa vitre pour mieux voir.

— Qu'est-ce que c'est? Un hôtel?

— Non, c'est une maison particulière.

Les haies taillées bordant l'allée s'évasèrent pour révéler une vaste étendue de pelouse, présentement recouverte d'un tapis de neige, et une grande maison à colonnades blanches. Cette propriété avait appartenu à Paul Carolla, bien qu'il n'y ait jamais résidé. Elle avait été un de ses rêves, le symbole de son accession à la haute société, la preuve de sa réussite.

Les préparatifs en vue de son emménagement avaient été achevés une semaine avant qu'il quitte précipitamment les États-Unis. Un an et demi plus tard, Luka, son héritier, venait en prendre possession. La propriété était sise à Hamptons, partie la plus huppée de Long Island. L'ensemble — maison, parc et dépendances — lui appartenait. Le jeune homme avait découvert sa bonne fortune en ouvrant le coffre bancaire de son père adoptif. Pourtant, il ne s'était pas rendu à la banque pour inventorier le contenu de ce coffre, mais pour y déposer sa part du produit de la transaction avec Barzini.

Les trois femmes descendirent de la limousine en ouvrant de grands yeux émerveillés. Luka était au bord des larmes, tant son émotion était vive. Seule l'absence de Sophia entachait quelque peu sa joie.

La neige voletait autour de lui. Il riait. Exécutant une gracieuse révérence, il remit la clef de la propriété à Graziella.

— Voici mon cadeau. Je vous offre cette maison à toutes les quatre. Et voici les papiers. Ils sont établis à votre nom, *mamma* Graziella Luciano.

Elle porta les mains à son visage et déclara qu'elle ne pouvait accepter un tel présent. Mais Teresa, debout à côté d'elle, rit et déclara que si sa belle-mère n'en voulait pas, elle se ferait un plaisir d'en prendre possession en son nom.

Debout dans le hall en ogive, elles étaient en pâmoison devant le grand lustre. Teresa passa le bras autour de la taille de la vieille femme.

— Eh quoi, *mamma*, auriez-vous avalé votre langue? Selon vous, est-ce que cet endroit est digne des femmes Luciano?

Graziella acquiesça. Son visage était mouillé de larmes.

— C'est exactement ce que votre père aurait souhaité pour vous... Ça oui, comme il aurait été heureux de vous voir là-dedans... Johnny, Johnny, venez que je vous remercie...

Elle le serra dans ses bras et le couvrit de baisers.

— C'est pour vous, *mamma*, dit-il en se dégageant, pour vous trois, et aussi pour Sophia. Venez que je vous fasse faire le tour du propriétaire.

Teresa lui saisit le poignet.

— Cet endroit a dû coûter une fortune. C'est sérieux? Vous nous l'offrez?

Il hocha la tête, l'air plus juvénile que jamais.

— Nous allons y vivre tous ensemble, nous allons former une famille...

La jeune femme souriait, ce qui ne l'empêcha pas, tout en gravissant les marches pour aller voir les chambres, de calculer mentalement quelle pouvait être la valeur de cette propriété.

— À qui est-ce qu'elle appartenait? On dirait qu'elle a été rénovée récemment.

Luka était aux anges.

— Elle était à un riche banquier qui a cassé sa pipe juste avant d'y emménager. Elle a été vendue avec tout ce qu'elle contenait.

— Mais vous la louez, Johnny? Vous avez signé un bail?

— Non, je l'ai achetée... Alors ici, vous avez l'appartement du maître de maison...

Elles le suivaient de pièce en pièce, mais Teresa se laissa peu à peu distancer. Elle passait la main sur les tapisseries, s'arrêtait sous les lustres et devant les tableaux, éprouvait la consistance des épaisses moquettes qu'elle foulait.

Rien ne paraissait avoir servi, pas même les équipements de la vaste cuisine. Chaque casserole, chaque assiette : tout était flambant neuf; certains objets avaient même encore leur étiquette. La jeune femme évalua que le contenu de la maison représentait un montant cent fois supérieur à ce qu'elles avaient donné au jeune homme. Comment, dans ce cas, avait-il pu faire l'acquisition d'une telle propriété? Si elle lui appartenait réellement, ainsi qu'il le disait, pourquoi l'avait-il donnée à Graziella? Cela ne tenait pas debout. C'était trop invraisemblable... Elle aurait aimé avoir Sophia à ses côtés.

Tandis que Graziella et Rosa commençaient la visite de l'étage supérieur, Teresa redescendit dans le hall et ouvrit l'enveloppe renfermant l'acte de propriété. Les papiers étaient bien, comme Luka l'avait dit, établis au nom de sa belle-mère. Elle les emporta au salon, s'immobilisant un instant pour admirer les splendides antiquités dont il était meublé, les grandes portes-fenêtres donnant sur les espaces verts. Elle prêta l'oreille aux voix qui résonnaient dans les étages, puis se précipita vers le téléphone. Pour en avoir le cœur net, il lui suffisait de passer un coup de fil à l'agence immobilière... Malheureusement, la ligne n'était pas encore connectée au réseau.

Cela faisait près de deux heures que Pirelli parlait. La bouteille de vin était vide, de même que son paquet de cigarettes. Assise, les yeux baissés, comme plongée dans la contemplation d'une petite tache sur la moquette, Sophia ne l'avait pas interrompu une seule fois. Son verre d'eau était encore à demi plein, et quoique Pirelli lui en ait offert à plusieurs reprises, elle n'avait fumé que la cigarette allumée au tout début de l'entrevue et écrasée au bout de quelques instants. Elle était parfaitement immobile, les mains croisées sur le devant de sa jupe.

Le commissaire avait fait le récit exhaustif de ses recherches concernant Luka Carolla. Il avait la voix rauque et se sentait complètement épuisé. Il n'avait rien laissé à son imagination, décrivant les méfaits du suspect par le menu. Même la mise en scène macabre du meurtre de Nino Fabio semblait la laisser de marbre. Voyant ses espoirs déçus, il se sentait déprimé et écœuré, tellement vidé émotionnellement que le sang battait douloureusement sous son crâne. Il aurait voulu la secouer, lui hurler certaines choses pour l'obliger à réagir. Mais il ne pouvait que lancer des coups d'œil impuissants à son ami.

Un silence sinistre pesait maintenant sur la pièce. Il soupira. Lentement, la jeune femme releva la tête pour croiser son regard, puis elle se remit à fixer la moquette. Après ce qui parut une éternité, elle lissa sa jupe, posa les mains à plat sur ses cuisses.

— Je ne...

Pirelli se pencha en avant, attendant la suite.

— Tout ce que vous venez de m'apprendre me bouleverse, m'effraie plus que je ne pourrais le dire, mais je ne vois toujours pas comment je peux vous aider. Croyez-moi, je voudrais pouvoir le faire, mais même sachant tout ce que je sais maintenant, je ne vois pas comment je pourrais vous être d'une quelconque assistance. Je n'ai jamais, à ma connaissance, rencontré Luka Carolla. Toutefois, soyez assuré que je prendrai toutes les précautions possibles et que je mettrai ma famille en garde.

Le commissaire accrocha son regard; ses yeux étaient tellement inexpressifs qu'il eut du mal à croire qu'ils avaient rayonné d'amour le matin même. Il s'approcha d'elle.

— Sophia, nous sommes bien certains que vous n'avez rien à voir avec le meurtre de Nino Fabio...

Elle continuait de le fixer.

— Vous dites avoir rencontré Celeste Morvanno devant l'entrée de l'atelier. Ce que nous ne vous avons pas précisé, c'est que cette femme, lorsqu'elle est venue déposer dans nos locaux, est tombée en arrêt devant une photo et un portrait-robot, affirmant sans hésitation qu'il s'agissait de l'homme qui conduisait ce jour-là votre voiture. Elle a déposé sous la foi du serment, et c'est la raison de notre venue à New York.

Elle continuait à le regarder droit dans les yeux, attendant la suite.

— Sophia, cette photo et ce portrait-robot étaient ceux de Luka Carolla.

Enfin une réaction. Une brusque inspiration, comme si elle avait retenu son souffle trop longtemps, fut la seule indication que ses paroles l'avaient affectée. Elle secoua légèrement la tête, puis, alors qu'il s'attendait à quelque autre manifestation d'humeur, elle la baissa à nouveau pour s'absorber dans la contemplation de ses mains.

La voix de Pirelli se fit plus neutre.

— L'autre élément d'information que nous ne vous avons pas encore révélé, c'est que Luka Carolla utilise un nom d'emprunt. Lorsqu'il est descendu dans un hôtel juste avant l'assassinat de Paul Carolla, et lorsqu'il a réservé une place sur un vol international, il l'a fait sous le nom de Johnny Moreno. Le même prénom, donc, que celui de votre chauffeur.

Les deux hommes la regardaient attentivement. Elle demeurait d'une déconcertante impassibilité. Lorsqu'elle parla, sa voix était plus rauque, plus grave que précédemment, mais toujours posée et dénuée de tremblements. Elle leva son beau visage.

— Avez-vous apporté cette photo ou le portrait-robot? Si vous me les montriez, je serais, je pense, en mesure de vous dire si le chauffeur... s'il s'agissait de... (La voix lui manqua, et c'est dans un souffle qu'elle dit :)... de Luka Carolla.

Gennaro sortit la photo de son attaché-case et la lui remit. Elle l'examina, puis la lui restitua. Il lui soumit le portrait-robot, et elle passa de longues secondes à l'étudier, offrant à Pirelli tout loisir de la contempler.

Son profil semblait sculpté dans la pierre. Mais sa bouche pulpeuse, peinte en rouge foncé, était entrouverte, et il la vit passer la langue sur sa lèvre supérieure. C'était un mouvement infime, qui lui aurait échappé s'il ne l'avait observée avec autant d'attention.

Tout à coup, elle releva la tête. Ses yeux étaient si sombres qu'on les aurait dits entièrement occupés par leurs pupilles.

— J'ai bien peur qu'il n'y ait aucune espèce de ressemblance entre mon chauffeur et l'homme représenté sur ce dessin. Celeste se sera trompée. Il faut dire que pendant notre brève conversation, le chauffeur se trouvait dans la voiture, et que celle-ci a un pare-brise teinté.

Le commissaire se pencha vers elle.

— Je vous en prie, Sophia, regardez bien ce portrait. Ce visage a été reconstitué par nos services à partir des indications de plusieurs témoins; il s'agit bien de l'homme que nous recherchons. Observez-le bien, prenez votre temps. S'agit-il de l'homme que vous avez engagé comme chauffeur?

Elle baissa à nouveau la tête vers le portrait de l'assassin de ses enfants, Luka Carolla alias Johnny Moreno. Les deux hommes étaient suspendus à ses lèvres.

Pourquoi ne répond-elle pas? se demandait Pirelli. *Pourquoi?* La tension faisait empirer son mal de tête.

Gennaro toussa, rompant l'éprouvant silence. Il n'avait duré que quelques secondes, mais elles avaient suffi à la jeune femme pour prendre sa décision. Elle ne reviendrait pas sur ses déclarations. Elle savait où était Luka, elle savait qui il était. C'était à elle, aux femmes Luciano, de décider de son sort.

Elle reposa précautionneusement le portrait-robot.

— Non, il ne s'agit pas de mon chauffeur. Il avait les cheveux qui tiraient sur le roux, et il devait être plus jeune. Mais je gage que ma belle-mère, lorsque vous la verrez, sera en mesure de vous donner son nom, et sans aucun doute l'adresse de ses parents.

Gennaro eut un regard interrogateur pour Pirelli. Comprenant que celui-ci était à bout de ressources, il se leva et posa son verre vide sur le plateau.

— *Signora* Luciano, merci pour votre collaboration. Si jamais j'avais à vous recontacter, vous ou votre belle-mère, serez-vous toujours joignable à cette adresse?

Sophia se leva à son tour. Elle dit qu'elle logerait chez sa belle-sœur jusqu'à ce qu'elle ait trouvé un endroit pour elle, et que le cas échéant, elle ne manquerait pas de communiquer ses nouvelles coordonnées. Elle raccompagna les deux hommes jusqu'à la porte, les remercia de s'être déplacés et leur serra la main.

L'inspecteur était trop près pour que l'autre puisse ajouter quoi que ce soit de personnel. Il ne put que lui adresser un sourire. En retour, il obtint un regard glacé. Il eut le sentiment qu'un mur les séparait. La main qu'il serra était inerte et froide, c'était celle d'une totale étrangère. Il sentit qu'elle ne se laisserait plus jamais approcher.

Les deux hommes s'engagèrent lentement dans l'escalier. Ils entendirent la porte se refermer derrière eux. Sophia attendit qu'ils aient descendu plusieurs volées de marches avant de mettre en place la chaînette de sécurité.

Sans hâte, comme dans un état de transe, elle gagna la salle de bains. Elle ne fut pas secouée de haut-le-cœur. Ce qu'elle vomit remonta de son estomac en un long filet ininterrompu. Elle se brossa les dents, puis alla dans la chambre raccrocher le téléphone. Enfin, elle passa dans le bureau et se mit à attendre que Luka Carolla, alias Johnny Moreno, appelle. Et avec l'attente vint la peur qu'il n'arrive quelque chose aux autres.

Il s'écoula plus d'une heure avant que le téléphone sonne. Elle décrocha.

— Sophia, c'est toi?

— Salut, Teresa.

— Alors, comment ça va? Est-ce que cela s'est bien passé?

— Oui. Où êtes-vous?

Sa belle-sœur lui parla de la maison et lui dit combien elle trouvait étrange que Johnny en soit propriétaire.

— Cette demeure vaut des millions, Sophia, et il a tout fait mettre au nom de *mamma*.

— Où est-il, en ce moment? interrogea-t-elle en s'efforçant de ne rien laisser passer de son angoisse.

— Il a tenu à retourner te chercher. Dis donc, Sophia, nous avons pris nos robes du soir, tu sais, celles que nous portions au *Sans-Souci*. Nous allons préparer un bon petit dîner, histoire de fêter ça...

— Pourquoi m'appelles-tu d'une cabine? Le téléphone est coupé, là-bas?

— La ligne n'est pas encore connectée. Nous sommes au supermarché du coin. Rosa voulait s'acheter un maillot de bain. Nous sommes en train de remplir la piscine... Allô? Sophia, tu es là?

— Dans combien de temps est-ce qu'il doit arriver? Quand est-il parti?

— Ça fait bien plusieurs heures. Ça va? Tu n'as pas l'air dans ton assiette. Ça s'est bien passé avec Pirelli?

— Il est resté une éternité. J'avais décroché le téléphone.

— Je sais. J'ai essayé d'appeler plusieurs fois... Tu comprends, je ne sais pas quoi penser au sujet de cette maison... Sophia? Quelque chose ne va pas?

— Non... Je t'expliquerai. Est-ce que tu peux me passer *mamma* un moment?

Sitôt en ligne, Graziella commença à parler de la maison, mais sa belle-fille l'interrompit.

— *Mamma*, écoutez-moi. Vous aviez autrefois un jardinier, un jeune garçon plutôt rouquin qui venait travailler chez vous. Est-ce que vous vous rappelez son nom?

— Quoi?

— Il faisait le jardin, *mamma*, il était roux...

— Ah oui, Giulio! Le neveu d'Adina. Il possède maintenant sa propre compagnie de taxis à Palerme. Vous voyez l'*hôtel Excelsior*? Eh bien, c'est tout à côté. Giulio Bellomo... C'est mon mari qui lui a acheté sa première voiture.

— *Grazie, mamma*. Pouvez-vous me donner le numéro d'Adina à Mondello?

Elle ne l'avait pas sur elle, mais elle lui dit de chercher dans son carnet d'adresses, dans un des tiroirs de la commode de sa chambre.

Sophia ouvrit plusieurs tiroirs et tomba sur les photographies qui ornaient naguère le piano de la villa Rivera. Elle les examina toutes : ses fils, son mariage avec Constantino, Teresa et Filippo donnant la main à Rosa lorsqu'elle n'était encore qu'un bout de chou.

Elle trouva une photo jaunie de Roberto jeune homme. On y voyait un beau visage au regard noir, à l'air ténébreux, bien différent de l'expression arborée sur la photo où il était à côté de Graziella, le jour de leur mariage. Enfin, il y avait le visage familier de Michael Luciano, cette fameuse série de portraits qui ornait naguère les murs de la villa Rivera. Elle y laissa courir ses doigts avant de reporter son attention sur le petit carnet usé.

Ce fut Adina qui décrocha. Elle se mit à pleurer dès qu'elle reconnut la voix de Sophia, puis s'apaisa lorsque celle-ci l'eut assurée que toutes se portaient bien. Elles avaient néanmoins besoin d'un petit service. Lentement, elle expliqua à l'ancienne servante comment elle pouvait témoigner à la veuve de don Roberto sa gratitude pour les bienfaits de son mari. Il fallait que Giulio Bellomo, son neveu, remanie ses livres de comptes pour y faire apparaître qu'il avait été employé pendant quelques jours par les Luciano pour conduire la Rolls-Royce. Il fallait également qu'il se rende de Rome à Milan pour se familiariser avec le trajet entre l'ancien appartement de Sophia et l'atelier de Nino Fabio. Elle ne fut satisfaite que lorsque Adina lui eut répété trois fois sa leçon. Puis elle lui dit de se préparer à répondre aux questions des carabiniers. Giulio ne devait pas s'écarter de la version des faits présentée par Sophia. Tout cafouillage pouvait affecter gravement la vie de son ancienne maîtresse.

Elle appela ensuite l'hôtel de Pirelli, certaine qu'il ne s'y trouvait pas. Elle lui laissa un message. Graziella Luciano lui faisait dire que le chauffeur en question s'appelait Giulio Bellomo, surnommé Johnny, et habitait à telle adresse à Palerme.

Puis elle entreprit de faire disparaître du bureau de Teresa tous les papiers un tant soit peu importants, les ramassant dans sa mallette. Elle passa de pièce en pièce, inspectant tiroirs et tables de chevet, collectant tout ce qu'elle jugeait indispensable. Afin de ne pas éveiller les soupçons de Johnny, elle devait se garder d'emporter trop de choses. Il fallait néanmoins vider l'appartement de tout ce qui était essentiel, de façon à ne plus avoir à y remettre les pieds.

Un trait était tiré sur la liberté dont elle avait rêvé. Elle savait à présent que jamais elle ne s'affranchirait des Luciano, qu'ils resteraient chevillés à elle comme une malédiction. Mais cela ne l'affectait plus ; tout se déroulait comme si elle voyait les choses de l'extérieur, attentive à tout, conjurant sans effort toute crainte.

Pirelli ouvrit un nouveau paquet de cigarettes. Assis sur le tabouret voisin, Gennaro lui lança un regard oblique. Devant eux, sur le bar, il y avait une rangée de verres vides.

— On ferait peut-être bien de prendre un sandwich ? Qu'est-ce que t'en penses ?

Appuyé sur la rambarde en cuivre, l'air morose, le

commissaire vida son scotch d'un trait, sans même se soucier de répondre.

— À ton avis, Joe, quelle est la suite des opérations?

— J'en sais rien.

Gennaro regardait le fond de son verre.

— Tu sais, la seule fois où je l'ai vue réagir un tout petit peu, c'est quand tu as prononcé le nom de Johnny Moreno. Elle a semblé se raidir tout à coup, mais je ne voyais pas son visage. Enfin quand même, à supposer que c'était bien lui, ce jour-là, devant l'atelier de Fabio... S'il avait effectivement réussi — je ne sais comment — à se faire embaucher comme chauffeur, crois-tu qu'elle continuerait à nier, après tout ce que tu lui as dit?

Pirelli renifla et se vautra un peu plus encore sur le bar.

— T'as des gosses?

— Non.

— Eh bien moi j'en ai un, un garçon, et s'il s'était fait descendre et que ma femme avait appris l'identité du meurtrier, tu ne crois pas qu'elle aurait fait quelque chose, qu'elle l'aurait dénoncé, même si entre-temps ils avaient braqué ensemble une putain de banque?

— Peut-être qu'elle réagirait comme ça, mais ce n'est pas une Luciano.

— Bordel, mais qu'est-ce que ça change? Sophia est une femme, une mère. Il y a quelques mois, elle voulait qu'on le retrouve, le meurtrier; elle m'accusait même de ne pas tout faire pour ça parce qu'elle était une Luciano... Maintenant, elle sait tout ce qu'il y a à savoir. Si déjà à l'époque elle voulait qu'on le coince, elle doit le vouloir encore plus maintenant. C'est la logique même. Si elle l'avait reconnu, penses-tu qu'elle ne l'aurait pas dit? Qu'elle n'aurait pas réagi? Non, ton témoin a dû se tromper.

Il commanda une autre tournée. Mais lorsque le barman voulut remplir son verre, Gennaro posa la main au-dessus.

— Tu comptes quand même voir ce que tu peux trouver du côté de Barzini?

585

Pirelli hocha la tête et vida son whisky d'un trait.

— Ouais, tant que j'y suis. Et toi? Est-ce que tu as l'intention de voir la vieille? Est-ce que ça se justifie encore?

Son ami haussa les épaules.

— Non, ça ne vaut pas le coup. Je vais prendre le prochain avion. Vu les frais que m'a accordés l'autre fumier, je peux pas me permettre de rester plus longtemps. Et puis je suppose que tu attends le premier prétexte pour retourner voir la belle Sophia...

— Quoi?

— Arrête ton char. Tu ne crois quand même pas me faire avaler que votre rencontre a été accidentelle? Un gentil petit dîner en tête à tête, et tu n'aurais pas essayé de te la faire? À ta place, je n'aurais pas hésité. Bon sang, la paire de jambes qu'elle se...

Pirelli l'interrompit d'un geste à l'adresse du barman.

— T'as rien compris, fit-il sèchement. Les femmes comme Sophia Luciano, on ne se les fait pas.

— Peut-être bien, mais je ne te jette pas la pierre d'avoir tenté ta chance.

Il lui lança un regard mauvais, puis se tourna vers le barman. Il laissa tomber quelques dollars sur le comptoir et empoigna son manteau.

— Mets-la en veilleuse, Gennaro, sinon tu vas te prendre ce bol de cacahuètes en travers de la gueule. Appelle l'hôtel, demande s'il y a des messages. Moi, je vais choper un taxi.

Il neigeait toujours. La température avait encore dégringolé. Plusieurs taxis passèrent en projetant de grandes éclaboussures. Furieux, Pirelli remonta son col. Soit ils étaient occupés, soit ils avaient fini leur service, comme l'indiquait un signal lumineux au-dessus du pare-brise. L'entrée de l'immeuble de Teresa Luciano se trouvait à deux pas, mais Pirelli ne se résolvait pas à regarder dans cette direction.

À une centaine de mètres de là tout au plus, Luka Carolla, au volant de sa limousine, avançait lentement au milieu d'une circulation dense. Il était en vue de l'immeuble lorsqu'un taxi, libre celui-ci, déboucha d'une rue adjacente. Pirelli s'avança sur la chaussée pour le héler, tandis que Gennaro sortait de l'hôtel, tenant un journal au-dessus de sa tête.

— Hé, Joe ! elle a appelé à l'hôtel.

Un pied à l'intérieur du taxi, il s'immobilisa.

— Quoi ?

— Sophia Luciano, elle a laissé un message.

Il sentit son cœur défaillir.

— Pour moi ?

— Non, elle a appelé pour nous donner le nom et l'adresse du chauffeur en question.

À deux voitures de là, Luka écrasa son Klaxon, agacé par ce taxi qui bloquait la circulation.

Pirelli claqua la portière du taxi. L'autre vint donner des coups contre la vitre.

— Hé ! et moi, alors ?

— Il faut que je passe voir le procureur ! lui hurla-t-il.

La voiture démarra, manquant accrocher celle qui suivait. Le chauffeur brailla une bordée d'injures, tandis que Gennaro lançait à Pirelli :

— Mais je croyais que t'étais passé le voir en fin de matinée ?

Il baissa sa vitre et passa la tête à l'extérieur.

— Je t'ai menti ! En fait, je suis allé faire l'amour avec Sophia Luciano ! On se retrouve à l'hôtel.

Piteusement coiffé de son journal détrempé, l'inspecteur lui adressa un geste obscène

— Foutu menteur, marmonna-t-il au moment où une interminable limousine le rasait dans un grand éclaboussement de neige fondue.

Luka prit à gauche et s'engagea sur la rampe menant au garage souterrain de l'immeuble de Sophia.

Si Pirelli s'était retourné, il aurait pu l'apercevoir à travers la lunette arrière de son taxi. Depuis qu'il était à sa recherche, c'était la troisième et dernière fois qu'il le frôlait à son insu. Il sortit un mouchoir pour s'essuyer le visage.

— Z'avez passé un joyeux Noël? s'enquit le chauffeur en réglant son rétroviseur sur lui. Dites donc, va pas faire chaud, cette nuit.

Il hocha la tête mais ne répondit pas. Il n'avait pas envie de se laisser entraîner dans une conversation, le nœud qui lui serrait la gorge ne s'y prêtait pas... Il se rencogna sur la banquette et ferma les yeux. Peut-être n'éprouvait-elle rien pour lui; peut-être avait-elle trop souffert; peut-être lui était-elle tout simplement inaccessible, comme s'ils appartenaient à deux mondes différents. Il savait qu'il ne pourrait jamais l'oublier. Quand il serait un vieil homme, peut-être rêverait-il à elle, à leurs ébats enflammés, à sa somptueuse chevelure déployée sur l'oreiller, à son sourire quand elle lui tendait les bras. Il savait qu'il ne se passerait plus rien entre eux. Il n'essaierait pas de la revoir. Une page venait d'être tournée.

— Sophia...

Il prononça son nom une seule fois, sans aucune trace d'émotion. Il eut soudain l'impression de recouvrer son intégrité. Dès son retour à Milan, il prendrait ses congés en retard et se réconcilierait avec Lisa. Penser à sa petite famille lui apportait un sentiment de sécurité, et il mesurait pleinement ce qu'il avait été à deux doigts de perdre.

Sophia avait passé sa vie à cultiver le secret, multipliant les mensonges afin que son passé ne la rattrape pas. Il ne lui fut donc pas difficile de mentir à Luka, et elle le fit d'autant plus facilement qu'elle ne nourrissait plus aucun sentiment de culpabilité. Sur son conseil, il rendit la limousine, et ils partirent pour Long Island avec la Lincoln.

Plus elle introduisait de mensonges dans le récit de son entrevue avec Pirelli, plus elle voyait Johnny — ou plutôt Luka — se détendre. Tandis que la neige continuait à matelasser le paysage, elle se sentait comme dans un cocon, un monde à elle dont elle contrôlait tous les ressorts.

22

La neige tombait plus dense que jamais lorsqu'ils s'engagèrent dans l'allée de la propriété. Sophia se retourna pour voir les battants du portail se refermer automatiquement.

Luka la déposa devant l'entrée et alla ranger la voiture derrière la maison. À peine eut-elle le temps d'épousseter la neige de son manteau que déjà Graziella lui ouvrait la porte. La vieille femme la serra dans ses bras, puis la fit entrer dans un corridor aux dimensions impressionnantes.

Rosa, enveloppée d'une sortie de bain, dévala le grand escalier.

— Il y a une piscine intérieure, dit-elle avec ravissement. J'en sors à l'instant.

On se disputait l'attention de Sophia, lui montrant ceci et cela. Le garçon se tenait légèrement en retrait, rougissant et souriant de plaisir.

Il semblait qu'un grand poids avait été ôté des épaules des trois femmes, et rien dans l'attitude de la dernière arrivée n'indiquait si peu que ce soit ce qui allait suivre.

Dès que Luka fut parti avec la longue liste de courses établie par Graziella, Sophia appela sa belle-sœur et arrêta sa nièce qui retournait se baigner dans la piscine.

— Va chercher *mamma*. J'ai à vous parler. Et dépêche-toi, nous n'avons pas beaucoup de temps.

Venant de différentes parties de la maison, elles convergèrent dans le corridor. Debout sur le seuil du salon, elle leur fit signe d'entrer. Puis elle ferma la porte comme pour les empêcher de ressortir.

— C'est au sujet de Pirelli? s'enquit Teresa.

— Oui, et je vous engage à vous asseoir, parce que je ne vois pas comment je pourrais édulcorer la nouvelle.

Toutes étaient maintenant suspendues à ses lèvres.

— Il faut que vous conserviez votre calme. Nous devons décider ce que nous allons faire et la façon dont nous allons le faire.

Au centre de tous les regards, elle marqua un temps, puis se jeta à l'eau.

— Johnny Moreno n'est pas celui qu'il dit être. Il est le fils adoptif de Paul Carolla. Il s'appelle Luka, Luka Carolla.

Luka chargea les deux derniers sacs d'épicerie sur la banquette arrière de la Lincoln. Il était parvenu à refermer le coffre, mais non sans peine. Il venait d'acheter pour des mois de victuailles et de vin. Il vérifia sa liste pour s'assurer qu'il n'avait rien oublié. Puis il gagna une station-service. Cela faisait près de deux heures qu'il était parti.

Sophia se tenait debout, les bras croisés. Elle était tellement crispée que ses ongles entamaient la chair de ses bras. L'atmosphère était tendue à l'extrême. Trois visages paniqués l'entouraient.

— Il ne doit pas se douter que nous savons tout. *Mamma* va se mettre aux fourneaux et préparer le dîner comme si de rien n'était. Il va falloir l'occuper. Teresa et moi nous assurerons que toutes les issues sont verrouillées. Il faut lui supprimer toute possibilité de se sauver. Dès que nous serons certaines qu'il ne peut pas sortir de cette maison, nous passerons à table. Nous nous placerons ainsi que nous l'avons décidé. Il n'a peut-être pas l'air très dangereux, mais n'oubliez pas que d'après Pirelli, il doit être d'une force exceptionnelle pour égorger ses victimes comme il l'a fait...

» Si vous sentez votre détermination vaciller, si vous êtes gagnées par la peur, toi, Teresa, pense à Filippo, Rosa, à ton Emilio, et vous, *mamma*, à votre mari, à mes petits, à Constantino... Gardez présents à l'esprit tous ses crimes, et dites-vous qu'enfin, comme nous en avons si souvent prié le Ciel, nous allons obtenir justice. Et cela, nous le voulons toutes, n'est-ce pas?

Son beau visage ressemblait à un masque lorsqu'elle les regarda tour à tour. Redoutant d'affronter ces yeux pénétrants, sa nièce essuya ses larmes d'un revers de la main.

— Rosa?

La jeune fille avala sa salive et se leva à demi de son siège.

— Préfères-tu ne pas être là, Rosa? Si tu veux partir, il faut le dire maintenant...

— Non... Non!

— Parfait. Alors sèche tes larmes. Tu es sûre que ça va?

— Non, ça ne va pas. Tu pourrais te tromper sur son compte. Tu n'en es pas certaine à 100 %.

— Il n'aura qu'à se disculper. Nous lui en laisserons la possibilité. Et maintenant, allez vous habiller. Vous aviez l'intention de dîner en robe du soir, aussi faites-vous belles. Et surtout, comportez-vous comme si de rien n'était.

Mais Graziella demeurait assise, les mains posées sur les genoux, les yeux clos, comme priant.

— Tu n'aurais peut-être pas dû mettre *mamma* au courant, murmura Teresa d'une voix altérée.

Sophia secoua la tête.

— Nous avons besoin de son aide. C'est elle qui va devoir verser le produit dans son assiette : c'est toujours elle qui fait le service.

La vieille femme prit la parole, et sa voix ne trembla pas.

— Je prie le Seigneur que vous ne vous trompiez pas, et je Le remercie si vous avez raison. Après cela, je pourrai mourir en paix.

Sophia s'agenouilla près d'elle et lui prit les mains.

— Il aura la possibilité de répondre à nos questions, *mamma*. Nous ne le ferons pas avant d'être tout à fait certaines.

Teresa avait peur, cela ne faisait aucun doute. Sa détermination et ses rodomontades avaient bien pâli en regard de l'attitude froide et pragmatique de sa belle-sœur.

Celle-ci était toujours à côté de Graziella.

— Je vais vous apporter les pilules, *mamma*. Nous pourrions peut-être les réduire en poudre... Vous avez toujours un mouchoir glissé dans votre manche; vous pourriez la déverser de cette façon...

Elle s'empara du tissu bordé de dentelle de sa belle-mère afin de lui montrer comment s'y prendre pour faire tomber la poudre dans l'assiette de Luka.

— Sophia, comment allons-nous pouvoir faire une chose pareille?

Le beau masque de cire se tourna vers sa belle-sœur.

— Il est le coupable, Teresa, je le sais. Il m'a toujours inspiré un sentiment étrange, même si j'ignorais ce dont il s'agissait exactement, même si je n'arrivais pas à cerner ce qui se dégageait de lui. Il faut qu'il meure lentement, douloureusement.

— Laquelle d'entre nous s'en chargera?

— Nous allons le faire toutes ensemble...

Elles entendirent un coup d'avertisseur, et Teresa alla à la fenêtre. Le corps parcouru de tremblements, elle dit :

— C'est lui. C'est lui... Il conduit la voiture de l'autre côté de la maison.

Sophia s'adressa à sa nièce.

— Tu récupères les clefs de contact dès que tu peux. Teresa, occupe-toi du verrouillage électronique du portail.

Il neigeait sans discontinuer, mais les empreintes de pneus étaient toujours visibles. Rosa était embusquée dans les écuries. Elle tremblait de froid et d'appréhension. Déchargeant la voiture, Luka passa trois fois devant elle. Il y eut le bruit du coffre qu'il refermait, puis il passa une quatrième fois. Il sifflotait. Risquant un œil par-dessus la porte de la stalle, elle le vit entrer dans la cuisine.

Elle parcourut la longue allée de gravier en courant, passa une chaîne autour des montants centraux des grilles et en joignit les deux extrémités à l'aide d'un cadenas. Puis, courant toujours, elle alla prendre les clefs de la voiture et regagna la cuisine. Le cœur battant la chamade, elle enleva son manteau et secoua ses cheveux pour en faire tomber la neige.

Graziella avait déjà recouvert la table de cuisine avec les victuailles qu'elle avait sorties de leurs sacs en papier kraft. Lorsque sa petite-fille vint glisser les clefs de la voiture dans un tiroir, elle lui demanda de mettre une casserole sur le feu pour le riz et de préparer des champignons, des oignons et des tomates.

Le couteau coupait comme un rasoir, et le trottinement de ses pieds sur le carrelage avait quelque chose d'irréel. La vieille dame se comportait le plus naturellement du monde. Elle préparait tout bonnement le dîner, le premier qu'elles prendraient dans leur nouveau foyer. Des larmes ruisselaient sur les joues de la jeune fille. Tout à coup, elle sentit sur sa nuque la main si douce de sa grand-mère.

— Ce sont les oignons qui te font pleurer... Si tu places à côté de toi un saladier d'eau chaude, cela t'évitera de pleurer. Est-ce que tu savais cela, ma chérie ?

Rosa acquiesça d'un signe de tête et s'essuya les joues. Graziella posa un grand bol d'eau très chaude près de sa petite-fille et, lui parlant doucement, s'employa à l'apaiser.

— Rappelle-toi le soir où tu as passé la robe de mariée que Sophia avait faite spécialement pour toi... Elle était si belle, et tu étais tellement heureuse... Tu te souviens, Rosa, est-ce que tu te souviens ?

Elle regardait la jeune fille droit dans les yeux, et ce n'est que lorsque celle-ci eut hoché la tête qu'elle retourna à ses casseroles.

Elle se mit à chanter une vieille ballade sicilienne. Le tout formait une étrange composition : cette douce complainte, le bouillonnement du contenu des casseroles, les larmes qui continuaient de ruisseler sur les joues de Rosa. Celle-ci revivait ce fameux soir où, revêtue de sa robe de mariée, elle avait évolué devant les trois femmes. Le mouvement de son poignet, celui qui tenait le couteau, se fit plus ferme, plus rapide, et sa jolie bouche s'étira en une ligne mince et crispée.

Teresa portait la robe noire que Sophia lui avait donnée pour leur sortie dans un restaurant romain. Elle quitta sa chambre à l'instant où sa belle-sœur passait sur le palier.

— Tu n'aurais pu mieux choisir, Teresa.

Luka sortit de nulle part. Il se tenait contre la balustrade, la tête posée sur les avant-bras. La jeune femme alla se placer à côté de lui.

— Johnny, n'est-ce pas qu'elle est superbe ?

— Vous êtes magnifique, Teresa. Tournez-vous un peu que je voie... Ce que cette robe est belle ! Sophia, est-ce que c'est une création de Nino Fabio ?

— Oui...

Il se mit à rire, eut un regard de connivence pour elle et commença à monter l'escalier. L'autre était secouée d'irrépressibles tremblements. Luka se retourna et, regardant Sophia, ôta son T-shirt. Le petit cœur en or se prit dans le tissu, et il tourna sèchement la tête pour se libérer de la chaînette. Lorsqu'il la regarda à nouveau, elle fixait son torse, et il s'empourpra aussitôt.

Sophia pouvait voir combien ses muscles étaient compacts. Il devait d'ailleurs être d'une force stupéfiante pour avoir infligé de si profondes blessures à Nino Fabio. Le styliste avait en effet eu les muscles du dos en partie entaillés. Luka tourna les talons et monta l'escalier quatre à quatre, remerciant le Ciel qu'elle n'ait pu remarquer l'effet qu'elle produisait sur lui. Son corps tout entier s'embrasait pour elle.

594

Sophia eut le temps d'apercevoir les cicatrices de son dos. Pirelli n'avait rien omis et lui avait intégralement rapporté la description que le père Angelo lui avait faite du jeune homme. Ces marques constituaient une preuve supplémentaire de son identité.

Rosa rencontra sa mère sur le palier. Celle-ci lança un regard vers l'étage supérieur et murmura :
— Ça va ?
— Oui, maman.
— As-tu récupéré les clefs ?
— Oui... Maman, c'est trop atroce. Je n'en peux plus...

Teresa le vit du coin de l'œil. Enveloppé d'une serviette de bain, il les regardait depuis la balustrade du second. Sa robe portait encore la marque des pliures résultant de son séjour dans la valise, et, tendue à l'extrême, elle affecta de les lisser du plat de la main. D'une voix vacillante, elle tenta de donner le change.

— Dis donc, maman, pourquoi ne nous jouerais-tu pas un peu de piano ? C'est un Steinway. Allez, joue-nous quelque chose. Moi, je vais me changer... Maman ?

Teresa regarda en l'air. Luka n'était plus là.
— Je t'accompagne, Rosa.
— Non, souffla la jeune fille, descends nous jouer quelque chose.

Se pliant à son injonction, elle se rendit dans le salon.

Depuis la cuisine, Graziella pouvait entendre le piano, mais elle ne reconnaissait pas la mélodie. Elle s'était immobilisée, la tête inclinée de côté... Elle entendait Roberto dire en riant qu'il avait beaucoup de mal à faire sa toilette car la salle de bains était constamment occupée ; elle entendait les enfants jouer sur le palier... Elle s'approcha de Sophia, comme pour quêter quelque réconfort.

Cette dernière était en train de broyer des comprimés dans un mortier, un mélange de Valium et de Seconal.
— Où est votre mouchoir, *mamma* ?

La vieille femme sortit de sa poche un carré de dentelle propre et le remit à sa belle-fille. Les notes de piano s'interrompirent tout à coup sur un grand cri.

Sophia jaillit de la cuisine, empoignant au passage le couteau qu'avait utilisé Rosa.

Affublé d'une vieille redingote et d'un haut-de-forme, Luka se pavanait en faisant tourner une canne en bambou.

Toujours assise au piano, Teresa cherchait à dissimuler son émoi en feuilletant de vieilles partitions.

— Il m'a fait une de ces peurs!

— Je suis arrivé par-derrière, expliqua-t-il en riant. Je voulais l'accompagner de la voix, mais je n'arrivais plus à me rappeler les paroles.

Sophia dissimulait le couteau dans son dos. Un sourire plaqué sur le visage, elle lui demanda où diable il avait déniché ces vieilleries. Il répondit qu'elles devaient avoir appartenu au précédent propriétaire, qu'il les avait trouvées dans une malle, dans sa chambre.

Elle recula jusqu'au canapé et glissa le couteau entre les coussins.

— Teresa, connais-tu un air sur lequel Johnny pourrait nous danser quelque chose?

Elle regardait sa belle-sœur d'un air entendu. Cette dernière se mit à chercher fébrilement.

— C'est que je suis incapable de jouer de mémoire. Il me faut une partition, sinon...

Luka se lança dans une rapide imitation de Charlot. Épaules haussées, pieds en dehors, il parcourut la pièce en faisant des moulinets avec sa canne. Il paraissait de très bonne humeur, et Teresa ne put en supporter davantage. Elle referma violemment le couvercle du Steinway.

— Je ne suis pas d'humeur. Je vais aider *mamma*.

Il jeta sa canne et son haut-de-forme sur le canapé et regarda Sophia.

— Vous ne vous changez pas pour le dîner? demanda-t-il.

— Si, dès que j'aurai un moment.

C'est avec soulagement qu'elle vit entrer sa nièce. Rosa transportait un plateau de champagne.

— Où est maman? s'enquit-elle. Les coupes s'entre-choquèrent quand elle posa son chargement. Elle en tendit une à sa tante d'une main qui tremblait.

— Elle aide Graziella à la cuisine.

Elle prit la coupe. D'un regard noir, elle exhorta sa nièce à en proposer une à Luka.

Il refusa, ramassa sa canne et son chapeau et dit qu'il redescendait de suite, qu'il avait oublié quelque chose. En sortant, il posa sur Sophia un regard étrange, insondable.

Celle-ci fit irruption dans la cuisine et demanda d'une voix forte, pour le cas où il aurait écouté :

— Tout se passe bien ici, *mamma*?

Graziella hocha la tête. Elle était en train de mettre des plats de service dans le four afin de les préchauffer. Brusquement la porte s'ouvrit, bousculant Sophia. Mais ce n'était que Rosa, et elles laissèrent échapper un soupir.

Luka savait qu'il se passait quelque chose. Il était assis sur son lit, les mains agrippées de chaque côté du sommier. C'était Sophia : elle était différente...

Pirelli lui en avait-il plus appris qu'elle ne le disait? Peut-être était-elle au courant de la façon dont Fabio avait été tué. S'agissait-il de cela? Il ouvrit tour à tour les tiroirs de la table de nuit. Il y avait rangé son couteau... Et si elle racontait tout aux autres?... On s'était introduit dans sa chambre, on avait fouillé dans ses affaires.

Quelqu'un manœuvrait la poignée de la porte. Il se figea, les yeux écarquillés.

— Vous ne m'entendiez pas vous appeler? demanda Sophia.

Elle remarqua que de la sueur perlait sur son front et dessinait des auréoles sous ses aisselles.

— Tout va bien?

Il recula d'un pas.

Elle se retourna, et il vit que le dos de sa robe était ouvert.

— Voulez-vous m'aider?

Il s'approcha lentement, et quand il manœuvra sa fermeture Éclair, elle sentit combien ses mains étaient glacées.

— Vous êtes superbe.

Elle lui fit face.

— Merci... Il est temps de vous habiller. Le dîner est presque prêt. Tout le monde est en bas. On n'attend plus que vous.

Il semblait tellement incertain qu'elle s'approcha encore.

— Que vous arrive-t-il, Johnny? Vous ne vous sentez pas bien? Vous n'avez pas faim?

Il lui prit la main. Sa paume, ses doigts étaient moites.

— Mon petit numéro de danse m'a mis en sueur. Je voudrais me laver.

— Dans ce cas, faites vite. Ce soir n'est pas un soir comme les autres.

Soudain, son ton se modifia.

— Vous avez changé. Il s'est passé quelque chose. Vous n'êtes plus la même.

— Mais non, voyons. Tout cela, c'est dans votre tête.

Sophia referma la porte de la salle à manger derrière elle.

— Il se doute de quelque chose, c'est ta faute, dit-elle à Teresa. Il est très bizarre, et sa chambre sent mauvais. Il sue comme un porc.

L'autre porta un doigt à ses lèvres pour faire taire sa belle-sœur : elle avait entendu un bruit suspect. Sophia tira une chaise tout en disant à haute voix :

— *Mamma*, tout cela est superbe. Est-ce que je peux vous aider?

Elles prêtèrent l'oreille, jusqu'à ce que Rosa demande si tout le monde prenait du vin. Sa mère lui tendit son verre et elles tremblaient tant qu'à elles deux, elles en renversèrent une quantité non négligeable sur la nappe. La porte s'ouvrit sur Luka. Il avait changé de chemise.

— Johnny, dit Graziella, puisque vous êtes l'homme

de la maison, vous allez prendre ce fauteuil, en bout de table.

Sans cesser de lui sourire, elle disposa les assiettes creuses, préchauffées, puis ouvrit le passe-plat et en revint avec la soupière. À l'aide d'une grande louche en argent, elle servit le potage fumant. Luka était silencieux, l'air circonspect; il ressemblait à un enfant turbulent qui se serait fait gronder par un adulte.

Ayant rempli toutes les assiettes, la vieille femme joignit les mains pour le bénédicité.

— Soyez remercié, Seigneur, pour ces aliments que nous allons prendre, amen.

Sophia leva son verre en souriant.

— À Johnny, qui nous a offert cette merveilleuse maison ainsi que ce dîner.

Les autres se joignirent au toast. Luka semblait peu à peu se détendre. Il trempa les lèvres dans son vin. À présent, il évoquait plutôt un jeune garçon autorisé à dîner avec les grands. Parlant de choses de tous les jours, les quatre femmes parvenaient tant bien que mal à donner le change.

On enleva les assiettes creuses, et Graziella retourna s'activer à la cuisine. Rosa prêta la main, apportant les plats de service du mets principal et les déposant à proximité de la place de sa grand-mère.

Teresa, à qui le vin donnait des couleurs, déclara que la première chose à faire était d'engager quelques domestiques. On se mit aussitôt à parler de la vieille Adina, heureux de voir poindre un sujet de conversation aussi anodin. Graziella souleva le couvercle d'un plat et se pencha pour en humer l'arôme.

— Hmmm, je crois que c'est une réussite... Sophia, je commence par vous.

Elle servit chacun de pâtes fraîches, les nappant d'une épaisse sauce aux fruits de mer. Elle garnit l'assiette de Luka en dernier.

— Attendez, *mamma*, je vais la lui passer.

Se penchant entre eux deux, elle attrapa l'assiette que lui tendait sa belle-mère. Teresa goûta ses pâtes et la félicita pour ses talents de cuisinière. Tous commencèrent à manger et manifestèrent leur approbation, mais aucune des quatre femmes ne put avaler plus de quelques bouchées, même si l'entrechoquement des couverts, le remplissage régulier des verres donnaient à l'ensemble l'apparence d'un dîner jovial.

Tout à coup, Teresa se pencha vers Graziella.

— *Mamma*, vous avez laissé tomber votre mouchoir.

Sophia se pencha prestement pour le ramasser ; cachée à la vue de Luka, elle vérifia que toute la poudre avait disparu. Elle le secoua légèrement et, se relevant, vit le jeune homme nettoyer son assiette à l'aide d'une bouchée de pain.

— Tenez, *mamma*, dit-elle en tendant le mouchoir à sa belle-mère.

— Merci, Sophia. (Elle le glissa dans sa manche.) Johnny, avez-vous encore faim ?

Graziella débarrassa pour apporter un assortiment de fromages et des fruits. Elle venait de déposer une tarte au fromage blanc parsemée de framboises sur la table quand Sophia exigea qu'elle s'asseye un peu. Le café pouvait attendre.

En revenant de la cuisine, la vieille femme avait vu que Luka était somnolent. Calé contre son dossier, le visage très coloré, il n'avait pas paru remarquer qu'elle fermait à clef les doubles portes avant de regagner sa place.

La tablée devint silencieuse. Les quatre femmes se regardèrent à la dérobée. Sophia prit un couteau.

— Que préférez-vous, Luka ? Du fromage, un fruit, ou bien une part de la tarte de *mamma* ? Luka ? Luka ?

Il voyait leurs visages comme à travers un miroir déformant : elles avaient un nez interminable, des pommettes protubérantes, et elles agitaient leurs mâchoires dans sa direction. Il se mit à glousser. Il n'avait pas semblé réaliser qu'elle l'avait appelé par son vrai nom.

Elles ne bougeaient plus. C'en était terminé des conversations contraintes. Elles le regardaient et attendaient qu'il s'endorme tout à fait. Cela leur parut prendre une éternité. Enfin, sa tête s'affaissa en avant.

Sophia attrapa l'une des ceintures en cuir qu'elle avait rassemblées et lui attacha la jambe droite au pied du fauteuil. Tandis que Rosa s'occupait de l'autre jambe, Teresa immobilisa son bras droit sur l'accoudoir. Son bras gauche pendait sur le côté, et il marmonna quelque chose tout en essayant vaguement de se libérer. Mais ses quatre membres furent bientôt assujettis au fauteuil.

Sophia vérifia les boucles.

— Assurez-vous qu'il ne pourra pas les faire jouer. Il est très fort. Il faut que tout soit bien serré.

Elles écartèrent légèrement le fauteuil de la table et nouèrent un foulard sur les yeux du prisonnier. Il avait maintenant la tête complètement affaissée sur la poitrine. Rosa lui passa une ceinture autour des épaules.

Après avoir débarrassé la table et enlevé la nappe, elles diminuèrent l'intensité lumineuse de l'énorme lustre, et Sophia leur fit signe de quitter la pièce.

— Est-ce que l'une d'entre nous ne devrait pas rester ici? chuchota sa nièce.

— Non, fit-elle. Regarde-le, il est complètement immobilisé. Nous allons attendre son réveil.

Rosa apporta le café au salon et fit circuler des chocolats à la menthe. Tout semblait normal en surface, et cependant les quatre femmes étaient habitées par une extraordinaire tension. Elles venaient de mener à bien la première partie de leur plan : la capture. Les attendait maintenant la seconde phase. Parviendrait-on à le faire parler?

Teresa était glacée. Se frictionnant les bras, elle demanda à sa fille d'allumer le chauffage. Celle-ci s'accroupit devant la cheminée en marbre et ouvrit l'arrivée du gaz.

Graziella sucra son café et se mit à le remuer lentement

— Selon vous, Sophia, subsiste-t-il un doute?

La jeune femme secoua la tête et, comme fascinée par les flammes, leur relata la description que Pirelli lui avait faite de Luka Carolla.

— Je suis à ce point convaincue que j'ai emporté tous les papiers importants qui se trouvaient chez toi, Teresa. Plus rien ne nous oblige à y retourner. Si cette maison est réellement à nous, nous pouvons très bien rester ici. Encore faudra-t-il vérifier dans quelle mesure elle nous appartient. Il ne faut rien prendre pour argent comptant de ce qu'il a pu nous raconter depuis que nous le connaissons.

— En tout cas, dit Teresa, il ne s'agit pas d'une location.

Elle gagna le corridor et passa la tête à l'intérieur de la salle à manger. Dans la clarté diffuse, la tête penchée en avant et ceinte d'un foulard Hermès, Luka n'avait pas bougé. Elle revint avec l'acte de propriété et le tendit à Sophia.

Le feu de cheminée focalisait l'attention des quatre femmes. Graziella contemplait les flammes bleues et rouges qui léchaient les fausses bûches. Elle soupira ; peut-être ce feu lui rappelait-il le grand âtre en pierre de la villa Rivera.

— Que cela nous serve à toutes de leçon, dit-elle d'une voix égale, sans s'adresser à personne en particulier. Voyez avec quelle facilité il a pu nous abuser. Roberto n'a jamais permis que quiconque ne faisant pas partie de la famille séjourne à la maison.

Elle se tourna vers sa belle-fille, la regarda un moment tandis qu'elle lisait l'acte de propriété.

— Sophia, vous vous rappelez sa colère le jour où il a découvert que Constantino vous amenait chez nous ?

— *Mamma*, fit Teresa, aussitôt sur la défensive, nous avions quelques raisons d'héberger Johnny à la villa, raisons que nous ne pouvons pas aborder pour l'instant.

Graziella marqua son assentiment d'un petit hochement de tête.

— De même que j'avais des raisons de ne pas me montrer plus méfiante. (Elle eut un sourire triste.) Il m'a toujours fait penser à Michael. Par moments, la ressemblance est saisissante.

— *Mamma*, reprit la jeune femme d'un ton cassant,

ce n'est pas vraiment le moment d'amener Michael sur le tapis. Sans lui, aucune d'entre nous ne se trouverait dans cette situation.

— Vous n'allez pas vous disputer maintenant! intervint Sophia avec humeur.

— Je ne vous reproche rien, Teresa. Je voulais simplement dire que nous devons apprendre à nous protéger, à ne jamais laisser qui que ce soit nous approcher à ce point.

Elle éleva la voix.

— Nous étions toutes d'accord pour qu'il séjourne à la villa Rivera. Ce n'était pas uniquement ma décision. Vous ne pouvez pas me faire porter la responsabilité de... (Elle était rouge de colère.) Dis-le-lui, Sophia, que nous étions d'accord.

— Pas tout à fait, Teresa, lâcha-t-elle d'un ton froid mais égal. Ce qui est fait est fait. Comme le dit *mamma*, à l'avenir il faudra que nous soyons plus prudentes.

Sa belle-sœur, au bord des larmes, se leva pour quitter la pièce. Avant de passer la porte, elle lança :

— Alors comme ça, nous avons quand même un avenir?

Graziella et Rosa tournaient un visage angoissé vers Sophia. Celle-ci avisa un petit carnet rouge posé sur la table.

— Qu'est-ce que c'est?

— Ça vient du bureau de Barzini, dit sa nièce en le feuilletant. Je ne sais pas de quoi il s'agit. Il y a plein de chiffres et une liste de noms à la fin.

Sophia remit l'acte de propriété à sa belle-mère.

— Tenez, *mamma*, jetez donc un œil là-dessus. (Puis elle se pencha pour lui glisser en sicilien :) Cessez donc de provoquer Teresa.

— Mais vous savez bien que c'est tout ce qu'il y a de vrai, murmura la vieille femme.

— Parce qu'il est blond et qu'il a les yeux bleus? Il n'a rien à voir avec votre fils, *mamma*. Et puis ce n'est pas le moment de se mettre à penser à Michael.

Mais Graziella ne semblait pas disposée à baisser pavillon.

— Vous savez, je n'arrive toujours pas à y croire. Plus j'y pense, plus j'ai des doutes. Au fond, tout ce que vous savez, vous le tenez de la bouche de ce détective. Don Roberto n'a jamais eu la moindre confiance en la police...

— Nous allons découvrir la vérité, *mamma*. C'est le but de l'opération.

Sophia déposa un baiser dans ses cheveux et lui tapota l'épaule.

— Oui, vous avez raison. Pardonnez-moi.

La jeune femme regagna son fauteuil pour se plonger dans l'étude de documents réunis dans plusieurs chemises. Elle avait mal à la tête, mais elle était résolue à ne rien prendre, ni cachets ni alcool. Elle se devait de rester parfaitement maîtresse d'elle-même.

Teresa revint dans la pièce. Elle lui fit signe de venir s'asseoir à côté d'elle. Le plus épais des dossiers la laissait perplexe.

— Ce sont les papiers qui devaient être remis à Barzini, non? Cependant, il semble que ce soient les originaux.

— Oui, en effet, fit-elle en rougissant.

— Je croyais que tu les lui avais remis...

Tremblant comme une feuille, Teresa leur relata son entrevue avec Barzini, et tenta d'expliquer pour quelle raison elle ne les avait pas mises au courant. Elle leur parla aussi de la conversation téléphonique entre Luka et Peter Salerno.

Sophia la fixait durement.

— Désormais, tu ne fais rien sans nous consulter. Nous avons reçu les quinze millions de dollars, si je ne m'abuse? Alors pourquoi ne lui as-tu pas remis ces papiers?

— C'était mon intention. Mais comprends-moi, j'ai considéré qu'il était important de prendre contact avec les partenaires de Barzini pour leur assurer que nous ne cherchions pas à les arnaquer. Il n'en reste pas moins que nous possédons toujours une jetée sur le port de New York, non incluse dans la transaction, ainsi que deux entrepôts juste sur les quais. J'aimerais continuer à travailler à partir de cette base. Il y a d'énormes possibilités à exploiter, et je...

Elle s'arrêta brusquement, comme si elle avait réalisé l'incongruité de son propos.

Sophia fixait les flammes de la cheminée.

— Précipite-toi, Teresa, et tu te feras rogner les ailes. Nous devons jouer ce coup très prudemment. Peut-être as-tu raison. Cela constitue sans doute une bonne base de départ, et puis quinze millions divisés par quatre, cela ne nous emmène pas très loin. Seulement... avant de nous lancer dans les affaires, il faudrait d'abord régulariser la situation avec Barzini.

La jeune femme hésita, puis, d'une voix blanche, annonça qu'il était mort. Elle raconta ce qui s'était passé le jour de leur rencontre, et expliqua que c'était pour cette raison que les documents étaient encore en leur possession.

Sophia se leva lentement et agrippa le bras de sa belle-sœur.

— Et tu ne nous en as rien dit? Est-ce que tu aurais perdu la raison?

— J'estimais agir au mieux.

— Écoute, Teresa, nous sommes tout ce qui reste de la famille. (Elle la relâcha, lui laissant sur le bras l'empreinte de ses doigts.) Le commissaire Pirelli est venu à New York pour rencontrer Barzini, reprit-elle plus calmement. Il a obtenu certaines informations, un tuyau établissant un lien entre ce type et le meurtre de nos hommes. C'est peut-être lui qui a recruté Carolla. Si quelqu'un découvre ce que nous avons fait, nous pouvons avoir de gros problèmes.

— C'était un accident. Il s'est précipité au milieu des voitures.

Sophia acquiesça.

— Peut-être pourrions-nous utiliser cet accident à notre avantage, ajouta Teresa.

Comme si elle assistait à un match de tennis, Rosa regardait tour à tour sa mère et sa tante. Se disputaientelles ? Si c'était le cas, pour une fois elles le faisaient avec mesure.

Assise près du feu sur une chaise basse, Graziella intervint. Elle le fit d'une voix si posée que Sophia dut se pencher pour la comprendre.

— Ils sont comme des guêpes dans leur nid. On en tue une, aussitôt les autres organisent les représailles. Je mettais un pot de miel en partie rempli d'eau sur le pas de la porte. Beaucoup finissaient noyées. Mais la majorité était toujours à l'abri. On ne pouvait s'en débarrasser qu'en mettant le feu au nid... Est-ce qu'il ne faudrait pas aller jeter un œil à Johnny ?

Teresa sortit en hâte. Sa belle-sœur, un doux sourire sur les lèvres, regardait la vieille femme avec un intérêt tout neuf. Celle-ci la mit en garde contre Peter Salerno et sa prétendue bonne volonté.

— Nous avons le miel, Sophia, mais n'oubliez jamais le nid.

Rosa ramassa les tasses à café. Elle les emportait à la cuisine lorsque sa mère referma tout doucement la porte de la salle à manger.

— Il n'a pas bougé, dit-elle à voix basse.

Luka respirait bruyamment, comme s'il dormait profondément. Il avait perdu conscience depuis une heure et demie.

Teresa alla aider sa fille à ranger la vaisselle.

— De quoi parliez-vous, tante Sophia et toi ?

— De la transaction avec Barzini.

— J'ai eu l'impression que vous vous disputiez.

— Non, c'était juste une petite explication.

— Elle a changé, tu ne trouves pas ?

Teresa s'essuya les mains.

— À mon avis, compte tenu des circonstances, nous allons toutes changer.

— Dis, maman, quand il nous aura dit ce que nous voulons savoir, que ferons-nous de lui ?

— Il faut poser la question à ta tante. J'ai commis tellement d'erreurs, ma pauvre Rosa. J'aurais dû l'écouter dès le départ. Nous aurions dû aller à la police, ainsi qu'elle le voulait. Nous aurions dû remettre Johnny à Pirelli quand il est passé à la villa. Mais nous ne l'avons pas fait, et c'est moi qui ai persuadé les autres de le garder auprès de nous. Je le revois encore, l'autre soir, à l'appartement. Ses vêtements étaient couverts de sang, il y en avait partout, j'en avais les mains poissées.

Teresa ne put toutefois se résoudre à dire à sa fille le rôle qu'elle avait joué dans le meurtre de Rocco. À l'époque, elle avait réussi à se convaincre qu'il s'agissait d'un mal nécessaire. Mais elle était à présent tenaillée par un sentiment de culpabilité qui l'affaiblissait, la rendait vulnérable. C'était ce qu'elle tentait, non sans hésitations, d'expliquer à sa fille.

— Tout ce que j'ai fait, c'est pour toi et pour moi. J'avais le sentiment de m'employer à récupérer un dû. C'est pour cela que les autres m'importaient peu. Sophia a raison, j'ai commis tellement d'erreurs.

Son visage s'affaissa et elle éclata en sanglots en lui tendant les bras. Rosa la serra contre elle. Elle chercha à la consoler, lui disant que personne ne lui reprochait quoi que ce soit.

— Tu connais le fautif, maman, alors qu'attendons-nous? Sans lui, je serais mariée; sans lui, rien de tout ceci ne serait arrivé. Sophia a raison : nous devons rendre justice nous-mêmes. Il a commencé le travail. À présent, c'est à nous de le terminer. Il ne faut pas attendre plus longtemps.

Avec stupéfaction, Teresa la vit ouvrir l'un après l'autre tous les tiroirs.

— Rosa! Qu'est-ce que tu vas faire?

Elle se précipita, mais sa fille avait arraché le diamant qu'elle portait autour de cou, et à l'aide d'un hachoir, elle essayait de le fracasser sur la planche à découper.

Luka bougea, mais il put à peine relever la tête. Il gémit doucement, puis glissa à nouveau dans sa léthargie.

Les deux femmes l'avaient entendu gémir.

— Il faut le tuer, murmura la jeune fille. Pour ce qu'il a fait, il faut le tuer. Je le veux.

Sophia se trouvait sur le seuil de la cuisine. Le son de sa voix les fit se retourner.

— C'est juste, Rosa. Mais venez au salon. Apparemment, le carnet que nous avons pris chez Barzini est très intéressant.

La mère et la fille passèrent en hâte devant elle. Elle allait leur emboîter le pas lorsqu'elle remarqua la chaînette, le diamant et le hachoir. Avec un petit hochement de tête marquant sa résolution, elle ramassa la pierre précieuse.

Elle regagna le salon et se pencha pour poser affectueusement la main sur l'épaule de sa nièce.

— Les diamants sont très difficiles à briser, Rosa. Tiens, garde-le. Il vaut de l'argent ; un jour, nous pourrons en avoir besoin.

La jeune fille leva les yeux vers le beau visage de sa tante.

— Grand-mère avait une perle pour chaque bon moment de son existence. Vais-je recevoir un diamant pour chaque mauvais moment ? Je n'en veux pas !

Sophia glissa le diamant dans sa poche.

— Tu auras des perles, Rosa, je te le promets.

Elle rejoignit Teresa, occupée à feuilleter le carnet de Barzini.

— Je n'y comprends rien. Il pourrait s'agir d'une espèce de code pour noter ses mouvements d'argent liquide. Puisqu'il s'est occupé de nous payer, peut-être était-il chargé d'effectuer de tels règlements... Va savoir...

L'autre prit le carnet pour l'ouvrir à la dernière page.

— Et ça, tu as vu ? C'est une liste de noms. Y en a-t-il qui te disent quelque chose ?

Teresa secoua la tête, et sa belle-sœur soumit la liste à Graziella.

— *Mamma*, connaissez-vous certains de ces noms ? Il doit s'agir de personnes importantes. Rappelez-vous la tête qu'il a fait, quand on lui a pris ce carnet.

La vieille femme le tenait à bout de bras.

— Je vais devoir me faire faire des lunettes... Ah ! Sophia, vous vous souvenez que je vous ai dit avoir un jour trouvé Mario Domino dans le bureau de mon mari en compagnie de trois hommes ? Ensuite, tous les papiers avaient disparu. Eh bien, deux de ces types figurent sur cette liste : E. Lorenzi et G. Carboni. Ces deux personnages étaient présents ce jour-là...

Sophia allait s'asseoir à côté de Graziella lorsqu'un cri horrible retentit, à mi-chemin entre la plainte et le hurlement.

Elle fut la première à entrer dans la salle à manger faiblement éclairée. Tout en donnant de la voix, Luka faisait tressauter son siège. Il se contorsionnait furieusement, et à chaque sursaut les pieds du fauteuil semblaient quitter le sol. Il agitait la tête d'un côté à l'autre et semblait à tout moment sur le point de se renverser en arrière.

La terreur s'imposait à son crâne douloureux, à son esprit embrumé. Entre ses cris, il lançait de furieuses imprécations, tantôt en anglais tantôt en sicilien, dans une langue d'une grossièreté outrée, telle que l'utiliserait un jeune garçon.

La jeune femme gagna calmement la cuisine et revint avec une grande casserole d'eau froide. La douche le fit suffoquer et il s'immobilisa, tête basse, haletant.

Elles prirent place autour de la table, face à sa pitoyable silhouette. Incertaines quant à l'entrée en matière, elles regardèrent Sophia.

Celle-ci ouvrit une enveloppe en papier kraft et plaça sur la table des photos de ses enfants, de Constantino, de Filippo et de don Roberto Luciano. Puis elle regagna sa place. Ces portraits n'étaient pas destinés à Luka, mais à elles quatre. Elles se trouvaient là pour mémoire, pour le cas où leur détermination fléchirait.

Les trois autres attendaient qu'elle prenne la parole. Ce qu'elle finit par faire en ces termes :

— Nous voulons connaître la vérité, il nous la faut, et peu importe le temps que cela prendra, peu importe combien de jours et combien de nuits. Nous attendrons jusqu'à ce que vous disiez ce que nous désirons savoir.

Aveuglé par le foulard, il tourna la tête de côté comme pour mieux entendre. C'était sa voix, c'était Sophia... Il souffla son nom et lui demanda pourquoi elle faisait cela...

— Elle n'est pas seule. Nous sommes toutes là.

Il s'agissait de Graziella, à moins que ce ne soit Teresa. Sa respiration se précipita à nouveau et, saisi de panique, il se remit à hurler. La vieille femme glissa quelque chose à l'oreille de Rosa, qui aussitôt gagna la cuisine. Elle en rapporta un cruchon d'eau glacée. Le liquide cingla si violemment Luka qu'il en eut la tête projetée en arrière. Comme la première fois, ses cris cessèrent.

— Dites-nous qui vous êtes. Nous savons que vous ne vous appelez pas Johnny Moreno.

Il se figea et soupira en frissonnant. Le foulard détrempé collait à son visage comme une seconde peau. Teresa regarda sa belle-sœur en se mordant la lèvre, puis, la main en porte-voix, elle murmura :

— Tu te rappelles comme il détestait rester prisonnier dans sa chambre, tout en haut de la maison? Si on l'enfermait un moment?

Sophia acquiesça et lui fit signe d'aller donner un tour de clef.

Il agita la tête dans tous les sens pour essayer d'entendre ce qui se passait : d'abord un bruit de chaises déplacées, puis celui de pas s'éloignant. Il était tout entier tendu vers ces sons... Ses ongles griffaient les accoudoirs du fauteuil, il se crispait dans l'attente de ce bruit qui le terrifiait plus que tout autre : celui d'une clef tournant dans sa serrure.

La terreur le submergea. Il se mit à frotter furieusement le crâne contre le dossier dans le vain espoir de faire jouer le bandeau. Les souvenirs déferlaient : il était à nouveau dans le placard obscur et sans air, le visage pressé contre la porte, contorsionnant son petit corps pour essayer de trouver un rai de lumière, un jour minuscule par lequel il pourrait voir et respirer. Mais, l'œil collé à une telle fente, il avait aperçu les hommes que l'on faisait entrer dans la pièce, ces hommes qui sortaient leur argent. Alors son estomac s'était soulevé : il savait que la porte allait s'ouvrir, qu'on allait l'empoigner...

Ses pieds entravés s'appuyaient sur le sol, ses doigts se nouaient autour des accoudoirs, mais il était si petit, si menu, que rien ne pouvait les arrêter. Personne ne venait jamais le secourir; il était toujours tout seul face à ses persécuteurs. Son corps cessa de remuer. Il soupira et chercha à se concentrer uniquement sur le rythme de sa respiration, à n'entendre que ce bruit. Ainsi, il parvenait à se détacher de la douleur. Il devenait insensible à la flagellation. Les coups dont on lui zébrait le dos ne le faisaient souffrir que sur l'instant. Il pouvait alors gagner un sanctuaire qu'il s'était créé, un lieu où il était affranchi des ténèbres.

Seul Giorgio Carolla, parce qu'il avait lui-même beaucoup souffert, avait compris sa douleur, cette zone d'ombre qu'il portait en lui. Les deux garçons étaient devenus complémentaires, imbriqués l'un à l'autre. La nuit où il avait rendu l'âme, la nuit où il avait tenu Luka embrassé, laissant doucement courir les doigts sur les cicatrices de son dos, le petit mourant avait cherché à réconforter son ami. Alors que son cœur faiblissait de minute en minute, il l'avait exhorté à parler, à quitter cette nuit intérieure qui lui inspirait une telle terreur. D'une voix entrecoupée de sanglots, Luka lui avait raconté son cauchemar. Mais lorsque enfin il s'était endormi, le cauchemar était revenu, et, plus terrifié que jamais, il s'était réveillé en hurlant. Il s'était aussitôt apaisé car son ami était tout à côté de lui. Souriant, il avait tendu le bras pour le toucher, mais Giorgio était presque froid...

Sa mort l'avait privé du seul amour qu'il ait jamais connu. Les ténèbres étaient redescendues sur lui, le faisant suffoquer, l'engloutissant. Et il s'y était laissé sombrer.

Sans le savoir, les quatre femmes avaient enfermé Luka dans son passé. Il revivait la souffrance qu'il avait tenue cachée en lui pendant si longtemps. Avec une morbide fascination, elles regardèrent son corps se détendre momentanément, car le souffle commençait à lui manquer. Puis le fauteuil tressauta à nouveau. Le corps du jeune homme s'arqua violemment, sa tête roula d'un côté et de l'autre, et il émit une longue plainte suraiguë où se mêlaient quelques mots inintelligibles.

Graziella n'en pouvait plus; elle aurait voulu aller jusqu'à lui, chercher à l'apaiser. Mais Sophia lui prit la main pour l'immobiliser. Rosa se couvrit le visage en murmurant :

— Ô Seigneur, mais faites-le taire! Qu'est-ce qu'il a?

Luka ne pouvait l'entendre. Les courroies qui lui serraient les chevilles et les poignets étaient les cordes dont ils l'entravaient... Il les entendait psalmodier... il percevait le bruissement de leurs sandales sur les dalles en pierre, il sentait l'encens... Il gémit et se mit à parler d'une petite voix plaintive. Quoique à demi formulées, cette fois ses paroles étaient compréhensibles.

— Ça fait mal... Non, non, ça fait mal... S'il vous plaît... s'il vous plaît, non...

Et cela continua longtemps. Peu à peu, Luka s'apaisa. Bientôt il s'immobilisa, le menton sur la poitrine. Brusquement, Teresa se pencha par-dessus la table pour s'emparer de la clef. Elle ouvrit la porte. Rosa lui emboîta le pas, bientôt suivie de Sophia. Seule Graziella demeura.

Elles avaient gagné le salon. Sophia servit trois cognacs.

— Il fait peut-être semblant, dit-elle en tendant un verre à sa belle-sœur.

— Et si ce n'était pas de la comédie? Nous n'avons aucun moyen d'en être sûres.

— Ce que nous savons, rétorqua-t-elle sèchement, c'est qu'il nous a menti; ce que nous savons, c'est tout ce que m'a raconté Pirelli. C'est un tueur, nous le pensions déjà à la villa. Et nous l'avons protégé, alors ne me regarde pas comme si je venais de commettre je ne sais quelle abomination. Tout ce que je veux, c'est connaître la vérité sur l'assassinat de mes enfants et de mon mari, parce que celui qui les a tués leur a ôté la vie, mais il a également pris la mienne. Il m'a privée de tout ce qui faisait de moi un être comme les autres ; il m'a enlevé tout ce qui faisait que ma vie valait d'être vécue, tout ce que j'avais...

— Nous sommes toutes dans le même cas, figure-toi ! cria Teresa. Toutes, nous voulons savoir ! Toutes, nous voulons que justice soit faite ! Mais pas comme ça, pas de cette manière...

Elles entendirent la voix de Graziella. Elle parlait à voix basse, aussi ne purent-elles comprendre ce qu'elle disait ; c'était à Luka qu'elle s'adressait. Sophia repartit vers la salle à manger mais s'arrêta sur le seuil, levant la main à l'intention des deux autres, qui vinrent silencieusement se placer derrière elle.

Assise à côté du jeune homme, elle lui tenait la main. Elle la lui caressait, la lui tapotait. Une à une, les trois femmes s'avancèrent à pas de loup.

Graziella parlait si bas qu'elles durent tendre l'oreille. Elle répétait une même question. Elle lui demandait son nom.

— À moi, tu peux le dire. Nul ne te fera plus de mal. Dis-moi comment tu t'appelles.

Ce fut d'une voix d'enfant qu'il répondit :

— Je m'appelle Luka, mais il ne faut pas lui dire, il ne doit pas savoir que je vous l'ai dit.

— Qui ça ? Qui ne doit pas savoir qui tu es ?

La vieille femme fixa Sophia pour lui imposer le silence.

Il se crispa, agita la tête et se recroquevilla à nouveau. Graziella lui demanda plusieurs fois de qui il avait peur. Elle était tout près de lui et lui caressait les cheveux. Elle se pencha pour l'entendre, entre deux sanglots, prononcer son propre nom.

— Luka, Luka...

Elle regarda brièvement Sophia d'un air perplexe. Il disait avoir peur de Luka, et en même temps, il disait *être* Luka.

— Est-ce qu'il y a deux Luka ? interrogea-t-elle d'une voix très douce.

— Oui, souffla-t-il, nous sommes deux.

Il se lança dans un récit décousu où il était question du vol d'une cuisse de poulet. L'écouter ainsi, dans cet état de tension, était très éprouvant. Le front de Graziella luisait de transpiration, son corps était douloureux de se tenir ainsi en porte à faux, et elle avait mal à la main à force de la tenir crispée sur celle du garçon. Cependant, elle gardait la même position, tout près de lui.

— Luka était-il un mauvais garçon lorsqu'il a été plus vieux ?

— Oui.

Se gardant du moindre mouvement, elles écoutèrent cette voix étrangement haut perchée raconter comment était mort Lenny Cavataio, l'homme que Roberto Luciano avait remplacé en tant que témoin. Graziella lui tapota la main, l'interrompant au moment où il expliquait de quelle façon il l'avait charcuté.

— Luka avait-il reçu des ordres ? Est-ce qu'on lui avait demandé de commettre ces horreurs ?

La voix prit tout à coup un ton plus grave. Elle se fit aussi plus rapide.

— C'est un professionnel, est-ce que vous comprenez ? Personne ne peut le coincer, personne ne sait qui il est... Sur son vélo, le petit garçon sur son vélo. Il n'a pas souffert. Il faut opérer rapidement, les innocents ne doivent pas souffrir.

Sophia se laissa tomber sur sa chaise et ferma les paupières, tandis que Luka racontait qu'il avait offert à l'enfant un cornet de glace, de la glace à la framboise... Elle savait qu'il parlait du petit Paluso, elle se souvenait des photos où on le voyait gisant dans le caniveau à côté de sa bicyclette.

Devant elles se trouvait l'homme que Pirelli avait pendant si longtemps tenté de retrouver, le dangereux psychopathe, le meurtrier multirécidiviste, le tueur froid et calculateur. Et cependant, qu'avaient-elles sous les yeux ? Un malheureux garçon apeuré, parlant avec la voix d'un enfant à peine plus âgé que ne l'était l'aîné des

614

fils de Sophia. L'idée d'une vengeance n'avait plus d'attrait; le mot justice avait perdu tout son sens.

Les quatre femmes voyaient retomber leur colère. Elles n'éprouvaient aucune satisfaction à tenir à leur merci ce malheureux déséquilibré. Leurs visages reflétaient ce qu'elles éprouvaient. Les regardant à la dérobée, Sophia mesurait l'étendue de leur abattement.

Le silence fut rompu par le cliquetis de son briquet. Elle inhala une longue bouffée et laissa la fumée ressortir lentement par sa bouche. Toutes sentirent l'arôme capiteux du tabac turc. Le jeune homme redressa la tête et, tel un chien, se mit à flairer... Il se raidit.

— Bien, fit-elle d'une voix forte, nous savons maintenant que c'est vous qui avez tué le petit Paluso. Vous m'entendez, Luka?

Il serra la main de Graziella au point de lui faire mal. Elle dut s'arracher à cette étreinte. Elle regarda sa belle-fille d'un air furieux.

— Pourquoi avez-vous dit cela?

— *Mamma*, le moment est peut-être venu de parler à son autre partie et de dire au petit Luka d'aller se faire voir. C'est un numéro qu'il nous joue; il se moque de nous.

S'écartant de lui, la vieille femme considéra les photos éparpillées sur la table. D'un ample mouvement des bras, elle les ramena à elle. Elle ne voulait ni ne pouvait en entendre davantage. Lentement, tenant les agrandissements contre son sein, elle se dirigea vers la porte. La voyant tituber légèrement, Teresa se leva pour la soutenir.

Rosa recula sa chaise et suivit les deux autres. Sophia resta assise. Elle fumait, sa respiration était oppressée. Elle approcha un cendrier, y écrasa sa cigarette, puis s'absorba dans la contemplation de ses ongles parfaitement manucurés, posés sur le bord de la table. L'envie lui vint de fracasser cette surface lustrée dans laquelle se reflétait son visage.

Il leva la tête et l'orienta de biais, tendant l'oreille.

— Sophia? Sophia?

Elle attendit la suite, mais il s'était tu. Alors, dans un souffle :

— Vous avez assassiné mes enfants. Ils étaient innocents. Luka, pourquoi? Pourquoi avez-vous tué mes deux garçons?

Ses traits se déformèrent. Ses mains se tordirent et se contorsionnèrent comme s'il tentait de se libérer. Il les revoyait allongés côte à côte, tels qu'il les avait découverts depuis l'extérieur de la fenêtre. Ses instructions étaient de prévenir les autres par radio du moment où les Luciano quitteraient la maison. Ni plus ni moins. Mais son cœur s'était arrêté de battre à la vision de ces deux enfants innocemment endormis dans les bras l'un de l'autre. À ses yeux, ils n'étaient pas Carlo et Nunzio Luciano, mais Luka et Giorgio. Tapi dans l'ombre, il était resté un moment à contempler les deux petits nimbés du clair de lune, puis, tel un cambrioleur, il s'était glissé à l'intérieur. Son pistolet était lourd, peu maniable, et il avait grimacé en y vissant le silencieux, certain que le frottement du métal les réveillerait. Peut-être alors le meurtre n'aurait-il pas eu lieu, mais leur respiration régulière l'avait assuré que ce qu'il était en train de faire devait être fait.

Même lorsqu'il avait pris un oreiller, les deux frères n'avaient pas bougé. Quand il leur en avait couvert le visage, ils n'avaient pas fait un bruit. Y appuyant le canon, il avait tiré rapidement, une fois, deux fois.

Quand il avait retiré l'oreiller, les deux plaies béantes l'avaient bouleversé, aussi avait-il précautionneusement retourné les deux petits corps, de sorte qu'ils soient face à face, et leurs blessures cachées à la vue. Il n'avait été vraiment satisfait que lorsqu'il avait placé le bras de Nunzio sur le torse de son frère. Ainsi les deux garçons seraient-ils réunis à jamais.

Il était resté un moment sur place, incapable de les quitter. Car il aurait dû en aller de même pour Luka et Giorgio.

— Qui a donné l'ordre de faire ça, Luka? Qui vous a dit d'assassiner mes enfants?

Il émit un son guttural. Elle s'approcha si près qu'elle put sentir l'odeur de sa transpiration. Il se recroquevilla sur son fauteuil.

— À moins de me répondre, tu mourras sans une seule prière. Ton âme ira brûler en enfer...

Il murmura quelques paroles inintelligibles à travers le foulard humide. Au bout d'un moment, elle renonça et sortit. Il attendit le bruit de la porte, mais il n'entendit que les pas de la jeune femme. Était-il seul? Sous le foulard, ses lèvres s'étirèrent en un sourire...

Assise dans l'escalier, Rosa vit sa tante sortir de la pièce et s'arrêter sous le lustre de l'entrée. La tête renversée en arrière, les paupières closes, Sophia demeura un long moment immobile, si parfaitement immobile que sa nièce n'osa la déranger. Puis elle jeta un manteau sur ses épaules et sortit en refermant doucement la porte. Le courant d'air glacé fit frissonner la jeune fille.

Elle prit subitement peur. Qu'avait fait sa tante? Elle gagna le seuil de la salle à manger et alluma la lumière.

Luka était toujours à sa place. Il cherchait encore à se libérer. Elle se sentit comme attirée vers lui.

— Johnny? C'est Rosa. Est-ce que vous vous sentez mieux, maintenant?

Il fallait qu'elle sache : avait-il participé à l'assassinat d'Emilio? Jusqu'à présent, rien de ce qu'elle avait entendu n'avait de sens, et Sophia semblait ne se soucier que de ses enfants.

Elle dénoua le bandeau mouillé. Luka battit des paupières, le temps de s'accoutumer à la lumière. Elle le regardait. Tout à coup, elle eut un hoquet de surprise et recula, manquant même tomber. Il souriait de son sourire angélique, mais une lueur de démence habitait ses yeux.

Sa voix se fit plaintive, enjôleuse.

— Aide-moi, Rosa. Détache-moi, je t'en prie... (Puis, tendrement, comme s'il était en train de lui faire l'amour :) Rosa, Rosa...

Elle se redressa et, pendant un instant, il put nourrir

617

un vague espoir. Le joli visage de la jeune fille exprimait le désarroi. Il tenta par un sourire de la faire venir à lui, mais ses yeux le trahirent. Effrayée, elle s'en fut et referma la porte derrière elle.

Elle traversa le corridor en hâte. Comme elle entrait au salon, elle l'entendit qui l'appelait.

— Rosa !

Puis il se tut.

Elle s'assit près de sa mère.

— Je suis allée le voir. Tu l'as entendu crier mon nom ?

— Oui. Oui, j'ai entendu, dit Teresa en lui prenant la main.

Sophia les rejoignit. Ayant refermé la porte, elle regarda la chauffeuse de Graziella, près du foyer.

— Où est *mamma* ?

— Elle désirait être seule. Elle est montée dans sa chambre.

Sophia hocha la tête. Elle ouvrit le rideau et appuya le front contre la vitre froide. Après un long silence, leur tournant toujours le dos, elle dit d'une voix égale :

— Nous pourrons l'enterrer dans le jardin. J'ai repéré un emplacement, sous un arbre, où la terre n'est pas trop dure. Il y a des bêches dans le garage. Il faudra faire attention à bien enlever la couche superficielle d'herbe pour la remettre ensuite en place... (Elle se retourna pour leur faire face.) Est-ce que vous comprenez ce que je suis en train de vous dire ?

Teresa s'était mise à trembler.

— Tu veux dire que... Qui va s'en charger ?

Elle referma le rideau. La façon dont elle s'attacha à remettre en place les plis du tissu avait quelque chose de déroutant.

— Moi. Tout ce que je vous demande, c'est de m'aider quand ce sera fait. Je vais faire part de ma décision à Graziella, mais je ne veux pas d'elle en bas.

Sa belle-sœur lissa sa jupe, geste futile et incongru. Rosa la prit par les épaules.

— Nous ferions peut-être bien de nous changer, maman. C'est qu'il fait froid, dehors.

Quittant la pièce, elle adressa un regard — presque de défi — à sa tante. Celle-ci eut un sourire sans joie.

— Ta fille est une Luciano, Teresa.

— J'espère que tu sais ce que tu fais, Sophia.

— Ce que nous faisons, rectifia-t-elle d'une voix glaciale.

Traversant toute l'étendue de la pelouse, Rosa et sa mère gagnèrent l'endroit choisi par la jeune femme. Leurs pas laissaient des empreintes dans la neige fraîche. Sans échanger une parole, elles se mirent à creuser. Après avoir précautionneusement découpé et enlevé l'herbe gelée, elles s'attaquèrent au sol durci.

N'ayant apporté que peu de vêtements, Sophia était allée passer une chemise de nuit en coton. Elle savait que ce qu'elle portait devrait être brûlé. Pieds nus, elle allait et venait le plus silencieusement possible, espérant que sa belle-mère n'entendrait rien. Elle se munit d'une brassée de serviettes et prit un drap sur l'un des lits.

Au moment où elle passait sur le palier, Graziella ouvrit sa porte. Elle la regarda, considéra la chemise de nuit, les serviettes, et sachant que sa belle-fille la suivait, elle retourna dans sa chambre.

— Comment vous sentez-vous, *mamma*? Voulez-vous quelque chose pour dormir?

La vieille femme secoua la tête.

— Alors votre décision est prise. Je savais que ce serait vous. Il faut que vous soyez absolument sûre, Sophia. Est-ce qu'il vous a parlé?

— Non, *mamma*. Je pense qu'il se trouve dans un univers à lui — peut-être l'enfer, qui sait? En tout cas, c'est bien là qu'il nous a précipitées.

— Ne dites pas cela, ma chérie...

Les yeux bleu pâle cherchaient à capter le regard noisette de sa belle-fille. Graziella lui prit la main et la porta à ses lèvres.

— Arrêtez les battements de son cœur. C'est un service que vous lui rendrez. Ce pauvre garçon est tellement malade. J'ai vu du poison sur une étagère, en haut d'un placard de la cuisine... Avez-vous besoin de mon aide ?

— Non, *mamma*.

— Je vais prier pour vous, pour nous toutes.

— Oui, *mamma*.

Sophia redescendit au rez-de-chaussée. Elle colla l'oreille à la porte de la salle à manger, puis elle gagna le salon et, glissant la main entre les coussins de la banquette, récupéra le couteau de cuisine. Elle ne pouvait se permettre d'hésiter, de réfléchir à ce qu'elle allait accomplir. Elle ouvrit les deux battants de la porte de la salle à manger.

La tête de Luka était appuyée contre le dossier du fauteuil. Il avait les yeux clos. Mais le fait qu'il n'avait plus son bandeau contraria Sophia. Elle aurait voulu ne pas voir son visage.

Elle traversa silencieusement la pièce. Elle laissa le drap tomber à terre et disposa les serviettes autour des pieds du fauteuil. C'était au niveau du troisième bouton de sa chemise qu'elle devait enfoncer la lame, mais la courroie que Rosa lui avait placée autour des épaules était descendue et lui couvrait le cœur.

Elle posa le couteau sur la table et entreprit de desserrer la boucle.

Tout à coup, il tourna la tête vers elle et ouvrit les yeux.

— Sophia ? Je savais que vous feriez quelque chose pour moi. Je savais que ce serait vous.

Plus aucune trace de l'enfant dans sa voix. Il était redevenu Luka. Elle ôta la ceinture. Le cuir était mouillé de sueur. Elle retourna à la table et empoigna le couteau.

Il se mit à sourire, convaincu qu'elle allait trancher les autres courroies. Elle tenait l'arme à deux mains, prête à porter son coup. Au bout de sa chaîne, le petit cœur en or était comme une cible luisante. Elle se figea, les yeux écarquillés... Puis elle recula en battant des paupières.

Le garçon pencha la tête sur le côté. Interloqué, il la regarda reposer le couteau sur la table. Elle lui fit à nouveau face, avec une expression effarée. Elle s'approcha lentement, avança la main... Elle tremblait si violemment que ses doigts étaient agités de frémissements. Elle fixait non pas Luka mais le pendentif qu'il avait autour du cou.

Brusquement, elle s'en saisit. Il fit un violent mouvement de recul, et la chaînette se rompit. Elle tint un moment l'objet dans son poing serré, comme si elle craignait d'ouvrir les doigts. Puis elle gagna un coin obscur de la grande pièce. Sans le quitter des yeux, elle passa le pouce sur le pendentif. Elle sentait les marques de morsure, elle savait sans même y poser le regard qu'il s'agissait de son cœur, le cœur de Michael, le cœur de son bébé.

— Où l'avez-vous trouvé? *Où l'avez-vous trouvé?*

Elle se précipita sur lui et, du poing, le frappa au visage. La chaînette lui entailla la lèvre.

— Il est à moi, dit-il.

— C'est faux! Vous l'avez volé!

Elle se retourna.

Quelqu'un venait d'apparaître sur le seuil. C'était Teresa qui, d'une voix altérée, lui demanda s'il y avait un problème.

— Va-t'en, laisse-moi...

Elle avait le souffle coupé. Il lui semblait qu'on était en train de l'étrangler. Elle avait maintenant la tête appuyée contre le battant de la porte, tandis que sa belle-sœur s'éloignait. Tournant toujours le dos à Luka, elle ouvrait et refermait le poing.

Il eut l'impression qu'une éternité s'était écoulée avant qu'elle ne se retourne vers lui. À présent inquiet, il l'observa contourner lentement la table. Lorsqu'elle fut à l'autre bout, il la vit desserrer les doigts pour considérer à nouveau le cœur en or.

Elle se rappelait avoir entendu Graziella dire à plusieurs reprises combien Johnny lui rappelait son aîné. Se pouvait-il que ce déséquilibré soit son fils? Le fils de Michael?

Il la regarda approcher. Il pouvait voir de minuscules gouttes de transpiration perler sur son front, sur sa lèvre, luire sur ses joues. Il la fixa, se préparant à ce qui allait suivre. Mais ce n'était plus la même chose. Son visage n'avait pas cette expression dont il avait gardé le souvenir imprimé dans sa mémoire, cet air qu'il avait juste avant de le faire souffrir.

— Où avez-vous trouvé cela ? Je vous en prie, dites-le-moi.

— C'est à moi.

Il pouvait voir les contours de son corps à travers la légère chemise de nuit. Elle était nue en dessous. Étrangement, c'était tout ce qui occupait ses pensées : *Elle est nue.* Il y avait quelque chose dans la voix de Sophia. Était-ce de la peur ? De quoi avait-elle peur ?

— Où l'avez-vous trouvé ? Dites-le-moi, s'il vous plaît.

— Il est à moi.

Elle s'approcha encore.

— C'est très important. Il faut me le dire. Je vous en prie...

Elle allongea le bras et lui toucha la joue, puis enleva sa main. Toujours effrayé, il se plaquait contre le dossier du fauteuil.

Elle scruta un moment son visage, puis pivota brusquement sur elle-même. Son regard fit le tour de la pièce à la recherche de l'enveloppe, celle où elle avait mis les photos. Graziella les avait toutes emportées sauf une, qui s'y trouvait toujours. Elle repéra la pochette en papier kraft. Elle avait glissé à terre. Elle courut la ramasser et en sortit le portrait.

Luka la regardait, fasciné. Pourquoi se comportait-elle aussi bizarrement ? Il la vit sortir la photo centimètre par centimètre. Puis elle lui tourna le dos pour lui dissimuler ce qu'elle faisait. Elle émit une plainte ténue.

Ensuite, elle vint se camper devant lui. Elle plongea son regard dans le bleu de ses yeux, où la peur le disputait au désarroi. Lentement, elle fit osciller le pendentif d'arrière en avant, d'avant en arrière...

Il ne pouvait s'empêcher de suivre des yeux ce balancement... Puis le mouvement s'interrompit, et le petit cœur en or commença à tournoyer sur lui-même.

— Comment s'appellent ceux qui ont voulu la fin des

622

Luciano? En échange... en échange, je te dirai le nom de ton père.

Elle n'obtint qu'un sourire angélique, un petit sourire incrédule. Elle s'approcha encore.

— Je jure devant la Sainte Vierge que je dis la vérité. Je sais, Luka, je sais qui il était.

Tout son corps était d'une irréelle immobilité. Il ne la croyait pas, et une lueur accusatrice passa dans ses yeux délavés... Il n'allait pas se faire avoir. Il n'avait ni père ni mère. Il était né du Malin; c'est ce qu'on avait cherché à lui faire expier, c'est pour cela qu'on l'avait jadis séquestré.

— Tu t'es sauvé, n'est-ce pas? Tu as faussé compagnie aux religieuses. On t'a recherché dans la fête foraine. Était-ce là que tu t'étais caché?

Le visage du garçon devint un masque. Seuls ses yeux — tantôt accusateurs tantôt apeurés — reflétaient son désarroi. Comment pouvait-elle savoir pour la fête foraine?

Son refus de répondre faisait douter Sophia. Se trompait-elle?

Elle se pencha vers lui.

— C'était à Catane, Luka. Y es-tu allé? Est-ce que tu t'en souviens?

Il regarda en l'air, lui montrant le blanc de ses yeux.

— Dis-moi qui a décidé la mort de mes enfants. Donne-moi au moins cela... Luka?

Silence. Il battit rapidement des paupières, puis la regarda. Un regard d'une inconcevable fixité, qui semblait la traverser et la dérouta complètement. Il semblait se moquer d'elle, il semblait chercher à lui faire baisser les yeux. Cela l'irrita. Enfin, elle était à nouveau en colère.

Ce n'est pas mon fils, pensa-t-elle. *Dieu merci, ce n'est pas mon enfant.* Il avait dû trouver le pendentif et se l'approprier. Il n'était qu'un voleur, un assassin. Elle perdait son temps.

— C'était à cause du toboggan. Il était très haut, très grand. On s'y mettait à plat ventre et on arrivait la tête la première sur un petit paillasson... Je voulais retourner en faire.

Elle en eut le souffle coupé. Seigneur Dieu, se pouvait-il qu'il mente encore? Pourquoi avait-elle commis l'erreur d'évoquer la fête foraine? Il était astucieux; astucieux et menteur. Il mentait forcément.

Elle lui montra le cœur en or, qu'elle tenait dans le creux de la main.

— D'où tiens-tu ceci?

— Je ne sais pas.

— L'as-tu volé à un autre enfant? L'as-tu trouvé? D'où te vient-il?

— Je l'ai toujours eu. J'aime bien le balancer devant mes yeux, ça m'aide à m'endormir.

On aurait dit qu'il s'agissait pour lui d'un jeu. Il semblait ne plus avoir peur d'elle. Inclinant la tête sur le côté, il lui demanda même, d'un air malicieux :

— Comment savez-vous pour la fête foraine?

— Je te le dirai, Luka, si tu me donnes des noms. Dis-moi qui a ordonné de tuer les Luciano.

Il sourit.

— D'accord!

Dans le corridor, Teresa, toujours revêtue de son manteau, l'oreille collée contre la porte, essayait d'entendre ce qui se passait. Elle souffla à Rosa que Luka était en train de parler.

— Que dit-il?

Elle leva la main pour la faire taire, puis elle se redressa.

— Je n'arrive pas à entendre.

Elles allèrent s'asseoir côte à côte au salon.

— Il a cessé de neiger, constata la jeune fille.

Sa mère la regarda sans comprendre.

— Cela veut dire que la tombe va se voir.

Assise à la table, Sophia s'apprêtait à écrire au dos de la photo de Michael. Luka, les jambes et les bras toujours attachés au fauteuil, se penchait en avant autant qu'il le pouvait.

— Barzini.

— C'est le nom d'un mort, ça. Barzini est mort, je suis au courant.

Il poursuivit d'un ton égal, comme s'il ne l'avait pas entendue.

— C'est lui qui était chargé de faire exécuter la décision. Il est venu en Sicile, et c'est pour cela que son offre de rachat a été la première. Il n'était qu'un sous-fifre. Peter Salerno est quelqu'un de beaucoup plus important. Je dirais que trois, peut-être quatre familles ont décidé cette opération. Il s'agissait de veiller à ce qu'aucun homme aussi haut placé dans l'organisation que don Roberto ne se mette en tête de témoigner devant la justice.

— Des noms, je veux des noms !

— Oui, oui, j'y viens. Je ne peux vous donner que ceux que j'ai saisis au vol. Je n'étais pas suffisamment important pour qu'on me confie quoi que ce soit. Le peu que je sais, c'est parce que j'étais le fils de Paul Carolla.

— Son fils adoptif.

Luka avança trois noms. Ils ne disaient absolument rien à Sophia. Elle les nota néanmoins au dos de la photo. Elle attendit la suite, mais rien ne vint. Elle tourna la tête vers lui. Il la fixait avec intensité.

C'était l'enfant qu'elle avait abandonné, puis recherché, et auquel, en son for intérieur, elle venait à nouveau de renoncer. C'était le fils de Michael et le légitime héritier des Luciano. À présent, elle devait décider s'il allait vivre ou bien mourir. Elle pensait qu'il lui avait dit la vérité : il n'avait joué aucun rôle dans l'assassinat des hommes Luciano. Mais qu'en était-il de ses enfants ?

— Luka, tu as reconnu avoir tué le fils de l'employé de la prison. Or Carlo et Nunzio ont été abattus avec la même arme...

— Non ! J'ai répondu à vos questions. À vous, maintenant.

Elle se détourna, refusant de lui montrer la photo.

— Luka, pour les deux enfants, je veux savoir...

625

Ses yeux lancèrent des éclairs. En proie à une fureur impuissante, il se mit à se balancer violemment d'avant en arrière, faisant tressauter le fauteuil.

— Oui! Oui! Oui!

— Oui? C'est bien toi?

— Oui! Maintenant, tenez votre parole. Vous m'avez menti? Qui vous a dit pour la fête foraine?

— C'est toi qui les as tués?

— Merde! *Oui, oui, oui!*

Elle retourna le portrait et le posa devant lui sur la table. Il rit et se pencha en avant pour mieux voir. Il secoua la tête d'un air dégoûté.

— Vous m'avez menti, fit-il en plissant les yeux. Je crache sur ce gars-là.

— Tu craches sur ton père, Luka. Il s'appelait Michael Luciano. Cette photo a été prise peu de temps avant sa mort. Il avait 22 ans.

Il cracha comme un chat en direction de la photo, puis, avec un sourire mauvais, regarda Sophia pour guetter sa réaction. Elle voyait maintenant le Luka qui était capable de tuer des enfants innocents, l'homme qui mutilait sauvagement ses victimes. La démence avait changé ses yeux en deux pierres à l'éclat sinistre. Il avait les quatre membres entravés, et cependant la pensée la traversa qu'il pouvait, s'il le voulait, se libérer.

Il prit une voix moqueuse.

— Tu as toujours été plus futée que les autres. Je le savais, je l'ai toujours su. Et je sais que c'est toi qui vas me délivrer.

Tandis qu'elle se retournait pour attraper le couteau, il se mit à rire.

— Je sais que tu mens, Sophia, mais je veux bien être le fils de Michael Luciano, si c'est ce que tu veux. Je ferais n'importe quoi pour toi. Les trois autres ne comptent pas. Tu auras tout ce que je t'ai promis, tu te rappelles?

Elle referma le poing sur le manche en bois. Son corps masquait ce qu'elle faisait au garçon. Sa voix n'était plus qu'un murmure lorsqu'elle dit:

— Je ne te mens pas, Luka.

Elle prit sur elle pour se retourner. Elle devait le faire maintenant, pendant que cette voix railleuse, odieuse, résonnait encore dans sa tête.

La lame s'insinua directement entre deux côtes jusqu'à son cœur. Elle dut peser de toutes ses forces, de tout son poids, pour l'enfoncer jusqu'au bout. Penchée sur lui, le genou pressé contre sa cuisse, elle le plaqua contre le dossier du fauteuil. Sa gorge émit un léger gargouillis.

Lorsqu'elle voulut s'écarter, il lui sembla que sa main était soudée au couteau, comme si son fils l'avait tenue fermement. Elle dut tirer si fort qu'elle manqua partir à la renverse.

Toujours assujetti au fauteuil, il demeurait dans la même position, mais sa tête s'était légèrement inclinée sur le côté. Un filet de sang s'écoulait de sa bouche, le long de son cou. Elle lui prit le pouls et perçut encore quelques palpitations faibles et désordonnées. Puis elle mit les mains en coupe autour de son visage et embrassa ses lèvres encore chaudes. Elle eut sur sa langue le goût salé du sang de son fils, entre ses paumes la douceur de ses cheveux, la forme de son crâne... Peu à peu le pouls faiblissait. Bientôt, il eut cessé de vivre.

Elle glissa le cœur en or et sa chaînette brisée dans la poche de sa chemise de nuit maculée de sang. Elle détacha les courroies qui maintenaient les chevilles du mort et le recouvrit du drap. Puis, apparemment calme, singulièrement méthodique, elle libéra le poignet gauche. Elle ne parvenait pas à dégager l'ardillon de la dernière ceinture. Elle la resserra, et la main de Luka bougea... Elle se laissa tomber à genoux.

Son sang commençait à teinter les serviettes placées au pied du fauteuil. Une tache rouge grandissait sur le drap qui le recouvrait. Un coup léger fut donné contre la porte.

— Sophia, ça va? Sophia?

Le murmure angoissé de Teresa la fit se relever. Quelques mètres seulement séparaient le fauteuil de la porte, mais chaque pas lui fut une épreuve. Elle avait mal dans tous les membres. Elle l'atteignit, hors d'haleine, et un temps considérable s'écoula avant qu'elle trouve la force de tourner la clef et d'ouvrir.

Sa belle-sœur et sa nièce lui apparurent telles des fillettes fortement impressionnées. Rosa tenait une épaisse couverture. Elles n'eurent pas à demander si c'était fait, tant le visage de la jeune femme leur paraissait décomposé.

— Son poignet droit... fit-elle en ouvrant les portes en grand. Je n'arrive pas à détacher la ceinture...

Les deux femmes s'avancèrent dans la pièce, fascinées par la forme recouverte d'un drap. Ainsi dissimulé, il n'était pas le cauchemar auquel elles s'étaient attendues. Néanmoins, elles avaient elles aussi beaucoup de peine à bouger.

— Rosa, étends la couverture par terre, et toi, Teresa, aide-moi à défaire la ceinture.

Cette dernière tira fébrilement sur l'extrémité de la courroie. Bientôt libéré, le bras de Luka se mit à pendre le long du fauteuil.

Sophia se retourna pour voir si la protection était en place, puis regarda sa belle-sœur.

— On va devoir s'y mettre à trois pour le soulever du fauteuil.

La jeune fille enveloppa étroitement la tête et les épaules de Luka dans le drap, puis elle glissa les mains sous ses aisselles. Titubant, les deux femmes l'empoignèrent, l'une par la taille, l'autre par les jambes. Elles le déposèrent sur la couverture.

— Et le couteau? s'enquit Teresa. Qu'est-ce qu'on fait du couteau?

Sophia se mit à genoux.

— Enlève le drap, Rosa. Il faut le retirer.

Elle se fit violence pour écarter le drap. La tête de Luka lui apparut, tout près.

— Oh! mon Dieu! Oh! mon Dieu! fit-elle dans un souffle.

— Aide-moi, Rosa.

— Non, non, je ne veux pas le toucher, je t'en prie, ne m'oblige pas à le toucher...

Elle produisit un son étrange, semblable au couinement d'un petit chat, et elle se recroquevilla lorsque sa tante empoigna le couteau à deux mains pour l'enlever. Aussitôt, un sang épais coula de la plaie; Teresa s'empressa de rabattre le drap.

— Et maintenant enroulons-le dans la couverture, dépêchons-nous.

Rosa, les traits décomposés, poussait toujours le même geignement. Sophia était à bout de nerfs.

— *Arrête ça! Tais-toi!*

— Non. Ne lui crie pas dessus! (Teresa tendit la main à sa fille.) Nous avons besoin de toi, Rosa. Rien ne t'oblige à le regarder, mais il faut que tu nous aides.

Avec les courroies, elles ligotèrent le mort dans la couverture. Puis, à trois, elles le soulevèrent, et passant par la cuisine, le transportèrent dans le jardin.

Conformément aux instructions de Sophia, le trou avait été creusé en bordure de la pelouse, sous un chêne. Il était profond mais pas assez long.

— Remontons-lui les genoux, murmura-t-elle.

Il fut couché sur le flanc, les jambes repliées tel un fœtus dans le ventre de sa mère. La femme qui l'avait mis au monde se mit à pelleter la terre à mains nues tandis que les deux autres utilisaient leurs bêches. La tombe semblait dominer la vaste étendue de pelouse. Le souffle des trois femmes sortait en vapeurs blanches, mais elles semblaient ne pas ressentir le froid glacial de la nuit. Sophia était toujours pieds nus et uniquement vêtue de sa chemise de nuit maculée de sang.

Le trou comblé, Teresa voulut prendre la direction des opérations.

— Vite, ramenez de la neige sur le dessus.

— Ce ne sera pas nécessaire, dit sa belle-sœur. Regarde le ciel.

En effet, les nuages étaient gris et bas, et presque aussitôt, la neige se mit à tomber. Sophia repartit vers la maison, laissant Rosa et Teresa charger le surplus de terre dans une brouette. Elles vidèrent le tout sur un parterre de fleurs.

Il neigeait abondamment. Brusquement sensibles à la morsure du froid, elles se hâtèrent en direction de la maison. La jeune fille, qui poussait la brouette, glissa et tomba à plat ventre. Elle éclata en sanglots, sa mère se retourna.

— Tu t'es fait mal? Est-ce que tu t'es fait mal?

Mais elle restait étendue par terre, et ses pleurs tournaient à la crise de nerfs. Teresa courut la relever.

— Rosa! Rosa! Non! Calme-toi, ma Rosa!

Voyant que rien n'y faisait, elle la gifla, puis la serra dans ses bras en lui murmurant des paroles de réconfort.

— Excuse-moi, maman, excuse-moi, hoquetait la jeune fille. Je suis désolée...

Son visage était souillé de terre et de sang. En fondant, les flocons de neige faisaient briller ses pommettes. L'exécution à laquelle elles venaient de se prêter, l'inhumation du cadavre, le parcours zigzagant qu'elles avaient suivi depuis l'assassinat de leur famille, toutes ces horreurs prenaient un caractère d'irréalité. En cet instant, Teresa ne voyait que la beauté de sa fille. Elle lui prit le visage entre les mains et y déposa un baiser.

— C'est terminé, Rosa. À présent, tout va rentrer dans l'ordre.

Graziella tira lentement les rideaux. De sa fenêtre, elle les avait regardées creuser la tombe, transporter leur macabre fardeau, l'enterrer. Elle avait été bouleversée en voyant Sophia, pieds nus et uniquement vêtue d'une chemise de nuit, forcée de commettre un meurtre dont l'horreur lui avait à ce point engourdi les sens qu'elle était insensible au froid coupant. Elle avait vu sa petite-fille tomber et l'avait entendue éclater en sanglots. Elle avait versé une larme en voyant le tendre baiser de sa mère. Elle ne quitta son poste d'observation que lorsque toute trace de terre fraîchement remuée eut été ensevelie sous la neige.

Elles n'en avaient pas terminé : il leur restait à faire disparaître tous les indices. Chacune se vit confier une tâche, et l'intense activité qu'elles déployèrent les aida à ne pas sombrer.

À l'aide de vieux journaux trouvés dans le garage, Rosa alluma un grand feu dans un terrain clos de murs situé derrière la maison, autrefois un potager.

Teresa alla chercher les habits et les rares objets personnels de Luka. Elle bourra dans les poches des vêtements des bouchons de papier imbibés de térébenthine, puis avec de la ficelle, elle en fit des ballots. Sophia lava à grande eau la rampe de l'escalier, la chambre du garçon et la salle de bains qu'il avait utilisée. Elle mit sa brosse à dents et son peigne dans un sachet qu'elle jeta dans le broyeur à ordures. Depuis la fenêtre de la cuisine, elle pouvait voir la fumée du feu allumé dans l'ancien potager.

Teresa jeta les vêtements dans les flammes, puis elle regagna la maison pour vérifier qu'elle n'avait rien oublié. Rosa resta auprès du feu, le tisonnant régulièrement à l'aide d'un bâton. Regardant autour d'elle, elle remarqua une rangée de perches plantées dans un coin abrité. Reportant son attention sur les flammes, elle repensa à ce matin ensoleillé quand Luka l'avait embrassée, quand il avait gaiement montré à Graziella l'endroit où il comptait faire des semis. À présent, elle regardait ses vêtements se changer en cendres...

La jeune femme portait toujours sa chemise de nuit tachée de sang.

— Enlève ça, je vais la brûler, lui dit Teresa depuis le seuil de la cuisine. Sophia ?

Elle dut répéter. L'autre avait les pieds bleuis par le froid. Lentement, elle ôta la chemise de nuit. Elle se souvint du cœur en or qui se trouvait dans la poche et le prit.

— Passe-la-moi, Sophia. Il faut que je la brûle. (Elle chercha des yeux de quoi envelopper sa belle-sœur mais ne vit rien, aussi lui tendit-elle son propre manteau.) Tiens, mets ça et va prendre un bon bain chaud...

631

La jeune femme hocha la tête mais ne broncha pas. Teresa s'approcha et voulut lui mettre le manteau sur les épaules. Mais elle la repoussa.

— Ne me touche pas. Je t'en prie, ne me touche pas.

Elle monta l'escalier d'un pas mal assuré et entra dans sa chambre. Elle s'enferma à clef, puis se précipita vers sa salle de bains. Elle entra dans la cabine de douche et manqua glisser sur le sol en faïence blanche. Le cœur en or toujours serré dans son poing, elle fit couler l'eau et tâcha de se laver du sang dont elle était couverte.

Le jet glacé lui fit l'effet d'une gifle. Mais elle n'ouvrit pas pour autant le robinet d'eau chaude. Elle plaça le petit pendentif dans sa bouche et le serra entre ses dents.

Son estomac se souleva. Elle fut déchirée par une douleur semblable à celle qu'elle avait connue en mettant son fils au monde.

Elle se mit à frapper les carreaux jusqu'à ce que ses poings soient en sang. Cependant, elle ne se permettait aucune plainte, aucun cri. Ce silence serait son châtiment : nul ne saurait jamais ce qu'elle avait fait. Rien ni personne ne pourrait jamais apaiser son remords. Elle avait commis le pire de tous les crimes. Elle avait porté un enfant en son sein, puis elle l'avait renié, et pour finir elle l'avait tué. Elle et nul autre qu'elle avait détruit le cœur même de la famille. L'enfant qu'elle avait écarté pour satisfaire sa propre convoitise était devenu un monstre, mais ce secret resterait aussi ignoré que la tombe où il reposait. Elle protégerait le peu qui restait avec la férocité, et au besoin la violence, dont elle se savait maintenant capable.

Ayant passé toute la nuit à s'affairer, Teresa, Rosa et Graziella, écrasées de fatigue, passèrent la journée du lendemain à dormir. Leur épuisement occultait l'horreur à laquelle elles avaient participé.

Le sommeil, en revanche, se refusait à Sophia. Dès qu'elle fermait les yeux, le visage de son fils lui apparaissait. Elle déambulait à travers la maison, incapable de trouver le repos. Son seul remède fut de s'occuper l'esprit en compulsant les papiers de la famille.

Elle éteignit toutes les lumières du salon, et à la lueur du feu, se plongea dans l'étude du carnet de Michele Barzini, mettant en parallèle les chiffres qu'il y avait notés avec les sommes disparues de l'héritage Luciano, les relevés des nombreux comptes, cette fortune qui s'était si mystérieusement volatilisée. Maintes et maintes fois, les montants alignés par Barzini accompagnés de symboles sibyllins correspondirent à ceux de l'argent détourné. Sans parvenir à en percer le code, elle se demanda si les quelques initiales flanquant les chiffres ne désignaient pas des banques. Elle passa à la liste des noms portée à la dernière page du carnet. Graziella se souvenait de deux d'entre eux, mais Luka, lui, en connaissait trois. Il s'agissait des membres de différentes familles, impliqués dans diverses branches d'activité. Si tous ces gens s'étaient coalisés, s'ils avaient ensemble décidé d'en finir avec les Luciano et d'en retirer d'énormes avantages financiers...

Elle était trop épuisée pour ce genre de spéculations. Elle regroupa tous les papiers et remonta dans sa chambre.

À 18 heures trente, ce soir-là, elle s'endormit pour quelques heures.

Lorsqu'elle se leva, elle entendit les autres qui conversaient dans le salon.

Elles se turent à son entrée. Puis Graziella, avec un sourire plein de chaleur, lui proposa sa place près du feu.

— Nous avons quelque chose pour vous, Sophia. Nous vous l'offrons en remerciement de votre courage. Nous vous aimons et vous faisons confiance. J'espère que vous accepterez de porter ceci.

La vieille femme l'embrassa sur les deux joues, puis elle lui prit la main pour lui passer au doigt la chevalière en or gravé de don Roberto.

— *Mamma*, je ne peux pas...

— Je vous en prie, Sophia, acceptez-la au nom de mon mari, de mes fils et de mes petits-fils. Je souhaiterais que chacune d'entre vous jure sur les Saintes Écritures de ne jamais parler de Luka. Que son nom ne soit jamais prononcé. Nous sommes liées ensemble par sa mort; il ne nous en faut pas plus. C'est l'omerta...

Elle posa les lèvres sur sa petite bible, se signa, et fermant les yeux, se mit à prier. Puis elle donna le livre à Teresa, qui y posa la main, et de l'autre, se signa.

— Je jure devant Dieu tout puissant...

Elles attendirent en silence que la jeune femme fasse son serment et montre qu'elle acceptait la bague de don Roberto. Elle avait les mains croisées devant elle, cachant la chevalière à la vue des trois autres. Un tumulte agitait son esprit. Au lieu de lui demander de devenir le chef de la famille, elles auraient dû la rejeter.

Sa belle-mère lui effleura la main.

— Sophia, je vous en prie...

Avec lassitude, elle posa la main sur la bible.

— Je jure devant Dieu...

Puis elle se leva. Elle prit Graziella dans ses bras et l'embrassa sur les deux joues, fit de même avec Teresa, et enfin déposa un baiser sur le front de Rosa.

La jeune fille avisa le petit cœur en or que sa tante portait en sautoir et lui demanda s'il avait appartenu à Luka. Elle répondit simplement qu'elle le tenait d'un de ses fils.

Le garçon semblait continuer à les aider depuis l'au-delà. Avant même sa mort, des bruits avaient commencé à circuler sur les protections dont jouissaient les veuves Luciano. Ces rumeurs s'accompagnaient d'une insidieuse angoisse. On s'attendait à une vengeance, mais d'où viendrait-elle? Un silence inquiet descendit sur les responsables de l'organisation, où l'on décida d'attendre, d'attendre le premier signe de représailles.

Les meurtres perpétrés par le fils de Sophia, la décapitation du cousin de Barzini et la mort de Barzini étaient l'objet de mille spéculations. Il se murmurait que tous les Luciano n'avaient peut-être pas été abattus ce fameux soir à Palerme, et que l'un d'eux avait très bien pu ordonner la mort de Paul Carolla.

Ce grand silence attisait la méfiance. Un tueur fut lancé sur la piste de Luka, mais le jeune déséquilibré demeurait introuvable. Peter Salerno dut relater d'innombrables fois sa conversation téléphonique avec l'inconnu qui s'était présenté comme le représentant des veuves Luciano. On se pencha sur le passé, on exhuma de vieilles histoires que l'on croyait oubliées, et certains en arrivèrent à la conclusion que si les veuves n'étaient pas soutenues par quelque puissante famille — comme on l'avait d'abord pensé —, un Luciano devait toujours être de ce monde. Si tel était le cas, alors la vengeance allait s'abattre ; il ne pouvait en être autrement car telle était la loi. Mais nul ne souhaitait prendre d'initiative avant que ces hypothèses se vérifient. La consigne passa de famille en famille : on attendait.

Peter Salerno patienta, certain qu'il serait le premier contacté. Le coup de fil qu'il espérait, et dont la teneur fut immédiatement communiquée à toutes les parties concernées, survint deux semaines après la mort de Luka.

Sophia Luciano sollicita une entrevue avec lui et les hommes naguère représentés par Barzini. Il accepta d'organiser la chose et s'empressa de prendre des renseignements sur l'adresse qu'elle avait donnée. Il découvrit que cette propriété avait appartenu à Paul Carolla et avait été cédée aux veuves Luciano par Luka Carolla. La prime offerte pour la tête du garçon passa à cent mille dollars.

Trois semaines après le meurtre du jeune homme et cinq jours après le coup de téléphone de Sophia, Salerno se rendit à Long Island à bord d'une limousine avec chauffeur. Les trois hommes qui l'accompagnaient étaient les *consiglieri* de trois importantes familles, précisément de celles que Luka avait désignées comme étant à l'origine de l'opération meurtrière lancée contre les Luciano. Il y avait Tony Castellano, représentant des Corleone aux États-Unis, Johnny Salvatore, qui représentait la famille Gambino, et le monstrueusement obèse Nuccio Miano, trésorier de la famille Avellino, dont le fief était Chicago. Ils étaient tous grisonnants, très bien mis et fermement résolus à prendre le contrôle de l'empire Luciano.

Ils firent silence lorsque la limousine s'engagea dans l'allée, partagés entre l'admiration que leur inspirait ce cadre somptueux et la colère d'avoir laissé une telle propriété échapper à leur attention.

Sous ce beau soleil, la maison rendait son plein effet. Au bruit sourd de la fermeture automatique du lourd portail métallique l'un des visiteurs se retourna et les poils du dos de ses mains se hérissèrent.

Graziella précéda Rosa et sa mère dans la pièce. Salerno fit les présentations. Puis la vieille femme fit signe à sa petite-fille de se retirer. Lorsque celle-ci fut sortie, elle ordonna d'un discret signe de tête à Teresa d'offrir aux visiteurs les sièges les plus confortables.

— Mon autre belle-fille ne va pas tarder. J'ai fait déboucher une bouteille de Brunello di Montalcino. C'était le vin préféré de mon mari. Ce sera un honneur pour moi de vous en servir et de porter un toast à la mémoire de don Roberto.

Ils ne pouvaient refuser, ce que confirma leur bref échange de regards. La bouteille était débouchée et enveloppée dans un linge. Elle remplit quatre verres en cristal. Elle fit le service, passant de l'un à l'autre avec un plateau en argent sur lequel elle avait mis une coupe garnie de petits biscuits salés. Elle se montrait prévenante, presque servile. Elle reposa le tout, mais ne se servit pas de vin et se plaça aux côtés de Teresa. Les deux femmes restèrent debout.

Peter Salerno leva son verre.

— À don Roberto !

Graziella se signa.

— Merci, murmura-t-elle.

636

Les quatre hommes ne cherchaient pas à engager la conversation. Ils sentaient la tension qui habitait leurs hôtesses. Cependant, on ne percevait nul antagonisme. Teresa ouvrit un coffret de havanes, et sur un signe de sa belle-mère, en offrit aux visiteurs.

Rosa frappa doucement à la porte de sa tante, puis l'entrouvrit. Cette dernière parut ne pas remarquer sa présence. Debout près de la fenêtre aux persiennes closes, à demi plongée dans le noir, elle se parlait à elle-même. Lorsqu'elle prit enfin conscience de la présence de sa nièce, son corps se figea, le visage toujours de profil, les lèvres légèrement entrouvertes.

— Ils sont arrivés, tante Sophia.

Elle ne bougea ni ne répondit. Lorsque la jeune fille fut ressortie, elle porta la main au petit cœur en or.

Rosa referma les doubles portes du salon et se joignit en silence à sa mère et sa grand-mère. Les quatre hommes échangeaient des regards, se demandant pour quelle raison on les faisait attendre ainsi.

Puis l'on entendit un bruit de talons hauts sur le marbre du corridor. Les poignées tournèrent lentement et les deux battants s'ouvrirent en grand. Sophia marqua un temps d'arrêt sur le seuil. Sa chevelure noire était relevée en un chignon. Elle portait une robe noire décolletée, des bas noirs et des chaussures à talons hauts assortis. Il émanait d'elle un air de pudeur et de sévérité tout à la fois. Ses lèvres écarlates étaient la seule touche de couleur. Elle leur adressa le plus chaleureux des sourires et s'avança tranquillement au centre de la pièce.

Graziella lui présenta rapidement chacun des hommes. Ils durent se lever et parcourir plusieurs mètres pour venir lui baiser la main. Ce faisant, ils virent qu'elle portait au doigt la bague de don Roberto Luciano, celle ayant autrefois appartenu au vieux Joseph Carolla.

Elle leur fit signe de se rasseoir, puis elle s'installa à son tour, croisant les jambes, auxquelles aucun d'entre eux ne put s'empêcher de glisser un regard.

637

— Messieurs, j'ai été nommée successeur de don Roberto. Je suis dorénavant le chef de la famille, et en tant que telle, j'ai la ferme intention de diriger les sociétés qui nous appartiennent, hormis, bien entendu, celles que nous avons accepté de vendre.

Peter Salerno regarda ses trois compagnons. De la stupéfaction se lisait sur leurs visages. Sophia Luciano semblait solliciter son admission au sein d'une organisation qui, de toute son histoire, n'avait jamais permis à une femme de prêter le serment.

— Je connais parfaitement l'organigramme et le mode de fonctionnement, poursuivit la voix mate, et je laisse à la commission le choix soit de m'ignorer, soit d'accepter officiellement de me laisser conduire mes affaires sans me mettre de bâtons dans les roues.

Miano tira sur son cigare, crachota, puis enleva de sa bouche épaisse un fragment de tabac.

— *Signora*, dit-il en agitant la main, personne ne va vous faire d'ennuis. Ce qui s'est passé avec Michele Barzini est tout à fait regrettable...

— Pardonnez-moi, *signor*, mais je trouve le mot un peu faible. On nous a dénié tout respect, on a essayé de nous voler.

Sophia lança un regard à Graziella, puis reporta son attention sur l'homme.

— *Signor*, nous ne sommes plus disposées à négocier. Nous sommes toujours propriétaires en titre des sociétés en question, et notre prix a désormais triplé. De plus, nous n'accepterons de vendre que sous certaines conditions. Comme mon beau-père avant moi, je suis opposée au trafic des stupéfiants, et nous n'accepterons la transaction que si les futurs acquéreurs nous donnent des garanties à ce sujet.

D'une tape sur son avant-bras, Salvatore requit l'attention de Salerno et lui murmura quelque chose. Les yeux sur Sophia, celui-ci leva la main pour excuser l'interruption. Il donna son assentiment d'un hochement de tête. Alors le représentant de la famille Gambino, ignorant toujours les quatre femmes, se retourna vers Miano et Castellano. Les trois hommes conférèrent un moment en sourdine, puis se carrèrent à nouveau dans leurs fauteuils.

De sa main chargée de bagues, Salvatore adressa un bref signe à Salerno. Visiblement, celui-ci parlait en leur nom à tous.

— Il doit y avoir une erreur, *signora*. À notre connaissance, vous avez déjà touché un montant considérable pour ces affaires.

— C'est vous qui faites erreur. Barzini nous a envoyé des hommes de main qui nous ont agressées physiquement dans le but d'obtenir les titres de ces sociétés sans avoir à nous les payer. Pour récupérer ces fonds que vous supposez à tort entre nos mains, sans doute devriez-vous vous tourner vers certains de vos subalternes.

Sophia toucha le cœur en or à son cou, comme si elle espérait le sentir palpiter. Mais son regard alla de l'un à l'autre pour finalement s'arrêter sur Peter Salerno.

Il l'observait d'un air circonspect, détectant la colère qu'elle dissimulait derrière son masque d'impassibilité. Et il s'interrogeait sur ce geste qu'elle avait de poser régulièrement l'index sur son pendentif.

— Vous recevrez sous huitaine la transcription complète de la déposition que don Roberto Luciano devait faire devant le tribunal de Palerme. Elle démontre clairement qu'il a été jusqu'à la fin un homme d'honneur, un homme à qui l'on devait faire confiance. Cela n'a malheureusement pas été le cas. Nous pensons pouvoir légitimement espérer réparation, ce qui, je crois, est conforme à votre loi. Si nous ne pouvons attendre cela de votre part, alors nous prendrons toute initiative nécessaire pour que don Roberto Luciano obtienne justice comme il le mérite.

Salerno regarda tour à tour chacun de ses compagnons, puis, prenant appui sur les accoudoirs sculptés de son fauteuil, se pencha en avant.

— *Signora* Luciano, nous tous ici présents vous offrons à vous et à votre famille nos sincères condoléances pour les malheurs qui vous ont frappées. Cependant, même si nous souhaitions le faire, nous n'avons pas le droit de vous donner réparation, car cela reviendrait à reconnaître que nous avons été pour quelque chose dans cette affreuse tragédie, alors que rien n'est plus éloigné de la vérité. Nous ne sommes, ni plus ni moins, que de simples hommes d'affaires. Cependant, nous ne pouvons ignorer la façon dont Michele Barzini s'est conduit avec vous, même si, je vous l'assure, il a agi à notre insu. Nous acceptons de vous verser en plus vingt mille...

— Vingt mille? l'interrompit Sophia. (Elle eut un sourire glacial.) Cette somme est fort bienvenue. Cependant, ce que nous voudrions, c'est votre aide pour découvrir l'identité de ceux qui ont organisé le massacre de notre famille. Par ailleurs, nous nous estimons des droits sur l'héritage de Paul Carolla. Après tout, Joseph Carolla avait désigné Roberto Luciano pour lui succéder, et à présent que Paul Carolla est à son tour décédé, nous pensons que...

— Mais il avait un fils, objecta Salerno.

Elle le fixa. Il finit par baisser les yeux pour s'absorber dans la contemplation de ses mains.

— Luka Carolla est recherché pour le meurtre de mes enfants, *signor* Salerno. De plus, il a été adopté : Paul Carolla n'a pas d'héritier de son sang.

Graziella lui fit signe qu'elle désirait lui parler. Inclinant légèrement la tête, comme pour demander à ses invités de l'excuser, Sophia se pencha vers sa belle-mère. Salerno en profita pour conférer avec Miano, qui commençait à perdre patience.

Lorsqu'elle regagna son siège, les quatre hommes restèrent debout. Salerno s'éclaircit la gorge.

— Nous savons, *signora*, que cette propriété appartenait à Paul Carolla et que la *signora* Graziella Luciano en est tout récemment entrée en possession. Nous pourrons, lors d'une prochaine entrevue, discuter de la chose, mais je suis pour l'instant incapable de vous dire s'il est possible que tout ou partie de l'héritage Carolla puisse éventuellement vous revenir.

Nuccio Miano eut une toux grasse. Il rajusta le gilet de son costume. Il en avait suffisamment entendu. Il était agacé par l'impudence de ces femmes et désirait s'en aller.

Tony Castellano prit la mesure de l'agitation de ses compagnons et adressa un imperceptible hochement de tête à Peter Salerno. Il savait qu'il y aurait des répercussions lorsqu'il ferait son rapport en Sicile.

Sophia remercia cordialement chacun d'avoir pris la peine de se déplacer, puis elle se tourna vers Graziella et lui sourit. Mais ce fut le sourire de Luka que la vieille femme vit sur le visage de sa belle-fille, un sourire dont toute chaleur avait disparu. Par son regard, elle intimait aux trois femmes de garder le silence. Elle allait proférer un énorme mensonge, et elle tenait à s'assurer qu'aucune réaction de surprise ne mette la puce à l'oreille des visiteurs.

— Ce que vous ignorez tous, reprit-elle, est que la famille Luciano compte encore un héritier, héritier qui ne prétend qu'à ce qui lui revient légitimement. S'il n'obtient pas satisfaction, la famille n'aura pas d'autre choix que de s'adresser ailleurs... *La spine della rosa sono nascote dal fiore.*

Elle insista pour que les hommes prennent un second verre de vin. Elle fit elle-même le service. Peter Salerno fut le dernier qu'elle servit. Elle lui sourit, levant son verre comme pour porter un toast à sa santé. Puis elle reporta son attention sur les trois autres. Les regardant tour à tour, elle leur dit qu'il était regrettable que les Luciano n'aient pas été jugés dignes de rencontrer les deux autres familles intéressées dans la négociation. Elle prononça le nom de ces deux familles sans montrer aucune trace d'émotion.

Elle mit un terme à l'entrevue aussi abruptement qu'elle l'avait fait débuter, mais avec courtoisie et sans manifester la moindre crainte. Elle s'était exprimée d'une voix égale et persuasive, et sans jamais se départir d'une attitude tout à fait cordiale.

Alors que les quatre hommes quittaient la pièce, elle

posa la main sur le bras de Salerno, lui sourit à nouveau et, cette fois, se pencha pour lui déposer un baiser sur les lèvres.

— *Arrivederci, signor*, et merci.

Ils étaient tous d'accord pour trouver grotesque que cette femme puisse imaginer avoir ne serait-ce qu'une chance de faire un jour partie de l'organisation. Il n'empêchait que ces veuves avaient, à ce jour, empoché quinze millions de dollars et détenaient toujours la totalité des biens Luciano, tant en Amérique qu'à Palerme.

Les prétentions de Sophia sur la succession de Paul Carolla venaient étayer la rumeur selon laquelle il y avait quelqu'un derrière elles, quelqu'un qui les avait parfaitement préparées à la situation, quelqu'un qui était prêt à tuer pour elles. Et qui était ce prétendu héritier? Miano cracha de dégoût à la pensée de ces hommes disposés à prendre leurs ordres d'un quarteron de femmes, dont une gamine et une grand-mère.

La voiture franchit les grilles en fer forgé, qui se refermèrent sans bruit derrière elle. Les caméras automatiques dissimulées dans la muraille revinrent en place. Assis à l'arrière, Peter Salerno ne put s'empêcher de se retourner pour un dernier regard à l'imposante demeure. À une fenêtre du second, une silhouette, toute de noir vêtue et en partie masquée par le garde-fou, les regardait partir. Elle était dans l'ombre, mais il crut la reconnaître.

— Cette Sophia Luciano est différente, dit-il. Elle n'a rien à voir avec le commun des femmes. Elle est...

Les autres furent d'accord pour reconnaître qu'elle avait quelque chose de déroutant. Elle était, plaisantèrent-ils, une denrée inconnue. En affaires ou au lit, aucun d'entre eux n'avait jamais été confronté à une telle créature. Leur accès de bonne humeur déjà un peu retombé, ils s'accordèrent pour dire qu'elle était *bella...* *bella mafiosa.*

Mais Salerno avait cessé de sourire. Il regardait défiler le paysage. Qu'est-ce qui rendait cette femme si remarquable?

La neige à moitié fondue éclaboussait la route et les flancs luisants de la limousine. La fumée du cigare le rendait nauséeux. Il appuya sur le bouton de commande de la vitre et inspira une bouffée d'air glacé. Comment avait-elle pu apprendre quelles familles étaient impliquées? Il se repassa mentalement, pratiquement mot pour mot, l'ensemble de la rencontre. Il la revoyait énonçant d'une voix égale le nom d'hommes qui ignoraient leur complicité réciproque. Cela signifiait qu'elle devait connaître l'identité de tous ceux qui avaient trempé dans le meurtre des siens. Salerno frissonna en pensant à ce que cela impliquait : si elle savait qui ils étaient, elle devait également être au fait des énormes sommes d'argent que l'on avait transférées de Sicile, du détournement de la fortune des Luciano.

Quelqu'un lui demanda de refermer la fenêtre. Il avança la main vers la commande électrique. Une douleur pareille à une déflagration lui déchira les entrailles. La sensation de brûlure investit sa poitrine, gagna sa gorge. Il suffoqua, et de la bave coula sur son menton. Sa bouche s'ouvrit et se referma plusieurs fois, comme s'il tentait de mettre les autres en garde, mais il ne put émettre un seul mot.

Le nom de Peter Salerno fut rayé au dos de la photo. Le portrait de Michael Luciano retrouva la place d'honneur. Graziella Luciano, veuve de don Roberto Luciano, Teresa, veuve de Filippo Luciano, et Rosa, la petite fiancée en noir, attendaient avec impatience de connaître le résultat de l'entrevue. Elles ignoraient que Sophia, veuve de Constantino Luciano, mère des petits Carlo et Nunzio Luciano, avait déjà agi. La vendetta commencée avec le meurtre de Michael Luciano se poursuivrait. *Le spine della rosa sono nascoste dal fiore.* Les épines du rosier sont cachées par ses fleurs.

Composition réalisée par EURONUMÉRIQUE

Impression réalisée sur CAMERON par

BRODARD & TAUPIN

GROUPE CPI

*La Flèche
en mars 2001*

Imprimé en France
Dépôt édit. 9204 − 03/2001
Édition 01
N° d'impression : 6667
ISBN : 2-7024-7949-9